# YERULDELGGER

Ian Manook

# YERULDELGGER

ROMAN

Albin Michel

*À Bus,*
*à Larroque et Salgado,*
*à Annabelle et Sylvie,*
*à moi !*

# 1

*Une sorte de bonheur...*

Yeruldelgger observait l'objet sans comprendre. D'abord il avait regardé, incrédule, toute l'immensité des steppes de Delgerkhaan. Elles les entouraient comme des océans d'herbe folle sous la houle irisée du vent. Un long moment, silencieux, il avait cherché à se convaincre qu'il était bien là où il se trouvait, et il y était bien. Au cœur de distances infinies, au sud de la province du Khentii et à des centaines de kilomètres de ce qui pourrait un tant soit peu justifier la présence incongrue d'un tel objet.

Le policier du district se tenait respectueusement à un mètre derrière lui. La famille de nomades qui l'avaient alerté, à quelques mètres en face. Tous le regardaient, attendant qu'il apporte une explication satisfaisante à la présence de l'objet saillant de terre, de travers par rapport à l'horizon. Yeruldelgger avait respiré profondément, malaxé son visage fatigué dans ses larges paumes, puis il s'était accroupi devant l'objet pour mieux l'observer.

Il était vidé, épuisé, comme essoré par cette vie de flic qu'il ne maîtrisait plus vraiment. Ce matin à six heures on l'envoyait enquêter sur trois cadavres découpés au cutter dans le local des cadres d'une usine chinoise dans la banlieue d'Oulan-Bator, et cinq heures plus tard il était dans la steppe à ne même pas comprendre pourquoi on l'avait envoyé jusque-là. Il aurait de loin préféré rester en ville pour enquêter sur les cadavres des Chinois avec son équipe. Il savait par expérience et par goût de l'adrénaline que la première heure sur une scène de crime était déterminante. Il n'aimait pas trop ne pas y être, même s'il avait toute confiance en l'inspecteur Oyun qu'il avait laissée en charge. Elle savait y faire et le tiendrait au courant si nécessaire.

Le policier du district n'avait pas osé s'accroupir à côté de lui. Il restait debout, à moitié penché, les genoux pliés et le dos cassé en deux. Mais à la différence de Yeruldelgger, il ne cherchait pas à comprendre. Il attendait juste que le commissaire de la capitale le fasse. Les nomades, eux, s'étaient accroupis en même temps que lui. Le père était peut-être un grand-père, le visage plissé par la lumière du soleil sous son chapeau traditionnel pointu. Il portait un vieux *deel* de tissu satiné vert, tout brodé de jaune, et des bottes de cavalier en cuir. La femme était habillée d'un manteau bleu clair et soyeux serré par une large ceinture de satin rose. Elle était beaucoup plus jeune que l'homme. Les trois enfants se suivaient en rang d'oignons, rouge, jaune et vert : deux garçons et une petite dernière. Le commissaire jugea qu'il y avait à peine un an de différence de l'un à l'autre. Toute la famille affichait un air réjoui et de grands sourires qui tranchaient sur leurs visages à la peau rugueuse et rougie par les vents des steppes, le sable des déserts et les brûlures de la neige. Yeruldelgger avait été un gamin des steppes comme eux dans une de ses premières vies.

– Alors, commissaire ? osa le policier du district.

– Alors c'est une pédale. Une pédale de petite taille. Je suppose que tu as déjà vu une pédale, policier ?

– Oui, commissaire. Mon fils a un vélo.

– À la bonne heure, soupira Yeruldelgger, alors tu sais ce que c'est qu'une pédale !

– Oui, commissaire.

En face d'eux, la famille de nomades accroupis en rang d'oignons écoutait leur échange en souriant. Derrière, on apercevait leur yourte blanche, et tout autour la steppe verdoyante ondulée par le vent à perte de vue jusqu'à l'horizon bleu des premières collines. On ne distinguait même pas la piste étroite par laquelle le petit tout-terrain russe les avait bringuebalés jusqu'à la yourte.

Yeruldelgger posa ses puissantes mains bien à plat sur ses cuisses, à la manière des sumos japonais, et rentra la tête dans les épaules pour se forcer à contenir la colère qui montait.

– Et c'est pour ça que tu m'as fait venir ?

– Oui, commissaire...

– Tu m'as fait faire trois heures de piste depuis Oulan-Bator pour une pédale qui sort de terre ?

– Non, commissaire, c'est pour la main !

– La main ? Quelle main ?

– La main sous la pédale, commissaire.

– Quoi ? Il y a une main sous cette pédale ?

– Oui, commissaire, là, sous la pédale, il y a une main !

Sans se relever, Yeruldelgger se tordit le cou pour regarder par en dessous le visage du policier du district. Est-ce que ce type se foutait de lui ?

Mais le visage du policier ne reflétait aucune émotion. Aucun signe d'humour. Aucune trace d'intelligence. Rien qu'un visage respectueux de la hiérarchie et satisfait de sa propre incompétence. Pour éviter d'exploser, Yeruldelgger reporta toute son attention sur l'objet dont la présence prenait maintenant un sens bien plus dramatique. Le bout d'une petite pédale qui dépassait du sol, un peu de travers par rapport à l'horizon, mais avec maintenant une main en dessous !

– Et comment tu sais qu'il y a une main là-dessous ?

– Parce que les nomades l'ont déterrée, commissaire, répondit le policier.

– Déterrée ! ? Comment ça, ils l'ont déterrée ? s'emporta sourdement Yeruldelgger.

– Ils l'ont déterrée, commissaire. Ils ont creusé autour et ils ont enlevé la terre. Quand les enfants ont aperçu la pédale qui sortait de terre en jouant, ils ont creusé pour la dégager, et en creusant ils ont découvert la main.

– Une main ? Ils sont sûrs ? Une vraie main ?

– Une main d'enfant, oui, commissaire.

– D'enfant ?

– Oui, commissaire, une petite main. Petite comme celle d'un enfant.

– Et elle est où cette main d'enfant maintenant ?

– En dessous, commissaire.

– En dessous ? En dessous de quoi ?

– En dessous de la pédale, commissaire.

– Tu veux dire qu'ils l'ont réenterrée ? Ils ont réenterré la main ?

– Oui, commissaire. Et la pédale aussi, commissaire...

Yeruldelgger releva les yeux vers la famille de nomades aux *deel* bariolés toujours assis en ribambelle contre le bleu saturé du ciel. Ils le regardaient en hochant tous la tête avec de grands sourires pour confirmer le rapport du policier du district. Il se tordit le cou à nouveau pour regarder le flic local par en dessous.

– Ils ont tout réenterré ! J'espère que tu leur as demandé pourquoi !

– Bien sûr, commissaire : pour ne pas polluer la scène de crime...

Yeruldelgger se figea dans son mouvement pour s'assurer qu'il avait bien entendu ce qu'il venait d'entendre.

– Pour quoi ! ?

– Pour ne pas polluer la scène de crime, répéta le policier du district, une pointe de fierté dans la voix.

– *Pour ne pas polluer la scène de crime !!!* Mais où sont-ils allés chercher un truc comme ça ?

– Dans *Les Experts Miami.* Ils m'ont dit qu'ils regardaient toujours *Les Experts Miami* et que Horacio, le chef des *Experts Miami*, recommande toujours de ne pas polluer la scène de crime.

– *Les Experts Miami !* s'exclama Yeruldelgger.

Il se releva lentement, dans un mouvement chargé de fatigue et de découragement, et chercha des yeux la yourte derrière les nomades qui s'étaient tous relevés en même temps que lui. Il redoutait de voir ce qu'il aurait dû remarquer en arrivant. Il pencha un peu la tête et, sur le côté, derrière le grand-père, il aperçut la large parabole pointée vers le ciel immense et innocent, et quelque part, invisible, l'oiseau métallique de malheur qui déversait toutes ses conneries jusque dans les yourtes du Khentii !

– Par le ciel ! soupira-t-il résigné. Et qu'est-ce qu'ils t'ont raconté d'autre, dis-moi ?

– Rien, commissaire. Ils vous attendaient. Si vous voulez en savoir plus, il faut voir avec Horacio.

– Horacio ?

– Horacio Caine, c'est le nom du chef des *Experts* ! rigola le policier du district en désignant le vieux nomade d'un mouvement du menton.

Yeruldelgger se tourna alors face à lui, front contre front, les yeux dans les yeux, et lui effaça son sourire idiot d'un seul regard furieux.

– Tu lui manques de respect encore une fois et je t'attache par la queue à son cheval au galop, tu as bien compris ?

– Oui, commissaire, s'excusa le policier, penaud.

– Et la tienne, pas celle du cheval !

– De quoi, commissaire ?

– De queue !

– Compris, commissaire.

– À la bonne heure !

Dès qu'il fit un pas dans leur direction, toute la petite famille se raidit dans un garde-à-vous amusé. Yeruldelgger s'adressa au vieil homme avec douceur en marquant le respect qu'il portait à son âge et à ses traditions de nomade.

– Grand-père, je vais avoir besoin d'une pelle pour le policier et d'un seau pour moi. C'est possible ?

Le vieux nomade le regarda un instant sans bouger. Puis il se tourna vivement vers le plus âgé des enfants et lui fit signe d'aller chercher ce que le commissaire demandait. Dès qu'il les eut récupérés, Yeruldelgger jeta la pelle au policier, qui la rattrapa d'un geste maladroit, et retourna le seau en guise de tabouret pour s'asseoir dessus près de l'endroit d'où dépassait la petite pédale. Il sortit un iPhone de la poche de son manteau et fit signe à l'aîné de s'approcher. Le gamin accourut vers lui tout sourire pour se mettre au garde-à-vous.

– Tu sais te servir de ça ?

– Oui, commissaire !

– De la fonction photo aussi ?

– Oui, commissaire !

– Tu as vu faire ça dans *Les Experts Miami* ?

– Oui, commissaire ! Et dans *Les Experts Las Vegas* aussi, commissaire !

Le gosse était menteur comme un vendeur de bétail et sur le point d'exploser de rire. Yeruldelgger lui montra comment se servir de la fonction photo du téléphone, puis se leva pour donner ses ordres.

– Grande sœur, il va me falloir une grande toile blanche, s'il te plaît. Vous les enfants, vous allez recommencer à creuser comme vous l'avez fait la première fois. À la main et sans aller trop vite, et vous mettrez la terre sur le tissu que votre mère va rapporter. D'accord ?

Les trois gamins et le grand-père approuvèrent d'un signe de la tête.

– Toi, reprit Yeruldelgger, tu vas prendre des photos. Tu sais compter jusqu'à cinquante ?

– Oui, commissaire ! répondit le môme de nouveau hilare au garde-à-vous. Un, deux, trois, quatre...

– C'est bon, c'est bon, je te crois ! Tu comptes cinquante dans ta tête, tu prends une photo, et tu recommences jusqu'à ce que je te dise d'arrêter, d'accord ? Et de temps en temps, je te demanderai de faire une photo en plus de ce qu'il y aura sur le tissu, c'est clair ?

– Clair, commissaire !

– Toi, dit-il en s'adressant au policier, au fur et à mesure qu'ils dégagent quelque chose, tu creuses autour à au moins cinquante centimètres de ce qui apparaît et sans aller trop profond. Tu peux faire ça ?

– Euh... oui... je pense, commissaire.

La jeune femme revint avec un drap blanc. Comme s'il n'attendait plus que ça, Yeruldelgger l'étala devant lui et donna l'ordre de commencer.

Les choses allèrent assez vite. Les enfants creusaient à la main la terre qu'ils avaient déjà remuée et la jetaient sur la toile blanche où Yeruldelgger l'étalait pour l'examiner. De temps en temps, il récupérait du bout des doigts des choses que les autres n'avaient pas le temps de voir et qu'il mettait dans de petites pochettes en plastique transparent qu'il tirait de sa poche. Puis il secouait la toile pour jeter la terre et l'étendait à nouveau sur l'herbe. Très vite le grand-père s'octroya ce dernier rôle, fier d'assister personnellement le commissaire, et Yeruldelgger se félicita bientôt du travail de sa petite équipe.

Toute la pédale était déterrée maintenant. On la devinait couverte de caoutchouc blanc antidérapant. Apparut ensuite le pédalier de chrome écaillé et bientôt une partie du plateau dentelé et un morceau de carter en fer rose froissé d'où dépassait un bout de chaîne. Yeruldelgger fit signe à tout le monde d'arrêter et se leva pour observer de plus près. Encore une fois, il prit une profonde inspiration les yeux levés vers le ciel, puis souffla lentement par le nez en se concentrant à nouveau sur sa découverte. Il n'aimait pas ce qu'il voyait. Il n'aimait pas ce qu'il allait devoir en déduire, et encore moins ce qui allait en sortir. C'était un vélo de môme. Un petit vélo rose. De fille. Quatre ou cinq ans peut-être, pas plus. De la hauteur du pédalier il pouvait déduire la taille des petites jambes qui l'actionnaient joyeusement. De la taille des jambes, une taille relative de l'enfant, et de tout ça un âge. Une fourchette : quatre à cinq ans. Une gamine. Une petite chose insouciante. Et maintenant un petit cadavre la bouche pleine de terre… Il ne fallait pas qu'il pense à ça. Il devait se forcer à oublier. Se concentrer sur n'importe quoi, mais pas sur ça.

Yeruldelgger reporta son attention sur le pédalier. Le petit vélo était enterré sur le côté. Plus profond vers l'avant, dans une position qui l'intriguait. La forme du carter rose, même tordu comme il l'était, lui donnait un sens pour l'engin. La façon dont la pédale pointait, plutôt inclinée vers l'avant, le confirma dans cette idée. Il essaya de mieux imaginer les parties encore enfouies sous terre pour en deviner la taille. Quand il pensa en avoir une idée plus précise, il en traça le contour dans la terre avec son talon et ordonna au policier de creuser à partir de cette limite vers le centre. Quelques minutes plus tard, une bonne partie de la carcasse du petit vélo était mise au jour. Yeruldelgger ne s'était pas trompé de beaucoup. Ce n'était pas un vélo, mais un tricycle, ce qui expliquait sa position plus enfoncée vers l'avant. Cette découverte fit monter la colère en lui. Le vélo, c'était déjà le truc des

gamins un peu casse-cou qui prennent des risques. Mais un tricycle, c'était vraiment un truc de môme ! Si les nomades
n'avaient pas menti, il allait trouver là-dessous une enfant morte
que quelqu'un avait peut-être tuée, et dont on avait abandonné
là le petit corps sans vie. Il ne supportait pas les crimes d'enfant.
Même pas l'idée de leur mort !

– Commissaire, là, la main est juste en dessous de ça, dit le
grand-père en désignant une sorte de carénage en métal rose.

Yeruldelgger s'agenouilla près du trou et se pencha pour regarder sous le métal qu'un des enfants dégageait encore du bout des
ongles. C'était une petite main, sans aucun doute. Une toute petite
main tendue vers lui, avec ses doigts à moitié décomposés,
comme dans un geste de supplique un peu tordu.

– Ne t'en fais pas, murmura Yeruldelgger, je suis là maintenant, on va s'occuper de toi. Tu n'es plus seule…

Il ne croyait pas à grand-chose, sinon à la paix des âmes. La
vie était si lourde à porter et si dure à affronter que selon lui
toute âme devait avoir droit à la paix, au repos et au respect en
la quittant. Ce n'était quand même pas trop demander à un Dieu
qui laissait les enfants mourir la bouche pleine de terre, non ?
Qu'au moins ils reposent, comme disaient si joliment les chré-
tiens. C'était la seule promesse qui le faisait encore espérer un
possible au-delà. L'idée d'y reposer en paix.

– Bon, tout le monde s'arrête. J'ai besoin d'un autre drap. Peu
importe la couleur. Les enfants restent à l'écart sauf celui qui
continue à prendre les photos. Nous, les adultes, nous allons sortir
le tricycle et le poser sur le drap blanc. Ensuite nous sortirons
le corps et nous le poserons sur l'autre drap, d'accord ? Après
je les emmènerai comme ça à Oulan-Bator, à l'institut médico-
légal. Allez, on y va !

C'était un petit tricycle et un tout petit corps. Ils eurent vite
fait de les déterrer. Ils posèrent d'abord le tricycle rose sur le

drap blanc et Yeruldelgger l'examina de près. Par la force de celui qui avait tassé la tombe et par celle des pluies des terribles orages de l'été qui avaient alourdi le sol, de la terre avait pénétré en profondeur dans les tubulures en métal du cadre et du guidon. Yeruldelgger releva les quatre coins du tissu et les noua au-dessus de l'engin. Il faudrait bien que le labo se débrouille avec ça.

Il finissait de nouer le drap quand les autres sortirent le petit cadavre. Tout recroquevillé comme un enfant qui a peur de s'endormir. Les chairs étaient déjà bien décomposées et une grande partie du squelette apparent. Mais on devinait encore quelques lambeaux de vêtements et des mèches de cheveux blonds et bouclés. Deux doigts de la petite main qu'il avait aperçue dans la terre se détachèrent. Par réflexe, Yeruldelgger donna l'ordre de faire plus attention et chercha des yeux l'autre main. Les chairs étaient beaucoup mieux conservées. Le petit poing de la pauvre gamine était crispé et serré dans un geste que Yeruldelgger espérait plus de rage que de terreur. Bien qu'à mieux y réfléchir, cela ne faisait absolument aucune différence !

Il leur avait bien recommandé de creuser beaucoup plus large et plus profond et de soulever autant que possible en un seul morceau le corps dans sa gangue de terre. C'est le grand-père qui s'agenouilla près de la tombe pour glisser ses bras et sortir le cadavre. Yeruldelgger comprit que le vieux nomade tenait à le porter comme on porte un enfant dans ses bras. Il y avait dans les gestes de cet homme de l'amour pour le petit être et du respect pour la mort. Il resta un instant immobile, au bord du trou, avec l'enfant contre sa poitrine, et Yeruldelgger crut qu'il priait en silence. Puis l'homme se retourna, fit quelques pas jusqu'à l'autre drap rouge étendu dans l'herbe verte, s'agenouilla, et posa avec douceur et tendresse la petite dépouille au centre du tissu. Ce n'était plus qu'un tas d'os, de lambeaux de peau et de viscères desséchés et souillés d'argile, mais ça avait été une petite tête blonde et joyeuse aux éclats de rire cristallins sur son tricycle rose.

Yeruldelgger avait été surpris de voir la jeune femme ressortir de sa yourte avec un grand drap rouge. Dans tous les enterrements qu'il avait vécus, les corps étaient toujours enveloppés dans des draps blancs. Le grand-père remarqua son trouble et s'approcha de lui.

– Quand la mort n'est pas naturelle, quand elle est accidentelle, les lamas recommandent d'envelopper le mort dans un linge rouge.

– Pourquoi ? demanda Yeruldelgger.

– Parce que les lamas le disent, répondit le vieux nomade avec évidence. Ne t'en fais pas, elle sera bien comme ça, lui expliqua-t-il sans quitter le petit corps du regard. Quand tu seras là-bas, offre-lui un berceau décent. Fais tapisser le fond de vert pour qu'elle y repose comme sur la terre de la steppe, et l'intérieur du couvercle d'un tissu bleu comme le ciel sur la plaine. Et tu feras aussi coller sept petites boules de coton blanc sur le tissu bleu du ciel, au-dessus de sa tête, pour que les sept divinités de la Grande Ourse portent bonheur à son âme pendant son voyage. N'oublie pas : tu l'as arrachée à la terre, la tradition exige que tu la conduises au ciel.

– Tu sais, grand-père, rien n'indique qu'elle soit d'ici.

– Je sais, mais elle est morte ici et elle est toute seule. Alors elle est de chez nous maintenant, et c'est à toi de t'en occuper.

Yeruldelgger regarda le petit vieux. Il avait les mains entaillées par les cordes et le froid, les joues sablées par le vent des tempêtes, les yeux fendus contre les hivers. Il restait là, immobile, à ses côtés, dans son *deel* bien sanglé par une large ceinture, avec ses bottes de cavalier bien plantées dans la terre. Et il n'y avait pas de colère dans ses mots. De cette colère sourde que Yeruldelgger sentait monter en lui à chaque crime odieux qu'il devait affronter, à chaque mort innocente, à chaque vie fracassée. Une colère vengeresse qu'il avait chaque jour un peu plus de mal à contenir, les poings dans les poches, le cou dans les épaules, le cœur dans l'estomac. Mais le vieil homme, lui, ne trahissait rien qu'un calme à la fois profond comme un lac et infini comme la plaine. Yeruldelgger eut soudain le sentiment étrange que le vieil homme n'était plus avec eux. Il était juste là, comme la steppe, comme les collines à l'horizon, les rochers épars et le vent qui les érodait depuis des millions d'années. Le petit vieux n'était plus un homme, c'était un roc. Plein. Dense. Solide. Chacun s'était arrêté et demeurait immobile dans l'attente de quelque chose, mais lui ne bougeait pas. Le temps semblait suspendu. Puis une brise les frôla, se glissa entre eux, chahuta les herbes bleues, et s'enfuit soudain dans un galop joyeux sur la steppe. Yeruldelgger reçut comme un coup au cœur toute cette liberté de la plaine sauvage aux herbes irisées où couraient des chevaux fous. Quand il sentit la main du petit vieux sur sa manche, ce fut comme s'il tombait d'un rêve.

— Son âme est avec toi maintenant, dit le nomade. Vous vous appartenez jusqu'à ce que tu l'emmènes là où elle doit aller.

— Désolé, grand-père, je vais m'occuper d'elle au mieux, tu peux me croire, mais je ne lui appartiens pas. Je n'appartiens à personne, répondit Yeruldelgger qui n'aimait pas que les mystères s'appliquent à lui.

Il respectait les traditions et croyait à des choses inexplicables. Des influences, des interactions, des sortes d'interférences. Mais il ne s'en voulait que spectateur. Il avait déjà tant de mal à maintenir ensemble tous les fragments du chaos de sa propre existence, qu'adviendrait-il s'il lui fallait accepter que d'autres forces que sa propre volonté se mêlent d'y mettre de l'ordre ? Sa vie avait glissé dans un néant froid et muet depuis longtemps déjà. Il avait perdu sa petite enfant chérie, puis la femme aimée qui la lui avait donnée, et il était en train de perdre sa grande fille, qui haïssait tout de lui. Il n'était pas un cadeau.

Le commissaire Yeruldelgger Khaltar Guichyguinnkhen n'était un cadeau pour personne depuis longtemps. Comment pourrait-il accepter que le salut d'une petite âme innocente dépende de lui ?

Il décida de rentrer à Oulan-Bator. Il ne pouvait plus rien faire ici, ni pour la pauvre enfant ni pour la protection des indices. Il n'avait rien avec lui pour protéger les lieux. Il demanda aux nomades de ramasser des cailloux blancs et de délimiter une zone tout autour de la tombe ouverte, à l'intérieur de laquelle personne ne devait pénétrer jusqu'à nouvel ordre. Peut-être que Solongo et son équipe de scientifiques voudraient y avoir accès pour rechercher des indices supplémentaires.

Yeruldelgger se surprit à sourire intérieurement à l'évocation de cette expression. Une seconde, il imagina le grand-père debout, jambes écartées et mains sur les hanches, filmé en contre-plongée, la tête cassée sur le côté, le regard par-dessus ses Ray-Ban miroir et tout rouquin en plus ! Bien sûr que lui aussi regardait *Les Experts Miami* quand il tombait dessus à la télé. Horacio Caine, il connaissait. Lui aussi avait une vie. Encore un peu, le soir, de temps en temps. Entre deux cauchemars.

– Écoute, grand-père, je te promets de faire ce que je pourrai, mais je ne suis qu'un commissaire de la Criminelle. Ma vie consiste à ramasser des cadavres. Je ne peux pas prendre en charge les âmes de tous ceux qui sont morts quand je les récupère.

Yeruldelgger aperçut alors un chien jaune qui avait pénétré le périmètre et grattait la terre fraîche de la tombe avec une excitation obscène. Quand il le vit attraper dans sa gueule vorace un des doigts tombés du petit cadavre, il saisit un caillou et chassa le chien avec une telle rage et une telle violence que chacun en resta interdit.

– Je comprends, répondit le vieil homme en se tournant vers lui.

Il se hissa un peu sur la pointe de ses bottes, posa ses mains rugueuses de chaque côté des lourdes épaules du commissaire, et le regarda droit dans les yeux. Un large sourire illumina son visage tanné par toutes ces saisons dans la steppe.

– Je comprends, répéta-t-il, mais ce n'est pas toi qui décides. Ce sont les âmes ! Et les trois âmes étrangères que tu as délaissées là-bas te rappellent elles aussi. Ne les oublie pas, elles non plus !

Quand le policier du district guida leur véhicule cahotant jusqu'à la piste, Yeruldelgger aperçut dans le rétroviseur la jeune femme qui bénissait leur route. Elle tenait à hauteur des yeux une petite coupelle qu'il savait remplie de lait de la dernière traite et, d'un geste croyant et respectueux, du bout des doigts, elle en aspergeait les quatre points cardinaux. Malgré le petit cadavre recroquevillé dans son coffre et les corps mutilés des trois Chinois qui l'attendaient à Oulan-Bator, Yeruldelgger ressentit une sorte de bonheur à appartenir à ce pays où on bénissait les voyageurs aux quatre vents et où on nommait les cercueils du même mot que les berceaux. Une sorte de bonheur...

# 2

*Je m'en doutais un peu !*

Oyun cherchait les testicules du Chinois.

Les testicules et le reste.

Tout son bazar en fait.

Pour les besoins de l'enquête bien sûr, parce que la seule certitude à ce stade de ses investigations, c'était que le Chinois n'aurait plus jamais besoin de son bazar. Ni l'autre Chinois d'ailleurs. Pour le troisième, nu comme les deux autres, Oyun ne pouvait rien dire parce qu'ils n'avaient pas encore retourné le corps qui gisait sur le ventre. Ils ne savaient pas comment s'y prendre avec la moitié du manche à balai brisé fiché profondément dans son anus. Pour le reste, c'était une scène de crime intéressante. Trois corps nus, le front troué d'une balle. C'est du moins ce que supposait Oyun pour le troisième Chinois puisque apparemment la balle était ressortie par l'arrière du crâne. Les deux premiers avaient le torse et le ventre sauvagement tailladés au rasoir ou au cutter, probablement, et le troisième avait le dos dans le même état. Oyun était prête à parier qu'il avait sur le front le même symbole que les deux premiers : une sorte d'étoile taillée à la pointe d'un objet tranchant.

– Quelqu'un sait ce que c'est ? demanda la jeune femme à la cantonade.

– C'est toi le petit génie, non ? répondit un autre inspecteur concentré sur la meilleure façon de désodomiser la troisième victime.

– On dirait un truc diabolique ! remarqua une jeune policière occupée à inspecter les giclures de sang sur les murs de la petite pièce.

– Un crime satanique, vous croyez ?

– Le sang, le semblant de rituel, le côté sexuel, la « trinité » des victimes : pourquoi pas ?

Oyun se pencha sur le corps du premier Chinois. Un homme dans la trentaine, presque maigre, le sternum un peu enfoncé à la façon des tuberculeux, le visage émacié et les cheveux lisses, avec deux dents en or malgré son jeune âge et une vilaine cicatrice au niveau de l'appendice. La perforation du front était nette et précise, marque d'un petit calibre dont la balle n'avait pas eu le temps de se déséquilibrer. Un tir à bout portant. À bout touchant peut-être même. Le corps était affaissé sur une chaise, la nuque cassée sur le haut du dossier, les bras pendants de chaque côté. Les entailles sur le corps ne répondaient à aucune logique. Elles trahissaient un déchaînement de violence, une hystérie criminelle plus qu'autre chose. Les jambes étaient bien droites et largement écartées.

Oyun essaya de se représenter un homme terrorisé, nu, assis sur une chaise, sous la menace d'une arme qu'on appuie sur son front et qui fait feu. Est-ce que tendre et écarter brusquement les jambes est un geste réflexe pour s'écarter de l'arme ? Est-ce que cela résulte plutôt d'une convulsion à l'impact ou de l'affaissement du corps sur lui-même ? Ou est-ce que ses tortionnaires les avaient maintenues écartées pour pouvoir lui trancher son bazar ?

– Plusieurs assassins, commenta-t-elle à voix haute à l'adresse du reste de l'équipe. Au moins trois d'après moi. Les victimes n'étaient pas entravées. Si les deux autres n'avaient pas été sous la menace quand la première a été abattue, elles auraient réagi. Elles ont été exécutées l'une après l'autre sans pouvoir se défendre. Les tortures et les mutilations ont été probablement faites post mortem. Impossible de mutiler de la sorte une victime non entravée. Même sous la menace d'une arme. Mais c'est à confirmer...

L'autre Chinois avait été un homme d'une quarantaine d'années, petit, un peu rond, un peu chauve, avec de mauvaises dents et de mauvais ongles. Son corps était tombé au pied de sa chaise renversée dans une position plus obscène que celle de la première victime. Il était sur le dos, jambes pliées, talons joints et genoux écartés, avec au milieu son bas-ventre mutilé et sanguinolent.

Oyun avait du mal à détacher son regard de cette blessure. Le corps du Chinois n'était soudain plus qu'un corps. Il avait presque perdu une partie de son identité, comme si le sexe nous qualifiait pour au moins la moitié de ce que nous sommes. Est-ce qu'en leur tranchant le sexe, leurs assassins avaient voulu, en plus de leur mort, effacer la moitié de ce qu'ils étaient ?

La troisième victime était à plat ventre à même une table en bois. Les bras pendaient de chaque côté, la tête était posée sur le menton et la nuque cassée en arrière. Un peu comme on présente les gibiers rôtis d'une seule pièce, pensa Oyun qui se força aussitôt à chasser cette réflexion non professionnelle de ses pensées. C'était un homme plus grand et plus gros que les autres, avec de gros mollets et de grosses fesses jaunes et molles au milieu desquelles était fiché le manche brisé d'un balai.

Oyun balaya du regard la scène de crime pour essayer de repérer l'autre moitié du balai. Elle le retrouva sous la table. Comme pour les deux autres corps, les nombreuses entailles n'étaient que des blessures superficielles qui n'avaient pu entraîner la mort. La position du corps mutilé confirmait d'ailleurs son hypothèse. Il aurait été très étonnant que le troisième Chinois ait été torturé à plat ventre sur la table, puis achevé d'une balle dans le front. Oyun imaginait mal le tueur s'agenouiller pour tirer de bas en haut une balle dans le front de sa victime étendue sur le ventre. De toute évidence l'homme avait été tué d'une balle dans la tête, puis son corps retourné et soumis à des sévices post mortem.

— Bon, écoutez-moi un instant, dit-elle en s'adressant aux autres policiers présents dans la pièce. Tout le monde s'arrête et on m'écoute !

— Hey, elle se prend pour Yeruldelgger maintenant, notre petit génie ?

— Ferme-la, Chuluum, et branche plutôt ton chargeur à neurones. Alors voilà : je vous demande de continuer vos investigations en tenant compte des hypothèses suivantes. Trois assassins ou plus, des exécutions suivies de sévices post mortem, deux modes opératoires différents : sang-froid, précision et détermination pour l'exécution par balle, violence sauvage voire incontrôlée pour les lacérations post mortem. Ce à quoi il faut rajouter un troisième mode opératoire à relier à l'un ou l'autre des deux premiers : mise en scène de type rituel, ou tendant à faire croire à un rituel, pour le symbole sur le front comme pour les émasculations. Bien entendu on ne néglige aucune autre piste, mais on garde ça en tête.

— Et qu'est-ce qu'on était en train de faire, d'après toi, petit génie ? demanda l'inspecteur Chuluum avec un peu trop d'insolence dans la voix, même s'il n'osait pas regarder sa collègue en face.

— Comme d'habitude, Chuluum : chacun de son côté à amasser des tonnes d'indices auxquels il faudra essayer de donner une logique pendant des tonnes d'heures. Enfin, pour ceux qui passent des tonnes d'heures supplémentaires à trier le bordel de ceux qui le leur laissent pour rentrer chez eux regarder la télé.

– Qu'est-ce que tu veux, petit génie, tout le monde n'a pas le même intérêt personnel à rester tard le soir avec Yeruldelgger.

– Espèce de...

La sonnerie de son portable stoppa Oyun dans sa colère. C'était le commissaire.

– Allô ? Où tu es ?

– Sur la route d'Ondërkhaan, je viens de passer la rivière Herlen. J'arrive à Arhust. Je serai là dans une grosse heure. Tu es toujours sur la scène de crime ?

– Oui.

– Comment ça se passe ?

– Chuluum me chie dans les bottes, comme d'habitude. Sinon l'histoire est plutôt tordue. Et toi, tu as quoi ?

– Une môme enterrée avec son tricycle dans la steppe à trente kilomètres au sud de Jargaltkhaan, sur la piste qui va à Delgerkhaan.

– Oh merde, pas beau ça. C'est plutôt désert comme coin, non ? Une tombe sauvage ?

– Avec un tricycle ?

– Mon grand-père avait bien demandé à se faire enterrer avec son cheval...

– Et vous l'avez fait ? Vous avez tué son cheval pour l'enterrer avec lui ?

– Son cheval était mort avant lui. Il nous avait fait promettre de le déterrer pour l'enterrer avec lui !

– Pourquoi pas ! lâcha Yeruldelgger. Alors les Chinois ?

– Il faut que tu reviennes voir par toi-même avant que Chuluum et sa bande de guignols ne chambardent tout.

– J'ai déjà vu ce matin avant qu'on ne m'appelle pour le tricycle.

– Oui, mais il faut que tu reviennes. Il y a des trucs que toi seul peux comprendre.

– Oyun ! Ils m'ont appelé à six heures du mat pour les Chinois, puis j'ai dû faire trois heures de route en tape-cul pour la gamine au tricycle, et la même chose pour revenir. Je suis cassé ! J'ai plus vingt ans. Et en plus j'ai le corps de la gamine à déposer chez Solongo pour l'autopsie.

– Oui, mais il faut que tu viennes quand même. Je sens que ça va partir en vrille ce truc. Si les autres Chinois rappliquent, c'est foutu pour l'enquête. Passe juste une petite heure. On enverra Chuluum porter le corps chez Solongo et après je t'invite à dîner.

– OK, soupira Yeruldelgger, mais laisse tomber Chuluum. Je porterai moi-même le corps chez Solongo.

– Ouais ! ricana gentiment Oyun. Je m'en doutais un peu !

# 3

*... on commence par chercher
la femme !*

Les Chinois arrivèrent dans la nuit. Deux grosses limousines aux vitres fumées avec des gardes du corps armés dans la première. Le directeur de l'usine, terrorisé, était coincé à l'arrière de la seconde entre deux représentants furieux de l'ambassade. Yeruldelgger avait été prévenu par un informateur de leur arrivée. Il était venu les attendre devant le portail pour leur interdire d'entrer. Le premier chauffeur arrêta sa voiture à moins d'un centimètre des tibias des deux inspecteurs et Oyun, qui s'y attendait pourtant et s'était bien résolue à ne pas bouger, fit quand même un petit bond en arrière en lâchant un juron. Yeruldelgger ne se déplaça pas d'un centimètre. Il regarda les deux cerbères descendre de la première voiture et courir ouvrir la porte au plus petit et au plus vieux des deux hommes de l'ambassade.

– Laissez-nous passer ! ordonna le bonhomme arrogant, boudiné dans son mauvais costume de fausse coupe à l'anglaise.

Il avait de lourds cernes bruns sous ses yeux rougis et sentait à la fois l'eau de Cologne allemande et le parfum à la française. Yeruldelgger se dit que ce petit homme ventripotent avait été obligé de se rafraîchir en urgence d'une nuit amoureuse pour accourir ici. D'où sa colère. Pour l'arrogance, c'était simplement un Chinois en Mongolie.

– Laissez-moi passer ! répéta-t-il, le nez à la hauteur des pectoraux du commissaire.

– Impossible, monsieur, ceci est une scène de crime !

– Cette usine est un territoire chinois. Ce qui s'y passe n'est pas de votre juridiction ! s'emporta le représentant de l'ambassade.

– Ceci est une usine chinoise en territoire mongol, corrigea Yeruldelgger, et un triple meurtre vient d'y être commis. C'est de notre compétence.

– Vous n'êtes qu'un imbécile et un incompétent, répliqua le Chinois. Tous les contrats d'exploitation des entreprises de la République de Chine en Mongolie stipulent une clause d'extraterritorialité pour les crimes et délits impliquant des ressortissants chinois. Je vous intime l'ordre de nous laisser entrer.

L'assurance du diplomate déstabilisa Yeruldelgger. Il n'avait jamais entendu quelqu'un lui « intimer l'ordre » de quoi que ce soit. Et s'il avait déjà vaguement entendu parler de cette clause d'extraterritorialité, il n'y avait personnellement jamais été confronté au cours d'aucune de ses enquêtes. C'est Oyun qui vint à son secours.

– Désolé, monsieur, mais l'identité des trois victimes n'est pas encore définitivement établie. Il est possible qu'un des corps ne soit pas celui d'un ressortissant chinois mais peut-être celui d'un ressortissant mongol. Dans ce cas les accords prévoient que la scène de crime reste de notre juridiction jusqu'à l'établissement définitif des nationalités des victimes.

L'homme, de toute évidence, ne voulait pas avoir affaire à une femme, même flic. Il se planta face à Yeruldelgger pour lui répondre d'homme à homme, mais l'argument d'Oyun avait porté. Il céda.

– C'est inadmissible. J'en avertis immédiatement notre ambassadeur. Nous nous plaindrons officiellement à votre hiérarchie.

– Je vous en prie, faites donc, répondit le commissaire qui leur tournait déjà le dos et rentrait dans l'usine. N'oubliez pas de leur rappeler qu'ils ont deux mois de retard sur mon salaire et qu'ils me doivent encore quarante-sept jours de congé.

Les deux berlines firent demi-tour et les chauffeurs essayèrent de faire crisser les pneus sur la route en terre. Ils ne parvinrent qu'à cribler de gravier le grand panneau expliquant en chinois que l'usine était utile au bon développement des ressources minières de la Mongolie.

C'était apparemment une usine de fabrication de tuiles et de briques destinées à la propre construction des autres usines chinoises de la région. Elle devait employer quelques centaines de manœuvres mongols, femmes et enfants compris, sous le contrôle de quelques contremaîtres chinois. Probablement les trois hommes émasculés dans le petit local qui leur servait de « mess des officiers ».

– Je n'étais pas au courant pour l'exception à la clause d'extra-territorialité, reconnut Yeruldelgger en regardant Oyun.

– Moi non plus ! avoua-t-elle. Et lui non plus d'ailleurs. Mais le temps qu'ils vérifient, ça nous laisse la nuit !

– Attends, je te l'ai dit, je n'ai pas l'intention d'y passer la nuit !

– Je sais, je sais ! plaisanta-t-elle. Tu dois absolument porter toi-même en personne directement le corps à Solongo. J'ai bien compris.

Il ne répondit pas et ils traversèrent la grande cour mal éclairée jusqu'au petit baraquement où se trouvaient les trois morts.

– Alors, un des corps n'est pas celui d'un Chinois ? s'intéressa Yeruldelgger.

– Ah bon ? s'étonna en riant Oyun. Qui t'a dit ça ?

Il s'arrêta pour regarder sa partenaire, éclata de rire et la prit par les épaules pour rejoindre la scène de crime.

– Oyun, tu n'es pas qu'un petit génie, tu es mon *bon* génie !

Sitôt dans le petit réfectoire-salon, les deux policiers retrouvèrent leur sérieux et leurs réflexes professionnels.

– Voilà ce qu'on pense, résuma Oyun. Plusieurs agresseurs entrent de nuit. Au moins trois. Pas compliqué de pénétrer dans l'usine, mais reste à savoir comment les trois Chinois se sont laissés surprendre. Les agresseurs sont armés. Ils tiennent les victimes en respect et les forcent à se déshabiller. On ne comprend pas encore pourquoi. Puis les trois types sont abattus un à un à bout portant, sans se défendre, probablement sous la menace d'une autre arme. Les éclaboussures de sang disent qu'ils ont été abattus sur leur chaise pour les deux premiers, sur la table pour le troisième. On pense que la dernière victime a tenté le tout pour le tout pour échapper à son sort. Elle a été bloquée, plaquée sur le dos sur la table, et exécutée d'une balle dans le front comme les deux premières. On l'a compris parce qu'on a retrouvé la balle dans le bois de la table. Tout ça c'est méthodique, préparé et exécuté de sang-froid. C'est après que ça se complique. La troisième victime est retournée à plat ventre sur la table et on la sodomise avec le manche cassé d'un balai. Vengeance ou humiliation post mortem ? Rituel ? Sadisme éthylique ? On ne sait pas encore. Les deux autres sont émasculées, par un droitier selon les premières constatations. Ensuite un autre agresseur, gaucher probablement, grave sur leur front ce symbole satanique. Puis les agresseurs s'acharnent sur les corps à coups de cutter. Les entailles montrent qu'ils ont été portés par plusieurs agresseurs sur chaque corps.

– Tu te doutes de ma question, coupa Yeruldelgger.

– Bien sûr : où sont passés leurs bazars ?

– Exact. Et on sait ?

– Non, mais regarde les murs. Là, tu vois les éclaboussures probablement provoquées par les exécutions. Là et là, diverses traces sans doute dues aux mutilations et aux mouvements des

agresseurs dans leur excitation morbide. Mais là, là ou encore
là, qu'est-ce que tu vois ?

Aux endroits indiqués par Oyun, Yeruldelgger remarqua des
taches de sang de la largeur d'une main, avec des giclures en
étoile tout autour et quelques longues dégoulinures en dessous.
Une des taches montrait même comme un début de glissement.
Au pied du mur, sous chacune d'elles, au bout des dégoulinures,
le parquet était lui aussi maculé de sang.

– Oh non ! soupira-t-il. Ne me dis pas que...

– Si. Les enfants de salauds qui ont fait ça se sont amusés à
jeter le bazar des Chinois contre les murs. Peut-être même qu'ils
se sont amusés à se les balancer à la figure !

– Oh merde, pas ça. Pas ça, pas ici, pas chez nous !

– J'espère que je me trompe, mais j'ai peur que ça se tienne !

– Oui, je le crains aussi. Sinon, tu as cherché des traces de
présence féminine ?

– Des femmes ? Pourquoi ?

– Tu sais quelle nuit c'était pour les Chinois, hier ? La nuit
du septième jour du septième mois.

– Ah oui ? Et alors ?

– En Chine, la fête du septième mois, c'est la fête des amoureux. Normalement, ce jour-là, la femme doit faire montre de
toutes ses qualités domestiques à son petit connard de salaud
de macho de mari. Mais quand le connard de salaud de macho
de mari est loin de la maison, c'est l'occasion pour lui de la
traditionnelle partie de jambes en l'air de la fête du septième
mois. Tu n'as pas senti les effluves et les relents de stupre qui
enveloppaient notre vieil ami de l'ambassade ?

– Tu veux dire que les Chinois auraient pu se faire surprendre
pendant une partie de jambes en l'air ?

– Pourquoi pas ? Ça expliquerait pourquoi ils n'ont rien
entendu ni vu venir. Ça expliquerait aussi pourquoi ils sont nus !

– Mais où sont les femmes dans ce cas ? Tu penses qu'elles pourraient être les agresseurs ? Les Chinois seraient tombés dans un piège ?

– Pourquoi pas ? Après tout ils ont été émasculés, non ? Ce n'est pas une vengeance de femme, ça ?

– Hey, c'est un peu sexiste comme affirmation ! Et puis on n'a rien trouvé comme indice dans ce sens. De toute façon, Solongo nous dira s'il y a des traces de sperme ou de sang autre que celui des trois hommes.

– Ouais, on verra…, lâcha Yeruldelgger en jetant un dernier regard circulaire à la scène de crime.

Il sembla remarquer un détail au pied d'un petit bureau et s'en approcha. Il s'agenouilla, ramassa quelque chose avec précaution, du bout du pouce et de l'index, et se retourna vers Oyun sans se relever.

– Et ça, c'est quoi ?

Elle s'approcha et se pencha par-dessus son épaule.

– Ça, c'est une belle poignée de cheveux que ce bon à rien de Chuluum aurait dû consigner comme indice.

– Exact, confirma Yeruldelgger en se relevant. De beaux cheveux longs et soignés, arrachés par poignée, à plus de trois mètres de la scène d'exécution. Je pense qu'il y avait au moins une femme ici et qu'elle a trinqué elle aussi. Je ne vois pas comment une des victimes aurait pu les lui arracher. Le seul qui s'est peut-être un peu défendu, c'est le troisième, sur la table, et c'est à l'autre bout de la pièce. Soit la femme était là avant le drame et la poignée de cheveux est le résultat d'un élan amoureux trop violent, soit elle était là pendant le drame et dans ce cas c'est une autre victime. Donc, ou son corps est quelque part, ou nous avons un témoin qui a réussi à s'enfuir. Dans tous les cas, demain matin, on commence par chercher la femme !

# 4

## Va récupérer tes bouts de Chinois !

Huit fois déjà elle l'avait démontée pour changer de quartier. Elle ne pouvait se résoudre à habiter une maison même si sa yourte, aujourd'hui, n'avait rien à envier aux datchas néorusses dont petits bourgeois et nouveaux riches mosaïquaient la périphérie d'Oulan-Bator. Pour les cinq premières de ce qu'elle appelait ses transhumances, elle s'était en fait rapprochée de la ville, jusqu'à dresser sa yourte sur un petit lopin de terre loué dans une cour à cinquante mètres à peine du Hilton Hotel, au cœur même du premier district. Sa beauté rayonnante, sa tente au cœur de la ville et son boulot de flic avaient vite fait d'elle une égérie de toutes les nouvelles nuits sauvages de la capitale renaissante. Elle aurait pu épouser n'importe lequel de ses riches prétendants d'alors. Hobereaux locaux, oligarques russes reconvertis, potentats chinois, ils rêvaient tous de l'emmener dîner aux chandelles au Hilton et de rentrer la baiser à la bougie dans sa petite hutte. La belle et fière Mongole qui les snobait.

Aujourd'hui elle aurait une datcha en lisière des forêts du Nord et un campement avec des chevaux dans le Terelj, un gros Toyota aux vitres fumées pour la ville et le même pour la campagne, en plus de deux petites citadines pour le shopping. Mariée à n'importe lequel de ces types riches, elle l'accompagnerait au practice de golf sur Olympic Road et l'attendrait en jouant au tennis un peu plus loin avec de capricieuses expatriées. Et elle le laisserait aller à la chasse dans l'Altaï avec ses amis pour s'enivrer et la tromper avec des putes russes, pendant qu'elle pourrait, à son aise, profiter d'un amant occidental elle aussi.

Mais elle avait changé. Son boulot sans doute, la mort et les corps, l'image de toutes ces âmes que Yeruldelgger ramassait pour les déposer sur sa table. Le silence de l'autopsie, la sérénité de la mort et la laideur des corps. Ces longues nuits penchées sur ces existences dépecées, à se demander où en était la sienne. Elle avait cru pouvoir éviter de répondre en ne faisant que vivre, à toute vitesse, à tout prix. Il avait fallu que la mort la rattrape pour comprendre qu'il ne servait à rien de la fuir. Un matin Yeruldelgger était entré dans sa salle d'autopsie en tenant le corps d'une enfant dans ses bras. Sa propre enfant à lui. Sa petite fille chérie. Sa Kushi adorée.

L'homme qu'elle admirait était un roc, et elle avait vu la pierre se fendre et Yeruldelgger se vider de son sable pour n'être plus qu'un plâtre creux. Il était là, devant elle, en larmes, et son silence était d'une telle violence que dix ans après, le soir quand elle y repensait, il résonnait encore.

Après ses nuits de louve, elle avait fui se terrer au nord, tout au bout de Tokyo Street, deux petites rues au-delà de l'Altaï Mongolian Barbecue. Elle avait posé sa yourte dans un ancien parking jusqu'à ce qu'une des anciennes expatriées en goguette ne la croise en sortant du restaurant devenu trop couru avec l'afflux des nouveaux touristes. Alors elle avait tout redémonté pour se poser là où ses anciennes connaissances n'iraient jamais. Dans le sixième district, entre l'école n° 79 et la cour des miracles du marché aux voitures. Dans ce quartier de voyous, de maquignons et de voleurs, où seul Yeruldelgger passait la voir pour s'assurer qu'elle allait bien. Et ça lui allait très bien comme ça. Plusieurs

fois, le commissaire l'avait accompagnée à travers les ruelles mal-
famées, les casses et les garages clandestins. Ils étaient allés
s'asseoir pour manger dans les gargotes de menteurs, boire dans
les bicoques qui servaient de bars aux mécanos, et l'ombre puissante de Yeruldelgger l'avait raccompagnée chaque soir par les
ruelles noires, les yeux droit dans ceux qu'ils croisaient. Quand
il avait été clair pour tout le monde que la jeune femme était la
protégée de Yeruldelgger, un statu quo s'était établi pour la laisser
en paix. Un arrangement qui avait même poussé les voyous du
cru à la protéger des importuns de passage pour s'éviter des
ennuis avec le commissaire.

C'est de ce temps-là que Solongo avait pris l'habitude de le
retenir chez elle pour la nuit. Pour conjurer la peur qui, de temps
en temps, remontait comme un sanglot.

Solongo avait toujours eu un lit pour ses invités dans ses
yourtes, mais lui tirait toujours trois ou quatre grosses couvertures
et s'endormait à même le sol. Solongo se couchait sur le côté,
dans son lit traditionnel peint de rouge et de jaune, et regardait
longtemps, avant de s'endormir, le dos puissant de Yeruldelgger
qui s'enflait à grands ronflements réguliers. Sa présence chez elle
était comme celle d'une pierre sacrée dans un jardin japonais. Le
souffle de l'homme aspirait hors d'elle toute peur, toute frayeur,
toute panique. Bientôt elle respirait à son rythme, et un sommeil
calme et reposant l'envahissait. Il avait bien fallu trois ans à Yeruldelgger pour accepter de dormir dans le lit de Solongo, et il n'avait
accepté qu'à la condition de ne pas devenir son amant.

— Tu es déjà debout ? s'étonna-t-il.

— Oui. J'ai ta petite fille et tes trois Chinois aujourd'hui,
n'oublie pas !

— Par le ciel c'est vrai ! soupira Yeruldelgger en rejetant les
couvertures.

Solongo buvait à petites gorgées un thé salé au beurre très chaud qu'elle tenait à deux mains. Elle était vêtue d'une longue robe d'intérieur d'un rouge sombre surbrodée du motif tradition-nel du nœud sans fin. Il pensa qu'elle était vraiment très belle et elle le regarda sortir nu des draps.

– Nous formons décidément un drôle de couple, tu ne penses pas ?

– Pourquoi ? Parce que nous dormons nus ensemble sans faire l'amour ?

– Oui, en partie pour ça, et pour tout le reste.

– Moi, ça me va comme ça, dit Yeruldelgger en tirant le rideau de la petite douche.

Solongo restait un mystère pour le commissaire, et sa passion pour la science la poussait quelquefois à des comportements mys-tiques qui le déroutaient et le rendaient éperdument amoureux d'elle. Comme ce petit tableau des éléments chimiques qu'elle appelait sa table de Mendeleïev. C'était la seule décoration murale de sa yourte et de son bureau à l'hôpital. Il pouvait comprendre sa fascination devant cette petite liste exhaustive des quelques élé-ments chimiques qui composent tout l'univers, mais elle parlait d'un vertige des sens face à ces symboles. En fait, il adorait se sentir incompétent et inculte face à ses spéculations scientifiques ou à ses explications. Un jour qu'il restait interdit devant l'heure affichée sur un écran translucide, incapable de comprendre le prin-cipe de l'affichage digital, elle lui avait dit d'imaginer un banc de poissons très plats, comme des limandes. Si plats que de face on ne les voyait pas, sauf quand un petit courant électrique les obli-geait à se mettre de profil. Et voilà que maintenant il regardait les affichages numériques comme des bancs de poissons électrocutés par secousses, et il aimait Solongo pour cette magie-là.

Après le quartier du marché aux voitures, Solongo avait enfin décidé de ne plus se cacher de ses fantômes et de se poser quelque part où elle aimerait vivre à Oulan-Bator. Elle avait longtemps envisagé de monter vers le nord, jusqu'aux premières forêts sur les contreforts de la montagne, mais elle voulait rester en ville. C'est Yeruldelgger qui l'emmena pour la première fois à l'est du quartier de Keshaar, un dimanche. Elle découvrit une large saignée verte épargnée par la ville qui l'avait contournée par le sud. Des terres grasses et molles, encore trop spongieuses pour des fondations et trop humides pour des yourtes. Un ancien lit de rivière débordée qui serpentait du nord au sud et qui, dans le temps, se jetait dans la Tuul. Un léger dénivelé creusait cette vaste prairie en cuvette humide, et Solongo trouva juste sur son bord, à l'ouest, un joli carré de terrain tout au bout du quartier des fous, derrière le grand hôpital psychiatrique. Elle offrit alors son ancienne yourte à un lointain parent et en acheta une neuve, beaucoup plus grande, de celles qui servent maintenant de restaurants dans les campements pour touristes. Pour la première fois elle y fit poser un plancher et l'aménagea de façon confortable, tout en disposant les lieux selon la tradition. Mais ce qui apaisait Yeruldelgger plus que tout, quand il y rejoignait Solongo, c'était le jardin qu'elle avait créé devant, entre la yourte et la prairie. Dans cette ville de pierre et de poussière qui devenait aujourd'hui de verre et de béton, dans ce pays qui avait coupé tant d'arbres qu'il en avait inventé des déserts, Solongo avait fait de son carré de terre un jardin de verdure. Elle avait planté un tilleul et un pin, et Yeruldelgger lui avait offert un bouleau blanc. Elle avait planté du thym, un églantier et un rhododendron, et Yeruldelgger lui avait offert un plant de rhubarbe. Elle avait choisi un myrtillier, un groseillier, et lui une potentille. Elle une absinthe, de la gentiane et des géraniums, et lui des asters. Dernièrement encore, elle avait planté un jeune mélèze et un pin d'Écosse, et Yeruldelgger lui avait offert trois jeunes peupliers. Le jardin de Solongo était devenu si beau que les passants, en apercevant les fleurs et les feuillages par-dessus la balustrade en bois, pensaient que l'endroit abritait un monastère. Plus au nord, les maraîchers investissaient la coulée verte pour cultiver les tomates, les concombres et les fruits qui nourrissaient la ville. Bientôt, devant son jardin verdoyant, s'étaleraient les carrés calibrés et multicolores des potagers et des vergers. Et Solongo s'en réjouissait. Yeruldelgger aussi.

— Ça me va comme ça, répétait-il, habillé, face au jardin, quand son téléphone sonna.

L'écran afficha le prénom d'Oyun.

— Oui, Oyun ?

— J'ai retrouvé les couilles de nos Chinois !

— Où ça ?

— Ah ça, commissaire, il faut que tu viennes le voir pour le croire !

— OK, dis-moi où.

— Attends, ne prends pas ton petit déjeuner tout de suite. C'est pas beau à voir !

— Trop tard, je viens de le finir.

— Alors vomis-le avant de venir, c'est un conseil. Le marché des conteneurs. Celui qui est après le marché noir quand tu sors vers l'est. Juste en face de l'enclos des transformateurs électriques.

— Je vois. Je termine mes myrtilles à la crème et j'arrive.

— Laisse-les où elles sont, commissaire, je ne tiens pas à les retrouver sur mes chaussures !

Yeruldelgger rentra dans la yourte. Solongo s'était habillée d'un jean et d'un corsage blanc.

— Ils ont retrouvé les bouts manquants de mes Chinois, dit-il en reposant sa tasse sur une petite commode.

— De *mes* Chinois, tu veux dire ! répliqua la légiste en ramassant la tasse pour la passer sous l'eau et la poser sur la paillasse de l'évier. Je suppose que tu vas avoir besoin de beaucoup de réponses aujourd'hui.

– Oui, et tu peux t'attendre à ce que je te pose beaucoup d'autres questions. Tu vas commencer par qui ?

– La petite, bien sûr. C'est ce que tu veux, non ?

– Oui, reconnut Yeruldelgger en souriant, content qu'elle le connaisse si bien. Prends bien soin d'elle, un grand-père m'a confié son âme...

Solongo vit un voile de chagrin griser les yeux de son ami et préféra ne rien répondre.

– Je m'occupe d'elle. Va récupérer tes bouts de Chinois !

# 5

*Eh bien tout s'arrange, non ?*

Les deux femmes étaient nues, les mains attachées dans le dos, mais on leur avait laissé leurs chaussures. Des bottines de cuir jaune pour la plus grande, des talons hauts rouges pailletés pour la plus petite. Ni les bottes ni les talons ne touchaient le sol. Les deux femmes étaient pendues à l'intérieur du conteneur. Elles avaient toutes les deux la tête un peu cassée de côté, mais il n'y avait pas assez de hauteur pour que leur chute leur ait brisé la nuque. Elles avaient souffert et suffoqué longtemps avant de mourir. Le visage rond de la plus grande avait été durci au soleil des nomades. Elle avait les seins lourds, avec de gros mamelons bruns, et les hanches épaisses. Ses cuisses, un peu larges, écartaient ses jambes aux mollets musclés, offrant son sexe touffu au regard de la foule.

– Elle s'est pissé dessus ! rigola quelqu'un malgré l'horreur de la chose.

Yeruldelgger lui décocha une claque derrière la tête et lui conseilla de déguerpir.

L'autre femme avait un plus joli corps. Des seins petits et fermes, qui tenaient droit malgré sa position. Elle aussi s'était uriné dessus, mais ce qui fascinait les voyeurs, c'était leur tête à toutes les deux. Leur crâne mal rasé à grands coups de ciseaux, avec de nombreuses coupures un peu partout. Pour la foule, c'était beaucoup plus fascinant que le signe satanique gravé sur leur sein gauche. Le même que celui des trois Chinois de la briqueterie. Yeruldelgger pensa qu'elles avaient été battues avant d'être pendues, parce que toutes les deux saignaient de la bouche.

– Je t'avais prévenu ! lança Oyun en rejoignant le commissaire qui traversait rageusement la masse compacte des curieux.

– Fais-moi dégager tout ça, dit-il. Tout le monde hors de cette allée du marché, même les vendeurs, et je veux un homme en armes à chaque extrémité pour prévenir le moindre bordel.

Oyun héla un policier qui relaya les ordres. D'autres uniformes surgirent aussitôt et refoulèrent l'attroupement sans ménagement. Le marché, comme deux ou trois autres dans Oulan-Bator, n'était qu'un alignement de conteneurs transformés en échoppes aveugles. Au petit matin, les marchands ouvraient les lourdes portes métalliques sur des débordements de quincaillerie, d'épicerie, de solderie. Certains cachaient à l'intérieur des cantines à kébab, des boucheries, des laiteries. D'autres tenaient salon de coiffure. Et le soir chaque boutiquier refermait sa lourde porte et le marché redevenait un entrepôt sombre et silencieux.

– Dis à Chuluum de trouver des bâches chez un de ces marchands pour isoler la scène. Pas besoin d'humilier encore plus ces pauvres femmes en exhibant leurs cadavres.

L'inspecteur Chuluum partit à contrecœur à la recherche de grandes bâches qu'il prit bien garde de ne trouver que le plus tard possible.

– Comment tu as su ?

– Le type a ouvert son conteneur pour sortir son étal et les deux femmes étaient pendues à l'intérieur, juste derrière la porte. Il nous a prévenus tout de suite.

– Et qu'est-ce qu'on a ? Je veux dire : en dehors des signes du diable ?

– Ça ! dit Oyun en montrant le mécanisme intérieur de la fermeture du conteneur.

– Qu'est-ce que c'est ? fit-il en s'approchant.

– D'après toi, répondit la jeune inspectrice, à quoi ça ressemble ?

– Ce sont les couilles d'un des Chinois ?

– Les couilles et le machin, oui…

Yeruldelgger se pencha pour observer le triste trophée qui s'était pris dans la barre de fermeture intérieure de la porte.

– Je suppose que le type l'a un peu broyé en actionnant le mécanisme pour ouvrir, mais honnêtement, je ne vois pas ce que ça pourrait être d'autre ! commenta Oyun à haute voix.

– Et comment c'est arrivé là ?

– Ah, c'est là que ça devient vraiment glauque. Comme il est dans le mécanisme intérieur de la porte, il n'a pu s'y coincer qu'en tombant de plus haut à l'intérieur du même conteneur alors que la porte était encore fermée. Or, si tu imagines que tu refermes la porte, ça le met très exactement sous la grande…

Oyun leva les yeux vers le corps des deux pendues, et Yeruldelgger suivit son regard.

– C'est pas vrai ! C'est elle qui avait le machin d'un des Chinois ? Je refuse de croire à un truc comme ça !

– Ah, dommage pour toi, commissaire, parce que la preuve de cette macabrerie existe.

– Où ça ? s'inquiéta Yeruldelgger.

– Là, répondit Oyun en désignant d'un mouvement du menton l'autre femme pendue.

Il leva les yeux à son tour puis se cassa aussitôt en deux pour vomir ses myrtilles à la crème sur les chaussures d'Oyun.

Au-dessus de lui, la femme pendue avait les joues si pleines que sa bouche en restait entrouverte. Aucun doute sur ce qui dépassait d'entre ses lèvres, dégoulinant de sang…

– Merde, commissaire, je t'avais pourtant prévenu !

Yeruldelgger s'appuya d'une main à la paroi du conteneur et s'essuya la bouche dans son mouchoir. Puis il se malaxa rageusement le visage dans ses paumes grandes ouvertes, cambra les reins pour reprendre contenance, et revint vers l'inspectrice.

– Tu n'as pas dégueulé, toi ? s'étonna-t-il.

– Si, si, sur Chuluum !

– Ah bon, ça me rassure ! Donc on a les deux bazars qui manquaient à nos Chinois, les deux femmes du septième mois, les mêmes symboles diaboliques, des victimes à poil partout, et en plus deux crânes rasés. Eh bien tout s'arrange, non ?

# 6

*... comment tu vas pouvoir arrêter ça !*

Les Mongols ne racontent pas leurs rêves.

Tant pis pour ce pauvre Sigmund, même si l'Occident faisait maintenant fleurir ses psys à Oulan-Bator autant que ses McDo. Mais c'était tant mieux pour les quelques amis de Yeruldelgger, car chacun de ses rêves était un cauchemar.

Depuis qu'il avait parcouru les théories de l'ambitieux Autrichien à la bibliothèque de l'Alliance française, Yeruldelgger se demandait souvent par quelle perversion sexuelle de son enfance le vieux barbichu aurait expliqué sa fascination angoissée des plénitudes ventées de la grande steppe. Est-ce que Freud savait monter à cheval, autrement que dans une calèche viennoise ? Est-ce qu'il aurait pu rester trois mois solitaire dans une yourte sans donner de lecture au monde en général et à des parentes dont il était sexuellement épris en particulier ? Est-ce qu'il avait connu la peur, la vraie, pas celle des hommes, mais celle de la nature ? Que savait Freud de ses tortures du passé, de son âme blessée de nomade, de l'horreur des morts qu'il ramassait, qu'il aurait pu expliquer au siècle dernier depuis sa petite capitale européenne aux palais meringués ? Chaque matin qui le réveillait d'un cauchemar, Yeruldelgger se levait mongol, héritier d'un empire vaste et vide, où les hommes restaient libres d'être pauvres pour la plus grande admiration passagère des touristes qui venaient, guide à la main, leur réapprendre leur culture. Et dans la seconde d'après, Yeruldelgger enfilait sa panoplie de flic ramasseur d'âmes défaites et se tourmentait toute la journée à essayer de comprendre ce qui les avait fracassées. Histoire sans doute de ne plus penser à l'empire vaste et vide à l'image de sa vie.

Le commissaire était installé dans des bureaux provisoires, dans l'attente d'une énième réforme des services, dans les étages du département de la Police. Un bâtiment post-soviétique juste en face de la Cour suprême et mitoyen de la Commission nationale des droits de l'homme. Et dire qu'il se trouvait des Coréens et des Chinois pour prétendre que les Mongols n'avaient pas le sens de l'humour. Des bureaux qu'il partageait avec ses inspecteurs, Yeruldelgger n'apercevait ni le trafic sur l'avenue large et boisée ni l'entrée de la Cour suprême. Un rideau de six arbres en bordure du parking les masquait à sa vue.

Il était déjà à sa paperasse, le lendemain matin, quand Oyun entra dans les bureaux.

– Mal dormi, commissaire ?

– Oui ! confirma-t-il d'un ton de dogue.

– Tant mieux, ça me rassure ! répondit-t-elle sans prêter attention à l'humeur de son chef. Je n'aurais pas voulu te gâcher un bon matin.

– Allons bon ! C'est quoi les mauvaises nouvelles, alors ?

– Juste une, commissaire. Solongo affirme qu'on s'est plantés sur les Chinois et qu'on a tout faux. Elle veut que tu passes chez elle tout de suite.

– Elle me donne des ordres, maintenant ! fit semblant de s'indigner Yeruldelgger.

– J'ai l'impression que ça fait déjà un bout de temps ! osa Oyun avec malice.

Yeruldelgger soupira profondément, jeta un coup d'œil par la fenêtre et se dirigea vers l'ascenseur.

– Dis-lui que j'y suis dans une demi-heure.

– Tu y vas à pied, pour une urgence ? répliqua-t-elle avec une nouvelle pointe d'insolence.

– Il n'y a jamais d'urgence avec les légistes, Oyun, c'est la seule chose bien dans leur boulot, répondit le commissaire pendant que la porte guillotinait mollement ses propos.

Il prit à gauche en sortant du département, traversa l'avenue pour longer l'immeuble de la Cour suprême jusqu'au grand jardin. Il tourna à hauteur du Parlement et de la place monumentale qui laissait les touristes désemparés et minuscules au beau milieu de ses marbres clairs. Il marcha dans les effluves de mauvaises essences mal carburées jusqu'au bourdonnement âcre de Peace Avenue, qu'il descendit sur sa gauche en passant devant la grande voile de verre et d'acier de la Blue Sky Tower.

Le chaos de la ville en construction le surprenait toujours, mais ce qui le frappait davantage encore, c'était la laideur des choses du passé. Toute la monstruosité de cette architecture soviétique, ou plutôt de cette non-architecture, prenait corps en regard des buildings élancés et fiers qui se construisaient à présent. Laideur prétentieuse des anciens bâtiments officiels, laideur cynique des immeubles d'habitation populaires. Comme si l'architecture avait participé elle aussi à l'entreprise d'anéantissement de la culture mongole. Écrasement de la langue et de l'écriture, écrasement de la tradition, écrasement de la foi, et jusqu'à l'écrasement de la simple notion du beau sous des tonnes de béton, dans la mocheté des choses du quotidien, la laideur des blocs, la négation du détail et de la décoration. Quand il traversait la ville à pied, Yeruldelgger se demandait si ce n'était pas par une subtile vengeance qu'on ne détruisait pas les bâtiments d'avant. Une sorte de revanche tacite qui poussait à les laisser se déliter sur place pendant qu'une ville belle et lumineuse sortait de terre autour d'eux.

Après le ministère des Affaires étrangères, il tourna à droite et, vingt mètres plus loin, entra dans l'hôpital n° 1 où Solongo avait son service de médecine légale, au rez-de-chaussée d'une petite cour intérieure.

– Il paraît que tu veux ruiner ma journée ? demanda Yeruldelgger dans le dos de la légiste qui parlait avec un interne dans le couloir.

Solongo s'excusa d'un geste auprès de l'interne et se retourna face au commissaire.

– Pas la peine, tes gerbilles font ça très bien tout seuls.

– Mes gerbilles ?

– Ce n'est pas comme ça que tu appelles tes enquêteurs ?

– Si, mais tu n'es pas censée le savoir !

– Tout le monde le sait !

– Même eux ?

– Même eux !

– Bon, alors qu'est-ce que mes gerbilles ont fait ? s'impatienta-t-il.

– Ce qui m'a mis la puce à l'oreille, répondit Solongo, c'est quand Oyun m'a appelée ce matin pour me demander des nouvelles de tes cinq « sataniques ».

– … !?

– …

– Solongo !

– Mais demande-moi pourquoi !

– Pourquoi quoi ? s'énerva Yeruldelgger.

– Mais pourquoi ça m'a mis la puce à l'oreille !

– Oui, et alors pourquoi ?

– Parce qu'elle a employé le mot « sataniques ».

– Et ? interrogea-t-il en s'efforçant de garder son calme.

– Et je lui ai demandé pourquoi elle disait ça.

– Et ?

– Et elle m'a dit que c'était à cause des signes sur les cadavres.

– Et ?

– Et je lui ai demandé où elle était allée pêcher ça.

– Et ?

– Et elle m'a dit que c'était une jeune inspectrice qui avait reconnu les emblèmes sataniques.

– Solongo ?

– Oui ?

– Je vais perdre patience, là !

– Bon, bon, d'accord, j'abrège. Ta jeune inspectrice... On dit inspecteur ou inspectrice ?

– On s'en fout, Solongo !

– Bon, bref, elle s'est plantée. L'emblème satanique, c'est un pentagramme, une étoile à cinq branches. C'est supposé représenter les quatre éléments : l'eau, l'air, le feu et la terre, plus l'esprit. Il y a quatre branches sur les côtés et la branche de l'esprit du Malin qui pointe toujours vers le bas.

Elle le prit par le bras et le conduisit jusqu'à la salle d'autopsie en continuant son explication.

– On dit aussi que c'est la représentation symbolique de Baphomet, le dieu bouc, avec deux cornes vers le haut, deux pointes droites de chaque côté pour les oreilles, et une pointe en bas pour la barbichette. Et en général, le pentagramme est toujours contenu dans un cercle qui symbolise l'union et la maîtrise de tous les éléments.

Ils étaient arrivés à la salle d'autopsie dont la légiste poussa la porte. Les corps des deux Chinois émasculés étaient allongés sur des tables métalliques. Ceux du troisième Chinois et des deux femmes étaient sur des brancards bien alignés avec les deux tables. Yeruldelgger remarqua aussitôt que Solongo avait couvert le corps des femmes pour éviter toute honte à leur âme.

– Regarde, dit-elle en s'approchant de la première table d'autopsie. Ce n'est pas un pentagramme. Ça, ça s'appelle un bouclier de David. C'est un hexagramme fait de deux triangles équilatéraux qui s'emboîtent l'un dans l'autre. Le négatif et le positif qui se pénètrent et s'équilibrent. Une sorte de Yin et de Yang à l'occidentale. On parle aussi d'une étoile de Moloch, ou d'une d'étoile de Saturne. Ou d'une étoile juive, depuis que ce symbole a été adopté par la communauté des Juifs de Prague, en Europe, au XVIIᵉ siècle. C'est aussi un symbole utilisé par les francs-maçons, une puissante société secrète occidentale. Mais en fait, c'est un symbole qui trouve son origine en Inde. Quoi qu'il en soit, ce n'est pas un signe satanique, et tes Chinois ne se sont pas fait émasculer par des adeptes d'un cornu à la queue fourchue.

Yeruldelgger resta longtemps silencieux à regarder les cinq cadavres.

– Qu'est-ce que ces cinq pauvres âmes ont à voir avec l'étoile juive ? se demanda-t-il à voix haute. Dis-moi, Solongo, ils sont tous pareils ?

– Tous pareils, exactement le même symbole.

– Aucune différence ?

– Aucune, sauf que pour les deux femmes, il a été tailladé sur le sein gauche.

– Sur le sein gauche...

– Oui, sur le sein gauche. C'est la seule différence avec les hommes. À part la tête tondue, bien sûr !

Yeruldelgger réagit si fort à ces derniers mots que Solongo sursauta.

– Tondues, bien sûr ! Elles sont tondues ! C'est ça ! Elles sont tondues ! Ça y est, j'ai compris ! Bon sang mais c'est bien sûr ! Elles sont tondues !

– Je peux comprendre, moi aussi ?

– Bien sûr, bien sûr ! Tu vas tout comprendre toi aussi, répondit Yeruldelgger en sortant à pas pressés de la salle d'autopsie, suivi de la légiste.

Dès qu'ils furent dans le couloir, il se mit à courir en exhortant Solongo à le suivre.

– Viens, tu vas comprendre ! Tu as ta voiture ? J'ai laissé la mienne au département. J'ai besoin d'une voiture ! Il faut que tu m'accompagnes et tu comprendras. Vite !

– Yeruldelgger, attends, j'ai du boulot ! Où est-ce qu'on va ?

– À l'Alliance française, j'ai besoin que tu m'accompagnes immédiatement à l'Alliance française !

Solongo avait déjà entendu Yeruldelgger fredonner d'étranges rengaines en français. Quelquefois, en traversant la steppe dans sa jeep, il écoutait pendant des heures des chanteurs à la voix et aux noms étranges. Aznavour, Gainsbourg, Bashung… Mais elle ne savait pas qu'il avait suivi les cours de l'Alliance française.

Ils y furent en un quart d'heure. C'était pratiquement tout droit vers le nord en partant de l'hôpital, pas loin des grandes yourtes en béton décoré du monastère de Dashchoilin.

Solongo suivit son ami qui traversa les petits bureaux comme s'il était chez lui, saluant avec aisance en français et embrassant à la française les femmes qu'il croisait et qui semblaient heureuses de le revoir. Elles le laissèrent se diriger vers la petite bibliothèque aux étagères surchargées de livres usagés. Yeruldelgger fit signe à Solongo de le rejoindre face au rayon des livres d'histoire d'où il tira sans hésiter un petit bouquin assez neuf dont il lui traduisit le titre : *Femmes tondues*, avec pour sous-titre « Coupables, amoureuses, victimes ». Le livre semblait récent et était signé Julie Desmarais.

– Regarde. D'un seul coup je me suis souvenu de ça. Après la guerre en France, près de vingt mille femmes ont été tondues pour avoir pactisé avec les Allemands.

– Pactisé ?

– Oui, fréquenté, couché, aimé si tu préfères !

– Vingt mille ! Je n'avais jamais entendu parler de ça.

– Que veux-tu, philosopha-t-il, dans notre monde c'est souvent « à chacun sa misère ». D'après toi, combien de Français savent que dans les années vingt notre Baron Fou a fait ébouillanter ou jeter dans les chaudières des locomotives des milliers d'hommes et de femmes ? Les guerres sont sales, et les victoires aussi.

Solongo regardait la couverture du livre. On y voyait des femmes apeurées ou résignées, le crâne rasé, bousculées par une foule joyeusement méchante. Une d'elles portait sur la poitrine une croix nazie.

– Pourquoi me montres-tu ces choses atroces ? demanda la légiste.

– Parce que je pense qu'il s'agit de la même chose. Nos deux mortes ont eu le crâne rasé pour avoir couché avec les Chinois.

– Mais nous ne sommes pas occupés par les Chinois !

– Pour une certaine frange de la population, si. Nous sommes sous la coupe économique des Chinois qui se comportent en occupants.

– Tu penses vraiment ce que tu dis ?

– Ce n'est pas ce que je pense, mais beaucoup en sont convaincus. Les agressions contre les Chinois et les Coréens ont doublé depuis l'an dernier.

Solongo semblait effondrée par ce qu'elle entendait. La violence des foules et des idées l'avait toujours plus effrayée que la violence des individus. En replaçant le livre de Julie Desmarais sur l'étagère, elle parcourut rapidement d'autres ouvrages consacrés à la même période et s'arrêta sur un livre sur la déportation des Juifs.

– Regarde, dit-elle à Yeruldelgger. C'est l'étoile juive dont je te parlais. Le bouclier de David. Que disent-ils ? demanda-t-elle en pointant du doigt la légende de la photo. Tu saurais le traduire ?

Yeruldelgger lui prit le livre des mains et lut une première fois à voix basse. Puis il s'éclaircit la voix, comme un élève gêné qui va réciter, l'index glissant de mot en mot au fur et à mesure qu'il traduisait.

– ... *Huitième ordonnance du commandement allemand en France, 22 mai 1942 : « Il est interdit aux Juifs, dès l'âge de six ans révolus, de paraître en public sans porter l'étoile juive. L'étoile juive est une étoile à six pointes ayant les dimensions de la paume d'une main et les contours noirs. Elle est en tissu jaune et porte, en caractères noirs, l'inscription "juif". Elle devra être portée bien visiblement sur le côté gauche de la poitrine, solidement cousue sur le vêtement. »*

– Yeruldelgger, les deux femmes pendues, elles avaient l'étoile gravée sur le sein gauche !

– Mais ça n'a pas de sens ! remarqua-t-il. C'est complètement idiot de dénoncer les mêmes personnes à la fois comme juives et comme collabos ! Je ne vois pas le lien, Solongo, ça ne tient pas debout !

Elle ne répondit pas tout de suite. Elle resta un instant le regard perdu, secouant imperceptiblement la tête comme si elle ne voulait pas croire à ce qu'elle allait dire.

– Il y a bien un lien, Yeruldelgger, et malheureusement ce lien c'est la connerie. Cette barbarie est l'œuvre de cons qui mélangent tout, et le lien entre tout ça, les « occupants » Chinois, les « tondues » mongoles, la croix juive, c'est l'idéologie nazie. Cette espèce de nazisme fourre-tout à la mongole. Ce nationalisme xénophobe qui grandit à Oulan-Bator. Ce n'est pas un crime satanique, Yeruldelgger, et j'aurais presque préféré ça. C'est un crime raciste et politique, et là, franchement, ça me fait peur, parce que je ne vois pas comment tu vas pouvoir arrêter ça !

# 7

*... de la famille de la Chienne*
*au Visage Sale...*

Il fallait beaucoup d'ambition et de suffisance pour choisir de s'appeler l'Aigle Bleu de Mongolie. Trois générations avaient vécu sans nom de famille. Le régime d'avant les avait abolis pour casser l'organisation clanique de la société. Avant le « régime d'avant », les familles tenaient leur nom du clan auquel elles appartenaient dans chaque province. Les clans, eux, le tenaient d'une tradition ancestrale qui nommait les familles sans honte. Il y avait la famille du Chien Jaune, celle d'Au-delà du Vent, mais aussi la famille des Voleurs ou celle des Sept Ivrognes. Tout cela, le régime d'avant l'avait interdit au même titre que l'alphabet mongol et le chamanisme. Les nouveaux camarades ne s'étaient plus appelés par leur prénom jusqu'en 1990, à la chute du régime d'avant. Les familles avaient été autorisées à reprendre leur nom que, pour la plupart, elles avaient oublié. Un député historien s'était chargé d'établir la liste de tous les anciens noms de clans, province par province, et chacun, en fonction de sa province de naissance, avait eu le droit de retrouver son ancien patronyme ou d'en choisir un autre. Mais certains, coupés de la filiation ancestrale, n'avaient plus trouvé preneurs. Qui pouvait avoir envie d'appartenir à la famille des Sept Ivrognes ? Il fallait des hommes comme Yeruldelgger pour choisir de se réapproprier

le nom de la Chienne au Visage Sale ! Aux autres, le gouvernement avait tout simplement proposé de s'inventer un nouveau
patronyme tiré du dictionnaire. Un forgeron s'était fait appeler
Forgeron, un amoureux des galops Cheval du Terelj, et le premier
spationaute mongol avait choisi de se nommer Cosmos.

À vingt ans, un an après être entré dans la police, Sukhbataar,
dont le prénom signifiait le Héros à la Hache, avait décidé de se
faire appeler l'Aigle Bleu de Mongolie. C'est sous ce nom que
Yeruldelgger, dans la police depuis dix ans déjà, l'avait vu arriver
dans les services, plein d'ambition et de certitudes. Puis Sukhbataar avait réduit son prénom à Sukh, et l'avait transformé en Mike
au retour d'un stage au quartier général du FBI aux États-Unis.
Bien entendu, tout le service l'avait aussitôt appelé Mickey. Il
était désormais Mickey l'Aigle Bleu de Mongolie, tandis que
Yeruldelgger était Cadeau d'Abondance de la famille de la
Chienne au Visage Sale...

# 8

*... étrangers au martyre de la pauvre petite.*

– À propos, la gamine tenait ça bien serré dans son petit poing, dit Solongo en tendant la main vers Yeruldelgger.

Elle l'avait raccompagné au département de la Police et était montée avec lui jusqu'à la porte de son bureau. Ils parlaient debout dans le couloir. Solongo avait toujours beaucoup de mal à quitter son ami.

– Qu'est-ce que c'est ? demanda-t-il en se penchant pour voir ce que la légiste tenait dans sa paume, protégé dans un petit sachet en plastique transparent.

– Une dent de dinosaure en os.

– Une dent ou un os ?

– Une fausse dent taillée dans un vrai os.

– Un vrai os ? Un vrai os de quoi ?

– Un vrai os de dinosaure.

Yeruldelgger resta quelques instants à observer le petit bout d'os taillé dans la paume de Solongo. Il n'aimait pas toucher les vieilles choses. Encore moins les choses vieilles de soixante-cinq millions d'années. Il avait l'impression qu'elles étaient compactées de miasmes. Solongo le savait et profitait de la situation.

– Tu la veux ?

– Pour quoi faire ? lâcha-t-il en reculant par réflexe.

– Pour l'enquête ! répondit-elle en forçant le ton de l'évidence.

– Non. Donne-la à Oyun pour qu'elle l'enregistre comme indice. Tu en as tiré quelque chose ?

– De la terre. Une terre très identifiable. Ça a été déterré dans les Flaming Cliffs. D'après l'état du corps de la petite, ça remonte à cinq ans environ.

– Ah ! soupira le commissaire comme si tout ça allait encore lui compliquer la vie. Les Flaming Cliffs sont à plus de cinq cents kilomètres de notre scène de crime. Alors il va falloir aller enquêter par là-bas ! Sinon, quelque chose d'autre ?

– Oui, répondit Solongo d'un ton moins enjoué. Le squelette de la petite était complètement fracassé. Bassin brisé, fémur et péroné aussi. Côtes, clavicule, épaule, bras brisé, tout du même côté, le droit. À l'observation de la dispersion des lignes de fracture, la petite n'est pas tombée. Elle a été percutée.

– Par quoi ? Tu as une idée ?

– J'ai trouvé deux petits éclats de verre épais incrustés dans le caoutchouc de la pédale de son vélo. Je dirais des éclats de phare, à première vue. Je n'ai pas le matériel ni la banque de données pour remonter jusqu'à la marque de l'engin, mais j'ai modélisé les éclats et je les ai expédiés à mon contact au BKA en Allemagne. Nous avons une sorte de protocole de coopération.

– C'est quoi, une sorte de protocole ? s'inquiéta Yeruldelgger qui n'était pas au courant d'un tel accord.

– C'est un ami à moi qui travaille là-bas. Je lui arrange ses trekkings dans l'Altaï ou le Khentii et en échange il me donne accès à leur matériel.

– Eh bien, on devrait te nommer chef de la Police, Solongo. Fais de la politique et tu finiras ministre, sinon c'est cet arriviste de Sukhbataar qui le sera !

La légiste ne répondit pas, et Yeruldelgger devina qu'elle avait encore quelque chose à lui dire. Quelque chose qui la tourmentait.

– Quoi encore ?

– Je n'ose pas te le dire, ça va te mettre en colère.

– Je t'en prie, Solongo !

– Le corps est plutôt bien conservé. Il s'est en quelque sorte un peu momifié. J'ai pu examiner en partie ce qu'il restait de ses viscères. J'y ai trouvé de la terre. La fillette a ingéré de la terre avant de mourir. Ça veut dire qu'elle était vivante quand on l'a enterrée. Inconsciente, j'espère, mais vivante.

Yeruldelgger repensa aussitôt à sa découverte du petit corps. La façon dont il s'était agenouillé pour observer sous le pédalier, dans la tombe sauvage dégagée par les nomades. Et le moment où il avait vu la petite main qui sortait de la terre, tendue vers lui. Comme un appel au secours, muet et effrayé.

La colère le gagna d'un seul coup et il frappa avec violence du plat de la main contre la paroi du bureau. Le bruit et la fureur du geste firent sursauter Solongo et tous ceux qui déambulaient dans le couloir, étrangers au martyre de la pauvre petite.

# 9

*Alors ? s'impatienta Oyun.*

Yeruldelgger traversa le bar décoré d'oriflammes frappées du svastika et de portraits d'Hitler. Il bouscula en les ignorant deux types en uniforme noir de la Waffen Schutzstaffel et se dirigea droit vers celui qu'il connaissait pour être le patron.

— Salut, Adolf ! lâcha-t-il.

— *Heil Hitler !* répondit l'autre tout sourire dans un salut nazi théâtral.

Yeruldelgger lui balança une gifle magistrale qui résonna dans tout le bar. L'autre vacilla sur place avant de perdre l'équilibre et de trébucher à la renverse dans des chaises.

— Le nouveau Reich va devoir se passer de toi quelque temps, *führer* de mes deux ! railla le commissaire en menottant l'homme sans ménagement.

Depuis plusieurs années déjà la police surveillait ce petit groupe qui se revendiquait ouvertement nazi. Il y a cinq ans, celui qui se faisait appeler Adolf le Loup avait acheté ce bar dans le centre-ville et l'avait décoré aux couleurs du Troisième Reich. C'était devenu depuis le point de ralliement d'une faune détestable en même temps qu'un passage touristique obligé du nouvel Oulan-Bator. C'est justement la réaction outrée de certains touristes qui avait alerté les autorités, ainsi que les articles révoltés qui fleurissaient dans la presse occidentale et que rapportaient de plus en plus souvent les services culturels des ambassades de Mongolie à l'étranger. Mais rien n'interdisait dans la loi mongole l'existence d'un tel lieu. Et à vrai dire, Yeruldelgger, tout comme la plupart des Mongols, ne savait rien des exactions commises par les nazis en Europe. C'est pour essayer de comprendre la violente indignation de certains touristes français qu'il s'était pour la première fois rendu à l'Alliance française pour se documenter. Et c'est pour ce qu'il avait lu et vu que l'homme qu'il arrêtait sans ménagement lui donnait la nausée.

– Comment pouvons-nous ignorer l'holocauste de six millions de Juifs ? s'était-il indigné à l'époque.

– Parce que ce n'est pas notre histoire, avait répondu tristement Solongo.

– Six millions de morts, comment cela peut-il ne pas être notre histoire à nous aussi ?

– Notre histoire à nous, elle est plus proche des quatre-vingts millions de morts de Staline, et des centaines de millions de morts de Mao et des autres. L'histoire des Juifs n'est pas la nôtre. Toute leur guerre n'était pas la nôtre non plus !

– Mais ce sont quand même six millions de personnes assassinées !

– Je sais, avait répondu Solongo. Je comprends, et je n'excuse rien. Je te dis juste que si nous n'en savons rien, c'est que ce n'était pas notre histoire. Notre histoire à nous, pendant ce temps-là, c'était le massacre de nos moines, la destruction de nos temples, et l'interdiction de notre langue. Combien d'Européens le savent, Yeruldelgger ? Et il ne faut pas leur en vouloir, parce que ce n'est pas leur histoire non plus.

Le commissaire s'était alors rangé avec réticence aux arguments de Solongo, même s'il avait toujours du mal à se convaincre que six millions de morts ne pouvaient pas être l'affaire de tous. Son amie avait continué, les larmes aux yeux, en lui expliquant que désormais l'histoire des Juifs c'était leur relation avec la Palestine, et qu'entre-temps les trois millions de morts des Khmers rouges au Cambodge et le million de Tutsis massacrés au Rwanda en quelques mois n'avaient pas vraiment fait partie de leur histoire non plus.

Yeruldelgger frémissait souvent à la pensée de ce monde égoïste et cynique. En dépit des arguments de Solongo, il n'avait pu se désintéresser, à l'époque, de ce petit noyau néonazi et avait vite découvert une bande de jeunes adultes ignorants et incultes, plus nationalistes que fascistes, et pour qui Hitler était, comme Gengis Khan pour l'Occident, un héros exotique un peu brutal mais qui avait rendu grandeur et fierté à son peuple. Adolf le Loup ne voyait pas en Hitler l'homme du génocide, tout comme les Occidentaux ne voyaient pas en Gengis Khan l'homme du million de morts du siège de Bagdad. Le tyran pour qui, sur les centaines de kilomètres entre le lieu où il avait trépassé pendant le siège de Ning Hia et celui de sa sépulture, tous les êtres vivants rencontrés avaient été tués au prétexte qu'ils seraient heureux et fiers de le servir dans l'au-delà ! Celui qui avait fait détruire deux mille mosquées de Perse et d'Iran, avec leurs milliers de livres et de parchemins inestimables. Ces imbéciles de néonazis à la mongole n'étaient même pas capables de situer l'Allemagne sur un planisphère et croyaient dur comme croix de fer qu'Hitler avait construit un Reich de mille ans qui survivait encore à travers la réussite économique de l'Allemagne actuelle.

Yeruldelgger avait commencé à s'inquiéter de ce petit noyau quand il avait noté que des groupuscules nationalistes de tout poil faisaient de plus en plus souvent le voyage depuis l'Europe ou les nouvelles Républiques russes dans le seul but de le rencontrer. Il s'en était alarmé auprès de sa hiérarchie, sans succès. La Mongolie découvrait le tourisme comme une seconde source de revenus après l'extraction des minerais, et il n'était pas question d'en ternir l'image. La position officieuse de la hiérarchie était que ces fanfaronnades ne dérangeaient que quelques étrangers et n'avaient rien d'illégal. Elles pouvaient donc être tolérées tant qu'elles ne débouchaient pas sur des infractions ou des délits définis par les lois mongoles. Yeruldelgger avait même reçu comme consigne de la part de Mickey l'Aigle Bleu de ne pas enquêter sur eux. Selon ce dernier, toute présence policière ostensible pourrait être perçue comme discriminatoire et provocatrice. Elle pourrait donc avoir l'effet inverse de pousser le groupe à la radicalisation.

Mais aujourd'hui, Yeruldelgger se retrouvait avec deux Chinois émasculés, un troisième sodomisé, et deux femmes mongoles rasées. Tous morts et des étoiles juives tailladées sur le corps. Il supposait que cette fois sa hiérarchie allait bien devoir l'autoriser à enquêter sur ce groupe d'abrutis qui se faisait appeler les Loups Bleus. Il avait donc devancé l'accord de ses supérieurs en organisant la descente dans leur bar.

Yeruldelgger demanda à Oyun de conduire Adolf en salle d'interrogatoire et de commencer à le cuisiner sans lui donner le motif de son interpellation. En fait, ils n'avaient rien contre lui. Rien qui le rattache de près ou de loin au meurtre des Chinois et des deux femmes, sinon son appartenance affichée à un groupe nazi et les croix juives gravées sur les corps des victimes. C'était loin d'être le lien direct exigé par la loi. Dans cette affaire, Yeruldelgger ne faisait que suivre sa conviction d'un crime raciste à motivation nationaliste, et sa colère contre ce groupe de demeurés dont on l'avait éloigné pendant trop longtemps. Adolf était le meilleur choix pour donner un coup de botte dans la fourmilière de la tendance Reich. Et puis, après tout, ce type qui se prenait pour un *führer* était assez idiot pour finir par s'accuser de quelque chose qui leur permettrait de le garder au chaud le temps d'approfondir l'enquête.

Oyun se chargea donc de l'interrogatoire avec Chuluum. Adolf se montra aussitôt vantard et arrogant, mais ce qui inquiéta instinctivement la jeune femme, c'est la confiance qu'elle discerna derrière ses fanfaronnades. Ce type n'avait pas peur. Elle pensait, au début, qu'il n'avait pas peur d'elle en tant que femme flic. C'était bien dans la psychologie de ces nationalistes qui se révélaient toujours de sombres crétins machistes. Mais au fil des questions et des réponses, Oyun comprit que c'était de sa situation qu'il n'avait pas peur. Ce type n'avait pas peur pour avoir été arrêté violemment sans raison, en public, par des flics. Quand on est innocent, on proteste. Pas lui. Il semblait même s'en amuser et Oyun connaissait ce genre de comportement. C'était soit celui des imbéciles absolus, soit celui des coupables qui donnent le change pour temporiser, soit celui de ceux qui se savent hors d'atteinte.

— C'est pour la baston que je suis ici ? demanda soudain Adolf en surprenant tout le monde.

— Oui, répondit l'inspectrice, opportuniste, avec autant d'aplomb qu'elle le put.

— Laquelle ? provoqua Adolf.

— Tu sais très bien laquelle ! mentit Oyun.

— Ah, celle-là ! Le Coréen de l'autre soir ? Il l'avait bien cherché !

— Comment ça, il l'avait cherché ?

— Attends, ce métèque entre dans mon bar pour demander son chemin. C'est pas de la provoc, ça ?

— Et c'était une raison pour le tabasser ? fit semblant de s'indigner Oyun qui ne savait toujours pas de quelle rixe il s'agissait.

— Être coréen, c'est une raison suffisante ! lâcha Adolf d'un ton sans appel.

– Et des Chinois, tu en as tabassé, des Chinois ? risqua-t-elle.

– Des Chinois, on en tabasse tous les soirs, de ces raclures.

– Pourquoi ça ?

– Parce qu'ils sont chinois, parce qu'ils sont nos envahisseurs, parce qu'ils pillent nos richesses et pervertissent nos traditions, et parce qu'ils sont communistes comme ceux du régime d'avant. Ça vous va comme raisons ? Vous en voulez d'autres ?

– Et avant-hier, dans la nuit, tu en as tabassé, des Chinois ?

– Avant-hier... avant-hier... qu'est-ce que j'ai fait avant-hier ?

Adolf hésita en faisant mine de réfléchir.

– Ah non, pas avant-hier. Avant-hier j'ai passé la nuit à baiser une môme.

– Ah oui ? Il y a quand même des filles que tu intéresses ?

– Et comment ! se vanta le nazillon.

– On se demande bien pourquoi, se moqua Oyun.

– Baisse ton froc, tu vas comprendre pourquoi !

La main de Chuluum lui gifla le visage d'un revers violent. Le type vacilla sur sa chaise et se cramponna à la table pour ne pas tomber.

– Tu restes poli avec l'inspecteur et tu réponds à ses questions. À chaque insolence tu t'en prends une. C'est compris ?

– C'est elle qui a voulu savoir, fanfaronna le nazillon.

Il s'attendait à la même gifle, mais Chuluum le gifla de l'autre main. Cette fois Adolf tomba de sa chaise et Chuluum vit dans ses yeux ce qu'il cherchait à voir : beaucoup de surprise, et un peu de peur. Chuluum aussi avait compris que son assurance face à la situation était dérangeante, mais la force du type s'arrêtait là. Physiquement, cet abruti avait peur. Il avait peur des coups. Et s'il allait à la baston, comme il aimait dire, ce n'était sûrement pas en première ligne. Plutôt du genre à donner des ordres, à laisser les autres cogner, et à finir les victimes à terre. Chuluum savait qu'il tenait une ligne de rupture chez le guignol d'en face. Oyun aussi l'avait compris. Elle reprit l'interrogatoire.

– Donc avant-hier tu étais avec une fille.

– Ouais ! aboya Adolf.

– Oui, madame l'inspecteur ! corrigea Chuluum en levant une main les cinq doigts bien écartés.

– Oui, madame l'inspecteur, répondit l'autre en contenant sa rage.

– Et elle a un nom, je suppose, cette amoureuse des héros romantiques.

– Oui, madame l'inspecteur ! répondit Adolf avec une pointe de satisfaction dans la voix.

– Ne fais pas le con et donne le nom ! ordonna Chuluum en menaçant de la main à nouveau.

– Je veux qu'il arrête de me frapper ! exigea Adolf en se tournant vers Oyun.

La paume ouverte de Chuluum le frappa en plein front et il bascula en arrière avec sa chaise.

– Trop tard ! lâcha le policier en le regardant se relever et reprendre sa place. Et maintenant tu donnes le nom à Madame l'inspecteur. Et poliment s'il te plaît !

– Hey, c'était pas prévu comme ça ! grogna Adolf en se relevant.

– Ferme-la et réponds à la question ! hurla Chuluum en l'assommant d'une autre gifle.

– C'était pas prévu comme ça ! répéta Adolf.

– Ferme-la ! hurla le policier en le giflant à nouveau.

– Qu'est-ce qui n'était prévu comme ça ? demanda sa collègue, inquiète de sa violence.

– On s'en fout ! dit Chuluum en frappant encore Adolf. Ce que je veux qu'il nous dise, c'est le nom de cette fille, si elle existe vraiment !

– Alors ? s'impatienta Oyun.

# 10

## *C'est Saraa !*

Yeruldelgger examinait les photos de la scène de crime de la gamine sur l'écran de son iPhone. Oyun entra sans frapper.

– Alors ? Il a dit quelque chose ?

– Il a lâché des trucs qui peuvent nous permettre de le garder un peu, mais pour les Chinois de l'usine et les femmes du marché, il a un alibi.

– Ah oui ? Une soirée chez les Goering ?

– Chez qui ? s'étonna Oyun.

– Laisse tomber ! C'est quoi cet alibi ?

– Une fille. Il aurait passé la nuit avec.

– Une fille ? Tu parles d'un alibi ! Allez la chercher et bousculez-la un peu avec Chuluum pour vérifier.

– Écoute, Yeruldelgger, je ne préfère pas... je préférerais que tu y ailles toi-même.

Il leva la tête, mais elle évita son regard. Il n'avait jamais vécu une telle dérobade de sa part.

– Qu'est-ce que ça veut dire, Oyun ?

– Ne m'en veux pas, Yerul. C'est à cause de la fille...

– Quoi, la fille ? Qu'est-ce qu'elle a, la fille ?

– Elle a que c'est ta fille. C'est Saraa !

# 11

*À sa façon à lui.*

— Alors tu te caches, toi, hein ? T'as pas les couilles ! Tu te planques derrière ça. Tu crois que je ne sais pas que tu es là ? Comme un voyeur de flic ! Alors, ça t'écœure ce que tu vois, hein ? Avoue-le que ça t'écœure !

Saraa tournait en rond dans la salle d'interrogatoire. Elle était habillée de cuir noir, moitié gothique, moitié motard, avec des anneaux dans ses lèvres violettes et ses sourcils entièrement épilés. Ses cheveux de jais étaient tailladés aux ciseaux, coiffés au gel en pétard et ses yeux charbonnés de noir. Un vieux pin's mythique de la langue tirée du *Sticky Fingers* des Stones épinglé de travers sur son T-shirt noir. Elle était laide et en colère, et contente de l'être. D'une colère hargneuse, une vraie rage qu'elle cherchait à contrôler mais qui lui échappait à chaque souvenir de celui à qui elle s'adressait. À chaque invective elle pointait son doigt vers le miroir qu'elle savait sans tain et se forçait à sourire avec cruauté, même si ses yeux brillaient autant de cocaïne que de larmes et de haine.

— Ça te fait chier, hein, la chair de ta chair qui baise avec un voyou ! Ça te fait chier ! Mais lui au moins il baise, il est vivant, c'est un mec, un vrai. Il se planque pas derrière un insigne et un flingue pour cogner, lui ! Alors, oui, la fifille à son papa se fait défoncer par lui et toute sa bande et elle en redemande. Parce que je t'emmerde, je ne suis plus ta fille, je suis leur femme. Tu te souviens ce que c'est qu'une femme, vieux pédé ? Regarde, dit-elle en déchirant soudain son T-shirt d'un geste rageur et provocant, si tu as encore une paire de quelque chose quelque part, ça devrait te faire bander, non ? Des vrais nichons de femme !

Elle se plaqua contre le miroir et y écrasa ses seins en cherchant du regard les yeux de Yeruldelgger dans le reflet de son image.

– Tu te souviens de ce que c'est des vrais nichons ? Et attends, une petite chatte, tu te souviens de ce que c'est qu'une petite chatte ?

Dans l'antichambre de la salle d'interrogatoire plongée dans le noir, derrière le miroir, Yeruldelgger restait de marbre. Ses yeux ne quittant jamais ceux de Saraa, sans rien vouloir voir d'autre. Pourtant Solongo, debout contre lui, devinait la tension de tout son corps. C'était un granit prêt à éclater sous le gel. Il pourrait mourir en silence dans la seconde. S'effondrer en un tas de cailloux aux arêtes tranchantes, parce qu'il savait qu'il ne comptait pas plus que ça pour sa fille. Un tas de cailloux. Et les cailloux, ça ne pleure pas. Mais Solongo, si ! Elle avait posé une main sur l'épaule de Yeruldelgger. Elle savait tout l'amour qui restait en lui et toute la haine qui jaillissait de Saraa, et elle se demandait en pleurant combien de temps il faudrait pour que l'un jaillisse et que l'autre se tarisse. Oyun était là aussi, qui ne disait rien et observait tout.

Quand Solongo vit Saraa baisser son pantalon et déchirer sa culotte pour se cambrer comme un gamin qui pisse et leur jeter son sexe au visage, elle se précipita hors de l'antichambre et entra dans la salle d'interrogatoire...

– Saraa, je t'en prie, je t'en prie, supplia-t-elle en s'approchant de la jeune fille.

Saraa la regarda à peine. Elle pointa juste son index vers elle pour la figer sur place d'une menace sans équivoque et se retourna aussitôt vers le miroir.

– Alors tu n'as même pas les couilles de venir, hein ? Tu
envoies ta pute ! Dis-moi, comment il te baise ? demanda-t-elle
en s'adressant soudain à Solongo. Il te fourre son vieux truc vite
fait entre les cuisses debout contre les placards des vestiaires,
hein ? C'est ça ? Ou il te la met dans le cul à cheval sur la pho-
tocopieuse qui tourne ?

Puis elle se tourna à nouveau vers le miroir.

– Hey, t'aurais pas envie de te faire une petite jeunette pour
une fois plutôt que de te farcir la vieille ? Allez, viens ! Regarde,
je t'attends ! Viens me baiser si tu l'oses, je t'attends ! Je
t'attends !

Mais Yeruldelgger n'était plus derrière le miroir. Il était dans
la pièce, derrière elle. Quand elle aperçut son image, elle fit volte-
face et la gifle de son père la désarticula jusque dans le coin de
la pièce où elle roula comme un pantin de chiffes. Cette fois des
larmes brouillaient le regard du commissaire, mais il avait quand
même pu apercevoir quelque chose dans celui de Saraa. Le signe
fugace d'une peur équivoque. La peur de sa colère et de sa violence à lui bien sûr, mais aussi, et surtout, comme de la peur de
ses propres mots à elle.

Solongo se précipita pour prendre soin de l'adolescente à demi
inconsciente, et Oyun se jeta devant son chef pour s'interposer.
Mais elle savait au fond d'elle-même qu'il ne frapperait pas une
deuxième fois. Yeruldelgger n'avait pas frappé sa fille par colère
ou par vengeance. Il l'avait juste frappée pour protéger deux personnes qu'il aimait : Saraa elle-même et Solongo. Oyun avait déjà
ressenti ça aussi, quelquefois, quand Yeruldelgger s'était servi de
ses poings dans des opérations musclées où elle avait été en danger. Et elle en gardait précieusement, au fond d'elle, cette impression heureuse d'être aimée elle aussi. À sa façon. À sa façon à lui.

## 12

*J'adore ça !*

Mickey le convoqua dès qu'il eut vent de l'incident. Yeruldelgger poussa la porte de son bureau beaucoup plus tard et entra sans frapper, l'interrompant dans la dictée d'une note de service et chassant une secrétaire à la fois aguicheuse et craintive. Elle s'enfuit de la pièce avec des courbettes apeurées et Yeruldelgger se dit que tout le département devait déjà être au courant. Il déclina l'invitation à s'asseoir et resta debout devant le bureau de son supérieur pour qui il n'avait pas beaucoup de respect.

– Pas la peine de m'asseoir, je sais ce que tu vas me dire.

Mickey avait décoré les murs des souvenirs flatteurs de sa vie, à l'américaine. Ses diplômes encadrés, et un mur entier de photos de lui avec d'autres flics, lui avec de futurs ministres, lui avec des ministres actuels, lui à une remise de médailles, lui recevant une médaille, lui en quad avec une bande de Coréens casqués, lui à la chasse avec un ours comme trophée, lui en stage au FBI à Quantico, lui en stage à Moscou, lui en voyage à Disneyworld en Floride, lui partout et toujours…

– On ne frappe pas les suspects, affirma Mickey. Encore moins les témoins.

– C'est toi qui me dis ça ?

– Ne joue pas au con, Yeruldelgger. Tu n'en as pas marre de passer ta vie sur le fil du rasoir ? Combien de fois déjà tu as failli te prendre un blâme ?

– Je n'ai pas compté, répondit le commissaire en gardant son calme. Tu es là pour ça...

– Quatre fois déjà, lui rappela Mickey. Et là tu ne vas pas y couper. Pourquoi tu l'as frappée ?

– Tu n'as pas entendu ce qu'elle a dit !

– Ça ne te donnait pas le droit de la frapper. C'est un témoin.

– C'est ma fille, corrigea Yeruldelgger.

– Ici c'est un témoin. Si tu veux la considérer comme ta fille, alors tu laisses tomber l'affaire.

– C'est toi qui décides.

– Tu es sur quoi d'autre en ce moment ?

– Le corps d'une gamine dans une tombe sauvage dans le Khentii, entre Jargaltkhaan et Delgerkhaan, au sud de la rivière.

– Une tombe à l'ancienne ? Encore une histoire de renouveau de leurs rites traditionnels à la con ?

– Non, un crime. Au mieux un accident.

– Pourquoi ?

– Parce que le squelette est fracassé et que la gamine a été enterrée avec son tricycle.

– Un tricycle ?

Mickey s'était levé. Il fit le tour du bureau et s'approcha de Yeruldelgger, le prenant par le bras pour aller se planter devant une grande carte du pays qui occupait tout un mur.

– Un tricycle, tu parles d'une histoire ! Ça s'est passé où, tu dis ?

Yeruldelgger pointa l'endroit où les nomades avaient trouvé le petit corps brisé.

– Ouais ! lâcha Mickey. C'est bien loin de Bator, ça ! Tu t'es payé quoi, deux ou trois heures de tape-cul pour aller là-bas, non ? Écoute, laisse tomber cette affaire, je vais mettre Chuluum dessus. Il a le cul plus solide que toi, essaya-t-il de plaisanter. Reste sur l'affaire des Chinois mais n'interroge pas ta fille toi-même, compris ? Et pense à prendre quelques jours de congé, d'accord ?

Il le raccompagna jusqu'à la porte en le guidant du plat de la main dans le dos, ce qui était une façon presque élégante de le virer de la pièce.

— Je suis vraiment désolé pour Saraa, glissa-t-il en refermant sa porte. Prends soin de toi !

Yeruldelgger se retrouva dans le couloir.

Mickey, quel nom à la con ! pensa-t-il.

Un peu plus loin dans les couloirs, il croisa Oyun qui sortait de la salle d'interrogatoire.

— Alors ? demanda-t-elle.

— Toi d'abord !

— Elle confirme. Elle ne dit rien d'autre.

— Moi j'ai perdu l'affaire de la gamine...

— Comment ça ?

— Mickey me l'a retirée. Il va la confier à Chuluum. Il préfère que je me concentre sur les Chinois, mais je n'ai pas le droit d'interroger Saraa.

— Et qu'est-ce que tu vas faire ?

— L'âme de la petite est sous ma garde. Le grand-père me l'a confiée et c'est comme ça que ça se passe chez nous. Je ne vais pas la remettre dans sa tombe et jeter de la terre par-dessus. On va s'arranger.

— Et ? interrogea Oyun qui le connaissait trop bien.

— Et je vais aller interroger Saraa.

Oyun lui balança dans l'épaule un grand coup de poing qui ne l'ébranla même pas.

— J'adore bosser avec toi ! dit-elle en le suivant vers la salle d'interrogatoire. J'adore ça !

# 13

*Pourquoi pas Bambi,*
*tant qu'il y était !*

Dans son bureau, Mickey se concentra longtemps avant de faire convoquer l'inspecteur Chuluum. Il téléphonait rarement lui-même. Donner des ordres à une secrétaire était un des plaisirs de son poste. C'était aussi marquer sa position. Il tenait à cette séparation d'avec ses hommes de terrain. Il n'était plus des leurs. Ce sont eux qui étaient les siens. Lui, désormais, appartenait à la classe de ceux qui commandaient. Il devait regarder vers le haut. Vers tout en haut. Après tout, il avait choisi d'être un aigle, non ?

Chuluum était un jeune inspecteur qui regardait trop les séries américaines. Sans doute à cause de sa belle gueule qui lui permettait de s'identifier à ses héros. Il ressemblait un peu à Andy Lau jeune et ne manquait pas d'allure dans ses costumes croisés bleu marine. Mickey avait été instinctivement jaloux de lui quand il avait intégré l'équipe, mais Chuluum ne représentait aucun danger pour sa carrière. Il n'avait pas l'ambition d'un gagneur comme lui. En le cantonnant sous les ordres de Yeruldelgger, Mickey avait vite neutralisé ses ambitions et canalisé son ressentiment sur le dinosaure bourru qui, lui, aurait pu contrarier ses projets. Mais il avait su laisser celui-ci s'embourber dans quelques affaires glauques et une vie privée chaotique. En fait, Mickey n'avait rien eu à faire. Le vieux flic s'était effondré de lui-même après la mort de sa petite fille, et depuis cinq ans, depuis qu'on avait confié à Mickey le poste qui aurait dû revenir à Yeruldelgger, le capitaine se contentait de le regarder patauger dans sa vie défaite, à essayer de remonter la pente.

Aujourd'hui tout était en ordre, ses ambitions bien agencées et le service sous contrôle. Sauf Yeruldelgger bien entendu, qu'il fallait rappeler personnellement parce qu'il ne répondait jamais aux premières convocations de la secrétaire et débarquait dans son bureau n'importe quand sans frapper ni se faire annoncer. Mais tout ça n'inquiétait plus Mickey. Yeruldelgger n'était plus qu'un dinosaure en voie d'extinction qui allait sombrer dans sa propre déchéance. Un jour on retrouverait son squelette dans la glaise comme on trouvait des vélociraptors dans les terres rouges des Flaming Cliffs.

D'un simple geste, sans un regard, Mickey avait autorisé Chuluum à entrer dans son bureau. Mais il ne lui avait toujours pas adressé la parole. Il feignait d'être absorbé dans un dossier important que Chuluum savait insignifiant. Personne n'ignorait que cela faisait partie du jeu. L'inspecteur resta plusieurs longues minutes debout, à distance respectueuse du bureau, les mains dans le dos. Puis Mickey referma brusquement le dossier.

– Chuluum, je reprends le dossier de la gamine sur lequel travaillait Yeruldelgger.

– C'est toi le chef...

– Yeruldelgger n'est plus en charge. Tu vas reprendre l'enquête pour moi.

– Comme tu veux !

– Tu es le seul à travailler sur cette affaire, et tu travailles pour moi, compris ?

– Compris.

– Je veux un point tous les soirs. Je prends les décisions et tu les exécutes. C'est tout.

Comme Mickey reprenait le même dossier pour l'ouvrir et se replonger dedans, l'inspecteur Chuluum comprit que l'entretien était terminé. Il salua le capitaine, qui ne lui répondit pas, et se dirigea vers la porte. Il allait l'ouvrir quand Mickey l'interpella.

– Chuluum !

– Oui ?

– Cette affaire n'a aucune importance particulière, ne te méprends pas. C'est toi que je teste. Alors ne me déçois pas.

– Pas de problème ! lâcha l'inspecteur en quittant le bureau.

Mickey, quel nom à la con, pensa-t-il en levant les yeux au plafond. Pourquoi pas Bambi, tant qu'il y était !

# 14

*Allez, dégagez tous les deux !*

– Écoute, Saraa, je ne vais pas m'excuser pour ce que j'ai fait et je ne te demande pas de t'excuser non plus. Maintenant j'ai besoin que tu me confirmes un certain nombre de choses pour l'enquête.

Saraa était recroquevillée sur sa chaise, enveloppée dans une couverture qu'Oyun avait posée sur elle pendant qu'elle était inconsciente et nue sur le sol, dans un coin de la pièce. Elle serrait ses jambes repliées dans ses bras croisés, les genoux sous le menton, le regard noir et droit dans celui de son père. Sans un mot.

– Tu étais vraiment avec ce type, cette nuit-là ?

– ...

– Tu y étais de quelle heure à quelle heure ?

– ...

– On parle de meurtre ici, Saraa. Cinq ! Cinq assassinats !

– ...

– Meurtres, tortures et actes de barbarie. Ça dépasse notre petite haine familiale, tu ne crois pas ?

– ...

– Peut-être que tu étais avec lui, c'est ton histoire. Mais si tu n'y étais pas, ça va vraiment être une autre histoire pour toi. Tu peux plonger pour longtemps, Saraa, très longtemps.

– …

– Écoute, Saraa, si tu penses qu'en agissant de la sorte tu vas me faire mal, tu te trompes. La seule qui souffrirait dans ce cas-là, c'est toi. Moi, vous m'avez déjà tous fait tellement souffrir que je n'ai plus de douleur à l'intérieur, tu peux comprendre ça ? Plus du tout. Je sais que tu essayes, mais tu ne pourras jamais me faire souffrir plus que ce que j'ai déjà souffert. Pas la peine de t'infliger ça. Dis-moi juste où tu étais cette nuit-là.

– …

Yeruldelgger soupira profondément puis posa sur la petite table d'interrogatoire un livre qu'il avait emprunté à l'Alliance française quand il était allé consulter les archives avec Solongo. Il l'ouvrit sur une double page. On y voyait des empilements de corps décharnés entassés dans les cours du camp de concentration de Dachau, en Allemagne, du temps du régime nazi. Yeruldelgger tourna machinalement les pages sans quitter Saraa du regard. Sur une autre photo, on voyait les mêmes corps squelettiques et nus, sous la neige, fantomatiques, toute pudeur perdue, en file vers les chambres à gaz. D'autres photos encore, dont on ne pouvait plus dire si elles représentaient des morts ou des survivants. À chaque page, Yeruldelgger citait de mémoire la légende. Saraa essaya de fixer obstinément le plafond, mais la litanie de son père finit par lui faire baisser les yeux sur les images. Elle ne trahit aucune émotion, pourtant son regard ne put se détacher de ce qu'elle voyait.

– Ce type pitoyable avec qui tu couches, ou avec qui tu prétends coucher pour le protéger, se déguise avec l'uniforme de l'homme qui a imaginé, commandé et organisé tout ça, Saraa. Ce dictateur fou qu'il admire tant et dont il se revendique jusqu'à prendre son nom a non seulement plongé le monde dans une guerre qui a fait soixante-cinq millions de morts, mais il a en plus décidé, par pure haine, l'extermination de six millions d'êtres humains, homme, femmes, vieillards et enfants. Ce sont eux que tu vois sur ces photos.

Puis il étala les photos des deux scènes de crime, des trois Chinois et des deux femmes pendues et rasées par-dessus la dernière photo du camp de Dachau.

– Aujourd'hui, celui qui serait ton amant est suspecté d'avoir participé à ça ! Alors tu vois, Saraa, que tu me dises avoir couché avec un tel type, ou pire encore que tu le prétendes juste pour qu'il m'échappe, tout ça devrait me poignarder en plein cœur venant de ma propre fille. Mais, je te l'ai dit, je n'ai plus aucune douleur à l'intérieur. Je suis mort au-dedans depuis bien longtemps. Plus personne ne peut me blesser, même pas toi, mon ange.

Il rassembla d'un geste fatigué le livre et les photos, les ramassa, puis se leva. Pour la première fois la jeune fille suivit des yeux son mouvement vers la porte, ses yeux sur ses talons, sans vraiment oser le regarder. Arrivé près de la porte, Yeruldelgger arrêta son geste avant de l'ouvrir.

– Tu peux garder le silence, Saraa, je n'ai pas besoin de tes réponses. Elles s'imposeront toutes seules avec l'enquête, et toi tu resteras toute seule avec ta haine, et moi je resterai tout seul avec mes fantômes. Tu peux rentrer où tu veux, tu es libre. Lui reste ici. Ce soir en tout cas, tu ne coucheras pas avec lui. Ni en vrai ni en rêve.

Il sortit de la petite salle d'interrogatoire sans vouloir voir les larmes qui brillaient dans les yeux de sa fille. Il se demanda longtemps si, ce jour-là, elle avait vu celles qui brillaient dans les siens.

Un peu plus tard Yeruldelgger demanda à Oyun et Chuluum de le rejoindre pour faire un point sur le dossier. Il leur annonça qu'il allait faire relâcher Saraa, et qu'il faudrait libérer Adolf le lendemain matin puisque la jeune fille confirmait son alibi. Il

leur demanda d'organiser une filature discrète pendant les pro-
chaines vingt-quatre heures pour voir qui ils contacteraient en
sortant. Oyun accepta de suivre Saraa, et Chuluum se fit prier
pour suivre Adolf.

— Mickey m'a confié l'affaire de la gamine au tricycle, plaida
l'inspecteur. Je ne peux pas me permettre de perdre mon temps
avec des filoches inutiles. On n'a rien contre ce type, même pas
un indice, juste ton intuition, Yeruldelgger, parce que tu parles
un peu français, qu'Adolf est nazi et que deux filles ont été tondues. Tu n'as qu'à le filer toi-même !

— C'est quoi cette embrouille avec la gamine au tricycle ?
coupa Oyun. Ça veut dire quoi, ça ?

— Ça veut dire que Mickey a retiré l'affaire à Yeruldelgger
pour me la confier à moi. Ça te pose un problème ?

— Et comment que ça m'en pose un ! Cette affaire est à lui.
C'est lui qui s'est colliné les deux cents bornes de tape-cul. C'est
lui qui a recueilli tous les indices et tous les témoignages. Tu ne
connais même pas la scène de crime. Je ne suis même pas sûre
que tu sois un jour sorti d'Oulan-Bator dans un de tes beaux
costumes de frimeur ! s'emporta sa collègue.

— La scène de crime, j'irai l'inspecter, et les indices, je sais
comment faire ! répliqua Chuluum.

— Ah ouais ? Tu vas encore les saloper comme tu as fait sur
la scène de crime des Chinois ? Tu vas en oublier sur place,
comme la touffe de cheveux de femme ? Heureusement qu'il les
a vus, lui, sinon on aurait peut-être perdu le moyen d'établir le
lien matériel entre les deux scènes de crime !

— Bon, si on arrêtait les conneries ! coupa Yeruldelgger. Toi,
Oyun, occupe-toi de Saraa. Et toi, Chuluum, tu fais ce que je te
dis de faire et tu files le nazi. Si tu veux enquêter sur l'affaire
de la gamine, tu fais comme tout le monde : des heures sup. Allez,
dégagez tous les deux !

# 15

*... lui rougit les yeux*
*et lui pimenta le cerveau.*

Il n'y avait pas plus post-soviétique d'apparence que le vieux Cube Nissan vert-de-gris modèle 2004 d'Oyun. C'était à croire que les stylistes japonais, réputés dans le monde entier pour leur art de la copie, s'étaient appliqués à reproduire dans un seul dessin toutes les incongruités des utilitaires russes de la guerre froide. Le résultat était un petit quatre portes en forme de boîte et sans âme. Il avait, de face, la neutralité terrifiante d'une voiture banalisée de la Stasi de l'ex-RDA et, de dos, la brutalité aveugle d'un fourgon militaire de n'importe quelle dictature bananière. Le petit Pikachu en mousse qui pendait au rétroviseur avait beau faire, c'était une voiture de flic. Oyun se demandait chaque jour comment elle avait pu choisir un tel modèle. Elle n'avait plus maintenant qu'à attendre qu'il se démode un peu plus et devienne enfin vintage à la mode occidentale comme les vieux vans UAZ.

Quand elle vit Saraa sortir du bâtiment de la police et traverser le petit parking pour se diriger vers l'avenue, elle fit semblant de fouiller dans le vide-poches pour ne pas croiser son regard. Elle y trouva avec gourmandise un reste de sachet de biscuits aigres de lait séché qu'elle avait acheté une semaine plus tôt à une pauvre femme sur le parvis du Cirque national. Elle laissa la jeune fille s'engager sur le trottoir le long du bâtiment de la

Cour suprême en fouillant d'une main dans le sachet, avant de s'y reprendre à trois fois pour démarrer et la suivre. L'avantage à Oulan-Bator, c'est que la circulation était si anarchique que suivre un piéton à distance au ralenti ne changeait rien à la fureur des autres automobilistes. Il n'y avait aucun risque que Saraa se retourne, attirée par les avertisseurs rageurs. Oyun roula jusqu'au nouveau bâtiment de verre et d'acier de l'UB Bank dominant la vieille porte traditionnelle en bois, et tourna vers le sud pour la suivre en direction de Peace Avenue. L'adolescente marchait d'un pas violent et noir qui faisait se détourner le regard des passants. Seuls les plus vieux la regardaient passer sans comprendre, et se retournaient sur elle, longtemps après, en secouant la tête. Saraa représentait pour eux tout ce monde qui surgissait et s'écroulait à la fois autour d'eux, bâtiments et âmes, dans un même chaos.

Un peu avant l'avenue, à hauteur du Flower Center qui n'était ni central ni fleuri mais triste comme un terminal de bus russes, Oyun la vit se mettre à courir pour sauter en marche dans un bus bleu. Elle fourra son biscuit entre ses dents en jurant la bouche pleine, postillonnant des miettes sur le pare-brise et le tableau de bord, rétrograda pour reprendre de la vitesse et le suivre alors qu'il s'engageait déjà vers l'est. Pendant près de deux kilomètres, Oyun dut jongler entre les vitesses et le volant pour garder le contact, s'étouffant petit à petit avec les miettes sèches de son biscuit. Mais Saraa, comme tous les jeunes esprits rebelles, s'était laissée tomber sur la banquette arrière du bus et Oyun pouvait la voir de dos depuis sa Nissan. Elle devina bientôt qu'elle répondait à un appel sur son portable et se levait pour se préparer à descendre. Ce qu'elle fit à l'arrêt du 25 Ermiin San. Oyun se gara en catastrophe sur le trottoir car Saraa ne semblait pas vouloir aller plus loin. Elle s'était assise sur les marches en béton du perron d'une petite boutique et ne bougeait plus, son regard noir planté dans le ciment fracassé du trottoir.

Par chance le trottoir était assez large pour qu'Oyun puisse y attendre sans se faire repérer. Elle s'adossa à son siège, épousseta les miettes de biscuit aigre sur son T-shirt, et surveilla l'adolescente. Elle la vit répondre de nouveau à un appel, devina à ses mouvements de tête qu'elle s'énervait à dire qu'elle était bien déjà là et qu'elle attendait. Puis elle tourna brusquement la tête dans la direction d'Oyun, qui n'eut pas le temps de se détourner. Mais Saraa ne la regardait pas. Elle regardait l'avenue, derrière le Cube, et la policière comprit que celui, ou celle, ou ceux qu'elle attendait s'étaient annoncés de ce côté-là.

Quelques minutes plus tard, elle repéra deux hommes dans son rétroviseur. Ils adressèrent de loin un petit salut à Saraa, qui ne leur répondit pas. Oyun ne les connaissait pas. Deux petites frappes, d'après leur dégaine, qui dépassèrent le Cube sans lui prêter attention. Deux roulures qui se la jouaient gros durs, jugea-t-elle. Le plus grand portait un sac Adidas que Saraa demanda à inspecter d'un geste méchant. Oyun la vit en tirer deux bouteilles de vodka qu'elle rangea aussitôt en signifiant d'un mouvement d'épaules aux deux types que ça ferait l'affaire. Puis tous trois prirent en silence sur la droite une rue qui remontait vers le nord.

C'était un quartier triste, fait de gros blocs et de grandes barres d'immeubles au milieu de terrains en friche troués de parkings. Oyun connaissait un peu l'endroit. Tout en haut à gauche, à huit cents mètres de là, elle s'était fait inviter deux ou trois fois à l'Altaï Mongolian Grill par un flic des douanes qui la courtisait. Et puis juste un peu plus haut, sur la droite, elle était intervenue une fois au Mass Night-Club pour une bagarre avec des Coréens. C'était un mauvais quartier. Juste après le Mass Night-Club, les zones déshéritées des yourtes du nord s'étendaient sur des districts entiers. Et en frontière de l'océan immobile des yourtes échouées en ville, il y avait l'énorme complexe d'habitations collectives du douzième district. Des milliers d'appartements dans une quinzaine de barres d'immeubles hauts de dix étages et quelquefois longs de plusieurs centaines de mètres. Sur les plans ou les photos aériennes, chacun cherchait à trouver un sens à cette architecture urbaine. Certains disaient que vue d'un Soyouz, la disposition des immeubles était un message en cyrillique aux cosmonautes. D'autres y voyaient l'insolence cachée d'une écriture mongole interdite. Chacun y cherchait un symbole et pourtant ce n'était rien qu'un de ces grands projets soviétiques sans âme et sans raison, un de ces empilements de vies déshumanisées qui fracassait les nouveaux venus de sa rigueur, puis écrasait jour après jour leur existence par sa laideur. Mais qui avait certainement fait rayonner du bonheur d'un rêve socialiste les nouveaux prolétaires inventés par ceux qui voulaient pouvoir les exploiter plus docilement dans un confort minimum.

Oyun suivit Saraa et les deux hommes jusque dans la cité du douzième district. Les immeubles surplombaient des no man's land d'éternels chantiers inachevés, de parkings en terre défoncés d'ornières, ou de grandes dalles de béton fissuré, plantées de portiques pour enfants en acier rouillé sous leur peinture écaillée. Une large barre en arc de cercle de plusieurs milliers d'appartements défendait l'entrée de cette cité, et l'intérieur ressemblait à une forteresse isolée et abandonnée où des habitants résignés survivaient. L'avantage pour Oyun était que sa Nissan façon Stasi se fondait parfaitement dans ce sinistre et désolant décor.

Quand elle vit les trois jeunes pénétrer dans le hall d'un des immeubles, elle se gara en marche arrière le plus loin possible pour avoir une vue générale. Dans le hall, elle devina trois ou quatre gosses assis. L'après-midi touchait à sa fin, sombre d'une lourde menace d'orage. Bientôt on serait entre chien et loup. Oyun descendit de la voiture, se ravisa, l'ouvrit à nouveau pour y prendre ce qu'il restait du paquet de biscuits, referma et se dirigea vers le bâtiment. Les gosses la regardèrent venir avec méfiance. Elle fit mine de ne pas les voir, occupée à manger les biscuits qu'elle piochait dans le sachet. C'étaient des gosses de la misère. Des petits voleurs, des chapardeurs. Avant ils vivaient tous dans les canalisations d'eau chaude, sous terre, pour survivre à l'hiver. Aujourd'hui ils étaient tolérés dans les entrées d'immeubles qu'ils s'étaient appropriées. Oyun pénétra dans le hall sans rien dire, s'arrêta au beau milieu, et regarda de tous les côtés d'un air étonné.

– Ben, elle est où ma copine ?

– …

– Ma copine ! Habillée tout en noir, avec les cheveux en pétard ! Elle est passée où avec ses deux potes ?

Les gosses restaient méfiants, mais l'un d'eux ne put s'empêcher de pouffer de rire.

– Quoi, c'est vrai ! sourit Oyun en se tournant vers le gamin et continuant à piocher mine de rien dans ses biscuits que les mômes lorgnaient. Elle est vraiment coiffée en pétard, non ?

– En bombe explosive même, tu veux dire ! pouffa le garçon portant une casquette orange et mauve des Vikings de Minneapolis.

Son rire fit exploser tous les autres.

– En feu d'artifice même ! exagéra un deuxième.

– Son shampooing c'est de la bombe atomique ! Le matin elle allume et boum, elle est coiffée !

Ils riaient tous de bon cœur maintenant et Oyun en profita. Elle tendit son sachet de biscuits sans rien dire à celui qui avait ri en premier. Il n'hésita qu'une seconde avant d'y piquer une gourmandise.

– Bon, alors elle est où la bombe atomique ? demanda-t-elle.

– Elle est là-haut !

– Là-haut où ? s'impatienta Oyun en tendant le sachet à celui qui venait de répondre tout en regardant ailleurs.

Le message fut reçu cinq sur cinq par la petite troupe.

– Là-haut au dernier ! répondit un autre en tendant déjà le bras pour sa récompense.

– Là-haut au dixième ? Ouh, moi je monte pas !

– Y a l'ascenseur ! expliqua le premier en se portant déjà volontaire pour l'accompagner.

– Surtout pas ! répondit Oyun. Je suis claustrophobe !

– T'es quoi ?

– Ça veut dire que j'ai peur d'être enfermée. Dans un ascenseur jusqu'au dixième, moi je meurs !

Tous les gamins explosèrent de rire en se moquant gentiment d'elle.

– Non, non, moi je ne monte pas. Tant pis pour elle, moi je rentre ! Et puis les types aussi, tant pis pour eux. De toute façon ils n'étaient pas terribles ! Vous les connaissez, vous ?

– On les connaît pas, ceux de là-haut. Y a trop de monde qui passe. Y a plein de gens qui montent pour boire, pour fumer, et pour tout, quoi, tu vois ce que je veux dire, grande sœur ! Alors nous, on ne peut pas connaître tout le monde. Eux, on les a jamais vus, mais ta copine, si, on la voit de temps en temps.

– Ouais, eh bien moi, ce soir, elle ne me verra pas ! Je m'en vais. Quelqu'un veut les biscuits ?

Les gosses se jetèrent sur elle pour tenter d'attraper le sachet.

– Hey ! On se calme ! Je vous le laisse si vous le partagez. Toi, dit-elle à celui qui avait répondu le premier, tu fais le partage.

Pendant qu'ils se les disputaient, Oyun tira un billet de sa poche et rappela celui dont elle avait fait le chef de la bande.

– Hey, viens voir. Puisqu'ils font la fête au dixième, vous avez bien le droit de la faire vous aussi. Prends ça et allez tous ensemble vous acheter quelque chose à manger, compris ? Et pas d'alcool ni de cigarettes, promis ?

Le gosse lui arracha le billet des mains et dans la seconde ils s'égaillèrent comme une volée de moinillons à la sortie du temple. Oyun avait besoin de ça. Elle attendit qu'ils disparaissent et regagna discrètement sa Nissan. Dans une heure le crépuscule serait là, et il était fort possible qu'elle passe la nuit à surveiller le hall d'entrée.

Vu l'état de son Cube, cela risquait d'être beaucoup moins confortable pour elle que pour l'homme qui la surveillait aux jumelles à travers les voilages jaunis par les cigarettes d'un appartement glauque du troisième étage d'un autre immeuble. Surtout qu'il avait pour lui tenir compagnie une bouteille de vodka encore presque pleine. Du pied, il tira jusqu'à la fenêtre un vieux fauteuil en skaï datant de l'ère Khrouchtchev, sans lâcher ses jumelles ni quitter des yeux la voiture, retira le Makarov PM glissé dans sa ceinture qui le gênait pour s'asseoir, et se laissa tomber dans le fauteuil en tenant l'arme en l'air comme s'il était entré dans un jacuzzi et ne voulait pas la mouiller. Une fois bien calé dans le faux cuir, il posa l'automatique sur un guéridon bancal et attrapa la bouteille de sa main enfin libre.

J'espère qu'ils en ont eu assez pour la fille du flic, se dit-il.

Et il but une longue rasade qui lui rougit les yeux et lui pimenta le cerveau.

# 16

*... avec douceur tout le corps de Saraa.*

Oyun devina la présence avant d'apercevoir le visage collé à la vitre. Dans la même seconde, la peur lui ébouillanta le cerveau et l'adrénaline la réveilla. Le gosse à qui elle avait donné le billet était là, le nez plaqué contre la vitre, et lui faisait signe de rester silencieuse. Elle voulut ouvrir la portière, mais il pesa aussitôt de tout son poids pour l'en empêcher. Il lui fit plusieurs gestes de la main avant qu'Oyun ne devine ce qu'il voulait lui faire comprendre et qu'elle éteigne l'allumage automatique du plafonnier. Quand il sembla certain que l'habitacle ne s'éclairerait pas, le gamin se recula et laissa Oyun ouvrir la portière.

– Qu'est-ce que tu veux ?

– Ta copine, elle revient. Les deux types la redescendent. Elle est plutôt dans un sale état.

La nuit rôdait déjà. La cité monumentale n'était plus qu'un chaos figé d'ombres et de béton. Les bâtiments délabrés plongeaient des zones entières dans une obscurité menaçante sur laquelle butaient les faisceaux blafards des projecteurs. Ils trouaient l'obscurité comme ceux de miradors, depuis les coins de chaque immeuble. Pour ceux qui s'allumaient encore. Le reste de ce désastre urbain, fracassé par la nuit, baignait dans la lumière verte d'une lune suffoquée par la pollution. Oyun devina un mouvement dans le hall du bâtiment d'en face.

– Ce sont eux ?

– Oui, répondit le gosse, blotti contre elle comme le héros malgré lui d'un mauvais film d'espionnage.

– Ils n'allument pas. Ils veulent rester discrets…, pensa Oyun à voix haute.

– Non, c'est nous qui cassons les éclairages pour pouvoir dormir tranquilles, corrigea le gamin.

– Je te vois faire ça et je t'en colle une ! plaisanta Oyun sans quitter des yeux les silhouettes qui sortaient de l'immeuble.

– Essaye un peu, pour voir ! provoqua le gamin.

Oyun accrocha son regard dans le noir, le fixa une seconde, puis lui sourit en le bousculant gentiment d'un coup d'épaule.

– Partenaires ? demanda-t-il d'un air sérieux.

– Partenaires ! répondit-elle. Mais c'est moi qui commande. Toi tu obéis. Si ça bouge, tu restes là et tu gardes la voiture, d'accord ?

– D'accord !

La jeune inspectrice observa les trois silhouettes. Saraa semblait ivre entre les deux hommes qui la soutenaient, trébuchant sur les détritus qui jonchaient le sol. En fait, ils la traînaient plus qu'ils ne la soutenaient et Oyun n'aima pas du tout le doute qui s'insinua en elle. Saraa était-elle encore vivante ou n'était-elle plus qu'un cadavre dont ils allaient se débarrasser ?

– Tu as une idée d'où ils vont ? demanda-t-elle au gosse dans un murmure.

– Les canalisations. Il y a une bouche d'entrée par là-bas. Je te parie que c'est là qu'ils l'emmènent.

– Je parie pas ! lâcha Oyun. Elle est où cette bouche ?

Le gamin pointa du doigt un endroit à une trentaine de mètres devant eux, dans une zone à moitié éclairée.

– Elles mènent où ces canalisations ?

– Partout, répondit le gosse. Elles alimentent tout le district. Elles sont même reliées à celles des autres districts…

Le gamin avait raison. Dans la lumière glauque, elle regarda les deux types traîner Saraa vers l'entrée des égouts. Elle hésita. Elle était trop loin et il faisait trop nuit pour qu'elle puisse tirer ou s'approcher d'eux sans danger.

– Tu as vu si ma copine était consciente quand ils sont descendus ?

– Arrête de dire que c'est ta copine. Elle, tu la filoches, et toi t'es flic !

– Réponds à ma question, partenaire !

– Tu parles qu'elle est vivante, elle a vomi dans tout l'escalier. Elle se rend pas compte que c'est là qu'on dort, nous ?

– À mon avis, elle ne se rend plus compte de grand-chose pour l'instant, coupa Oyun. Qu'est-ce qu'il y a dans les canalisations ? Qu'est-ce qu'ils vont y faire ?

– D'après toi ? répondit le gosse en haussant les sourcils face à une telle évidence.

– Négatif, partenaire. S'ils voulaient faire ce à quoi tu penses, ils l'ont déjà fait là-haut, dans l'appartement.

– Alors c'est pour se débarrasser du corps, corrigea le gamin sur un ton blasé.

– Elle n'est pas morte, c'est toi qui l'as dit !

– Normal, ils n'allaient pas se compliquer la vie à trimballer un cadavre. Ils ont plus vite fait de la tuer sur place, dans les souterrains, c'est le truc classique, ils le font tous à la télé !

– Tu as la télé, toi ? Non, alors ferme-la !

– Pourquoi tu ne les descends pas ? Bang, bang ! Et hop, tu sauves ta copine.

– C'est pas ma copine, c'est toi qui l'as dit !

– Ben c'est qui alors ?

– C'est la fille d'un copain.

– Un copain flic ?

– Un copain flic !

– Oh merde alors ! lâcha le gosse.

Oyun lui donna une petite claque derrière la tête pour lui rappeler de rester poli.

L'homme derrière ses rideaux nicotinés observa les deux types descendre maladroitement le corps de la fille du flic dans la bouche d'égout. Il attendit qu'ils s'y glissent à leur tour et balaya aussitôt toute la nuit d'un grand mouvement de ses jumelles pour recadrer la voiture. Il fut surpris de voir la silhouette d'Oyun surgir en silence de l'ombre du parking. Il n'avait pas vu l'habitacle s'allumer. Il la vit contourner l'entrée et se planquer derrière un conteneur qui devait servir de cabane pour un chantier jamais terminé. Ou jamais entrepris. Il comprit qu'elle se choisissait un angle d'approche face à la lumière, pour que son ombre ne trahisse pas sa présence. Puis elle se glissa entre des restes de balustrades et disparut dans l'obscurité d'un contre-jour. Le type apprécia en connaisseur. On aurait dû le prévenir. Cette fille savait ce qu'elle faisait.

Oyun se demandait quoi faire. Soit les types emmenaient Saraa à travers les égouts pour ressortir ailleurs, et elle ne devait pas les suivre de trop près pour ne pas se faire repérer. Soit ils l'avaient juste descendue sous terre pour l'abattre et abandonner son corps, et il fallait qu'elle intervienne tout de suite. Elle ne voulait pas non plus déclencher une fusillade à deux contre elle en milieu fermé avec Saraa ivre morte au milieu. Elle ferma les yeux, se dit que Yeruldelgger aurait déjà flingué les deux salopards, et se mit à courir vers l'entrée de l'égout sans se relever. Elle allait atteindre le trou sombre quand une silhouette furtive en jaillit et se jeta contre elle. Elle faillit tirer mais un gosse apeuré se jeta à son tour contre ses jambes, suivi d'une femme qui la supplia en silence de les épargner. Ils surgissaient sans bruit, comme des fantômes. Le temps qu'elle cherche à comprendre ce que voulait lui dire ce regard suppliant, un autre gosse se jeta sur elle pour la désarmer. Oyun roula à terre, bascula le gosse sur le côté et se retrouva à cheval sur lui, l'arme braquée entre ses deux yeux et le bâillonnant de son autre main.

— Ne bouge pas ! Je suis flic, je ne te veux pas de mal. Tu ne cries pas quand j'enlève ma main et tu réponds à mes questions, d'accord ? Après je te laisse partir, compris ?

Le gosse fit signe de la tête et Oyun enleva sa main.

— Que se passe-t-il là-dessous ? demanda-t-elle à voix basse, son visage contre le visage du gamin.

— Ils sont fous ! Ils vont lui faire du mal ! Ils nous ont chassés de chez nous.

— Ils sont où ?

— Dans le grand boyau vers l'est. Au troisième embranchement, à cent mètres vers le sud, il y a un caisson de vannes. C'est là où on était quand ils nous sont tombés dessus.

Oyun lâcha le gosse, qui disparut aussitôt dans la nuit comme s'il n'avait jamais existé. Elle resta quelques instants dans le doute. Elle n'était jamais intervenue dans ce que tout le monde appelait les égouts. La police n'y allait jamais, pour ne pas avoir à reconnaître que le problème existait. La meilleure réponse, c'était qu'il n'y avait pas d'égouts à Oulan-Bator. Seulement des canalisations d'eau chaude qui couraient partout sous la ville. Mais quand les télévisions occidentales avaient levé ce juteux lièvre de documentaire social, elles avaient explicitement parlé d'égouts pour mieux toucher la compassion de leur public habitué au confort citadin. Alors tout le monde parlait désormais d'égouts, même les habitants d'Oulan-Bator. Et des milliers de sans-abri y vivaient. Les journaux étrangers en parlaient, les télévisions étrangères les montraient, mais la police avait pour consigne de les ignorer. C'était une grande tendance mongole de croire que ce qu'on ignore n'existe pas. Une ONG avait récemment cité le chiffre de cinq mille êtres humains réfugiés en hiver dans les canalisations, quand la température extérieure descendait à moins quarante et que la seule façon de survivre était de se blottir contre les conduits de chauffage qui couraient sous la ville. Cette population comptait surtout des nomades déracinés jetés tout droit des steppes immenses qui les nourrissaient dans les culs-de-basse-fosse de la ville où ils survivaient d'immondices. La rumeur prétendait qu'ils avaient gardé dans la misère leur code moral ancestral et que cette cour des miracles vivait dans le respect des traditions et des anciens. Autre prétexte pour les gouvernements de ne pas faire intervenir la police. Il n'y avait officiellement pas de criminalité souterraine. Pas même de délinquance. Même si, depuis quelques années, les crises successives avaient poussé vers la ville et jeté à la rue de plus en plus de miséreux fuyant la steppe. Une nouvelle population de petites frappes et d'orphelins en bandes qui survivaient de vols et de rapines avait trouvé dans les égouts des refuges nombreux et des échappatoires faciles à leurs poursuivants. La puanteur et la noirceur des tunnels maintenaient en surface flics et victimes qui n'osaient pas s'y aventurer pour les poursuivre. Les égouts étaient ainsi devenus des territoires à conquérir et à défendre pour ces petites bandes qui n'hésitaient pas à s'en prendre aux premiers occupants. Même si les autorités feignaient de l'ignorer encore, la criminalité s'était bel et bien glissée sous la ville dans des labyrinthes et des cloaques dont la police ne savait rien.

De sa fenêtre, l'homme aspira la dernière goutte au goulot de sa bouteille en espérant un instant que la fille n'allait pas descendre à son tour. Quand il vit la silhouette se glisser dans le trou, il se résigna et s'extirpa péniblement du vieux fauteuil, récupéra son arme qu'il glissa dans sa ceinture, et passa dans la cuisine éteinte se rafraîchir d'un peu d'eau sur le visage avant de sortir.

Le puits d'accès était un étroit cylindre vertical en méchant béton. On y descendait cinq mètres sous terre par des échelons rouillés scellés dans le ciment. Dès qu'elle s'y engagea, Oyun fut saisie par la puanteur. L'endroit empestait l'urine, le vomi et la pourriture. Elle se maudit de ne pas avoir pris d'écharpe pour se masquer le nez. Une fois qu'elle eut surmonté l'odeur, le cœur au bord les lèvres, ce fut l'angoisse du noir et des bestioles qui l'assaillit. À cinq mètres de profondeur, la clarté glauque de la rue n'éclairait plus rien. Oyun posa le pied au sol avec toute la prudence possible, dans l'obscurité totale, sur un tapis mou d'immondices. Elle fouilla à tâtons dans ses poches et en tira son iPhone sur lequel elle avait chargé l'application torche électrique. Dans un premier temps, l'affichage de l'écran la rassura, le temps de retrouver l'icône qu'elle cherchait et de l'activer. L'intérieur de la galerie s'éclaira alors d'une lumière blanche et sinistre de mauvaise vidéo et Oyun découvrit avec horreur l'univers obscur des égouts.

L'écran de l'iPhone éclairait à peine les premiers mètres de ténèbres du souterrain. De part et d'autre, le collecteur principal s'enfonçait et disparaissait dans l'obscurité. C'était un pipeline d'acier de plus d'un mètre de diamètre, boulonné par séries de tronçons posés et boulonnés à leur tour tous les dix mètres sur des plots en béton. L'isolation en amiante pendait partout, déchirée en lambeaux sales sur lesquels couraient des dizaines de cafards. Et partout où l'eau avait fui un jour ou l'autre, des cancers de calcaire enchâssaient les tuyaux rouillés.

Après la puanteur, la chaleur prit Oyun à la gorge. L'eau était propulsée sous pression à plus de cent trente degrés depuis les deux monstrueuses centrales thermiques soviétiques implantées par le régime d'avant au cœur de la ville. Dehors, des milliers de tonnes de tubulures et de tuyauteries hérissées de fumerolles et de jets de vapeur crachaient en permanence dans le ciel de la ville de lourds panaches de fumées âcres et ocres. Dedans, des dizaines de kilomètres de tuyaux et de conduites en labyrinthe sous toute la ville distribuaient l'eau chaude et le chauffage à chacun selon ses besoins, dans la mesure de ce qui lui parvenait quand même après les fuites, les ruptures, les accidents, les détournements, les gaspillages, et les corruptions.

Au-dessus de la conduite principale, accrochée au plafond du tunnel, d'autres tuyaux de moindre diamètre couraient aussi, suspendus de mètre en mètre par des crochets métalliques. Malgré la puanteur et les ténèbres, Oyun prit sur elle pour se concentrer quelques instants et se repérer avant de s'engager avec prudence dans ce qu'elle pensait être le tunnel est. Elle n'avait pas fait dix mètres qu'un visage blafard aux yeux luisants surgit face à elle dans la lumière blanche. La chose jaillit de sous le tuyau principal et fila comme l'ombre d'un gnome entre ses jambes. Oyun trébucha de peur en lâchant un cri d'effroi dont elle eut aussitôt honte. Mais comme elle cherchait à se retenir contre le tuyau bouillant, une autre silhouette tomba du plafond et rebondit sur son dos avant de disparaître à son tour. Dans sa frayeur, Oyun lâcha son iPhone, qui tomba l'écran contre terre. Elle se retrouva perdue dans l'obscurité avec la sensation effrayante que des choses vivantes la guettaient dans le noir. En cherchant à entendre ceux qu'elle ne voyait pas, elle remarqua le bourdonnement incessant des mouches, comme si la bousculade en avait réveillé des essaims entiers. Elle n'osa pas respirer pour reprendre son calme, tant l'atmosphère lui semblait saturée de miasmes. Elle resta quelques secondes immobile, le corps aux aguets, avant de se ressaisir.

C'est dans ce silence menaçant qu'elle entendit, plus loin dans le tunnel, ce qui ressemblait à des voix étouffées. En se concentrant sur la direction d'où elles venaient, elle devina une imperceptible lueur loin devant elle. Elle imagina Saraa à la merci des deux hommes dans ce cloaque et un mauvais pressentiment la poussa à se dépêcher. Elle se pencha pour récupérer son iPhone à tâtons, ses doigts effleurant des choses immondes dans le noir. Elle finit par repérer une faible lueur juste à ses pieds. Des quatre côtés du téléphone, un filet de lumière rasait le sol entre les pattes d'une multitude de cafards. Oyun se força à le ramasser et le secoua aussi fort que possible. Quand elle éclaira le sol à nouveau, elle vit les blattes énormes grouiller par centaines et son estomac se noua en imaginant qu'elle en avait écrasé des dizaines à chaque pas dans le noir. Elle se remit en marche et c'est en éclairant à nouveau les ténèbres face à elle qu'elle les vit dans la lumière blafarde.

Comme des fantômes, couchés sur les tuyaux suspendus, recroquevillés sur la conduite centrale ou debout dans l'ombre des murs, tous la fixaient en silence de leurs yeux creusés par la lumière trop crue, enfants apeurés, vieillards édentés, mères épuisées. Elle en compta trois d'abord, puis cinq, puis huit bientôt face à elle, sans oublier qu'il y en avait au moins deux quelque part derrière. Mais, passé sa première frayeur, Oyun ne ressentit aucune peur. Elle devinait tant de résignation et de crainte dans leurs regards qu'elle n'y trouva pas le moindre soupçon de haine ou de colère. Elle leur fit comprendre d'un signe de la main qu'ils n'avaient rien à craindre mais qu'ils devaient garder le silence. Elle tourna l'écran vers elle pour éclairer son visage, et regarda vers le fond du tunnel en écarquillant les yeux pour marquer une interrogation silencieuse. Quand elle retourna l'écran à nouveau vers eux, ils s'étaient tous regroupés et rapprochés sans qu'elle s'en aperçoive.

Une femme lui adressa alors un signe discret de la tête en direction du tunnel, puis elle posa la main sur l'épaule d'un gosse, comme pour l'autoriser à dire quelque chose. Le gamin pointa son doigt vers le tunnel, lui fit faire trois petits bonds dans le vide, puis cassa sa main à angle droit sur la droite. Oyun comprit qu'elle devait passer trois repères puis prendre sur la droite. Elle supposa qu'il devait y avoir des embranchements pour distribuer l'eau dans chaque immeuble de chaque cité de chaque district et qu'il fallait qu'elle en passe trois avant de descendre vers le sud. Elle posa la main sur l'épaule de la femme pour la remercier et devina dans ses yeux déjà vieillis par l'âge et la misère toute la tristesse des steppes perdues et des cavalcades brisées. Les vieux avaient été des nomades fiers et libres, enivrés du parfum des steppes immenses, et le cœur d'Oyun se serra en imaginant que les gamins n'auraient comme souvenirs d'enfance que la puanteur et les ténèbres du tunnel. La femme posa sa main sur la sienne en plantant son regard dans le sien, pour l'implorer d'être prudente. Oyun cligna des yeux pour le lui promettre en silence et décida de sortir son arme dès qu'elle ne risquerait plus d'effrayer ces pauvres fantômes des égouts.

Elle rencontra le premier des trois embranchements à peine quelques dizaines de mètres plus loin. Le tunnel débouchait dans un petit bunker aveugle en béton de quelques mètres cubes où la conduite centrale était lourdement boulonnée à un énorme répartiteur en croix. Au plafond, le croisement des canalisations secondaires se compliquait d'un enchevêtrement de dérivations qui descendaient presque à hauteur du visage. C'est là qu'elle vit les rats et qu'elle dégaina. Ils avaient jailli dans la lumière tout contre son visage en sifflant de colère entre leurs babines purpurines retroussées sur leurs dents jaunes et aiguisées. Oyun dut maîtriser toute sa phobie et son dégoût pour ne pas faire exploser les abjectes bestioles une par une à bout portant. Mais elles disparurent dans les ombres en couinant, aussi soudainement qu'elles étaient apparues. La jeune femme en profita pour passer prestement sous les tuyaux et s'éloigner dans le tunnel. Elle accrocha encore dans sa lumière quelques visages blafards. Des vieux tout seuls, des familles, une bande de gamins blottis les uns contre les autres. Comme s'ils savaient déjà, ils lui indiquaient à chaque fois le chemin d'un geste ou d'un regard. Les cafards occupaient le tunnel. Les rats s'étaient approprié les répartiteurs. Les pauvres âmes se terraient là où elles le pouvaient.

Oyun passa le deuxième répartiteur en tenant les rats à distance avec la faible lumière de l'iPhone. Elle grimaçait d'horreur, et une fois dans le nouveau tronçon du tunnel, se retourna une fraction de seconde pour s'assurer qu'ils ne couraient pas sur les tuyaux suspendus au-dessus d'elle. Elle frissonna à l'idée qu'ils pourraient la rattraper et se laisser tomber sur son dos dans le noir pour lui mordre le cou. Quand elle se retourna à nouveau, les deux hommes n'étaient qu'à quelques mètres devant elle, aussi surpris qu'elle, éclairant le sol devant eux à la faible lueur d'une petite lampe de poche.

– Police, ne bougez pas ! hurla Oyun en pointant son arme sur eux. Où est la fille ?

La torche électrique la frappa en plein front. Le coup la surprit et la déséquilibra, puis un des hommes se jeta sur elle et la bouscula pour disparaître dans le noir. Elle reprenait à peine ses appuis quand elle devina l'autre homme qui lançait son poing vers son visage. Elle esquiva mais il heurta son épaule avec une telle violence qu'il la fit tournoyer sur elle-même. Il lui fallut quelques secondes pour reprendre ses esprits et s'orienter à nouveau. Par chance, la lampe électrique était restée au sol et éclairait la direction prise par les deux hommes. Elle les aperçut et tira sur eux en espérant ne toucher personne d'autre.

– Tout le monde à terre ! Tout le monde à terre ! Protégez-vous !

Oyun imaginait ses balles ricochant contre les murs et les tuyaux, et tous ces pauvres gens paniqués au milieu. Elle tira pourtant deux coups de feu puis se lança à la poursuite des fuyards en ramassant leur lampe au passage. Elle entendait leur cavalcade juste devant elle. Ils se cognaient et juraient de colère. Leurs voix était une indication précieuse. Elle tira encore une fois au jugé et entendit un terrible sifflement suivi d'un hurlement de douleur. Elle aperçut des femmes et des gamins qui couraient vers elle dans un nuage de fumée.

– Ça va ? Ça va ? Personne n'est blessé ?

– Seulement l'homme, répondit la femme qui lui avait tenu la main. Seulement lui !

Puis ils disparurent derrière elle et Oyun aperçut la silhouette de l'homme qui vacillait dans une tourmente de fumée blanche. Il hurlait à s'en déchirer la gorge, les mains sur le visage, en titubant. L'inspectrice s'approcha pour le neutraliser et faillit vomir d'horreur. L'homme se débattait au cœur d'un jet de vapeur qui l'ébouillantait vivant. Une de ses balles avait perforé une petite canalisation perpendiculaire qui traversait le répartiteur à hauteur de visage au moment où l'homme arrivait. Elle n'osa pas s'approcher davantage, regardant impuissante l'homme aveuglé se cogner et revenir plusieurs fois en hurlant dans le jet de vapeur qui l'ébouillantait à nouveau. Puis il tituba, reculant de quelques pas hors du jet, et Oyun, accroupie, en profita pour l'attraper par un pan de sa veste et le tirer à terre. L'homme hurlait comme un dément sans lâcher son visage, mais à voir la chair bouillie à blanc de ses mains qui partaient en lambeaux, la jeune femme n'osait imaginer quel faciès défiguré elles cachaient.

Elle le saisit par le col et le tira sur le dos à l'intérieur du tunnel, loin de la vapeur sous pression. La chaleur devenait insoutenable. L'homme cessa de hurler et Oyun se demanda s'il était mort. Elle le distinguait à peine dans le noir. Elle avait laissé tomber sa lampe pour le tirer hors du jet bouillant. Elle glissa son arme dans sa ceinture et crapahuta à quatre pattes vers la lampe sans plus se soucier ni des rats ni des cafards, attrapa la torche qui faiblissait et se retourna pour éclairer de loin l'homme blessé. Les rats étaient sur lui. Les spasmes qui secouaient son corps les maintenaient encore un peu à distance, mais les plus audacieux couraient déjà sur ses jambes. Il râlait maintenant des borborygmes suppliants. Oyun se relevait pour chasser les rats quand son ombre se projeta loin devant elle dans le tunnel soudain éclairé. Elle se retourna et la lumière blanche d'une torche puissante l'aveugla. D'instinct, elle sut que ce n'était pas le complice de l'homme blessé.

— Aidez-moi, vite, je vous en prie. Cet homme là-bas est gravement brûlé. Je vous en prie, aidez-moi !

— Désolé, répondit une voix dont le calme la pétrifia, mais je ne suis pas vraiment là pour ça !

— Je vous en prie, insista Oyun, il souffre le martyre !

— Espérons que tu souffriras moins que lui, alors ! répondit l'homme.

— Qu'est-ce que..., commença-t-elle, figée par la peur.

L'inconnu posa sa lampe à terre et s'avança de côté. La jeune femme ne devinait que sa silhouette dans le contre-jour artificiel. Elle ne distinguait rien de lui, mais son geste était sans équivoque. L'homme brandissait une arme dans sa direction et il allait tirer. Elle essaya de se convaincre sans y croire qu'il était là pour abattre le blessé. Un troisième complice qui ne voulait pas laisser de témoin. Mais l'inconnu braquait bien son arme sur elle !

— Arrête, je suis flic ! hurla-t-elle.

– Je sais, murmura-t-il dans un sourire, moi aussi !

Le coup résonna à la seconde même où Oyun dégaina. Tout se mit à vaciller autour d'elle. Une silhouette avait surgi derrière l'homme et shooté dans la lampe. Les ombres et les lumières s'affolèrent dans tous les sens, les rats déguerpirent en panique entre ses jambes, et l'atmosphère saturée de vapeur d'eau s'alourdit d'une odeur de poudre mouillée. L'inconnu tituba, tira une seconde fois en l'air, puis s'effondra sur Oyun, qui roula sur le côté parmi les cafards pour l'éviter. Ses oreilles résonnaient encore de l'écho assourdissant des coups de feu et du sifflement filé des balles ricochant contre les tuyaux. Elle reprenait à peine ses esprits quand elle devina un autre mouvement. Elle se redressa, assise jambes bien écartées pour être stable, son arme dans une main et la lampe du blessé dans l'autre.

– Hey, doucement, partenaire !

Le gosse du hall d'entrée, celui à la casquette des Vikings, était là tout sourire et à quatre pattes face à elle.

– Qu'est-ce que tu fais là ?

– Je t'ai suivie, partenaire !

– Et ce type ?

– En fait j'ai suivi ce type qui te suivait.

– Il me suivait depuis quand ?

– Depuis là-haut.

– Tu sais pourquoi ? Il était avec les deux autres ?

– Non, lui, il est avec les flics, mais du mauvais côté.

– Du mauvais côté ? Du mauvais côté de quoi ?

– Ben, du mauvais côté des flics, pardi !

Oyun ne chercha pas à comprendre de quoi le gosse parlait. Pas dans le tunnel d'un égout saturé de vapeurs brûlantes avec un homme brûlé vif, un agresseur en fuite, et un flic ripou au sol.

– Tu l'as tué ? s'inquiéta-t-elle en se relevant.

– Non, répondit le gosse, une barre de fer à la main. Je l'ai juste assommé.

– Éclaire-moi, il faut que je le fouille. Je veux savoir qui c'est.

– Laisse tomber ! Tu as trouvé la fille ?

– Non, pas encore. Elle ne doit pas être loin.

– Il faut la retrouver tout de suite, ordonna le gamin. S'ils lui ont fait ce que je pense, il faut la retrouver tout de suite.

Oyun ne discuta pas. Il y avait dans sa voix une certitude qui l'alarmait déjà.

– Quelqu'un m'a fait comprendre que je devais prendre le tunnel de droite après le prochain répartiteur, dit-elle.

– C'est bien ce que je pensais. Alors il faut vraiment faire vite. Viens, suis-moi, répliqua le gosse.

Il s'empara de l'arme et de la puissante torche de l'homme qu'il avait assommé, et passa devant Oyun pour lui montrer le chemin. Elle l'attrapa par l'épaule et lui confisqua l'arme.

– Tu peux garder la lampe, dit-elle.

– Hey, on est partenaires, non ? s'étonna-t-il en souriant.

– Pas à ce point-là ! répondit Oyun d'un ton sans appel.

Le gosse haussa les épaules et partit en courant dans le tunnel jusqu'au troisième répartiteur. Ils piquèrent sur la droite dans un collecteur identique au premier, mais cinquante mètres plus loin, ils débouchèrent dans une salle plus grande que les précédentes. Le bunker cette fois mesurait une bonne dizaine de mètres carrés. Ce n'était pas un répartiteur en croix comme les autres. La conduite se terminait dans une sorte d'énorme chaudière industrielle d'un autre âge à laquelle elle était solidement boulonnée. Oyun devina que le tunnel se prolongeait de l'autre côté du bunker, et en contournant la chaudière, elle vit que la même conduite sortait de la masse boulonnée pour s'enfoncer à nouveau dans les ténèbres d'un autre tunnel. Dans la lueur agitée de leurs torches électriques, la chaudière prenait des allures de machine infernale.

Oyun comprit qu'il s'agissait d'une sorte de turbine qui redonnait de la pression à la vapeur. Comme elle regardait le câblage électrique qui reliait la machine au plafond, plus haut que celui des autres salles, son pied se prit dans quelque chose de souple qui la fit trébucher. Elle pointa sa torche vers le sol et éclaira un morceau d'étoffe. Dans la lumière de sa lampe, quelque chose brilla d'un bref éclat. Elle ramassa le tissu et reconnut le pin's à la langue tirée des Rolling Stones. Les vêtements de Saraa.

– Là ! hurla le gosse.

Oyun se redressa et suivit des yeux le faisceau de lumière qu'il pointait sur la conduite, juste à l'endroit d'où celle-ci sortait de la turbine. Elle aperçut le corps nu de Saraa à califourchon sur le tube d'acier rouillé, la tête de côté, joue écrasée contre le métal, pieds et bras ballants de chaque côté.

– Vite ! cria le gamin. Dépêche-toi, descends-la de là !

Sans attendre l'inspectrice, il sauta vers Saraa, attrapa le bras inerte qui pendait de son côté, et tira de toutes ses forces pour la faire tomber sur le sol.

– Hey, qu'est-ce que tu fais ? Fais attention !

– Ne discute pas et aide-moi. On la retourne sur le dos, vite ! Tout de suite !

Elle obéit aussitôt tant la voix du gosse trahissait l'urgence et l'inquiétude. Saraa était inanimée et Oyun savait pourquoi : elle empestait la vodka. Elle voulut la prendre dans ses bras et essayer de lui faire reprendre conscience, mais le gosse lui cria un ordre si définitif qu'elle suspendit son geste.

– Ne la touche pas ! Ne la touche surtout pas ! Viens, aide-moi ! Grimpe sur la conduite et tâte tous les petits tuyaux qui courent au plafond. Trouve un tuyau bien froid et préviens-moi.

Il était déjà sur la conduite et tâtait un par un les tuyaux dont quelques-uns lui brûlèrent les doigts. Oyun l'imita et, par chance, le premier tuyau qu'elle toucha était le bon.

– Là, celui-là, il est froid !

Le gamin bondit la rejoindre et sauta pour s'accrocher au tuyau, qui céda aussitôt sous son poids. Un jet d'eau glacé les aspergea et Oyun bascula en bas de la conduite. Tandis qu'elle se redressait, prête à le maudire, le gamin s'arcboutait pour tordre la conduite et dévier son jet sur le corps de Saraa.

– Tu es fou ! hurla Oyun en tentant de lui arracher le tuyau.

Le gamin la repoussa du pied avec une force inattendue.

– Elle est brûlée ! hurla-t-il. Ils voulaient la cuire. Il faut faire couler de l'eau froide sur elle le plus longtemps possible. Au moins un quart d'heure ! Je t'en prie, il faut me croire. Je sais ce qu'ils lui ont fait !

– D'accord, d'accord, mais adossons-la au moins à un mur, qu'elle ne reste pas allongée dans la boue comme ça !

– Non, il faut la garder allongée comme elle est. Il ne faut pas que son corps fasse de plis. Il faut tout refroidir. Elle n'est pas brûlée dans le dos, elle ne s'infectera pas dans la boue, crois-moi !

D'où ce gamin pouvait-il tenir tout ça ? Était-ce possible qu'il invente ? Oyun se mit à douter.

– Je ne vois aucune brûlure sur son corps !

– Lève-toi et touche la conduite, répondit-il.

Oyun ne bougea pas, le regardant droit dans les yeux pour chercher à deviner la faille.

– Lève-toi et touche la conduite ! Tout de suite ! Arrête tes conneries et ne perds pas de temps !

– Hey, reste poli, tu veux ! hurla Oyun en se levant.

Elle posa la main sur l'énorme canalisation, là où était couchée Saraa. L'acier était chaud comme un radiateur en hiver.

– Alors ? demanda le gosse.

– C'est chaud mais supportable ! répondit Oyun sans pouvoir masquer une pointe de défi dans sa voix.

– Garde-la cinq minutes ! répondit le gamin en lui retournant son défi.

Une minute plus tard, la chaleur devenait insupportable et la jeune policière retira vivement sa main.

– C'est comme le soleil, expliqua le gamin, si tu bouges ça va, mais plus tu restes immobile, plus tu brûles. Là c'est pareil, mais c'est encore pire avec le métal. Si elle est restée ici plus d'une heure, elle est déjà gravement brûlée à l'intérieur.

Oyun rejoignit le gamin et le regarda faire, sidérée. Il avait enlevé sa casquette et faisait couler l'eau dedans pour en briser le jet.

– Ça ne se voit pas encore, mais sa peau est toute brûlée. Elle est trop fragile. Il ne faut ni la toucher ni la frotter. Si le jet est trop fort, ça peut même l'arracher ! expliqua-t-il.

– Et comment tu sais ça, toi ?

– C'est déjà arrivé. Deux hommes ivres morts qui s'étaient endormis sur une conduite. Le lendemain ils étaient cuits. Même avec leurs vêtements. Après le deuxième, des gens sont venus dans les égouts pour nous expliquer. Des étrangers qui travaillaient pour des bonnes sœurs. Si le tuyau est au-dessus de cinquante degrés, ils ont dit, ça fait comme une cuisson lente. Plus tu restes, plus tu cuis. Il y a combien de degrés en brûlure ?

– Qu'est-ce que ça veut dire ? Je ne comprends pas ta question !

– Les étrangers disaient qu'après cinq heures sur un tuyau à cinquante degrés, tu es brûlé au troisième degré.

– Ah ! lâcha Oyun. Il y a trois degrés. Le troisième c'est le pire !

– Ils disaient aussi que plus tu es brûlé, plus tu risques d'en mourir. C'est pour ça que les types ont déshabillé ta copine. Si tu ne l'avais pas suivie, ivre comme elle l'était avec ce qu'ils lui ont fait boire, elle serait restée au moins dix heures à cuire doucement sur tout le devant. En plus, le pire avec les brûlures, à ce qu'ils ont dit, ce sont les infections. Tu imagines dans un égout ? Elle n'aurait jamais survécu à ça.

Oyun regarda le corps inanimé de Saraa. Elle s'aperçut que là où l'eau froide ruisselait, de grosses cloques blanches se formaient. Elle pensa aux endroits où l'adolescente pouvait être brûlée. Elle avait été hissée nue à califourchon sur la conduite brûlante. L'intérieur de ses cuisses, sa joue, son cou, son ventre, son sexe...

— Écoute... comment tu t'appelles à propos ?

— Gantulga !

— Moi c'est Oyun. Alors écoute, Gantulga, je vais te donner mon téléphone et tu vas sortir appeler un numéro. Tu vas répéter très exactement ce que je vais te dire, et expliquer le mieux possible à la personne la façon de nous rejoindre. Est-ce qu'il y a une sortie plus proche pour ces égouts ?

— Non, répondit le gamin. Il y en a, mais elles sont condamnées par les habitants du dessus.

— Alors dis à la personne d'apporter quelque chose qui nous permette de transporter Saraa.

— Elle s'appelle Saraa ta copine ?

— T'es un futé, toi, hein ? On ne peut rien te cacher !

Oyun programma le numéro à appeler dans les contacts de son iPhone et lui tendit l'appareil. Elle lui donna aussi la petite lampe des agresseurs de Saraa. Mais comme Gantulga allait partir, elle se souvint qu'ils avaient laissé l'autre agresseur assommé dans le tunnel. Il pouvait avoir repris ses esprits et se tenir en embuscade.

— Gantulga, fais attention à toi. Il y a peut-être cet autre type encore là-bas, celui que tu as assommé...

— Ne t'en fais pas pour moi, je pourrais passer entre ses jambes sans qu'il s'en aperçoive !

Elle ne put retenir un sourire devant l'aplomb du gamin.

– Allez, file appeler les renforts et reste à les attendre là-haut, partenaire. Pendant ce temps je vais m'occuper d'elle, entre filles.

– Oh, si c'est pour ça que tu m'éloignes, tu sais, j'en ai déjà vu des...

– File ! ordonna Oyun en fronçant ses yeux qui riaient.

Pendant plus d'une heure avant qu'elle ne reconnaisse la voix attendue qui accompagnait enfin celle de Gantulga, à genoux dans la boue, sans plus s'inquiéter ni de la puanteur, ni des rats, ni des cafards, elle caressa d'eau froide avec douceur tout le corps de Saraa.

# 17

*... de nouveau du grabuge*
*depuis notre grabuge à nous !*

Solongo lui avait administré un puissant sédatif. Saraa était restée inconsciente pendant tout son transport à travers les égouts et dans la voiture, mais la légiste redoutait son réveil. Cette gamine n'était que haine et colère contre tous ceux qui aimaient, ne serait-ce que de loin, son Yeruldelgger de père. Elle avait tiré un paravent et avait allongé Saraa nue sur le lit en bois décoré réservé aux invités, dans le fond à gauche de sa grande yourte. Elle fut surprise de découvrir à quel point la jeune fille était belle sans son uniforme de rebelle. Son corps était svelte et ferme. Solongo l'effleurait du bout des doigts pour étaler la graisse sans écorcher la peau cloquée par les brûlures. De la graisse d'ours vieille de vingt ans qu'elle tirait d'un grand pot en verre et qui lui venait de sa grand-mère. Pendant qu'elle étalait doucement la graisse sur les parties du corps martyrisé de Saraa, Solongo se souvint avec mélancolie de ce jour de sa petite enfance où cette même graisse l'avait apaisée. Sa famille vivait sous la yourte à l'époque, dans la vallée au pied des montages de Khustain Nuruu. Elle avait cinq ans. Une tempête se préparait et les grands étaient sortis s'occuper des troupeaux. Soudain un orage sec avait claqué des éclairs roses et silencieux dans un ciel devenu noir comme une nuit sans lune. Les animaux étaient électriques. Pendant que les hommes calmaient les chevaux et les yaks, sa mère rassemblait les agneaux et attachait les veaux. Mais l'un d'eux avait été pris d'une peur folle. Il avait rué de côté, renversé la mère de Solongo, et se défaisant de sa corde il s'était mis à courir en ruades dans tous les sens. Et c'est là que l'inimaginable s'était produit. Une bourrasque était venue claquer la porte de la yourte grande ouverte et le veau affolé s'y était engouffré pour se cogner dans tous les meubles. Il avait bousculé la petite fille qu'elle était et l'avait envoyée rouler sur le sol jusqu'au poêle, au centre de la yourte. Sa mère et sa grand-mère avaient trait tôt le matin et déjà mis le lait à chauffer. D'une ruade, le veau fou avait fait vaciller le poêle et le chaudron avait basculé dans le vide. Solongo avait été ébouillantée sur toute une moitié de son petit dos. Elle se souvenait encore aujourd'hui du goût de son cri dans sa gorge. Elle avait hurlé de surprise, de frayeur et de douleur, plus fort que l'orage.

Comme sa mère ne voulait pas lâcher Solongo, sa grand-mère était partie à cheval dans la tempête chercher le remède chez la mère d'un chamane torgüt à deux heures de là. Elle avait rapporté de la graisse d'ours précieuse parce que vieille de vingt ans et liquide comme de l'eau. Pendant toute une semaine, Solongo était restée allongée sur le ventre, attendant, deux fois par jour et deux fois par nuit, le soulagement du précieux onguent, pieds et poignets attachés au montant du lit avec des liens de laine pour ne pas qu'elle se blesse.

– Tu n'en gardes aucune cicatrice ? s'étonna Oyun.

– Non, mais ce n'est pas grâce à la graisse. La graisse d'ours calme et apaise, mais entre les applications, ma mère m'administrait un autre remède.

Solongo se pencha pour ramasser un autre pot en verre et le montra à Oyun. Il était à moitié plein d'une pâte épaisse et dorée.

– Du miel ? demanda la jeune femme.

– Non. C'est la sève d'un arbre du Nord. On la fluidifie à la chaleur des mains et on l'étale doucement. C'est un incroyable cicatrisant.

– J'aurais plutôt attendu un bon barbouillage épais à la Biafine de la part d'un médecin ! plaisanta Oyun.

– Médecin mais mongole, sourit Solongo. La tradition d'abord, la médecine ensuite !

On n'entre pas dans une yourte qui n'est pas la sienne. On se tient à quelques pas de la porte et on appelle. La tradition veut qu'on fasse une allusion aux chiens. On ne dit pas : « Holà ? » parce que ceux de la yourte savent depuis longtemps déjà que quelqu'un vient. On ne dit pas non plus : « Il y a quelqu'un ? » parce que celui qui vient sait déjà, à mille détails, qu'il y a quelqu'un dans la yourte. On dit souvent : « Tiens tes chiens ! » ou : « Tes chiens sont bien nourris ? », par un réflexe de prudence millénaire.

Yeruldelgger déboula dans la yourte de Solongo sans prévenir, comme un chien dans un jeu de quilles. Il ouvrit la porte avec une violence à la dégonder et se précipita à l'intérieur, bousculant un tabouret.

– Où est-elle ? hurla-t-il.

Il n'aperçut qu'Oyun dans la yourte, mais comprit à son regard que Saraa était derrière le paravent.

– N'approche pas ! dit la voix de Solongo.

– Où est-elle, je veux la voir ! hurla Yeruldelgger en se précipitant vers le paravent.

Oyun se jeta devant lui et tenta de le maîtriser, mais la colère du commissaire lui donnait tant de force qu'il l'envoya rouler de l'autre côté de la yourte. Solongo sortit de derrière le paravent pour lui interdire d'avancer.

– Non, Yeruldelgger, non ! Tu ne dois pas la voir comme ça ! Ne fais pas ça ! Ne fais pas ça, je t'en prie !

Elle se jeta contre lui, mais Yeruldelgger réussit à attraper le coin du paravent par-dessus son épaule et le jeta par terre.

Saraa était nue, immobile, allongée bras et jambes écartés, le corps et le sexe cloqués de brûlures. Le choc cloua son père sur place. Oyun se releva et en profita pour remettre le paravent en place.

– Espèce de sale con têtu ! jura Solongo en le prenant dans ses bras. Je te l'avais dit ! Je te l'avais dit ! Il ne fallait pas que tu la voies comme ça ! Et quand tout sera terminé, quand elle sera rétablie, ne lui dis jamais que tu l'as vue dans cet état, tu m'entends ? Jamais !

Solongo avait les larmes aux yeux. Yeruldelgger restait debout, figé, bras ballants, dans ses bras à elle. Et Oyun ne savait pas trop quoi faire.

– Elle va s'en sortir, dit-elle. Solongo a des remèdes miracles. Saraa n'en gardera aucune cicatrice, elle l'a promis !

– Oyun a raison. Si elle ne bouge pas et qu'elle se laisse soigner, dans une semaine elle pourra de nouveau se lever et s'habiller. Viens, dit-elle en prenant Yeruldelgger par la main. Prenez des coussins, tous les deux, et asseyez-vous. Il faut que je retourne soigner Saraa. Oyun va te raconter ce qui s'est passé.

Son adjointe lui rapporta tout, depuis sa filature de l'adolescente dès la sortie du parking du département de la Police jusqu'à l'arrivée de Solongo, alertée et guidée par Gantulga. Yeruldelgger l'écouta sans l'interrompre et resta longtemps silencieux même après la fin du récit.

– Je n'y comprends rien, murmura-t-il enfin, les yeux dans le vide. Saraa aurait vraiment pu en mourir ?

– Solongo dit que oui. Elle a déjà autopsié le corps de deux ivrognes morts par accident de cette façon l'an dernier. D'après elle, ils se sont réveillés brûlés au troisième degré et sont morts dans d'horribles souffrances.

– Mais la brûlure l'aurait réveillée avant, non ?

– Pas avec ce qu'ils lui avaient fait boire. Saraa était pratiquement dans un coma éthylique. Solongo m'a raconté l'histoire d'une femme tombée ivre morte sur son lit la cigarette à la main. Le matelas s'était entièrement consumé sous elle et elle ne s'était réveillée que quand l'os de son crâne avait déjà fondu à moitié. Ceux qui ont fait ça ne voulaient pas seulement tuer Saraa, ils voulaient qu'elle souffre horriblement.

– Mais pourquoi ? Je ne comprends plus rien à ce qui se passe.

– Peut-être est-ce lié à l'affaire des Chinois et au guignol que tu as interrogé ? avança Oyun.

– Comment ça ? demanda le commissaire, perplexe. Saraa a donné un alibi à ce type. Même si je reste persuadé que c'est bidon, c'est ce qui fait qu'on va le relâcher, non ?

– Peut-être que quelqu'un a peur qu'elle se rétracte. Son témoignage a été officiellement enregistré, non ? Je suppose qu'un témoignage enregistré reste valable même après la mort du témoin.

– C'est moins fort qu'un témoin vivant au procès, mais tu as raison, ça reste valable.

– Alors imaginons qu'ils aient trouvé un moyen d'arracher à Saraa ce témoignage : l'éliminer, c'était éliminer le risque qu'elle revienne dessus. Surtout après ton numéro en salle d'interrogatoire !

– Justement, Oyun, personne n'a été témoin de mon numéro, comme tu dis. Personne n'avait de raison de croire qu'elle pourrait craquer. Et puis ça n'explique pas toute cette cruauté.

Yeruldelgger plongea sa tête dans ses mains grandes ouvertes. Contrairement à son habitude, il ne malaxa pas son pauvre visage ravagé par la fatigue et le chagrin. Il resta longtemps immobile, et Oyun n'osa pas interrompre son silence.

– Qu'elle souffre le martyre avant de mourir n'aurait rien changé pour Saraa, concéda-t-il en regardant soudain sa collègue droit dans les yeux. Mais ça change tout pour moi. Je crois que c'est un message qui m'est adressé. Un message valable, que Saraa soit morte ou pas. Je pense que ceux qui ont fait ça voulaient qu'elle souffre pour m'atteindre. Ils voulaient que je la voie souffrir ou que je sache qu'elle avait souffert. Ils veulent que je me sente responsable de la douleur de quelqu'un que j'aime...

– Mais comment peux-tu dire ça ? s'alarma Oyun qui sentait Yeruldelgger définitivement convaincu de ce qu'il disait.

– Parce que j'ai déjà vécu ça ! J'ai déjà fait souffrir par ma faute ceux que j'aimais le plus et ils en sont morts, Oyun. Et aujourd'hui, ça recommence !

– Ça ne peut pas recommencer, Yeruldelgger, ce n'est pas possible ! intervint Solongo.

Elle sortait de derrière le paravent et les avait entendus. Elle avait en partie connu les événements qu'évoquait son ami.

– Je crois bien que si, Solongo. Ça recommence. Rien d'autre ne peut expliquer ce qui vient de se passer.

– Oh non ! soupira-t-elle en le prenant dans ses bras. Que Dieu ou qui que ce soit qui en a le pouvoir te protège alors, Yeruldelgger.

Oyun voulut détourner les yeux de cette brusque scène d'intimité, mais son regard accrocha celui du commissaire et elle y devina une brusque et sauvage détermination. Yeruldelgger avait fini de craindre et de culpabiliser. Son regard trahissait maintenant une décision qu'elle partageait déjà : il ne serait pas leur proie.

– Qu'est-ce qu'on peut faire ? demanda la jeune inspectrice comme si elle tendait une perche dont elle espérait que son supérieur la saisirait à deux mains.

– Je vais chasser ceux qui me cherchent, les débusquer et les abattre ! murmura Yeruldelgger entre ses dents.

– Objection, votre honneur ! répondit Oyun. *Nous* allons les chasser, *nous* allons les débusquer, et *nous* te laisserons les abattre !

Il allait répondre quand il entendit une voix dans son dos.

– Génial ! Je peux venir avec vous ?

Il se retourna et découvrit Gantulga qui le regardait en souriant, sa casquette vissée sur le crâne.

– Partenaires ? lança le gamin à Yeruldelgger en tendant sa main paume en l'air pour que le commissaire y claque la sienne.

– Qui c'est celui-là ?

– Je te présente Gantulga, dit Oyun. Un drôle de bonhomme et mon partenaire depuis cette nuit. Accessoirement, celui qui a sauvé la vie de Saraa. Et la mienne aussi.

– Bon, on y va ? s'impatienta le gamin.

– Où ça ? demanda Oyun.

– Chez moi, dans le neuvième district. On dit qu'il y a eu du grabuge !

– Oui, s'excusa Oyun d'un mouvement d'épaules à l'adresse de Yeruldelgger, il a un certain sens de l'humour !

– Non, je ne blague pas ! coupa Gantulga. Il y a eu de nouveau du grabuge depuis notre grabuge à nous !

# 18

## *Au troisième !*

L'homme reprit conscience dans le noir, le nez dans la puanteur du tunnel. Il lui fallut quelques secondes pour se souvenir de ce qui s'était passé, puis d'un revers de main rageur il chassa les cafards de son visage. Il resta accroupi à essayer de retrouver à tâtons son Makarov et sa lampe, puis il se releva dans le noir en s'assommant contre des tuyaux. Il jura contre le ventre des femmes du monde entier, fouilla dans ses poches et finit par trouver un Zippo. Il roula la mollette à l'aveuglette sur sa cuisse et la grosse flamme jaune et lourde de suie du briquet anima le tunnel de lueurs de feu et d'ombres dansantes. Il repéra aussitôt le corps inanimé de l'imbécile au visage ébouillanté. Aux borborygmes qui bullaient entre ses lèvres éclatées par les brûlures, il comprit que le type n'était pas encore mort. Il l'attrapa par le col de son blouson et le tira sans s'arrêter à travers tout le tunnel jusqu'au puits d'accès par où ils étaient entrés. L'homme n'avait pas la carrure d'un lutteur. Il était plutôt svelte, mais il devait avoir une grande force musculaire ou une grande expérience dans l'art de gérer les corps inertes parce qu'il réussit à grimper hors du puits en hissant le brûlé d'un seul bras derrière lui. Même s'il se savait épié dans l'ombre par ceux des égouts qui attendaient pour regagner leurs abris, il ne sembla pas s'en inquiéter.

D'un geste expert, comme le font les GI et les marines courageux dans les films de guerre américains, il s'agenouilla et bascula le blessé en travers de ses épaules. Puis, son fardeau bien calé sur le dos, il traversa en courant les ombres noires et les lumières blafardes de la cité du douzième district jusqu'à l'entrée de son immeuble où il s'engouffra pour grimper dans la foulée les escaliers jusqu'à son appartement du troisième étage.

Quelques minutes plus tard, ceux des égouts aperçurent sa silhouette ressortir de l'immeuble et courir vers le hall d'en face en portant quelque chose sous son bras. Il se rua dans le hall aux lampes cassées, puis dans l'escalier sans chercher à allumer. Il en ressortit dix minutes plus tard en courant à nouveau vers son immeuble. Il n'avait pas franchi le hall qu'un appartement explosait et s'enflammait dans le bâtiment qu'il venait de quitter. Au dixième.

Dix minutes plus tard les pompiers arrivèrent depuis la caserne centrale mitoyenne du département de la Police. Ils déroulaient juste leurs tuyaux et cherchaient encore à maîtriser et canaliser la foule en panique qui évacuait le bâtiment, et celle plus indolente des habitants des autres immeubles descendus pour voir, quand, dans leur dos, un autre appartement explosa et s'enflamma à son tour dans l'immeuble d'en face. Au troisième !

# 19

*... dans les lueurs affolées
de ses gyrophares.*

– Qu'est-ce que vous foutez là ? s'énerva Chuluum en voyant arriver Yeruldelgger et Oyun, sans prêter attention au gosse qui les suivait, le nez en l'air, fasciné par le spectacle de l'incendie du dixième.

– Rien, on a entendu, alors on est venus ! répondit le commissaire en haussant les épaules.

– C'est moi qui suis sur l'affaire. Mickey me l'a donnée, prévint Chuluum en pointant son doigt sur eux.

– Pas de problème, range ton arme ! approuva Yeruldelgger. Nous, on est juste là pour le spectacle. On ne posera même pas de questions !

Gantulga tira sur la manche d'Oyun.

– Hey, partenaire !

– Pas maintenant, Gantulga, pas maintenant ! dit-elle en dégageant son bras sans regarder le gamin.

Une partie des pompiers, surpris par la seconde explosion, s'occupait d'évacuer les habitants du deuxième immeuble. Les autres cherchaient un moyen d'atteindre les flammes du dixième avec leurs échelles trop courtes de trois bons étages. Le terrain vague était devenu une foire à la belle étoile, avec des victimes paniquées qui couraient entre les badauds immobiles et les pompiers affairés. Les témoins sobres encourageaient les soldats du feu ou réconfortaient les rescapés. Ceux qui avaient déjà trop bu insultaient les pompiers pour leur incompétence, leur donnaient des ordres et des conseils de plus en plus énervés, ou se moquaient d'eux en lançant leurs bouteilles vides sur leurs casques. Déjà des bagarres éclataient entre les ivrognes ou avec les pompiers qui calmaient tout le monde d'un jet de lance à incendie dans l'estomac. L'atmosphère devint soudain délétère et les policiers sentirent la tension monter d'un cran.

– Hey, partenaire ! murmura Gantulga en s'accrochant de nouveau à la manche d'Oyun.

Elle retira vivement son bras dans un geste agacé.

– Hey, lâche-moi, Gantulga ! On ne joue plus, là, compris ?

Comme Yeruldelgger, elle cherchait le mouvement ou l'absence de mouvement dans la foule, le regard détourné ou soutenu, le pas fuyant ou l'immobilité provocante. Elle cherchait à emmagasiner la scène pour pouvoir se la projeter plus tard à la recherche d'indices. Les pyromanes restaient toujours fascinés par l'ampleur de leur folie destructrice. Les assassins jaloux fuyaient à contresens de la foule. Les responsables d'accident tombaient à genoux devant le drame qu'ils avaient provoqué. Les professionnels restaient calmes comme des policiers et s'éloignaient comme des badauds...

Quand Oyun se retourna, Gantulga n'était plus là mais elle n'eut pas le temps de s'inquiéter : Yeruldelgger la rappelait à l'ordre d'un coup de coude dans les côtes.

– Je crois qu'ils ont un corps ! dit-il.

Du deuxième immeuble, un groupe de six pompiers venait de jaillir des flammes en portant un cadavre. Le premier pompier trébucha et s'écroula à terre en jetant son masque et son casque pour ne pas suffoquer. Les autres s'affalèrent à leur tour en laissant tomber leur fardeau. D'autres pompiers se précipitèrent à leur secours, laissant aux ambulanciers le soin de s'occuper du corps. De toute évidence, ils le considéraient comme déjà mort.

Yeruldelgger aperçut Chuluum de l'autre côté, au pied du premier immeuble, en discussion avec un gradé des pompiers. Il fit signe à Oyun de le suivre l'air de rien. Ils s'approchèrent des ambulanciers qui s'apprêtaient à recouvrir le corps carbonisé et sortirent discrètement leur carte quand le responsable des secouristes leur ordonna de s'écarter.

– On peut jeter un coup d'œil une seconde ? demanda le commissaire poliment.

– De toute façon, dans l'état où il est, on ne peut plus rien pour lui. Si vous êtes flics, il faudra voir ça avec votre légiste ! répondit l'homme.

Yeruldelgger s'accroupit en se disant que c'était très exactement ce qu'il allait faire. Voir ça avec « son » légiste ! Oyun resta debout, ne sachant pas très bien ce qu'il cherchait sur ce cadavre noirci qui puait la viande brûlée et la cendre mouillée. Elle détourna le regard et s'inquiéta pour Gantulga. Elle avait agi par réflexe et il s'en était peut-être vexé. Elle tourna la tête de l'autre côté pour chercher à l'apercevoir et manqua de se cogner au visage de Chuluum.

– Qu'est-ce que vous foutez encore là ? hurla-t-il par-dessus Yeruldelgger toujours accroupi.

– Tu as déjà posé cette question, répondit celui-ci calmement sans bouger.

– Oui, mais tu es encore là, sur *ma* scène de crime ! aboya Chuluum.

– Ah, alors tu confirmes qu'il y a bien eu crime ? fit mine de s'extasier Yeruldelgger en se penchant pour observer de plus près l'entrejambe du brûlé.

– Deux explosions incendiaires concomitantes dans deux immeubles voisins, qu'est-ce que c'est d'après toi ? Une barmitsva qui tourne mal ? se moqua Chuluum.

– Une bar-mitsva ! s'étonna Yeruldelgger qui continuait à observer l'entrejambe du mort, la tête légèrement penchée sur le côté comme Vincent D'Onofrio dans *New York Section criminelle*. Une bar-mitsva ! Tu entends ça, Oyun, une bar-mitsva ! Mais où va-t-il chercher des mots comme ça ?

La fureur de Chuluum fut sur le point d'exploser, mais il n'osa pas la laisser éclater contre son supérieur qui se relevait. Il se tourna vers la foule que leur querelle avait attirée.

– Allez, dégagez ! Dégagez ! Laissez-nous travailler, bande d'ivrognes voyeurs !

Il fit appeler des policiers en tenue pour faire évacuer le terrain vague et maintenir un cordon sanitaire autour de la zone. Yeruldelgger prit Oyun par le bras et ils s'éloignèrent comme un couple en balade. Chuluum fit alors signe aux secouristes d'attendre avant d'embarquer le corps et s'accroupit à son tour. Il se pencha sur le cadavre, à hauteur de son entrejambe, et s'approcha autant que l'horreur et la puanteur le lui permirent pour essayer de deviner ce qu'avait observé le commissaire avec tant d'attention.

– Pas la peine de lui tailler une pipe, Chuluum ! cria Yeruldelgger sans se retourner. Ça ne peut plus le ranimer et ça ne te rapportera rien !

Oyun tourna la tête au moment où son collègue se relevait sous les rires des pompiers et les quolibets des ambulanciers. De rage, il jeta son carnet contre l'ambulance qui s'approchait en marche arrière dans les lueurs affolées de ses gyrophares.

# 20

*Je vais prendre mon week-end*
*pour enquêter !*

Le lendemain matin, Yeruldelgger gagnait son bureau en
pétard, encore très énervé par les événements de la nuit, quand
il croisa Mickey, d'aussi mauvaise humeur que lui.

– J'ai rien de nouveau sur les Chinois ! bougonna le commissaire.

– Ça tombe bien, j'en ai, moi ! Dans mon bureau, tout de suite !

Yeruldelgger le suivit jusque dans son bureau prétentieux en
se demandant quelle tuile allait encore lui tomber dessus. Quand
son supérieur poussa la porte, il comprit tout de suite. Le Chinois
de l'ambassade qui l'avait menacé sur la scène de crime était
assis à la table de conférence, flanqué de deux sous-fifres en costume d'ex-cadres du parti reconvertis en simili-attorneys à l'américaine, raides comme des dossiers de chaise d'interrogatoire.
Yeruldelgger se dit en soupirant que ces trois-là n'avaient vraiment pas de chance, parce qu'il n'était vraiment pas d'humeur
à se faire engueuler. Quant à Mickey, ça dépendait de la façon
dont il allait la jouer : son statut de chefaillon arriviste ne le mettait pas à l'abri d'un excès de colère lui non plus.

Les trois Chinois étaient assis du même côté de la longue table
rectangulaire, façon tribunal du peuple. Mickey s'installa d'office
à un bout et s'assit bruyamment pour marquer sa colère et son

exaspération. Il ordonna à Yeruldelgger de s'asseoir face à eux et celui-ci se dit que, décidément, ça commençait très mal.

– Avec les mains dans le dos et les yeux bandés peut-être ? Et il faut aussi que je laisse l'adresse d'un parent pour la facture des balles ?

Il alla s'installer à l'autre bout de la table, contrariant la mise en scène des Chinois.

– Alors ? demanda-t-il en s'adressant à son chef sans autre forme de respect hiérarchique.

Les visages des trois Chinois, qui l'avaient regardé désobéir, se tournèrent en chœur vers l'autre bout de la table.

– Commissaire, ces messieurs sont ici pour se plaindre officiellement de votre conduite sur la scène de crime concernant le meurtre de trois de leurs compatriotes.

Les trois visages virèrent ensemble de gauche à droite avec la précision mécanique d'une troupe de gymnastes de la Compagnie du cirque de Pékin.

– C'est bien, concéda Yeruldelgger, c'est très bien. C'est leur droit de se plaindre. C'est quelque chose qu'on a le droit de faire chez nous, il faut qu'ils en profitent.

Son insolence gifla les trois Chinois de droite à gauche pour attendre la reprise de volée du chef.

– Vous avez quelque chose à dire, commissaire ? lança prudemment Mickey du fond de court, devinant que Yeruldelgger était prêt à lui servir des insolences en passing-shot.

Gauche-droite pour les Chinois.

– Non, rien ! admit Yeruldelgger en écartant les mains comme s'il s'excusait de cette réponse coupée. Je peux y aller maintenant ?

Il posa ses deux grosses mains puissantes bien à plat sur la table puis se leva lentement, la tête dans les épaules, laissant à qui le voudrait le temps d'aller à la faute. Il y eut un rapide

droite-gauche-droite des trois Chinois et c'est le sous-ambassa-
deur qui s'y colla en se levant, furieux, aussitôt imité par ses
deux conseillers.

— Le comportement de ce policier est inadmissible et insultant
pour la mémoire de nos trois compatriotes assassinés ! hurla-t-il
d'une voix qu'il voulut puissante et qui ne fut que stridente.

Yeruldelgger était arrivé à leur hauteur de l'autre côté de la
table en faisant mine de sortir. Il explosa avec une fureur qui les
tétanisa. Il abattit de toutes ses forces ses mains sur la table qui
tressauta et se pencha par-dessus pour leur cracher au visage :

— Il n'y a pas que trois morts chinois dans cette affaire, monsieur de l'ambassade. Il y a aussi deux femmes mongoles avec le
foutre de vos cadavres plein les cuisses et partout ailleurs ! Vos
pauvres macchabées modèles ont transformé votre usine à esclaves
en baisodrome pour votre Saint-Valentin locale. C'est ça que vous
vouliez couvrir en m'empêchant d'enquêter ? Eh bien, c'est ça
qu'on va finir par retrouver à la une du *Messenger* ou de *La Nation*
si vous continuez à me bassiner avec vos menaces diplomatiques !

Le Chinois, ulcéré, se retourna vers un Mickey blême et sans
voix.

— Je réitère ici officiellement l'indignation des représentants
de la République populaire de Chine et vous demande que
l'enquête concernant nos compatriotes soit retirée à ce policier
corrompu et nous soit confiée conformément aux accords qui lient
la China Mining Corporation et votre gouvernement !

— Policier corrompu ? releva Yeruldelgger les yeux soudain
rivés à ceux du Chinois, qui préféra chercher du regard le renfort
de Mickey.

— Que voulez-vous dire ? demanda celui-ci.

— Ce policier a directement tenté de soudoyer le représentant
officiel de l'ambassade que je suis pour nous laisser entrer sur
la scène de crime. J'ai ici les dépositions de deux témoins !

Un des deux apprentis attorneys tira deux photocopies d'une sacoche en crocodile teinté. Il les remit à Mickey qui voulut prendre le temps de les lire mais ne put aller bien loin.

— C'est du chinois ! s'étonna-t-il.

— Vous en recevrez une traduction officielle en temps voulu, répondit le Chinois en colère d'un ton procédurier.

— Mais je suppose qu'on peut en avoir la teneur ?

— Parfaitement. Il est confirmé ici par deux témoins que cet homme a tenté de me soudoyer à hauteur du montant de ses retards de salaire.

— Qu'est-ce que c'est que cette histoire ? demanda Mickey un peu perdu en se tournant vers son subordonné.

Les trois Chinois reprirent leur jeu de ping-pong facial.

— J'y crois pas ! soupira Yeruldelgger en levant les yeux au ciel. Quand j'ai rembarré ce guignol qui voulait nous dégager de la scène de crime, il a dit qu'il allait se plaindre à mes supérieurs. Je lui ai recommandé de le faire, en le priant de leur rappeler par la même occasion qu'ils me devaient deux mois de salaire et quarante-sept jours de congé.

— C'est un appel caractérisé et explicite à la corruption ! affirma le Chinois drapé dans son indignation. Cet homme corrompu fixait ainsi le montant du pot-de-vin qu'il réclamait.

— Mickey, si tu ne dis rien pour clouer le bec à ce type, je sors moi-même ces suppôts de Mao du bureau à grands coups de pompes dans…

— C'est inacceptable ! C'est inacceptable ! hurla le Chinois de l'ambassade en bondissant sur ses pieds pour se faire plus grand. C'est une insulte au peuple chinois et à son gouvernement. J'exige des sanctions contre cet homme.

— Quoi ? Quoi ? éructa soudain Yeruldelgger. Tu exiges ? Tu exiges des sanctions ? Mais qui es-tu pour exiger quoi que ce soit ? Tu sais où tu es ? Tu sais que tu es au département de la

Police nationale mongole ? Tu te souviens que tu parles à des fonctionnaires de police d'un État indépendant et souverain ? Tu n'as rien à exiger ni de lui ni de moi. Tu n'as même pas à être là ! Tu n'es même pas dans le cadre de ton activité diplomatique ! L'incident diplomatique, il va être dans l'autre sens si tu continues. C'est notre ministre des Affaires étrangères qui va te demander des comptes si tu continues. Venir faire pression sur l'enquêteur chargé d'un quintuple homicide pour cacher les turpitudes d'une bande de dégénérés sexuels, c'est ça le scandale, tu m'entends ? C'est ça et ton arrogance qui vont s'étaler demain à la une des journaux d'Oulan-Bator.

Yeruldelgger frappait la table à chaque phrase, et les trois Chinois sursautaient en même temps à chaque coup. Il voulait aussi être sûr que chacun suivait l'incident à l'extérieur du bureau et que tout l'étage serait là quand les Chinois sortiraient en fulminant et proférant des menaces. Quand il pensa avoir hurlé assez longtemps pour avoir rameuté tout le service derrière la porte du bureau de Mickey, Yeruldelgger poussa la provocation un cran au-dessus. Il renversa la table qui le séparait des Chinois d'un geste rageur et fit un pas vers eux pour leur hurler au visage en leur indiquant la sortie d'un index rageur :

– Foutez-moi le camp ! Foutez-moi le camp d'ici ! C'est la République de Mongolie ici, c'est *notre* pays, *notre* police et c'est *notre* enquête ! Vous n'avez aucun pouvoir diplomatique dans ces locaux !

Mickey hésita deux secondes entre tenter de maîtriser Yeruldelgger et évacuer les Chinois, mais il avait toujours eu physiquement peur du commissaire et il se précipita donc vers la porte en invitant de la main les Chinois terrorisés à le précéder. Quand il l'ouvrit, tous les hommes du département formaient un mur compact de témoins silencieux.

– Vous êtes une insulte à mon pays ! hurla encore Yeruldelgger en se délectant intérieurement. Vous êtes une insulte à notre police, à nos lois, une insulte à notre démocratie ! Cette ingérence dans une affaire criminelle en cours est une abjection !

Les trois Chinois paniquaient maintenant, pris entre sa fureur et le mur silencieux des flics menaçants. Yeruldelgger devina enfin dans leurs yeux la lueur de peur qu'il attendait pour être sûr. Une peur physique, incontrôlable, qui resterait désormais pour toujours tapie quelque part en eux pour ressurgir à l'occasion d'un incident inattendu. Il décida alors d'en finir.

— Retournez à vos petits-fours et à vos pince-fesses de diplomates parasites et laissez-nous faire notre métier de flics. C'est nous qui trouverons les assassins de vos Chinois, pas vous ! Dégagez !

Et il claqua la porte le plus fort possible. C'était un signal à la foule silencieuse pour qu'elle entrouvre un couloir menaçant aux trois Chinois jusqu'à la sortie. Cela aurait dû aussi être un message clair à Mickey pour lui faire comprendre que la représentation était terminée.

— Alors ? J'ai été bien ? demanda Yeruldelgger d'un ton parfaitement calme et maîtrisé.

Mais le capitaine n'eut pas la réaction escomptée.

— Non mais tu es fêlé, ma parole ! Tu sais qui sont ces types ? Tu imagines la tonne d'emmerdements qu'ils vont nous causer ? Qu'ils vont *me* causer ? Regarde-moi ça ! hurla-t-il en jetant sur le bureau les quotidiens du jour. Tous faisaient leur une sur le massacre des Chinois et des deux femmes. *L'Oriflamme*, le plus populaire et le plus populiste des quotidiens d'Oulan-Bator, en faisait même le seul sujet de sa première page avec un titre alarmiste et menaçant : « La Chine exige des coupables. » Les autres partageaient leurs titres entre ce qu'ils appelaient l'« affaire des Chinois émasculés » et la visite d'une délégation d'industriels coréens.

— Y en a marre de tes comportements de sociopathe, Yeruldelgger. Marre, tu m'entends ! Ras le bol ! Tu fais n'importe quoi, tu ne rends jamais compte de rien à personne, tu cognes les témoins : j'en ai par-dessus la tête de tes conneries, tu m'entends, par-dessus la tête ! Que tu sois secoué par ce qui est arrivé à Saraa cette nuit n'excuse rien ! D'ailleurs on aurait dû te virer il y a cinq ans déjà, parce que depuis tu as complètement disjoncté. Tu ne peux pas te croire tout permis sous prétexte qu'à cette époque quelqu'un a flingué ta petite fille, tu m'entends ? Je suis sincèrement désolé pour Kushi mais...

Mickey n'eut pas le temps de finir sa phrase. Yeruldelgger se jeta sur lui et le plaqua contre le mur, la main accrochée au revers de son veston d'alpaga et son avant-bras en étranglement. De l'autre main il sortit son arme et força le canon contre la joue de son supérieur.

– Ne prononce plus jamais le nom de ma petite fille devant moi, tu m'entends ? Plus jamais ! Et arrête de me faire chier dans mes enquêtes. C'est clair, ça aussi ?

Yeruldelgger le lâcha et se dirigea vers la porte. Mickey s'affaissa contre le mur, blême et tremblant, avant de se reprendre et de remettre de l'ordre dans ses vêtements. Il attendit prudemment que son subordonné sorte du bureau et s'éloigne de quelques mètres dans le service. Tous les autres inspecteurs firent mine d'être à nouveau absorbés dans des dossiers très importants pour ne pas avoir à être témoins de ce qui allait se passer. Quand il jugea Yeruldelgger assez loin pour ne plus être physiquement dangereux, Mickey apparut dans l'encadrement de la porte en essayant de se grandir autant que possible.

– Tu es mort, Yeruldelgger ! hurla-t-il de loin. Tu m'entends ? Professionnellement tu es mort ! Je te retire toutes tes enquêtes, tu m'entends ? Vous m'entendez vous autres ? Yeruldelgger ne travaille plus pour nous, c'est bien compris ?

Personne ne broncha dans le service et seul Billy, un jeune inspecteur stagiaire, osa regarder le commissaire en écarquillant les yeux. Celui-ci y vit beaucoup d'étonnement et un peu d'admiration, ce qui lui rendit le garçon sympathique. Puis il regagna son petit bureau à l'autre bout de l'étage et y trouva Oyun qui l'attendait.

— Qu'est-ce que tu as fait encore ? demanda-t-elle avec plus de compassion qu'elle n'aurait voulu.

— J'ai failli flinguer Mickey, lâcha Yeruldelgger.

— À cause des Chinois ?

— Non. À cause de Kushi. Il a prononcé le nom de Kushi.

— Quel con ! soupira Oyun en secouant tristement la tête. Qu'est-ce qu'il a dit d'autre ?

— Tu lui as parlé de cette nuit ? demanda-t-il sans répondre à sa question.

— Des incendies ?

— Non, de Saraa. Des égouts.

— Non.

— Alors comment est-il au courant ?

— D'après toi ? soupira Oyun en désignant du menton le bureau vide de son collègue.

— Chuluum ? Tu crois ?

— Qui d'autre !

— Il est dans le coin ? Tu l'as vu ce matin ?

— Non, mais tu lui avais dit de filer Adolf et on l'a relâché ce matin. Peut-être qu'il t'a obéi !

— Oui, peut-être, réfléchit Yeruldelgger à voix haute. Sinon, Mickey m'a retiré toutes mes enquêtes !

— Toutes tes enquêtes ? Mais qu'est-ce que tu vas faire alors ?

— Le seul truc que je sache faire, bien sûr, répondit-il en quittant le bureau. Je vais prendre mon week-end pour enquêter !

# 21

*– Il serait bien temps !*
*se moqua Solongo.*

Yeruldelgger lui avait trouvé une place à bord du vol ZY 955 de l'Eznis pour Dalanzadgad, à sept heures du matin. Sur ce petit bimoteur Saab 340 d'à peine trente-quatre places, c'était un miracle. D'ordinaire, tout était réservé des semaines à l'avance. C'était encore plus miraculeux de lui avoir trouvé un retour dans l'après-midi sur le vol 956. À dix-sept heures elle serait de retour à Oulan-Bator.

Solongo aimait les avions à hélices. Elle trouvait dans le bruit des moteurs et les vibrations de la carlingue l'assurance d'une obstination animale. Le bimoteur s'accrochait au ciel comme un coléoptère têtu. Il volait aussi trois à quatre mille mètres plus bas que les jets et encore une fois Solongo fut convaincue que sa Mongolie était belle. Quand elle admirait du ciel cette calme démesure, son cœur s'enflait du bonheur d'y être née et d'y vivre.

Ils dépassèrent Dalanzadgad pour pouvoir prendre la piste en terre par le sud, et leur large boucle les porta au-dessus des dunes de sable du Gobi. L'avion bascula sur l'aile et elle garda le front contre le hublot à regarder monter vers elle cette mer immobile et dorée dans la lumière rasante du levant.

L'aéroport de Dalanzadgad n'avait qu'une unique et courte piste en terre sur un bout de steppe avec pour toute aérogare un bâtiment bleu et blanc tout au bout, sur le bord de la route. La statue incongrue d'un chameau en bronze sur une maigre pelouse brûlée par le vent et le sable faisait office de décorum.

– Tu fais quelque chose ce week-end ? avait demandé Yeruldelgger.

Solongo s'était imaginé qu'ils pourraient passer deux jours entre eux, à prendre soin de Saraa et à se parler à voix basse dans le jardin. Il avait répondu qu'il trouverait quelqu'un pour sa fille mais qu'il avait besoin de son amie pour enquêter sur l'affaire de cette petite âme dont le vieux nomade lui avait confié la garde. Elle avait longtemps hésité, avançant qu'elle devait boucler plusieurs dossiers dont un homicide involontaire avec Chuluum, le lendemain dans la matinée. Yeruldelgger lui avait trouvé une excuse pour chaque dossier. Quand elle avait fini par accepter, il avait déjà tout arrangé, y compris le prêt sur place d'une voiture.

Un homme à la dégaine de voleur attendait Solongo et lui remit sans un mot les clés d'une grosse jeep. La voiture était garée n'importe comment, le capot vers la ville. Solongo démarra aussitôt, fit demi-tour en faisant bondir la jeep dans les ornières, et partit en sens inverse, laissant l'homme immobile dans un nuage de poussière ocre. Cinq cents mètres plus loin, après les dernières yourtes blanches à l'abri des vents de sable derrière leurs balustrades en bois noir, la route explosait en une gerbe de pistes chaotiques qui couraient toutes vers le nord-est, comme si chaque voiture, depuis toujours, avait voulu tracer sa propre course dans la steppe. Solongo choisit une trace et la suivit sans s'inquiéter des autres qui se croisaient et se décroisaient comme des aiguillages dans une gare de triage. Dans une heure elle serait à Bayanzag, où elle avait passé une grande partie de sa jeunesse à fouiller la terre rouge pour déterrer des bouts de dinosaures.

Les ravines de Bayanzag n'avaient rien des falaises décrites par les guides. Elles n'étaient pas plus hautes que les dunes de sable de Khongor Els. C'était le reste d'un front de collines de terre rouge érodées par le vent et les orages. C'était le fond d'un océan évaporé il y a soixante millions d'années et qui fondait aujourd'hui sous le soleil et le grappillage des touristes. Pas vraiment falaises, les Flaming Cliffs étaient cependant réellement flamboyantes dans la lumière du couchant. Solongo regretta de ne pouvoir rester jusqu'au soir. Elle aimait voir ce canyon miniature s'embraser dans le soleil rasant et imaginer les fossiles endormis des géants disparus sous cette terre en feu. Une autre fois peut-être. Aujourd'hui, elle devait essayer de rapporter des réponses à Yeruldelgger, alors elle s'engagea sur la piste qui longeait la ligne de crête où s'étaient installés les vendeurs de souvenirs et d'os de dinosaures.

Quand elle aperçut la première yourte, un gosse en costume traditionnel l'attendait déjà. Il sembla déçu de voir qu'elle était mongole. Comme elle n'avait que la journée pour enquêter, elle décida d'aller droit au but.

– Bonjour, petit frère. Je cherche la même chose que ça, dit-elle au gamin en lui montrant la fausse dent de raptor qu'elle avait extraite du poing de la petite. C'est toi qui l'as vendue ?

Même pour un gamin, la question était trop directe. Il se méfia aussitôt et se figea dans un silence prudent, sans quitter la dent des yeux.

– Je suis guide à Oulan-Bator, rusa Solongo. Je vais amener ici un groupe de vingt Français et je voudrais leur offrir une dent à chacun. Tu sais où je peux en trouver ?

Le gamin fit soudain demi-tour en silence et courut dans sa yourte. Solongo s'aperçut qu'une main malhabile avait écrit *Dinosaur Museum* à même la toile écrue au-dessus de la porte ouverte. Elle suivit le gosse et découvrit à l'intérieur un vrai petit trésor d'os et de fossiles, dont un grand nombre vraisemblablement authentiques, ainsi que des œufs fossilisés dans un nid reconstitué.

– C'est à toi tout ça ? s'extasia-t-elle. C'est toi qui les as trouvés ?

Le gamin confirma de la tête, trop occupé à feuilleter un exemplaire usé de l'*Encyclopedia Prehistorica of Dinosaurs*, un pop-up book pour enfants. Puis il se tourna vers elle et ouvrit le livre sous son nez, faisant surgir des pliages astucieux la gueule vorace d'un raptor.

– Les dents ne sont pas comme ça, tu vois ? Ce n'est pas une dent de raptor !

– Je sais, approuva Solongo, tu t'y connais bien en dinosaures. En fait, ce n'est même pas une dent !

– Je sais ! répondit fièrement le gamin. Ça, c'est un os taillé en forme de dent ! Ils en font là-bas, dans les deux yourtes derrière la deuxième colline. Ils ont un atelier, mais ils n'ont pas un muséum comme moi !

– Merci. Je dois aller voir cet atelier, mais je reviendrai visiter ton muséum et regarder ce livre avec toi. Je te le promets.

– Comme tu promets de venir avec vingt Français ?

– Oui, c'est vrai, pardonne-moi, j'ai un peu menti. Mais je reviendrai, je te le jure !

– On ne ment jamais un peu, philosopha le gosse en haussant les épaules. On ment, c'est tout !

Solongo sortit de la yourte. La steppe était encore presque déserte. Les guides ne vendaient l'excursion dans les Flaming Cliffs qu'en fin d'après-midi pour justifier l'attrait « flamboyant » des falaises. Seule une voiture s'approchait par le sud-est, sur la même piste qu'elle avait empruntée. Et elle aperçut un cavalier immobile, très loin au nord, au sommet d'une petite colline.

Quand elle arriva près des deux yourtes, une femme l'attendait devant la porte ouverte de la première. Elle tenait un petit étal de pierres et d'os. L'autre yourte était plus grande et derrière la porte fermée Solongo entendit le sifflement d'un outil, comme une ponceuse ou une meule. Un cheval attaché à une corde, à l'arrière, la regardait fixement.

– Bonjour, dit la légiste. Je voudrais acheter la même chose que ça. C'est bien toi qui les vends, non ?

– Oh ça ? dit la femme méfiante. On en trouve partout par ici.

– Pas comme celle-là. C'est une fausse. C'est une dent taillée dans un os, tu vois bien !

– Ah oui ! fit la femme, feignant de s'en rendre compte. Ça, c'est un souvenir pour les touristes. On n'a pas le droit de vendre les vrais fossiles, tu sais bien !

– Oui, je sais. Alors c'est toi qui les fabriques, n'est-ce pas ?

La femme ne sut pas quoi répondre, et comme faisaient les Mongols de la steppe quand ils ne savaient pas quoi répondre, elle resta silencieuse face à Solongo.

– Écoute, je ne suis pas ici pour te créer des ennuis, je cherche juste à retrouver quelqu'un qui a acheté celle-là, c'est tout. Peut-être que c'est toi qui lui as vendue. C'était il y a cinq ans. Tu étais déjà ici il y a cinq ans ?

Cette fois il était clair que la femme ne répondrait plus à rien. Elle resta juste là, immobile, les yeux baissés. Solongo regarda autour d'elles. Le cavalier était toujours là. Il semblait l'avoir suivie tout le long de la crête des collines. Elle devina qu'il les observait de là-haut. La survie des nomades avait toujours dépendu de leur curiosité, et Solongo ne ressentit aucune menace. Un mauvais pressentiment la poussa par contre à se retourner. La voiture qu'elle avait aperçue tout à l'heure s'était arrêtée à bonne distance. Le chauffeur était descendu et téléphonait sur un portable, accoudé à sa portière ouverte. Lui aussi semblait les observer.

Elle contourna alors la première yourte et se dirigea droit vers l'autre, ouvrant la porte sans frapper. L'intérieur ressemblait à toutes les habitations traditionnelles, avec le poêle central et les meubles en bois peint, mais au fond à gauche, à l'endroit réservé traditionnellement aux visiteurs, un homme travaillait à un petit établi de fortune, meulant et polissant des bouts d'os au milieu d'un bric-à-brac de boîtes et d'outils.

– Bonjour, dit-elle sans lui laisser le temps de s'étonner. J'ai besoin de ton cheval pour un bon galop. Je te le loue le prix que tu veux, d'accord ?

L'homme ne répondit pas. Il débrancha les deux pinces qui reliaient son outil à une batterie de voiture et la regarda sans se lever.

– Ne t'inquiète pas, ajouta Solongo. J'ai grandi par ici. Je monte bien et je respecterai ton cheval. Alors, combien ?

– Cinq cents ? risqua l'homme.

– C'est cher mais c'est d'accord. Je te laisse ma voiture en gage. Je te paye à mon retour. Cent de plus si le galop a été bon.

Solongo quitta la yourte sans attendre et la contourna pour détacher le cheval. Elle le lança au galop avant même d'être en selle, pour prouver à l'homme qui l'avait suivie qu'elle était bonne cavalière. Le cheval avait une allure bien rythmée, courte et rapide, au ras de l'herbe. Elle se leva droit sur les étriers, encouragea l'animal du *tchu, tchu* traditionnel de la steppe, et le dirigea vers le cavalier solitaire.

L'homme la regarda gravir la colline à sa rencontre sans bouger. En approchant de lui, elle aperçut la longue *urga* qu'il tenait bloquée sous son aisselle. À sa position sur son cheval, elle devina qu'il n'était plus très jeune. Un vieux cavalier qui surveillait son troupeau dispersé. Des chevaux sans doute, que les éleveurs nomades poursuivaient et attrapaient dans le lasso pendant au bout de leur longue perche en bois de saule. En gravissant la dernière pente, Solongo chercha à apercevoir la voiture et son chauffeur derrière elle. Ils n'avaient pas bougé, mais elle devina que l'homme l'observait toujours.

L'homme sur son cheval était bien un vieux nomade, droit sur sa selle en bois, sanglé dans son *deel* d'épais coton bleu serré d'une large ceinture orange. Il apprécia la monte de

Solongo, qui arrêta net le galop de son cheval à quelques mètres de lui.

– Bonjour, grand-père, lança-t-elle en maîtrisant le cheval encore énervé par sa course.

– Il faut se méfier des trous de marmotte, répondit le vieux cavalier. Ils ont vite fait de faire trébucher ton cheval !

– Tu as raison, grand-père, mais la tentation d'un bon galop était trop forte. Je n'en ai pas souvent l'occasion à Oulan-Bator.

– Tu es venue de là-bas pour poser des questions sur une dent de dinosaure ?

– Comment sais-tu ce que je demande ?

– Le vent ne sait pas tenir ses secrets ! répondit le vieil homme d'un air complice.

– Et qu'est-ce que le vent t'a dit d'autre ?

– Que tu cherches celle à qui on a donné la dent que tu gardes dans ta poche.

– Malheureusement, celle qui avait cette dent est morte, grand-père…

– La petite fille blonde est morte ?

– Tu la connaissais ?

Le vieil homme resta immobile quelques instants, le regard vers le ciel d'un bleu pur, les mains posées sur le pommeau de sa selle, la longue *urga* en bois sous son bras. Solongo se demanda s'il priait pour la petite fille ou s'il cherchait à rassembler ses souvenirs.

– Il y a cinq ans, au printemps. Un van UAZ 452 bleu vitré. Ils campent pendant quatre jours au bord des falaises de Bayanzag, juste en bas d'ici. Un jeune couple, étranger. Pas de l'Est. Ils parlent une belle langue. Pas de l'anglais. Ni du russe. Ni de l'allemand. La femme est belle et blonde. Cheveux courts comme un homme. Grande. Belle poitrine. L'homme a des lunettes. Plus âgé, plus petit, cheveux noirs. Ils s'intéressent aux dinosaures.

La petite fille, quatre ou cinq ans. Jolie, mignonne, toute bouclée. Elle s'amuse toute la journée sur un petit tricycle rose que son père sort du van. Souvent elle se coince dans les trous de marmotte. Son rire tinte comme des clochettes. Je les regardais d'ici. Je crois qu'ils étaient heureux.

– La plaque de l'UAZ, tu t'en souviens ?

– Non, pas vraiment. Oulan-Bator c'est sûr, et je me souviens de la double chance : deux 9 dans le numéro.

– Et celui qui leur a donné la dent ?

– Le vieux marchand d'en bas. Celui qui les fabrique dans sa yourte.

– Comment le sais-tu ?

– C'était le printemps. Il a plu tout le quatrième jour. J'ai vu leur UAZ s'embourber en essayant de regagner la piste. Je suis descendu les aider. Le vieux marchand a essayé jusqu'au bout de leur vendre quelque chose de plus. Il a mis la fausse dent dans la main de la petite et a dit aux parents que c'était un porte-bonheur traditionnel et qu'il protégerait leur enfant des angoisses de la nuit et des cauchemars. Ils n'ont pas osé refuser et l'ont achetée.

– C'est toujours le même marchand ?

– Oui, répondit le vieux cavalier en devinant ses intentions, mais il ne te dira rien. Un homme est venu lui offrir de nouveaux outils. Le vent dit que c'est en échange de sa mémoire...

– Il y a longtemps ?

– Quelques jours seulement. Deux exactement !

– Quel homme ?

– Celui du Toyota en bas. C'est pour ça que je suis venu. J'ai vu qu'il te suivait, alors je t'ai appelée pour te dire ce que les autres ne te diraient pas.

– Toi tu m'as appelée, grand-père ?

– Bien sûr, pour quelle raison serais-tu accourue au grand galop sinon ?

Solongo cherchait encore quoi répondre quand le sol résonna d'un lourd martèlement. Le vieil homme se dressa sur ses étriers pour regarder par-dessus son épaule, par-delà la colline, et aperçut cinq cavaliers approchant à bride abattue.

– File par là, conseilla-t-il à Solongo en fouettant son cheval de sa bride. Va droit devant vers l'ouest et ne te retourne pas.

Puis il lança son cheval vers le nord en accompagnant son galop de ses coudes écartés et disparut aussitôt derrière la crête. La légiste entendait déjà le roulement saccadé des chevaux qui se rapprochaient. Elle ne savait pas ce qu'ils lui voulaient, mais elle devina que c'était bien à elle qu'ils en voulaient. Pourtant elle n'avait pas encore peur. Les garçons avaient souvent joué à ce jeu idiot avec elle quand elle était plus jeune. Éperonner leurs chevaux pour affoler le sien, le rendre fou et la pousser à la chute pour en rire. Mais aujourd'hui elle avait passé l'âge et les cavaliers aussi. Elle n'était pas si sûre qu'ils se contenteraient de rire de sa chute.

Ses poursuivants mettaient à profit l'élan de leurs montures pour la rattraper. Elle les entendait exciter leurs chevaux aux yeux fous qui en avaient déjà la bave au mors. La peur lui serra la poitrine et les battements de son cœur firent écho au martèlement des sabots. Elle se demanda si elle ne devait pas ruser, changer de route pour les surprendre, mais c'étaient sûrement des gardiens de troupeaux habitués à poursuivre les chevaux sauvages. Elle n'avait pas d'autre chance que d'essayer de les distancer. Ils avaient lancé leurs chevaux au galop depuis plus longtemps qu'elle, et elle aurait peut-être la chance qu'ils se fatiguent avant le sien.

Soudain elle aperçut le grand-père qui revenait droit sur elle, sa longue *urga* sous le bras comme une lance de chevalier. Il avait dû contourner la colline. Solongo comprit d'instinct qu'elle devait le croiser sans ralentir. Ils se frôlèrent une seconde dans la sueur de leurs chevaux et le roulement des sabots. Dès qu'elle l'eut croisé, Solongo se tordit le cou pour suivre la course du vieil homme dans son dos. Elle le vit talonner son cheval et le lancer droit vers la petite meute de ses poursuivants. Quand il fut presque sur eux, il fit pivoter sa longue *urga*, la cala en travers de sa poitrine, et traversa le groupe des cavaliers en désarçonnant les deux premiers. Un des hommes tomba de sa monture à la renverse, heurté en plein front par la perche en bois. L'autre bascula sur le côté en cherchant à l'éviter et roula dans les pattes d'un autre cheval, qu'il fit trébucher. Les deux derniers cavaliers cabrèrent leurs montures pour les stopper et porter secours à ceux qui étaient tombés, se désintéressant aussitôt de Solongo autant que du vieil homme.

Elle ralentit son cheval pour décrire une longue boucle sur la gauche sans quitter des yeux le petit groupe des cavaliers défaits. Elle devina qu'un des hommes blessés était incapable de remonter en selle. Les deux autres, sonnés, se levaient en titubant. Elle arrêta son cheval loin d'eux et les regarda se regrouper. L'un d'eux aida le blessé à monter en croupe et un autre s'occupa de son cheval. Puis le petit groupe repartit d'un trot piteux vers le sud, sans se retourner.

Elle aperçut alors le vieil homme qui revenait au trot léger vers le lieu du choc. En deux ou trois passages, se déhanchant brusquement sur le côté sans descendre de son cheval, il ramassa les bouts brisés de son *urga*. Puis il repartit vers l'est sans un regard et elle comprit qu'ils n'avaient pas besoin de se saluer. Elle poussa son cheval au trot pour rejoindre la yourte du vendeur. Le vieux menteur et sa femme l'attendaient, debout près de l'entrée, mais la voiture n'était plus là. Solongo supposa qu'ils avaient tout vu, mais seul l'argent comptait pour le vieil homme.

— Tu l'as poussé beaucoup trop fort. Ça vaut bien plus qu'un galop ! dit-il sévèrement quand elle sauta de selle pour lui remettre les brides.

— Tu as raison, grand-père. Ça vaut que je te dénonce dès mon retour. Que choisis-tu : fouilles illégales ? Trafic d'objets culturels ? Escroquerie ?

– Comment peux-tu manquer de respect à un vieux nomade comme moi, que fais-tu des traditions ? s'insurgea-t-il pour se donner une contenance.

– Quel respect mérite celui qui installe dans sa yourte un atelier pour tromper ses visiteurs à l'endroit même où la tradition voudrait qu'il les accueille !

– Qu'est-ce que tu connais des traditions, toi ? Fille de ville, fille de loup ! Les cavaliers avaient raison : tu méritais qu'ils te piétinent.

– Eh bien dis-leur que je sais qui ils sont, et que demain j'enverrai la police les prendre.

– La police, je la connais, répondit le vieux avec arrogance, et c'est toi qu'elle va prendre si tu ne pars pas d'ici.

– La police c'est moi, vieillard, s'énerva Solongo en sortant sa carte, et si tu ne me dis pas qui était l'homme à la voiture, c'est toi que j'embarque tout de suite !

– Je ne le connais pas !

– Il t'a offert de nouveaux outils et tu ne le connais pas ?

– Je ne connais pas son nom, se reprit le vieillard qui commençait à perdre pied.

– Dis-moi quelque chose ou je te fais jeter en cage !

– On l'appelle le Loup, et il travaille avec la police. C'est tout ce que je sais. C'est pour ça que je lui ai obéi.

Solongo les planta là, remonta dans sa jeep et démarra aussitôt pour rejoindre la piste de Dalanzadgad. Dans son rétroviseur elle aperçut la femme qui courait vers la yourte. Elle en ressortit avec une coupelle de lait pour bénir les points cardinaux et protéger sa route. L'homme, furieux, culbuta la coupelle d'un geste rageur et leva la main pour frapper la femme. Solongo sauta sur les freins en appuyant sur le klaxon et l'homme se figea dans son geste, laissant à la femme le temps de s'éloigner. Puis elle redémarra et sa jeep bondit à travers les ornières dans un nuage de poussière jaune.

Dès qu'elle eut regagné la piste, Solongo essaya d'appeler Yeruldelgger. Le miracle de ce pays, c'était que le portable passait dans les endroits les plus inattendus.

— C'est moi !

— Comment ça va ? Tout se passe bien ?

— Presque.

— Comment ça, presque ?

— Des ennuis, mais rien de grave. Bon, écoute, tu as de quoi noter ?

— Attends une seconde, je suis au volant... Ça y est, j'ai !

— Alors, il y a cinq ans, un couple en balade avec une petite fille. C'est elle : un témoin se souvient du tricycle rose. Étrangers, pas asiatiques. Ni russes, ni anglais, ni allemands. Lui, un homme à lunettes, elle, une belle femme. Ils sont restés quatre jours. Ils s'intéressaient aux dinosaures. Un van russe modèle UAZ 452 aussi. Version vitrée, couleur bleue, immatriculé à Oulan-Bator avec deux 9 dans le numéro. Des touristes occidentaux je suppose, mais normalement la loi les oblige à utiliser les services d'un chauffeur. Apparemment ils n'en avaient pas.

— C'est tout ?

— C'est déjà pas mal, non ?

— Et les ennuis ?

— Quelqu'un me suit et un groupe de cavaliers a essayé de me ficher la trouille. On a aussi acheté le silence de l'homme qui avait vendu la fausse dent.

— D'accord. Tu rentres toujours ce soir ?

— Oui, l'avion de dix-sept heures.

— Je t'attends à l'aéroport. À ce soir.

— À ce soir !

Elle allait raccrocher quand le Toyota surgit derrière elle et percuta sa jeep. Le choc fut violent. Elle lâcha son portable pour se cramponner au volant et contrebraqua pour rester sur la piste. Yeruldelgger entendit le choc et le juron de son amie.

– Solongo ?

Le portable cogna contre le tableau de bord et rebondit sur le siège du passager. Le haut-parleur n'était pas activé, mais en cherchant à le repérer d'un rapide coup d'œil, Solongo remarqua qu'il était resté branché. Peut-être que Yeruldelgger était encore en ligne.

– Tu m'entends ? Tu m'entends ? hurla-t-elle en surveillant dans son rétroviseur le Toyota qui revenait sur elle. Si tu m'entends, c'est un Toyota vert foncé. Land Cruiser trois portes. Châssis court on dirait. Un seul homme.

Yeruldelgger entendit un nouveau choc et une ribambelle de jurons.

– Solongo ! Solongo, réponds-moi !

– L'enfant de salaud ! hurla-t-elle. Il cherche à me pousser vers la falaise… Le numéro, note son numéro… 4826, Oulan-Bator. Non, non, 2648. 2648 Oulan-Bator… Vitres fumées… Pare-brise dégradé… Tu notes j'espère !

Le commissaire jeta sa voiture n'importe où sur le côté de Peace Avenue Road et nota dans son calepin chaque mot de Solongo.

– Il me rattrape, Yeruldelgger, il me rattrape ! Il arrive à ma hauteur sur la gauche, il est contre moi ! Oh non, par le ciel, il est armé ! Il va me tirer dessus !

Yeruldelgger lâcha son calepin. Il se cramponna à son portable et hurla de toutes ses forces :

– Freine, Solongo, freine ! Freine et laisse-le passer et fous-le en l'air par-derrière. Tape au coin à l'arrière ! Solongo ! Solongo ?

Quand elle vit le chauffeur brandir son arme vers elle, la légiste sauta sur les freins et s'agrippa au volant pour garder sa jeep dans l'alignement de la piste. Son geste le surprit et il freina une seconde trop tard sans pouvoir maintenir la trajectoire de son engin à cause de l'arme qu'il tenait à la main. Le Toyota érafla tout le côté gauche de la jeep et explosa le rétroviseur. Dès qu'il l'eut dépassée, Solongo rétrograda pour récupérer de la puissance et elle sortit de la piste sur sa gauche, du côté opposé à la falaise. Le terrain montait en pente assez raide vers un long repli parsemé de quelques gros rochers. La jeep rugit en patinant dans l'herbe avant de retrouver de l'adhérence et de s'élancer en bondissant sur les cailloux et dans les trous de marmotte. Dans son rétroviseur intérieur, elle surveilla le Toyota. Le type dut manœuvrer pour se sortir d'une ornière et faire demi-tour pour reprendre la poursuite. Il était à dix mètres à peine derrière elle et Solongo calcula ses chances. Six ou sept mètres devraient suffire pour l'effet de surprise. Quand elle jugea son agresseur à la bonne distance, elle dirigea sa jeep droit vers le haut en direction d'un gros rocher. Dès qu'elle l'eut atteint, elle le contourna par la gauche et fit mine de se rabattre derrière pour en faire un obstacle entre elle et son poursuivant. Quand le Toyota se mit en travers de la pente pour contourner le rocher à son tour, Solongo sauta sur les freins, passa la marche arrière, et jeta la jeep à reculons contre lui. Elle visa la roue avant droite et mit toute la force de son moteur dans l'impact. Le Toyota était en dévers et bien en travers de la pente. Le choc le déséquilibra et souleva tout le côté droit, puis il bascula lentement de l'autre côté et fit une dizaine de tonneaux de plus en plus rapides jusqu'à la piste. Il rebondit dans une ornière, rebascula de l'autre côté, et disparut dans une ravine...

Solongo s'étonna de ne ressentir aucune panique. Elle surveilla la chute du 4×4 sans pitié pour son chauffeur. Puis elle enclencha le différentiel du tout-terrain et fit prudemment demi-tour pour rejoindre la piste en accrochant bien sa jeep à la pente. Juste avant d'y parvenir, elle remarqua l'arme du chauffeur qui avait dû être éjectée par une vitre éclatée. Elle fit marche arrière, s'arrêta pour la récupérer par la portière sans descendre, puis repartit en direction de Dalanzadgad.

Après quelques centaines de mètres, elle eut du mal à débrayer et aperçut son téléphone qui avait glissé sous ses pieds et bloquait la pédale. Elle se pencha pour le ramasser.

— Yeruldelgger ? Tu es encore là ?

— C'est à toi qu'il faut demander ça, répondit-il.

— J'ai du mal à y croire, mais on dirait que oui.

— L'autre ?

— Dans une ravine après dix tonneaux.

— Bien joué !

— Je ne sais pas s'il s'en est sorti...

— On s'en fout ! Écoute, quand tu rentres en ville, dépasse l'aéroport. Après la courbe sur la droite, à deux cents mètres environ, juste avant la grande maison au toit bleu, prends la rue à droite. Laisse la voiture dans l'enclos de la quatrième maison, celle au toit vert. Ça sera ouvert. Va à l'aéroport à pied. C'est à trois cents mètres à peine. Compris ?

— Compris, chef, plaisanta Solongo qui commençait à décompresser. Est-ce qu'il y a un contrôle de sécurité à l'embarquement ?

— Non, pas sur les vols intérieurs. Pourquoi ?

— J'ai récupéré l'arme du chauffeur de la Toyota, murmura-t-elle comme si on pouvait l'entendre dans sa jeep au milieu du Gobi.

— Bien joué ! siffla Yeruldelgger. Je vais finir par t'aimer, toi, tu sais ?

— Il serait bien temps ! se moqua Solongo.

# 22

*... nue et éveillée derrière le paravent.*

— Yeruldelgger n'est pas là ? demanda Oyun.

— Il est allé au marché aux voitures, répondit Solongo.

— Tu as rapporté quelque chose des Flaming Cliffs ?

— Une piste sur un van UAZ. Il est parti à la pêche aux tuyaux.

— J'ai appris qu'il y avait eu du chahut là-bas...

— Oui, ça a été un peu rock and roll !

— Yeruldelgger s'est fait un sang d'encre. Je l'ai rarement vu comme ça !

— ...

— Dis-moi, il y a quelque chose entre lui et toi ? demanda doucement Oyun.

— Je ne crois pas que ce soit vraiment quelque chose qui te concerne, répondit Solongo en posant tendrement une main sur l'épaule de la jeune femme.

— Quelquefois je pense que si ! Nous sommes partenaires et quand nous nous retrouvons dans des situations dangereuses, j'ai souvent l'impression que rien ne l'arrête et qu'il finira par m'entraîner au-delà de toute limite. Ça me rassurerait de savoir que quelqu'un est plus important dans son existence que sa propre vie, tu comprends ? Qu'il tienne à la vie, quoi ! Même si c'est à celle d'un d'autre, qu'il y tienne vraiment !

Elles étaient assises toutes les deux sur des petits tabourets en bois peint de couleurs vives, au soleil frais, dans le jardin devant la yourte. Solongo avait jeté le thé dans l'eau frémissante. Au premier bouillon elle avait versé le lait et retiré la théière du feu, puis elle avait ajouté une pincée de sel. Oyun l'avait regardée avec bonheur faire en silence et avec élégance chaque geste de la tradition. Solongo avait ensuite aéré le thé salé au lait à l'aide d'une petite louche qu'elle gardait pour ce seul usage, puis elle avait ajouté une cuillerée de farine comme elles avaient toutes les deux vu faire leur mère, toutes petites, dans la steppe.

— Je suis amoureuse de lui depuis longtemps, répondit la légiste après un long silence, mais je pense qu'il ne l'est pas de moi. Je pense que Yeruldelgger ne peut plus aimer personne depuis...

— ...

— ...

— Depuis ?

— Depuis la mort de sa petite Kushi et le départ d'Uyunga.

— C'était sa femme ?

— C'est toujours sa femme, répondit tendrement Solongo, le regard perdu dans les rondeurs furtives des vapeurs du thé.

— Qu'est-il arrivé ?

— Je te l'ai dit, elle est partie. Elle n'a pas supporté la mort de Kushi. Elle est partie, vraiment, au sens propre comme au figuré. Elle a quitté Yeruldelgger pour rejoindre sa famille et vit là-bas, dans les beaux quartiers nord, mais elle est ailleurs... Son esprit est resté avec sa petite Kushi. Dans sa tête elle vit toujours avec elle.

— Elle est folle ?

— Ne dis jamais ça ! Il ne faut pas dire ça ! Uyunga est partie et elle est ailleurs. C'est le monde qui est fou tout autour d'elle. Ce monde qui lui a pris son enfant chérie.

Oyun aspira une gorgée du thé de Solongo et des souvenirs d'enfance embrouillèrent son esprit. Qu'ils surgissent en évoquant la mort de la petite fille d'un homme que toutes deux aimaient, chacune à sa façon, lui fit venir les larmes aux yeux. Elle tourna la tête pour les cacher à Solongo qui regardait droit devant elle pour ne pas les voir.

— Comment est-ce arrivé ?

— On ne sait pas. C'était à la période des enquêtes sur les grandes corruptions, au moment du rachat des terres. Yeruldelgger était sur la piste de groupes occultes et puissants qui voulaient mettre la main sur tout, probablement pour le revendre aux oligarques russes ou aux conglomérats chinois. Quelqu'un a enlevé Kushi. Il n'y a pas eu de demande de rançon. Pas d'exigences non plus. Du moins pas publiquement. On pense que c'était une pression sur Yeruldelgger pour qu'il lâche l'enquête, et la rumeur veut qu'il n'ait rien lâché. On pense que ceux qui avaient enlevé Kushi l'ont alors tuée pour le détruire, à défaut de détruire son enquête.

— Et ils ont réussi ?

— Oui. La mort de Kushi l'a détruit. Physiquement et moralement, il n'était plus en mesure d'enquêter. On l'a écarté des dossiers importants. Aujourd'hui il devrait être à la place de Mickey.

— C'est pour cette raison qu'il n'aime plus personne ?

— Si, je crois qu'il aime encore quelqu'un. Il aime Saraa. Profondément, plus que tout au monde. Mais il ne sait plus ni comment le dire ni comment le montrer. Je crois qu'il s'est mis dans la tête d'endurer tout ce par quoi elle le fera souffrir juste pour se punir, lui. Et il encaisse. C'est inimaginable ce que cet homme peut encaisser de coups et de haine... Mais nous ne sommes pas ensemble. Yeruldelgger ne veut être avec personne d'autre qu'avec Saraa qui, elle, ne le veut pas ! Et tant qu'elle vivra, il vivra lui aussi pour elle. Quant à nous, contentons-nous de ce qu'il nous aime bien...

Elles se sourirent avec tendresse sans plus cacher leurs yeux, mouillés de larmes. Comme ceux de Saraa qui les écoutait, nue et éveillée derrière le paravent.

# 23

*... ça voulait dire qu'il avait saisi.*

Khüan le Kazakh avait aligné cinq gros conteneurs sur le trottoir d'une des rues qui donnaient sur le marché aux voitures de Da Khuree. Il en avait fait son atelier de mécanique. Les conteneurs étaient posés sur des plots et le Kazakh en avait découpé le fond d'acier au chalumeau. Ses mécanos et lui se glissaient dessous pour bricoler les suspensions et les cardans des épaves qu'il revendait d'occasion sur le marché, parmi les milliers de véhicules alignés sur les immenses parkings. Jour et nuit, le marché des voitures grouillait d'acheteurs et de vendeurs, de colporteurs, de pickpockets, de marchands ambulants, de prostituées, de petits voyous, de lamas mendiants, de businessmen encanaillés, de trafiquants et de gogos. L'endroit était devenu depuis quelques années un des plus malfamés d'Oulan-Bator.

L'atelier du Kazakh semblait prospère. Les cinq conteneurs étaient occupés par des véhicules que des mécanos dépeçaient à la lumière de baladeuses électriques, dans une lourde odeur d'huile de vidange, de rouille et d'essence éventée.

– Khüan ? demanda Yeruldelgger au cul maculé de cambouis d'un homme dont la tête était plongée dans une culasse.

Une main armée d'une clé anglaise s'extirpa du moteur pour lui indiquer la direction.

– Dehors, sous la Lada.

Yeruldelgger s'approcha d'une Lada dont le train avant était maintenu en l'air par un cric pneumatique. Un homme semblait vouloir la fracasser par en dessous à grands coups de marteau. Il était allongé sur le dos, entre deux traverses de chemin de fer parallèles glissées sous la voiture.

– Sors de là, Khüan, ordonna le commissaire en donnant un coup de pied dans la semelle du mécano.

– Yeruldelgger ! annonça sans surprise une voix d'ogre à travers le capot ouvert.

– Sors de là ou je descends le cric ! répéta-t-il.

– Depuis ton dernier passage je travaille toujours avec des cales ! répondit la voix.

Yeruldelgger s'accroupit, saisit la première cale entre ses mains, et la tira vers lui pour la faire glisser loin derrière entre ses jambes.

– Tu es sûr que ça marche aussi bien avec une seule ?

– C'est bon ! C'est bon ! soupira l'ogre qui s'affaira sans hâte à ranger quelques outils avant de s'extirper de sous la Lada. Tu es venu pour quoi cette fois ?

– Déjeuner…

L'homme déplia sa grande carcasse. Dans sa combinaison orange maculée de cambouis et dézippée jusqu'au nombril, il dominait Yeruldelgger d'une bonne tête. Il s'essuya les mains dans un tissu noir de crasse et les muscles de ses avant-bras se bandèrent sous sa peau comme des câbles de pont suspendu.

– La gargote de la vieille est toujours ouverte dans la rue derrière ? demanda le commissaire.

– Ouais ! répondit le Kazakh en faisant mousser dans ses mains du savon liquide russe. Toujours ta nage de mouton ?

– Plus que jamais ! Les restaurants qui servent de la nage de mouton et du caillé de yaourt tiède devraient être inscrits au patrimoine national.

L'endroit n'était qu'une baraque de tôle et de bois tenue par une vieille Bouriate originaire du nord du Khentii. Veuve depuis quarante ans, elle cuisinait depuis si longtemps pour les voyous du marché qu'elle était devenue leur grand-mère à tous.

– Bonjour, grand-mère ! salua Khüan d'un ton brusque qui cachait mal son affection pour la vieille.

– Quand le Turc entre chez toi, le client s'en va ! commenta-t-elle.

– Erreur, grand-mère, un client, je t'en amène un justement !

Elle leva les yeux de ses chaudrons et de son bac à friture pour regarder qui accompagnait le Kazakh. Quand elle aperçut Yeruldelgger, son visage parcheminé par l'âge et les hivers se fripa plus encore d'une mauvaise grimace.

– Celui-là ? dit-elle en brandissant sa passoire luisante d'huile bouillante. Celui-là vaut dix Turcs pour la clientèle ! Cache-le dans un coin, si tu veux que je te serve !

Les deux hommes lui obéirent parce que la discrétion les arrangeait aussi. Quitte à ne pas pouvoir faire autrement, Khüan préférait ne pas trop se montrer en compagnie du policier. Quant à Yeruldelgger, vu qu'il n'était plus officiellement sur aucune enquête et que le marché pullulait d'indics dans la grande tradition des républiques post-soviétiques, il préférait rester discret lui aussi.

– Nage de mouton et caillé de yaourt, je suppose ? demanda la vieille.

Le Kazakh refusa en exagérant son dégoût. Il n'avait jamais compris l'attirance de Yeruldelgger pour ces bouillons de pauvre. Encore moins la tradition de les manger l'un à la suite de l'autre. Il commanda plutôt des beignets de mouton frits et deux bières. Quand la vieille se fut éloignée, grommelant quelque chose contre ces Turcs qui ne savaient pas ce qui était bon, Khüan fit comprendre au commissaire qu'il était pressé et lui demanda ce qu'il voulait.

– Un van.

– Tu pars en vacances ? plaisanta le Kazakh.

– Un UAZ 452, bleu, vitré, vieux modèle, continua Yeruldelgger sérieux.

– Et puis quoi encore ? se moqua Khüan.

– Disparu de la circulation il y a cinq ans et immatriculé à Oulan-Bator avec deux 9 dans le numéro de la plaque.

– Ah ! fit le Kazakh en reprenant son sérieux. C'est pas pour des vacances alors !

– Non. Il semblerait que ceux qui le conduisaient il y a cinq ans ont fini par prendre des vacances éternelles.

– Je vois ! lâcha le Kazakh. Je regarde un peu autour de moi et je te fais savoir si je trouve quelque chose.

– Trouve quelque chose ! insista Yeruldelgger.

– Oh, camarade, comme tu y vas ! On parle d'un véhicule disparu il y a cinq ans, et en plus on n'a même pas parlé de ce que j'y gagne !

– Ne me prends pas pour un idiot, répondit le policier en faisant mine de retenir une grosse colère. Aucun véhicule ne peut sortir du pays sans se faire remarquer d'un côté ou de l'autre des frontières. Dans la steppe ou les montagnes, aucun véhicule abandonné ne peut échapper à la curiosité des nomades ou des chasseurs. Cet UAZ n'est nulle part ailleurs, alors il est forcément passé par Oulan-Bator, et s'il est passé par ici, il est obligatoirement passé par ce marché. Donc tu me le déniche ou tu me trouves ce qu'il est devenu.

– Et pour ce que j'y gagne ?

– Tu l'as devant toi ! répondit Yeruldelgger en désignant le plat de beignets de mouton ruisselants d'huile que la vieille Bouriate venait de servir sur la table sans nappe. C'est moi qui paye !

– Où vont nos impôts ! soupira le Kazakh en attaquant à pleines dents blanches le premier beignet doré.

– Tu travailles au noir !

– Où vont nos impôts noirs alors ! corrigea Khüan.

Ils trinquèrent sans se sourire en cognant leurs bouteilles de Chinggis nationale puis mangèrent en silence. À part Yeruldelgger qui aspirait bruyamment chaque cuillerée de potage pour marquer son régal, pour le plus grand bonheur caché de la vieille qu'il regardait d'un œil complice. Il aimait faire plaisir aux vieux. C'est ce qu'on leur devait pour ce qu'ils avaient souffert et vécu et qui nous attendait tous encore.

Ils se séparèrent en sortant de la gargote et l'ogre kazakh, qui avait recommandé deux portions de *kuushuur* sur le compte de Yeruldelgger, le quitta en lui promettant de se renseigner dès que son atelier lui en laisserait le temps.

Khüan redescendit jusqu'à la grande place du marché aux voitures, qui occupait l'espace de plusieurs pâtés de maisons, et se faufila entre deux des conteneurs. Derrière, ce qu'il appelait son atelier, sur un coin de terre en friche, il avait planté une vieille yourte crasseuse qui lui servait à la fois de chambre, de dépôt et de bureau. Il se dirigea droit vers une petite table, tira un iPhone d'un tiroir et appela un numéro sur la liste des contacts. Le temps que son interlocuteur lui réponde, Khüan prit dans sa main libre un gros démarreur de Land Cruiser qui traînait sur le bureau et l'examina pour patienter.

– Allô ? C'est moi. Tu te souviens de l'UAZ bleu, il y a cinq ans ? Un flic le recherche...

– Ce qu'il y a de bien avec vous, les Kazakhs, c'est que vous êtes prévisibles. Forts, combinards, tordus, mais prévisibles.

Yeruldelgger était là, dans la yourte, devant la porte, les mains dans les poches de son manteau. Khüan se demanda pourquoi on ne l'avait pas prévenu. Le marché tout entier n'était qu'un réseau de codes et de messages. Quelqu'un dans les ateliers aurait dû le prévenir en tapant sur n'importe quoi. À l'Altaï Car Service, l'arrivée des flics c'était trois coups rapprochés, un coup isolé et deux autres coups rapprochés. Au milieu de n'importe quel vacarme, parmi tous les autres codes de tous les autres petits trafiquants et margoulins du marché aux voitures, Khüan aurait été capable de reconnaître ce code. Comme il l'avait reconnu quand on l'avait prévenu de l'arrivée du commissaire, avant le repas.

— Tu crois que je me suis fendu d'un déjeuner avec toi juste pour tes beaux yeux ? J'ai laissé mon manteau à tes mécanos en leur disant que je le reprendrais après manger, histoire qu'ils pensent que tu savais que je repasserais. C'est pour ça qu'ils ne t'ont pas prévenu. Tu crois que les flics ne connaissent pas vos petites combines de codes secrets de cour de récréation ? Mais maintenant on arrête de jouer et...

Le Kazakh brandit le démarreur à bout de bras pour le jeter sur Yeruldelgger qui s'y attendait. Il sortit son arme de sa poche et tira calmement une balle dans le tibia de l'ogre kazakh, qui s'écroula en hurlant, l'os fracassé par l'impact.

— Prévisible, je t'ai dit ! s'excusa presque Yeruldelgger en haussant les épaules.

Il ramassa l'iPhone du Kazakh pour appeler les secours et prévenir Oyun de ce qui venait d'arriver. Il fit d'abord un faux numéro en jurant contre sa maladresse, puis composa les deux autres. Après avoir raccroché, il garda le smartphone dans ses mains et joua avec, s'émerveillant de la qualité de l'appareil et de sa multitude de fonctions.

— Tu as mal ? demanda-t-il au Kazakh grimaçant.

— Bien sûr que j'ai mal, qu'est-ce que tu crois ? gémit le géant.

— C'est bien, c'est bien ! approuva Yeruldelgger en s'asseyant sur un tabouret de bois peint, les mains dans les poches. C'est la sagesse qui rentre !

Les mécanos s'étaient regroupés à l'extérieur de la yourte et regardaient la scène sans oser intervenir. Le commissaire leur dit que les secours étaient prévenus et qu'ils pouvaient retourner à leurs occupations. Quand ils eurent disparu, il inspecta l'intérieur, tout autour de lui. L'endroit était meublé de n'importe quoi posé n'importe comment, sans aucun sens des traditions, atelier et chambre mélangés, sans respect de la circulation des âmes et des esprits. Il se dit que les Kazakhs n'étaient décidément pas des Mongols. Citoyens mongols peut-être bien, mais pas Mongols. Puis il attendit l'ambulance en silence.

Juste avant que les sirènes à l'américaine n'annoncent l'arrivée de la police et des secours, Yeruldelgger se pencha vers Khüan qui tremblait de douleur.

– Je suis venu marchander une occasion. Si tu leur dis pourquoi je suis venu te voir, je reviens t'en mettre une autre dans le coude. On s'est querellés à propos de l'addition de chez la vieille Bouriate, tu avais bu, et tu m'as menacé avec le démarreur et j'ai tiré pour me défendre. Et tu ne parles pas de ton coup de fil, compris ?

Le Kazakh murmura une insulte dans sa langue et Yeruldelgger dit préférer comprendre que ça voulait dire qu'il avait saisi.

# 24

*... le minable baroud d'honneur*
*d'un vieux loser.*

— C'est une affaire privée, expliqua Yeruldelgger.

Mickey avait appris l'incident sur le green du practice de golf où il était l'invité d'un député de la majorité. Ils devaient ensuite rejoindre un juge et son propre ministre de tutelle pour un goûter de gala au profit des orphelins des forces de l'ordre. Une occasion à laquelle il travaillait depuis longtemps et qui s'annonçait pleine de promesses, voire de promotion...

— Tu es fou, Yeruldelgger, tu es fou, soupira son supérieur d'un ton résigné. D'abord tu insultes des diplomates, ensuite tu me menaces de ton arme, et maintenant tu flingues un garagiste. Tu es fou, cliniquement fou, je te jure !

— Il m'a menacé, tu l'as entendu, non ?

— Qu'est-ce que tu foutais là-bas ?

— Tu as vu le bonhomme ? Un ogre ! Avec un démarreur de Land Cruiser à la main ! J'ai tiré pour me défendre.

— Tu enquêtais sur quoi ? Je t'avais interdit toute enquête, Yeruldelgger !

— Je n'enquêtais sur rien. On a parlé bagnoles, on est allés manger un bout, il a mangé trois fois plus que moi et il n'a pas voulu partager l'addition. J'ai réclamé sa part, il a refusé, j'ai insisté, il s'est énervé, il m'a menacé, j'ai tiré. Point.

– Avec ton arme de service, avec ton arme de service !

– Bien sûr avec mon arme de service, avec quoi voulais-tu que je tire, je n'ai pas d'autre arme que celle-là ! mentit Yeruldelgger. Et qu'est-ce que ça change à la légitime défense ?

– Écoute-moi bien, je ne crois pas à ton histoire. Je ne sais pas ce que tu faisais là-bas ni ce que tu lui as dit, mais je le saurai. Tu es prévenu. Si ça ne tenait qu'à moi, tu serais déjà viré. En attendant, tu me rends ta plaque et ton arme le temps de l'enquête interne. C'est la routine quand un civil est blessé par balle, tu le sais. Après, disons qu'officiellement tu peux y aller, puisque cet imbécile te couvre, mais officieusement, Yeruldelgger, je te le dis les yeux dans les yeux, tu vas tomber. C'est écrit, et c'est toi qui l'as écrit !

Mickey avait adopté le ton condescendant de celui qui s'adresse à quelqu'un de tellement irrécupérable qu'il ne mérite même plus la colère d'autrui. Le commissaire l'écouta avec une négligence insolente, les mains dans les poches de son manteau, la droite jouant avec le téléphone du Kazakh. Il sortit sa plaque et son arme et les déposa sur le bureau de Mickey.

– Si c'est écrit…, soupira-t-il d'un ton fataliste.

Il se dirigea vers la porte et s'apprêtait à sortir quand le capitaine le rappela, du même ton condescendant.

– Le téléphone, Yeruldelgger !

– Le téléphone ? Quel téléphone ?

– Le portable du Kazakh !

– Ah oui ! Le portable du Kazakh ! Oui, bien sûr, le portable du Kazakh…

Il sortit l'appareil de la poche de son manteau et revint le poser sur le bureau du capitaine, qui avait déjà rangé dans un tiroir fermé à clé sa carte et son arme.

– Un jour il faudra que tu arrêtes de te croire supérieur à tout le monde et de prendre les autres pour des cons ! lâcha Mickey en rassemblant ses affaires pour rejoindre le goûter de gala.

– Ouais, admit Yeruldelgger de bonne grâce en quittant le bureau. Peut-être le jour où les autres seront moins cons, justement.

Mickey n'aima ni l'allusion de son subordonné, ni le ton sur lequel il l'avait faite. Il y devina encore une menace ou une entourloupe et hésita une seconde à exiger de lui faire dire ce qu'il entendait par là. Mais c'était dimanche et un goûter de gala présidé par son ministre de tutelle l'attendait. Il se rassura en préférant considérer la remarque de Yeruldelgger comme le minable baroud d'honneur d'un vieux loser.

# 25

## *Un très bon dimanche !*

– Comment va-t-elle ? demanda Yeruldelgger en regardant le paravent.

– Ça cicatrise bien, répondit Solongo.

– Et toi ? fit Oyun. Comment te sens-tu ?

– Plus léger ! plaisanta-t-il. Hier on m'a enlevé toutes mes enquêtes, et aujourd'hui on m'a enlevé ma plaque et mon arme !

– Oh non ! Qu'est-ce que tu as encore fait ? s'inquiéta Solongo.

– J'ai tiré dans une guibole de Khüan, le Kazakh de l'Altaï Car Service, au marché aux voitures.

– Et la raison ? s'enquit Oyun.

– Il voulait me fracasser le crâne avec un démarreur de Land Cruiser. Tu sais ce que ça pèse, un démarreur de Land Cruiser ? Dans les neuf kilos ! Neuf kilos balancés par un ogre kazakh de deux mètres, qu'est-ce que tu voulais que je fasse, hein ?

– Peut-être ne pas mettre le Kazakh en colère, par exemple, suggéra Oyun.

– Oui, mais quand le Kazakh te cache quelque chose à propos d'un van UAZ qui a peut-être été la dernière demeure d'une petite fille blonde enterrée la bouche pleine de terre avec son tricycle rose en pleine steppe, c'est pas lui qui est en colère, c'est moi !

– Quoi ? Tu as déjà retrouvé le van ?

– Le Kazakh a passé un coup de fil en faisant une référence très explicite au véhicule que nous recherchons.

– Génial. Donne le téléphone, dès lundi je lance une recherche, s'enthousiasma Oyun.

– Le téléphone, c'est Mickey qui l'a, avec ma plaque et mon arme.

– Merde !

– Oui, mais s'il a le téléphone, c'est moi qui ai le bon numéro…

– Qu'est-ce que ça veut dire ?

– Ça veut dire qu'en faisant semblant de m'extasier devant la merveille technologique de l'iPhone du Kazakh, j'en ai profité pour le manipuler et lire le dernier numéro appelé.

– Oui, mais Mickey aussi l'aura sur le téléphone, et il peut nous prendre de vitesse !

– Sauf que j'ai aussi effacé ce numéro de la liste des appels.

– Mickey va s'en apercevoir, Yeruldelgger. Dès qu'il l'aura un peu cuisiné, Khüan lui parlera du coup de fil.

– C'est pour ça que j'ai fait un faux numéro juste avant d'appeler les secours. Comme ça, il existe bien un numéro pour cet appel.

– Un faux numéro ? Quel faux numéro ?

– Au hasard. Celui du département de la Police. Je suppose que ça freinera Mickey le temps de nous laisser remonter le bon appel.

– Bien joué, mais dès qu'ils passeront à l'épluchage des factures, ils tomberont sur le vrai numéro appelé par le Kazakh.

– Ne t'en fais pas, Oyun, le temps qu'ils fassent le rapprochement avec notre affaire et ma visite au garage, on devrait avoir le temps de savoir où mène la piste de l'UAZ.

Puis, se tournant vers son amie :

– Qu'est-ce que tu as préparé, Solongo ?

– Des *kuushuur*, répondit-elle avec gourmandise.

– Humm ! fit Yeruldelgger en respirant à pleins poumons, les yeux fermés. C'est un bon dimanche !

– Est-ce que je peux manger quelque chose avec vous ? demanda Saraa d'une voix encore faible derrière le paravent.

– Bien sûr, mon ange ! dit Solongo. Tu ne peux pas encore t'habiller, mais ne bouge pas, je vais venir te donner à manger, et tu pourras parler avec nous à travers le paravent.

– Un bon dimanche ! soupira Yeruldelgger les larmes aux yeux. Un très bon dimanche !

# 26

*... au cœur d'une forêt de mélèzes*
*sous une lune insolente.*

Yeruldelgger passa quelques coups de téléphone au sujet d'Adolf. Il le fit sans discrétion, autant pour semer la panique chez les sympathisants du groupuscule que pour activer quelques indics. Puis il appela Chuluum pour savoir s'il l'avait filé comme il le lui avait ordonné et l'inspecteur l'envoya balader : Yeruldelgger n'avait plus rien à faire dans cette enquête, Mickey l'avait viré, il n'avait aucun compte à lui rendre.

— Je viens te voir, répondit le commissaire, essaye de trouver une meilleure réponse avant que j'arrive, sinon tu n'auras plus assez de dents pour raconter quoi que ce soit à qui que ce soit. Ne bouge pas, je sais où te trouver !

— Ne t'inquiète pas, répliqua Chuluum d'une voix étonnamment calme. Si tu sais où me trouver, je ne bouge pas et je t'attends...

Au mieux, Yeruldelgger se dit qu'il allait enfin administrer à Chuluum la correction qu'il méritait depuis longtemps. Au pire, il le forcerait à fuir toute la nuit de bar en boîte et de boîte en planque. Il décida d'y aller à pied, prêt à y passer la nuit s'il le fallait.

Il commença par l'Altaï Lounge, un bar à cocktails plus luxueux que les autres, où il savait que Chuluum avait ses habitudes de flic dandy. Quand il reconnut l'enseigne rose et blanc de l'aigle saisissant une bouteille de vodka dans ses serres, Yeruldelgger ralentit le pas. Il aperçut aussitôt la grosse Lexus bronze aux vitres fumées garée devant l'entrée du bar. Il connaissait cette voiture. Tout le monde la connaissait à Oulan-Bator, mais lui plus que tout autre. Il comprit qu'il devait peut-être s'attendre à une surprise à l'intérieur du bar, mais il n'eut pas le temps d'y entrer. Comme un pauvre bougre déguisé en guerrier mongol obséquieux s'apprêtait à lui ouvrir la porte, le chauffeur descendit de la Lexus et la contourna pour ouvrir la portière arrière, côté trottoir. Le regard qu'il planta sur Yeruldelgger était plus qu'une simple invitation. Le policier s'approcha de la voiture et dut faire un effort pour cacher sa surprise.

À l'intérieur, son propriétaire était en compagnie de Chuluum. Même si l'inspecteur essaya de rester impassible, Yeruldelgger nota dans ses yeux une insolente petite lueur de victoire.

– Laisse-nous, inspecteur...

Erdenbat, l'homme à qui appartenaient la Lexus, la moitié d'Oulan-Bator et une grande partie de la Mongolie, congédia Chuluum sans plus de façons. Le flic sortit du côté opposé, contourna la voiture sans quitter Yeruldelgger des yeux, et disparut dans le bar sous les courbettes du guerrier mongol.

– Monte, Yeruldelgger, je t'en prie.

Là encore, c'était plus un ordre qu'une invitation, mais le commissaire n'avait aucune intention de se dérober. Même s'il avait peu d'admiration pour Erdenbat, il lui gardait tout le respect dû à son âge et à sa position de père. Il prit place à l'arrière de la Lexus, sous l'œil attentif du chauffeur que Yeruldelgger reconnut enfin. Il avait été un des plus grands champions de lutte, le sport national mongol. Il n'en fallait pas moins pour la sécurité et la fierté du magnat.

– Comment vas-tu ? demanda le vieil homme en posant une main paternelle sur le genou de Yeruldelgger.

– Que faisait-il avec vous ? répliqua le policier.

– On me dit que tu as perdu ton insigne et ton arme ?

– Il vous a dit ça ?

– Tu sais bien ce qu'il en est. Ce dandy ne peut rien m'apprendre. Je le savais avant même que tu ne le saches toi-même.

Erdenbat portait beau pour un homme de son âge. Il avait survécu aux camps du régime d'avant grâce à sa force physique hors du commun et à un instinct de survie dénué de remords, et ça se voyait encore. Il avait ensuite fait sa vie et sa fortune à la force de ses poings, disait-on, et de son inébranlable ambition. Erdenbat était convaincu que tout pouvait lui appartenir, puisqu'on avait essayé de tout lui prendre dans une autre vie. Yeruldelgger était bien placé pour savoir que l'homme était aussi intelligent que brutal. C'est ce qui le rendait dangereux, même à son âge, et qui avait étayé sa solide réussite. C'est ce qui, en dix ans, avait fait de lui une des plus grosses fortunes du pays et un politicien incontournable. Aujourd'hui il était dans l'ombre de tous les gouvernements et à la tête d'une vingtaine de sociétés, de la location de voitures à l'exploitation minière de l'uranium. Il avait aussi été le beau-père de Yeruldelgger. Et l'était encore, d'ailleurs.

– Uyunga va bien, puisque tu ne me le demandes pas ! dit Erdenbat après un long silence.

– …

– C'est toi qui m'inquiètes, Yeruldelgger. Il semblerait que tu sois en train de perdre pied.

– Non, tout va bien, monsieur, rassurez-vous.

– On t'a retiré ta plaque, on t'a retiré ton arme, on t'a retiré toutes tes enquêtes, tu as frappé des témoins, l'ambassade de

Chine exige qu'on te renvoie, tu as volontairement tiré sur un civil : crois-tu vraiment qu'on puisse dire que tout va bien ?

– Tout va bien, monsieur...

– Sais-tu seulement ce qui t'arrive, mon garçon ?

– Pas vraiment, mais vous le savez, vous, monsieur, n'est-ce pas ? Et vous allez me le dire.

Erdenbat ne répondit pas. Il laissa passer un long moment pendant lequel la Lexus silencieuse et confortable survola le chaos défait des rues d'Oulan-Bator. Puis le chauffeur récupéra Peace Avenue et ils filèrent vers l'est.

– Ce soir tu es mon invité, nous allons dans le Terelj, dit Erdenbat en lui tendant un portable. Préviens chez toi que tu ne rentreras pas ce soir.

– Je n'ai pas vraiment envie d'aller dans le Terelj, répondit Yeruldelgger, et vous savez que je n'ai personne à prévenir chez moi.

– Alors préviens au moins cette femme, cette jeune légiste, qu'elle dise à Saraa de ne pas s'inquiéter pour toi.

Yeruldelgger tourna son visage vers le vieil homme qui le regardait, le téléphone à la main. Il soutint son regard. Un regard minéral, immobile et solide comme la Mongolie elle-même. Cet homme pourrait rester là des heures sans fléchir, à le regarder, le téléphone à la main. Le policier se surprit à penser que s'il devait se figurer le vrai visage de Gengis Khan, dans sa grandeur et sa cruauté, il aurait le visage d'Erdenbat.

– Saraa ne s'inquiète plus pour moi depuis bien longtemps, finit par répondre Yeruldelgger.

– Je sais, mon fils, je sais ! répondit le vieil homme d'un ton à la fois paternel et condescendant. Il semblerait même que je sois le seul à m'inquiéter pour toi.

– Encore une fois il n'y a pas de raison à ça, monsieur.

– Je crois que si, insista Erdenbat. On a tué ta petite fille, ta femme a glissé dans la folie, quelqu'un s'en est pris à ta grande fille, et d'une certaine façon on vient de te mettre à pied. Alors, si, je crois bien qu'il y a des raisons d'être inquiet à ton sujet.

– Peut-être, monsieur, mais c'est ma vie et, si vous me permettez, c'est moi qui la gère.

– C'est ta vie, mon garçon, mais c'était aussi celle de ma petite-fille, c'est encore celle de ma fille, c'est celle de mon autre petite-fille, et ton boulot, c'est aussi grâce à moi que tu l'as gardé. Alors ta vie me concerne aussi, que tu le veuilles ou non.

– Arrête-moi là ! dit calmement le commissaire en s'adressant au chauffeur qui n'obéit pas, cherchant des yeux dans le rétroviseur l'accord muet de son patron.

– Allons, Yeruldelgger, nous sommes déjà sortis d'Oulan-Bator. Nous sommes au milieu de nulle part. Viens camper dans le Terelj et nous boirons de l'airag et de la vodka jusqu'à tout oublier sous les étoiles !

Mais Yeruldelgger sortit une arme de sa poche et posa le canon sur la nuque du chauffeur.

– Arrête-toi !

Le chauffeur resta d'un calme apparent, mais la surprise et l'adrénaline lui firent faire un imperceptible écart.

– Ne t'arrête pas, ordonna calmement Erdenbat, il ne tirera pas.

– Tu as entendu ton patron énumérer mes malheurs, reprit calmement Yeruldelgger à l'attention du chauffeur, tu as entendu qu'on a tué ma petite fille, n'est-ce pas, que ça a poussé ma femme dans la folie, que mon autre fille a été agressée. Tu sais pourquoi je suis mis à pied de la criminelle ? Parce que j'ai tabassé ma propre fille jusqu'à l'assommer pendant un interrogatoire, parce que j'ai planté mon arme dans la joue de mon supérieur, et parce que j'ai fracassé d'une balle le tibia d'un type qui n'était suspect de rien. Alors si j'étais toi, je me dirais que l'homme qui a posé le canon de son flingue contre ma nuque est vraiment très, très dépressif, au bout du rouleau, complètement incontrôlable, et que je ferais mieux de m'arrêter avant que ce qui reste de mon cerveau n'éclabousse le pare-brise.

– Monsieur ? fit le chauffeur en interrogeant Erdenbat du regard dans le rétroviseur

– C'est bon, c'est bon, arrête-toi. Range-toi sur le côté, nous allons marcher un peu.

Le chauffeur se gara sans hâte en évitant les flaques et les nids-de-poule. Yeruldelgger descendit en silence et s'éloigna dans la nuit, en direction d'Oulan-Bator. Ils avaient déjà passé Gachuunt et quitté l'asphalte. Ils étaient à une quinzaine de kilomètres des premiers districts de la capitale. De la rivière qui coulait en contrebas montait une fraîcheur vivifiante sous le ciel constellé d'étoiles, et Yeruldelgger se dit qu'il pourrait rejoindre la capitale en quatre ou cinq heures de marche. Au pire il pourrait trouver à dormir à Gachuunt ou à Schiltgin qui n'étaient qu'à quatre ou cinq kilomètres.

Erdenbat l'interpella dans son dos.

– Yeruldelgger, attends-moi !

Quand il se retourna, le chauffeur en bras de chemise était déjà tout contre lui. Le vieil homme était un peu plus loin, la veste du chauffeur pliée avec soin sur son bras. Yeruldelgger encaissa un terrible crochet au foie. Le choc l'ébranla, et deux secondes plus tard la douleur irradia tout son corps et le fit tomber à genoux. Le coup de pied le cassa en deux et le fit basculer sur le côté. Il s'était trop souvent battu pour ne pas comprendre ce qui l'attendait. Le chauffeur allait le passer à tabac et il n'était pas en état de résister. Le premier coup l'avait pris par surprise. Jamais il ne pourrait reprendre l'avantage. Il allait devoir encaisser en limitant les dégâts jusqu'à perdre connaissance, ou trouver l'occasion inespérée de surprendre l'autre. Mais le chauffeur savait ce qu'il faisait. Un pro du tabassage en règle, sans aucun doute. Yeruldelgger se pelotonna en position fœtale, genoux et bras repliés pour protéger son visage et son ventre, et tourna sur lui-même pour ne jamais exposer ni sa nuque ni son dos à un coup de pied qui pourrait lui être fatal. Quand il se rendit compte que l'homme frappait fort mais jamais de la pointe du pied ou du talon, il comprit qu'il était juste bon pour une correction.

– C'est bon, ça suffit ! ordonna la voix d'Erdenbat. Aide-le à se relever et ramène-le à la voiture.

Le chauffeur empoigna Yeruldelgger par le biceps et le releva sans effort d'une seule main pour le ramener jusqu'à la Lexus contre laquelle il l'adossa. Erdenbat s'approcha d'eux et tendit sa veste au chauffeur, qui l'épousseta puis l'enfila en rectifiant avec soin son col et ses manches avant de reprendre sa place au volant.

– On ne sort pas une arme en ma présence, mon garçon, expliqua le vieil homme en réajustant les vêtements de Yeruldelgger, même dans ma voiture, et même contre mon chauffeur. Et je me vexe assez facilement quand on refuse mes invitations. Je pensais que tu le savais.

Il aida le policier à s'installer dans la voiture et ordonna au chauffeur de reprendre la route pour le Terelj. La piste piqua bientôt vers le nord entre les collines figées par la nuit et plus personne ne dit un mot jusqu'à l'arrivée au ranch, au cœur d'une forêt de mélèzes sous une lune insolente.

# 27

*... veiller Saraa en pensant à son père.*

– Il n'est toujours pas rentré ? demanda la voix de Saraa derrière le paravent.

– Non, répondit Solongo qui préparait ses pommades.

– Ça ne t'inquiète pas ?

– Non, mentit la légiste. Tu sais, c'est chez moi ici, ce n'est pas chez lui. Il ne fait que passer, de temps en temps, sans jamais prévenir.

– Tu as vérifié chez lui ?

– Je ne sais pas où c'est, chez lui. Je ne sais même pas si quelqu'un le sait. Oyun peut-être. Elle a bien dû passer le prendre ou le déposer avant ou après une planque.

– On peut lui demander ?

– Je l'ai déjà fait. Elle ne sait pas où il est. Elle croit savoir que Yeruldelgger voulait s'expliquer avec l'inspecteur Chuluum. Je pense qu'elle va essayer de lui mettre la main dessus. Mais ne t'en fais pas pour ton père. Il est indestructible !

– Tu dis ça parce que tu l'aimes.

– Oui, mais si tu l'aimais aussi un peu, il le serait plus encore.

Elle passa derrière le paravent. Saraa était toujours nue, allongée sur le dos, bras et jambes légèrement écartés. La sève et la graisse d'ours faisaient des merveilles. Ses brûlures prenaient déjà la teinte rose de la nouvelle peau. Mais Solongo devina dans son regard qu'elle souffrait et attendait avec courage le soulagement et l'apaisement que lui apportaient ses soins.

– Saraa, tu as vraiment passé la nuit avec ce nazi ? demanda-t-elle en étalant doucement l'onguent sur son corps.

– Non, avoua la jeune fille.

Elle n'osait pas regarder Solongo et gardait les yeux fixés vers l'ouverture, dans le toit de la yourte, par laquelle on apercevait les étoiles. Le souvenir la submergea d'un après-midi de sieste dans la yourte de son grand-père, dans le Terelj. Yeruldelgger était allongé sur le sol et elle sur sa poitrine à lui, sur le dos aussi, et ils regardaient tous les deux en haut de la yourte apparaître et disparaître des nuages blancs poussés par le vent dans le rond de ciel bleu. C'était à celui qui lui donnerait une forme et un nom le premier. « Marmotte », « chèvre », « pomme ». À un moment Yeruldelgger avait crié : « Maman ! » et Saraa avait tant ri qu'Uyunga les avait rejoints pour s'allonger contre eux et rire aussi en donnant des noms aux nuages. Et plus leur forme était biscornue, plus Yeruldelgger criait : « Saraa », plus ils riaient.

– Non, répéta l'adolescente. J'ai commencé à boire et à fumer avec eux, puis quelqu'un qu'ils attendaient est venu les chercher. Ils sont revenus au petit matin mais j'étais défoncée, et ils étaient trop excités pour s'occuper de moi. Celui que vous avez arrêté est juste venu me dire que j'avais intérêt à confirmer que j'avais passé la nuit avec Adolf. De toute façon j'étais tellement raide que ça aurait pu être vrai.

– Il t'a menacée ? demanda Solongo.

– Non, il n'a pas eu besoin....

– Pourquoi tu l'as fait alors ?

– Il a dit que ça pourrirait la vie de mon père.

– Il a parlé de Yeruldelgger ? s'étonna Solongo, soudain plus attentive.

– Oui. Il s'attendait à être arrêté. Je l'ai entendu dire aux autres de ne pas s'inquiéter, que ça faisait partie du plan.

– Du plan ? Quel plan ?

– Je ne sais pas, Solongo. J'étais défoncée, je te l'ai dit. Mais à un moment il a vu que je me réveillais de mon mauvais trip et il est revenu vers moi pour me dire de ne pas avoir peur de mon père. Il disait qu'ils étaient protégés par plus fort que lui.

Solongo observa Saraa dont les yeux mouillés de larmes ne voulaient pas la regarder, fixant toujours le ciel étoilé par l'ouverture de la yourte. Elle caressait avec tendresse son front épargné par les brûlures quand un portable vibra pour annoncer un message.

– Il n'y a pas plus fort que Yeruldelgger, dit-elle en se levant. Endors-toi maintenant, je dois répondre.

Elle posa un léger baiser sur le front de Saraa, ajusta le paravent, et se dirigea vers la petite table où elle aimait travailler la nuit. Elle aussi, en secret, avait espéré que c'était Yeruldelgger, mais l'appel venait d'Allemagne. C'était un courriel sans texte avec le mot « trekking » comme objet et une pièce jointe. Solongo transféra le mail sur son ordinateur et afficha la pièce jointe sur le grand écran de son Mac. Il s'agissait du rapport de la modélisation et des analyses de l'éclat de verre retrouvé incrusté dans la pédale du tricycle que la légiste avait transmises à son « correspondant » allemand.

L'éclat provenait d'un bloc optique de fabrication chinoise produit dans une usine de Gongshu pour la Wuyi International Vehicule Corporation Ltd, une usine d'assemblage du Zhejiang. Cette usine fabriquait des engins mécaniques pour la marque coréenne Chinwa. Le modèle du phare avait été identifié comme un des deux petits phares avant latéraux équipant un quad de deux cent cinquante centimètres cubes référencé par le fabricant sous l'appellation ZHST250-KS modèle 2007.

Solongo cliqua sur un lien et afficha l'image du quad. L'engin avait un élégant profilage futuriste, avec les amortisseurs apparents, trois compteurs cylindriques d'aspect vintage sur le guidon et un aileron un peu prétentieux à l'arrière. Mais ce dont Solongo ne parvint pas à détacher son regard, c'était une sorte de petit pare-buffles en barres d'acier noir qui formait comme une étrave à l'avant et, de chaque côté du gros phare central intégré à la carrosserie, deux petits phares en losange étirés qui plongeaient vers le centre comme un regard méchant de héros de manga. Voilà ce qui avait fracassé l'enfant joyeuse sur son tricycle rose. Cet engin pétaradant surgi de nulle part avait percuté son pauvre petit corps à pleine vitesse. Tous ses os brisés ne laissaient aucun doute là-dessus. Et sa tête blonde avait dû casser un des phares dans le choc. À bien regarder la photo du robuste engin, c'était probablement le seul dommage dont il avait eu à souffrir...

Solongo considéra longtemps la photo et les questions qu'elle soulevait. On savait sans doute maintenant comment et par quoi la petite avait été tuée. Restait à savoir par qui. La thèse de l'accident devenait par ailleurs probable pour ce qui était du choc. Mais cela n'expliquait en rien pourquoi la fillette avait été enterrée vivante. Ni pourquoi personne n'avait rien dit. Une petite princesse blonde en tricycle rose dans la steppe et un quad rugissant lancé comme un bolide, ça se remarquait, en pays mongol. Si l'accident avait bien eu lieu dans les environs immédiats de l'endroit où Yeruldelgger avait exhumé son corps, alors ils auraient été des dizaines de nomades à le savoir et l'âme de la petite n'aurait jamais été abandonnée aux vents de la steppe. On s'en serait occupé en secret. À tour de rôle.

Solongo se convainquit petit à petit que le drame n'avait pas eu lieu à cet endroit. La petite y avait été enterrée, vivante et en cachette, mais l'accident avait eu lieu ailleurs. Au moins disposait-on d'un indice matériel à présent. Un engin mécanique, ça laisse des traces de son passage. Pas forcément de traces matérielles après cinq ans, mais des traces utiles quand même. Des souvenirs, des témoignages, des dates, peut-être des photos. Et puis des traces administratives, au passage des frontières par exemple, puisque l'engin avait bien dû être importé. Il ne devait pas y avoir des centaines de quads coréens ZHST250-KS modèle 2007 dans le pays. Sans compter que l'accident remontant à cinq ans environ, ça faisait du quad le modèle neuf de l'année.

Solongo reprit confiance et décida d'envoyer une copie du message à Yeruldelgger. Où qu'il soit, il saurait bien en tirer quelque chose. Elle expédia aussi une copie à Oyun puis elle se prépara un thé chaud salé au beurre. Elle n'avait pas envie de dormir. Elle avait décidé de veiller Saraa en pensant à son père.

# 28

*... dont l'alerte lui annonçait
le message d'Oyun.*

Yeruldelgger aimait bien l'endroit, mais il n'aimait ni le ranch
ni le nom que lui donnait Erdenbat. Un ranch n'avait rien à faire
dans ces collines boisées du Terelj. Bien sûr, ce qu'avait fait
construire le magnat forçait l'admiration. Une longue construction
de plain-pied, tout en bois et en verre, reliant sur cinquante mètres
deux petites collines, comme une digue légère en travers d'un
val. De nuit, c'était comme un barrage de bois roux et de lumières
chaudes. Une enfilade de salons, de bibliothèques, de bars et
de salles de billard qui s'ouvraient, à l'avant, sur un large deck
de bois en éventail. Comme un lodge de luxe dans le Colorado.
Mais ce qu'aimait Yeruldelgger se cachait de l'autre côté, dans
un vallon préservé par ce mur traversant et lumineux. Des bois
de mélèzes éclairés de clairières, des yourtes immaculées dont il
connaissait le luxe et le confort, disséminées un peu en hauteur
des berges d'un large étang calme aux eaux fraîches et moirées.
Erdenbat avait recréé là un vrai paradis, un havre de paix, un
refuge harmonieux qui ne lui ressemblait pas et où il recevait
des hôtes qui ne le méritaient pas.

Ils arrivèrent au ranch illuminé au beau milieu de la nuit, toujours silencieux. Quand le chauffeur, sur un signe de son patron,
voulut l'aider à descendre, Yeruldelgger l'en dissuada d'un mau-

vais regard, malgré la douleur encore sourde du passage à tabac. Il précéda le vieil homme pour ne pas avoir à le suivre, pendant que le chauffeur allait ranger la voiture dans un vaste garage. Quand la porte automatique se déclencha, Yeruldelgger aperçut plusieurs grosses voitures de luxe et une dizaine de quads.

– Tu as toujours ta yourte, dit Erdenbat dans son dos sans faire aucun effort pour le rattraper. Tu connais le chemin, je te laisse y aller...

Yeruldelgger entra dans le grand salon d'apparat et le traversa sans répondre. Oui, il connaissait les lieux. Le hall, la bibliothèque où Kushi courait en taquinant Saraa qui apprenait à lire, la salle de billard, avec Kushi dans ses bras pour qu'elle soit assez grande pour jouer contre sa sœur... Le bureau d'Erdenbat, où il surprenait souvent les filles jouant avec la toupie du petit jeu divinatoire qu'il avait reçu en cadeau d'un riche Coréen. Les petites billes de verre qu'il fallait projeter vers de petits trous marqués d'un idéogramme. Kushi était folle de ce jeu. Si Yeruldelgger ou Uyunga ne la voyaient pas dehors, ils étaient sûrs de la trouver là, à regarder, fascinée, les petites billes bondir et rebondir et s'entrechoquer sous la vitesse folle de la toupie perchée sur son axe pointu.

En ressortant de l'autre côté face à l'étang constellé du reflet des étoiles, le policier reçut au cœur un coup beaucoup plus douloureux que ceux que lui avait portés le chauffeur. Il avait vécu autour de cet étang des années si heureuses avec Kushi, Saraa et Uyunga. Des nuits d'été, allongés dans l'herbe rase, blottis tous les quatre les uns contre les autres, à inventer des constellations et donner des noms idiots aux étoiles. L'émotion lui brisa les jambes et le força à s'arrêter pour reprendre son souffle. Il devina la présence d'Erdenbat, loin derrière lui, et se retourna. L'ombre le regardait depuis le ranch, immobile derrière l'immense baie vitrée de la bibliothèque. Yeruldelgger comprit à cet instant qu'il l'avait fait venir au ranch pour le faire souffrir d'une façon plus cruelle qu'en le faisant cogner par une brute. Bien qu'il n'ait pu, pour ne pas faillir à sa réputation, s'empêcher de le faire tabasser un peu quand même. Sans doute qu'Erdenbat lui expliquerait, le lendemain au petit déjeuner, que c'était pour son bien. Il affirmait toujours agir pour le bien des autres. Même contre eux. Même quand il décidait de les punir.

La propriété autour de l'étang se composait d'une quinzaine de yourtes. Yeruldelgger devina à quelques murmures et ronflements qu'un grand nombre étaient occupées. Il croisa dans la nuit une silhouette adossée à un arbre. L'homme tirait sur une cigarette en méditant sous le ciel étoilé à la beauté de cette terre loin de chez lui. Yeruldelgger n'aurait pas su dire à quoi il savait que l'homme était étranger mais il le savait. Japonais ou coréen, à sa façon de tenir sa cigarette. Plutôt coréen. Ils ne se dirent rien et le policier gagna la yourte qui lui était réservée, un peu à l'écart des autres, à mi-chemin d'une pente douce qui descendait jusqu'à l'étang noir. Les yourtes étaient bien plus luxueuses que celles des nomades. Elles se prolongeaient face à l'étang d'un large deck en bois. Yeruldelgger arracha toutes les couvertures des trois lits de l'intérieur et les tira jusque sur le ponton pour s'en faire un couchage de fortune. Il s'y roula en chien de fusil sous les étoiles et sombra dans un sommeil de pierre, assommé par la fatigue, la douleur et l'émotion. Sans entendre son iPhone dont l'alerte lui annonçait le message d'Oyun.

# 29

## *Il y a un gosse, en bas, là-dessous !*

Au milieu du chaos des incendies, Gantulga reconnut tout de suite le Soyombo. Il s'était mêlé à ceux que les pompiers évacuaient en panique du second immeuble. Sauf que le Soyombo n'était pas en panique. Il suivait calmement le flot. Quand un infirmier s'inquiéta de la blessure à l'arrière de son crâne, il l'écarta d'un geste brusque sans même le regarder et se laissa porter par la foule. Petit à petit, anonyme, il dériva prudemment hors de la zone des secours. Gantulga avait essayé plusieurs fois d'alerter Oyun, mais elle l'avait rembarré.

On l'appelait le Soyombo à cause de son tatouage. Gantulga n'avait jamais vu le symbole national mongol sur son épaule, mais des filles que l'homme faisait monter dans son appartement lui avaient parlé du dessin. Après leurs rendez-vous, dans les escaliers abandonnés ou des appartements vides, elles s'amusaient à lui apprendre les choses de l'amour et un jour l'une d'elles avait dessiné au rouge à lèvres le tatouage de l'homme sur le ventre de Gantulga. Au centre du dessin, là où le régime d'avant avait remplacé le symbole du Yin et du Yang par deux poissons dont les yeux toujours ouverts symbolisaient la vigilance du peuple, l'homme avait fait graver sur sa peau une croix étrange aux quatre bras cassés à angle droit. L'homme était brutal et sale avec elles, mais c'était un régulier et, entre elles, elles l'appelaient le Soyombo.

L'homme avait compris qu'à l'affût dans la foule, des yeux avertis et attentifs cherchaient des indices. Il l'avait senti bien avant d'apercevoir la fille qu'il aurait dû tuer dans le tunnel des canalisations. Il doutait qu'elle ait pu voir son visage dans le contre-jour de sa torche électrique, mais quelqu'un l'avait assommé et elle avait peut-être pris le temps de l'identifier avant d'aller sauver la gamine du flic. Il les observa sans ralentir son pas et se demanda si le flic en question était l'homme qui se tenait à ses côtés. Dans la même réflexion il se dit qu'il allait devoir éliminer l'une et se méfier de l'autre. Dans la panique générale qu'il avait provoquée, ils étaient les deux seuls à garder le calme des vrais chasseurs. Comme lui.

Il dériva pas à pas hors des zones éclairées par les lueurs des incendies et les projecteurs des secours, et se laissa échouer dans un coin d'ombre pour abandonner son comportement de victime évacuée. Quand il en émergea à nouveau, il était un badaud voyeur. Il se mêla à la foule des curieux, passant de groupe en groupe pour donner son avis sur l'étrangeté des explosions et l'incompétence des secours, s'éloignant chaque fois un peu plus de la scène. Quand il aperçut trois hommes et une femme qui s'éloignaient, le dos aux incendies, pour rentrer chez eux, il se joignit à eux en discutant. Il les quitta quand ils regagnèrent le grand hall déglingué du dernier immeuble de la cité pour monter dans les étages. Il échangea une dernière moquerie sur les pompiers incapables puis traversa le hall pour ressortir de l'autre côté de l'immeuble. C'était comme se retrouver à l'extérieur d'une citadelle avec, devant lui, le quartier sombre et aveugle des yourtes dans la nuit.

Il s'y engagea sans crainte, d'un pas sûr et rapide, et Gantulga eut toutes les peines du monde à le suivre en bondissant dans l'ombre des palissades. Deux blocs plus loin, ils débouchèrent par des ruelles sur le lit bétonné de l'ancienne rivière qui servait maintenant de déversoir à ciel ouvert pour les pluies d'orage et le dégel du printemps. Gantulga se tapit à l'abri d'une yourte pour laisser au Soyombo le temps de traverser le large no man's land du déversoir. Un chien grogna dans le noir et un homme le rabroua de la voix. Le gamin bondit se plaquer contre une palissade de l'autre côté de la ruelle. Quand il risqua un œil pour repérer à nouveau le Soyombo, l'homme avait disparu. Le gamin se précipita à son tour pour traverser la vingtaine de mètres à découvert. Une passerelle en béton brut mal décoffré enjambait le canal pour rejoindre le reste du quartier des yourtes et son labyrinthe de palissades. Gantulga s'élança et traversa le pont en courant, cherchant à deviner derrière laquelle le Soyombo avait pu disparaître.

Il débouchait sur la rue qui longeait le déversoir quand un quad surgit de nulle part et fonça sur lui. Le garçon n'eut que le temps de reconnaître le Soyombo, avant d'être heurté violemment et projeté à terre. Quelque chose craqua dans sa jambe et quand il essaya de se relever, une douleur dans la cuisse le foudroya sur place. Il chercha des yeux du secours et n'aperçut que les feux arrière du quad qui s'illuminèrent soudain. Le Soyombo s'arrêta, le regarda par-dessus son épaule, et enclencha la marche arrière. Gantulga roula sur lui-même jusqu'au bord du déversoir dont les parois inclinées plongeaient dans le noir. Il s'y laissa tomber en hurlant de douleur à chaque rebond contre le béton au moment même où le Soyombo pensa l'écraser. Mais, emporté par son élan, l'homme ne put maîtriser le quad et l'engin bascula à son tour, son moteur rugissant dans le vide. Le Soyombo parvint à sauter en marche et se releva aussitôt, une arme à la main. Il courut jusqu'au bord du déversoir, cherchant à repérer Gantulga qui s'était traîné dans l'ombre du pont. Le quad s'était écrasé à

l'envers et constituait au pied du pont un rempart inespéré derrière lequel le garçon avait rampé. Mais le Soyombo n'était pas
homme à lâcher prise. Gantulga l'aperçut avec effroi qui se préparait à descendre pour le retrouver et l'achever.

Par chance, des voix inquiètes s'élevèrent au même moment,
accompagnées d'aboiements de chiens. Le Soyombo hésita,
regarda vers les yourtes, se pencha pour scruter le déversoir à
nouveau, puis lâcha un juron dans un geste de colère. Gantulga
le vit se redresser, tirer un coup de feu en direction des yourtes
pour gagner quelques secondes, puis vider son chargeur au hasard
dans l'ombre du pont. Il entendit les balles percer la carrosserie
du quad et ricocher sur le béton, et se surprit à avoir peur que
l'une d'elles enflamme le réservoir. Puis il devina les pas du
Soyombo qui s'enfuyait, entendit des voix en colère qui se lan-
çaient à sa poursuite, et perçut des murmures curieux et inquiets
qui s'approchaient.

– Appelez les secours ! Il y a un gosse, en bas, là-dessous !

# 30

*... chercher à rejoindre le monastère...*

— Tu n'es plus l'homme que tu étais, dit Erdenbat.

— Vous n'êtes pas non plus celui que vous prétendez être, répondit Yeruldelgger.

— Peut-être, mais je suis encore quelqu'un, alors que toi, petit à petit, tu n'es plus rien.

— ...

— Tu ne peux plus continuer ainsi, Yeruldelgger. Tu es en train de tout perdre. Tu es devenu un vieux flic acariâtre et violent. Tu cognes des témoins, tu frappes ta propre fille, tu tires sur tes indics, tu ne respectes aucune hiérarchie, tu n'enquêtes que pour toi sans rendre compte à personne...

Yeruldelgger s'était réveillé juste avant l'aube, à l'heure où les oiseaux se réveillaient aussi pour chanter. Le frimas des bois humides avait piqué son nez et griffé ses reins. Il avait admiré l'aube invisible argenter le lac et l'horizon, puis rosir le ciel derrière les brumes bleutées, et inonder enfin la vallée d'une lumière chaude et dorée qui faisait fumer les berges autour de la yourte. Il était ensuite rentré préparer du thé salé au beurre bien chaud et avait tiré un petit tabouret sur le deck pour s'y asseoir, face au lac, en attendant Erdenbat. Celui-ci était arrivé peu de temps après, certain que le policier l'attendait déjà.

– Ils vont bientôt te virer, Yeruldelgger, j'espère que tu as compris ça. C'est dans les tuyaux. C'est pour bientôt, très bientôt !

– Vous croyez que je ne le sais pas déjà ? C'était vraiment la peine de me tabasser et de me traîner jusqu'ici pour me dire ça ?

– Je t'ai fait tabasser pour te forcer à venir ici parce que tu es une tête de mule, mon garçon, et que c'est ici que ta vie va se jouer. Ce que je vais te proposer, je ne te le proposerai qu'une seule fois, ici et maintenant : quitte la police et viens travailler pour moi.

– Et si je refuse ?

– Si tu refuses, ta vie deviendra un enfer.

– Ah, se moqua Yeruldelgger, ma vie est déjà un enfer.

– Ne sous-estime jamais les forces du mal, mon garçon, elles savent toujours trouver des ressources insoupçonnées pour te faire souffrir encore plus.

– C'est curieux, j'ai l'impression que c'est une offre qui sonne un peu comme une menace. Je me trompe ?

– Tu te trompes. Personne n'a besoin de te menacer du pire, tu sauras très bien l'attirer par toi-même. Je te propose de quitter la police et de prendre la tête de mon service de sécurité. Dans quelques semaines il y aura le grand *naadam* à Oulan-Bator et je vais y inviter beaucoup de gens importants. J'attends un groupe de riches étrangers, et j'organiserai ici même un autre grand *naadam* privé. J'ai l'intention d'aller encore un peu plus loin en politique et en affaires, et j'ai besoin de quelqu'un comme toi. Ou plutôt de quelqu'un comme celui que tu étais et que tu peux encore redevenir. Je sais par quoi tu es passé. N'oublie pas que nous avons traversé cette épreuve ensemble...

– Non, j'ai traversé mon épreuve tout seul. Vous en avez peut-être traversé une vous aussi, mais moi j'ai traversé la mienne tout seul !

– Si tu veux. On voit bien que tu n'as pas encore oublié ta colère, mon garçon, mais si tu acceptes, on peut envisager que tu restes ici à assurer la sécurité du ranch et du *naadam* le temps de te reconstruire. Tu me rejoindras à Oulan-Bator quand tu te sentiras prêt. Voilà ma proposition. Tu peux rester ici le temps qu'il faut pour y réfléchir.

– Ce ne sera pas la peine, monsieur. Je vais rentrer à Oulan-Bator. Merci pour votre hospitalité.

Erdenbat regarda Yeruldelgger sans répondre. L'homme n'était pas pour lui déplaire, dans sa puissance et son obstination. Sa colère en faisait même une force brutale et précieuse. Il n'en aurait que plus de regrets de devoir le détruire.

– Comme tu veux, mon garçon, c'est ton choix. Je vais te faire reconduire.

– Non merci, je vais rentrer par mes propres moyens.

– Nous sommes au nord du Terelj, à cent kilomètres d'Oulan-Bator ! s'étonna Erdenbat. Tu ne vas pas trouver de taxi par ici.

– Je sais, répondit Yeruldelgger, le regard perdu à suivre le reflet d'une grue demoiselle qui survolait le lac avec grâce. Je vais rentrer à pied. Je connais le chemin…

Il reposa son thé, se leva et se dirigea vers le lac. Erdenbat le regarda s'éloigner en silence. Il tenta une dernière fois d'évaluer du regard l'état psychique et physique du policier puis y renonça. Après tout, le sort en était jeté. Yeruldelgger n'était plus de son monde. Qu'il aille au diable, parce que de toute façon, quel que soit le chemin qu'il prenne, c'est là qu'il finirait : au diable !

Le vieil homme tira son portable de sa poche et composa un numéro sur le réseau intérieur du ranch.

– Il a refusé. Les choses se compliquent. Tu dois t'en occuper. Il est parti à pied par la forêt. Je pense qu'il va peut-être chercher à rejoindre le monastère…

# 31

Dès qu'elle reçut le coup de téléphone des urgences de l'hôpital familial du quatorzième district, Oyun exigea que Gantulga soit transféré à l'hôpital n° 1 où travaillait Solongo, qu'elle prévint aussitôt. Le transfert fut si rapide qu'en arrivant sur place, elle trouva Gantulga déjà en soins dans sa chambre.

– Le plus grave est passé, dit Solongo qui l'attendait pour la rassurer. Il avait deux fractures et de multiples contusions, mais l'opération...

– L'opération ? Quelle opération ?

– Une des fractures a été provoquée par balle.

– Par balle ! On lui a tiré dessus ? Qu'est-ce qui s'est passé ?

– Calme-toi, Oyun, calme-toi. Je te répète que tout va bien. Si l'hôpital t'a appelée, c'est qu'il était tiré d'affaire justement et qu'ils voulaient que quelqu'un le récupère.

– OK, OK, c'est bon, je me calme, mais dis-moi ce qui s'est passé.

– On l'a retrouvé dans le déversoir, dans le quartier des yourtes derrière la grande cité qui a brûlé l'autre jour. Des témoins ont entendu des bruits de moteur et des cris et ils sont sortis en croyant à un accident. Ils sont tombés sur un type qui vidait son chargeur au hasard dans le noir et qui a fui en les voyant arriver en nombre. Quand ils sont descendus dans le déversoir, ils ont vu la carcasse d'un quad qui avait basculé depuis la rue, et derrière, tapi dans l'ombre, le gamin évanoui. Ils n'ont même pas appelé les secours. Ils l'ont remonté du déversoir et l'ont porté dans leurs bras jusqu'aux urgences de l'hôpital familial qui n'était qu'à quelques centaines de mètres. Quand il s'est réveillé, il paraît qu'il a demandé qu'on t'appelle, voilà l'histoire.

– Et comment est-il ?

– Plutôt en forme depuis qu'il s'est réveillé. Ils ont eu un peu peur les premiers jours parce que...

– Les premiers jours ?

– Oui, il est resté quatre jours dans le coma. En fait c'est arrivé la nuit de l'incendie.

– Oh non ! soupira Oyun en se souvenant de ce soir-là.

Dans le désordre des secours et des pompiers, Gantulga avait essayé par deux fois d'attirer son attention et elle l'avait repoussé.

Un médecin pressé sortit de la chambre, suivi d'une infirmière au visage de cerbère qui leur interdit d'entrer d'un signe de la main.

– Ganbold ! appela Solongo.

Le médecin se retourna et sourit en la reconnaissant.

– On peut le voir ?

– Laissez-les entrer, ordonna le médecin au cerbère vexé.

– Merci, dit Solongo à l'adresse du médecin qui filait déjà dans le couloir et la dispensa de politesse d'un geste de la main.

– Alors, partenaire ? demanda Oyun en entrant dans la petite chambre.

Les yeux de Gantulga s'illuminèrent de bonheur en apercevant la jeune inspectrice. Sa jambe gauche était plâtrée jusqu'à la cuisse et son bras droit maintenu en équerre dans une attelle. Il se releva en s'aidant des câbles et des poulies, et les deux femmes se précipitèrent pour l'aider à se caler dans ses oreillers.

– Alors vous l'avez eu ? demanda Gantulga tout excité.

– Qui ça ? Celui qui t'a fait ça ? Tu le connais ?

– Bien sûr ! C'est le Soyombo ! Celui qui voulait te descendre quand tu étais dans les canalisations !

– Tu en es sûr ?

– Attends, tout le monde le connaît là-bas. C'est une sorte de flic qui magouille avec ceux du dixième, ceux de l'appartement qui a brûlé. Lui, il habitait juste en face, au troisième, dans l'autre appart qui a brûlé. C'est de là qu'il t'observait cette nuit-là, et c'est de là que je l'ai suivi jusque dans les canalisations.

– Écoute, Gantulga, le type qui a mis le feu à l'appart du troisième est mort dedans. On a son corps ici, à la morgue !

– C'est impossible, c'est lui que j'ai vu quand j'ai voulu te le dire ce soir-là. Il se tirait tranquille au milieu de tous ceux qu'on évacuait de l'immeuble. C'est pour ça que je l'ai suivi, parce que tu ne voulais pas m'écouter !

Solongo et Oyun se regardèrent droit dans les yeux, le temps d'assimiler ce à quoi elles pensaient soudain toutes les deux. Quand Solongo, guidée par Gantulga, était revenue chercher Oyun et Saraa, il n'y avait plus personne dans les tunnels. Elles avaient pensé que le blessé au visage ébouillanté et l'homme au revolver avaient réussi à fuir, ensemble ou pas. Elles comprenaient à présent ce qui s'était vraiment passé...

– Je t'appelle tout de suite, lâcha Solongo en quittant la pièce, je t'appelle dès que j'en suis sûre !

Oyun regarda la légiste sortir en courant dans le couloir puis se tourna vers Gantulga, surprise elle-même du bonheur que lui procurait la vue de ce petit bonhomme.

– Alors, partenaire, comment ça va ?

– Tu crois que je vais avoir une médaille ? répliqua-t-il joyeusement.

– Pour avoir agi de ton propre chef ? Sans ton partenaire ? Sans couverture ? Sans renfort ? C'est plutôt un blâme que tu mérites, oui ! lâcha-t-elle en essayant d'avoir l'air sévère.

– Et alors ? répondit le gamin avec aplomb. C'est pas comme ça que vous fonctionnez dans votre petite équipe ?

Oyun regarda la frimousse de Gantulga, tout fier de son insolence. Elle secoua la tête pour se forcer à y croire et succomba aux yeux moqueurs qui n'attendaient que ça.

– Ne me fais plus jamais un coup comme ça, partenaire, compris ? Et dis-moi ce que tu sais d'autre.

Gantulga lui raconta tout ce qu'il savait sur le Soyombo. Son tatouage, les confessions des filles, les rumeurs de flic ripou, la planque du dixième qu'il surveillait depuis son appartement du troisième, les petits trafics qu'il y protégeait, les passages à tabac qu'il y menait, les partouzes qu'il y organisait. Quand il revint sur le tatouage qu'une fille lui avait redessiné sur le ventre, l'instinct d'Oyun fut aussitôt en alerte. Le symbole nationaliste mongol avec une croix gammée à la place du Yin et du Yang, ça ne pouvait pas être qu'une simple coïncidence. Mais quand Gantulga évoqua son agression et la peur qu'il avait eue qu'une balle ne fasse exploser le réservoir du quad, elle bondit aussitôt sur ses pieds et tira son iPhone de sa poche. Ça, se dit-elle, ce serait vraiment trop beau !

Oyun chercha dans sa messagerie le message à Yeruldelgger que Solongo lui avait transféré en copie, au sujet des éclats de phare et du modèle de quad auquel il correspondait. Elle copia-colla le nom du modèle dans son moteur de recherche et afficha le résultat en image.

– Regarde : le quad du type, il ressemblait à ça ?

– Non, répondit aussitôt Gantulga, pas vraiment, mais c'était aussi un modèle coréen, ça, j'en suis sûr !

Oyun ne put cacher sa déception. Elle aurait aimé que les pièces du puzzle s'emboîtent d'elles-mêmes. Elle allait passer quelques appels dans les services pour savoir où avait atterri la carcasse de l'engin, quand le vibreur annonça un appel entrant et que l'écran afficha le nom de la légiste.

– Oui, Solongo. Dis-moi que nous avons raison.

– Nous avons raison, rejoins-moi à la morgue.

– J'arrive !

Oyun promit à Gantulga de revenir au plus vite et se précipita dans les couloirs jusqu'au service de médecine légale. Solongo l'attendait et l'emmena jusqu'à la seconde salle d'autopsie où elle avait fait préparer le corps extrait de l'appartement du troisième par les pompiers. Ce n'était plus qu'une croûte calcinée aux membres tordus dont la légiste avait découpé le visage en longues lamelles.

– Je sais que ce n'est pas très ragoûtant, expliqua-t-elle à Oyun, mais regarde dans l'épaisseur de la peau. Ce sont deux brûlures différentes et superposées. Dessous, ce sont des chairs ébouillantées, et dessus des chairs calcinées. Ce type est celui des canalisations, et avec son cadavre l'homme de l'appartement a essayé de nous faire croire à sa propre mort dans l'incendie. Le gamin a raison, vous avez un tueur dans la nature qui doit avoir terriblement envie de vous éliminer tous autant que vous êtes, Saraa, toi et lui...

# 32

*Dès qu'elle saurait comment le joindre...*

Oyun regardait Chuluum s'affairer mollement à son bureau, de l'autre côté du service. Yeruldelgger n'avait toujours pas donné signe de vie et elle avait décidé de ne pas s'en inquiéter. Les choses s'étaient pourtant précipitées et de nouvelles informations s'accumulaient qu'il fallait bien traiter. La question était donc de savoir dans quelle mesure elle pouvait faire confiance à Chuluum. Que savait-il, et pouvait-elle sans danger lui cacher autant d'éléments aussi importants ?

Elle s'était toujours demandé s'il fallait croire à ces histoires de sixième sens. Tous ces trucs chamaniques auxquels croyait Yeruldelgger mais qu'il appelait pudiquement l'instinct pour ne pas avoir à se les expliquer. Toujours est-il que Chuluum leva les yeux sur elle alors qu'elle l'observait et, d'un mouvement des sourcils, s'enquit de ce qu'elle lui voulait.

– Dis-moi, Chuluum, tu sais où est passé Yeruldelgger ?

– Non, lâcha l'inspecteur en se replongeant dans un dossier, et je m'en fous pas mal.

– Ouais, je peux comprendre ça. Il est un peu fantasque en ce moment. Tu sais, je me disais que vu qu'on n'arrive plus à mettre la main sur lui et que de toute façon tu as repris ses enquêtes, on devrait peut-être faire un point tous les deux, pour être raccord. Tu ne penses pas ?

– Pour que tu lui fasses un topo tous les soirs dans mon dos ?

– Tu fais bien un topo à Mickey tous les soirs, toi !

– Oui, mais Mickey est mon supérieur hiérarchique.

– Et Yeruldelgger est le mien ! répondit Oyun.

– Yeruldelgger n'est plus rien, corrigea Chuluum.

Oyun poussa un long soupir et l'inspecteur ne sut dire si elle se contenait d'une grande colère ou si elle se résignait à un grand abandon. Puis elle tira une chaise et s'assit face à lui.

– Écoute, on peut continuer comme ça longtemps, mais ça ne nous mènera pas bien loin. Personnellement, la guerre entre Mickey et Yeruldelgger, je commence à en avoir marre. On est sur deux belles affaires là ! Pourquoi on ne bosserait pas ensemble pour les résoudre entre nous ? Je te dis ce que je sais, tu me dis ce que tu sais et on avance, non ?

Chuluum la regarda sans trouver de faille dans son apparente sincérité. Il hésita quelques instants avant de répondre.

– Alors commence par me dire ce que vous me cachez.

– D'accord. La gamine a été percutée par un quad de marque coréenne. On l'a identifié à partir d'éclats de phare. On a le modèle et l'année. Yeruldelgger pense qu'elle a dû être victime d'un accident et qu'on s'est débarrassé du corps dans un endroit désert.

– Quoi d'autre ? demanda Chuluum qui voulait garder l'avantage, sans se douter que cela faisait le jeu d'Oyun.

– La gamine est passée par les Flaming Cliffs il y a cinq ans. Un témoin l'a identifiée. Ses parents conduisaient un van UAZ 452 bleu. C'est pour retrouver le van que Yeruldelgger est allé bousculer un ou deux indics au marché aux voitures.

– Il a trouvé quelque chose ?

– Comment veux-tu que je le sache, il n'est pas réapparu
depuis. D'ailleurs il était parti à ta recherche ce soir-là. Il t'a
même téléphoné. Tu es certain de ne pas savoir où il est ?

– Certain, je te l'ai dit. Et sur les Chinois, qu'est-ce que vous
avez ?

– Le cadavre calciné qu'ils ont sorti de l'appartement du troisième n'est pas celui de l'incendiaire.

– Comment tu sais ça ? s'inquiéta Chuluum, ferré par le scoop.

– L'autopsie. Ce type était mort avant de brûler. D'après un
témoin, le vrai locataire du troisième s'est fait la belle en profitant
de la panique.

– Et vous avez réussi à les identifier, le fugitif ou le cadavre ?

– Non, répondit Oyun.

– Tu mens !

– Si je mens, c'est que toi tu sais qui ils sont et que tu m'as
menti aussi ! D'ailleurs, si à ton tour tu me disais tout ce que tu
sais et que tu me caches encore ? insista-t-elle en pointant un
doigt sur le revers du costume de Chuluum.

L'inspecteur se leva brusquement en repoussant de la main
l'index de la jeune femme. Il réajusta son costume et lui tourna
le dos, regardant ostensiblement par la fenêtre pour ne pas avoir
à soutenir ses yeux.

– Je ne te cache rien, se défendit-il maladroitement. Tu deviens
aussi parano que Yeruldelgger.

– Alors explique-moi une chose, si tu joues si franc jeu que
ça : quel est le lien entre les Chinois et les incendies ?

– Quoi, le lien ? Quel lien ? De quoi tu parles ? Je ne vois
pas où tu veux en venir !

Chuluum n'avait pas été si difficile à ferrer. Maintenant il avait
l'hameçon en travers de la gorge et il ne pourrait plus s'en défaire.

– Tu ne vois pas ? Vraiment ? Tu me demandes si j'ai des
infos dans l'enquête sur les Chinois, je t'en balance sur la victime

des incendies et toi tu ne t'étonnes même pas ? Que veux-tu que j'en déduise, Chuluum, sinon que tu en sais plus que tu ne veux bien le dire. Tu connais le lien entre ces deux affaires, et tu me le caches.

– Et alors ! Quand bien même je saurais des choses que tu ignorerais, c'est moi qui dirige l'enquête. C'est moi qui décide qui doit savoir quoi.

– Là-dessus tu as raison, admit Oyun en se levant pour retourner dans son bureau, mais tu oublies juste deux petites choses. La première c'est que le lien entre la mort des Chinois et celle du type de l'incendie, c'est la tentative d'assassinat sur Saraa, la fille de Yeruldelgger, et que le jour où il va venir te demander des explications, je n'aimerais pas trop être à ta place. La seconde c'est qu'on en sait encore beaucoup plus que ça sur les deux affaires et sur ce que tu ne nous dis pas.

Chuluum resta sans voix, ce qui ne surprit pas Oyun qui n'attendait pas de réponse. Elle quitta le bureau de l'inspecteur en secouant la tête et s'apprêtait à regagner le sien quand il la rappela.

– Oyun, d'accord ! D'accord ! Reviens. Je vais t'expliquer.

Bien entendu elle fit mine d'hésiter quelques secondes, mais son collègue faisait tant d'efforts pour surjouer la sincérité qu'elle ne put résister. Elle fit demi-tour et revint vers le bureau. Chuluum lui avança la chaise d'un geste trop galant pour le macho qu'il était et il retourna s'asseoir à son bureau.

– Je savais pour le type du troisième. C'est un type qui gravite autour de ces fêlés de nazis et que nous surveillons depuis quelque temps. Il gère des trafics et des petites combines dans tout le nord de la ville. J'ai des indics dans la cité, évidemment, et ils m'ont alerté sur la fusillade dans les tunnels des canalisations. J'ai appris bien plus tard que Saraa était impliquée dans cette affaire. Je suppose que cela avait à voir avec son témoignage contre Adolf. Mais j'ai vraiment cru que le type du troisième était mort dans l'incendie.

– Il ne l'est pas, répondit Oyun. C'est un flic ?

– Jamais de la vie ! s'offusqua Chuluum. Juste un indic occasionnel, sans plus.

– Pourtant il me l'a dit juste avant d'essayer de me descendre. Pourquoi un type mentirait à ce moment-là ?

– Ce type est un fêlé, je te l'ai dit. Sous prétexte qu'ils sont indics et qu'on leur laisse faire deux ou trois petites choses, ils se prennent aussitôt pour des flics et deviennent incontrôlables.

– Ça, tu peux le dire ! Il est même allé jusqu'à tirer sur un témoin.

– Un témoin ? Un témoin de quoi ? Dans quelle affaire ?

– Pas de chance pour toi, Chuluum, parce qu'en plus c'était un témoin direct de la tentative d'assassinat sur Saraa...

– Et alors ? Pourquoi : pas de chance pour moi ?

– Parce que c'était ton indic, Chuluum. Ce type était au courant de ce qui se tramait contre Saraa, il a suivi les deux tueurs dans les canalisations, il a essayé de me flinguer, il a fait le ménage par le feu dans les indices et il a essayé de descendre un témoin direct. Tu crois que ça va plaire à Yeruldelgger tout ça ? Un indic à toi ?

L'inspecteur bondit sur ses pieds et devint soudain très nerveux, s'adressant à Oyun dans un mélange d'autorité paniquée et de mauvaise complicité.

– Dis-moi qui est ce témoin. Il faut le mettre à l'abri. Je vais le mettre sous protection !

– Sous protection ? se moqua-t-elle en se levant à son tour. Pour qu'on le retrouve cuit à petit feu dans les canalisations ?

– Dis-moi qui est ce témoin, Oyun, c'est un ordre, tu m'entends ? s'emporta Chuluum en la menaçant du doigt. Sinon je...

– Sinon quoi ? le provoqua la jeune femme. Tu vas appeler le Soyombo pour me buter ? Ou un type en Toyota pour me balancer des Flaming Cliffs ?

– Quoi ? Qu'est-ce que c'est que cette histoire de Toyota encore ?

– Tu sais très bien de quoi je parle. À part Yeruldelgger et moi, tu étais le seul du service à savoir que Solongo allait enquêter là-bas !

– Solongo ? Enquêter ? Elle est légiste, Solongo, pas inspecteur, elle n'avait rien à faire là-bas ! Et tu oublies ce dont tu m'as fait le reproche tout à l'heure : tous les soirs je rends compte à Mickey. Tous les soirs, ce sont ses ordres ! Alors lui aussi il savait, lui et tous ceux à qui il a pu parler !

Cette fois Chuluum marquait un point et Oyun encaissa l'information. Chacune des fuites et des coups tordus dont elle soupçonnait son collègue pouvait en effet être l'œuvre de Mickey. Pour quelle raison, elle ne le savait pas, pas plus que pour Chuluum, mais il devenait évident que quelqu'un, de l'intérieur du service, prenait beaucoup de risques pour leur compliquer la vie. Un ennemi invisible, très informé sur les différentes enquêtes, et que la confrontation qu'elle venait de provoquer avec Chuluum allait alerter et pousser à réagir. Elle devait prévenir Yeruldelgger. Dès qu'elle saurait comment le joindre...

# 33

*... un svastika à la place du Yin*
*et du Yang...*

Yeruldelgger connaissait bien la montagne et les vallées jusqu'à Oulan-Bator. La propriété d'Erdenbat était située à huit kilomètres à l'est du grand Lac Noir de Khar Nuur. Des pistes y conduisaient et il y aurait sûrement rencontré des randonneurs ou des cavaliers. Il aurait pu atteindre les rives du lac en trois heures de marche à peine et s'allonger sur le sable doré pour voir les crêtes s'embraser du couchant pendant que les eaux profondes se plombaient de noir. À la nuit tombée il aurait trouvé l'hospitalité dans une yourte et partagé l'airag et les raviolis de gras de mouton à l'oignon avec des nomades respectueux et craintifs.

Mais il préféra prendre vers le sud. Cette région du Khar Nuur et des petits lacs marquait la ligne de partage des eaux. Au nord, les rivières couraient déjà vers la Sibérie et jusqu'au lac Baïkal. Mais au sud, la plupart coulaient vers Oulan-Bator à travers un réseau de vallées toutes orientées en diagonale vers le sud-ouest. Pourtant, juste au sud du petit lac, un massif montagneux dessinait comme une forteresse ronde d'une dizaine de kilomètres de diamètre. Tout autour, des parois de rocaille s'élevaient jusqu'à mille huit cents mètres, protégeant un cœur de vallées encaissées et boisées que traversait de part en part, du nord au sud, la rivière

Tuul. Yeruldelgger connaissait le chemin par cœur. Bien avant que le massif du Terelj devienne un parc national, quelques années après la chute du régime d'avant, quand Erdenbat était encore un voyou dissident enfermé dans des camps, Yeruldelgger et Uyunga bravaient les dangers de la forêt et les interdits de la famille pour marcher jusqu'au Lac Noir en quatre jours et y camper en amoureux.

C'est à cette époque que Yeruldelgger lui avait parlé du monastère auquel sa famille l'avait confié en secret. Son père voulait sauvegarder la tradition malgré les persécutions. En quelques décennies, le régime d'avant avait décimé ceux qu'il appelait « les fainéants et les superstitieux ». Des cent mille moines que comptait la Mongolie, il n'en était bientôt resté que cent officiels à Oulan-Bator dans le seul temple autorisé et contrôlé par le pouvoir. Plus de deux mille autres temples avaient été rasés à travers tout le pays par les milices de volontaires, la police politique ou l'armée révolutionnaire. Moins d'une dizaine avaient survécu à l'éradication, cachés dans des replis montagneux ou noyés au cœur des steppes. Protégés par la peur des légendes aussi. C'était le cas du monastère de Yelintey. Les anciens affirmaient encore à voix basse, se méfiant des délateurs et des espions, qu'un seul moine avait échappé à la razzia des révolutionnaires et continuait à enseigner, dans les ruines du temple, une pensée plus pure et plus limpide encore que le bouddhisme le plus intransigeant. Il se disait aussi que par deux fois les révolutionnaires étaient revenus en force pour éradiquer définitivement le superstitieux et que par deux fois ils avaient été défaits par ce que le seul survivant avait qualifié de force invisible et mystérieuse. Avant de trouver la mort à son tour, exécuté cette fois par les siens pour trahison et superstition. Puis, dans les années quarante, pour tordre le cou à la légende, le maréchal Tchoïbalsan s'était fait prêter un Yak-9 par l'armée de l'air soviétique et l'avait envoyé mitrailler les ruines du monastère. Le Yak-9 avait tiré les cent vingt obus de 20 mm de son canon embarqué et lancé ses six roquettes RS-82 en trois passages, mais il n'était jamais revenu à la base de Nalayh. On n'avait jamais retrouvé son épave, mais on disait que le lendemain le maréchal avait reçu dans un petit colis soigneusement empaqueté comme dans un origami une magnifique pierre noire et polie d'une densité extrême. Quand le maréchal l'avait prise dans sa main pour s'extasier de sa surprenante beauté, la pierre s'était désagrégée en sable gris qui avait couru entre ses doigts comme de l'eau, ne laissant dans sa paume qu'un message sur un petit parchemin roulé autour d'une flèche rouge. « Ce que deviendront ton cœur et ta langue », disait le message. Il avait fallu quelques jours aux experts militaires pour identifier la flèche comme étant celle de l'altimètre d'un Yak-9, mais quelques minutes seulement au maréchal pour interdire par décret secret toute action contre le monastère de Yelintey.

Yeruldelgger avait été confié à l'enseignement de Yelintey pendant cinq ans, de treize à dix-huit ans, à la fin des années soixante-dix. Le monastère n'était encore à l'époque qu'une ruine accrochée à la petite falaise d'une ravine, dans l'échancrure d'un repli de la montagne. Les élèves les plus anciens, devenus les disciples du maître, avaient reconstruit un dortoir, un réfectoire et une salle de prière que les novices entretenaient. La communauté regroupait quatre disciples et dix novices autour du *Nerguii*, dont le titre signifiait « sans nom ».

Il n'avait pas fallu longtemps à Yeruldelgger, malgré son jeune âge, pour comprendre que l'enseignement du *Nerguii* n'avait rien de comparable à celui des traditions bouddhistes. La légende des *Nerguii* en faisait les descendants successifs du seul rescapé de la bataille de la princesse Zengh. En 630, la princesse avait réussi à rallier à sa rébellion contre l'empereur Tai Tsung les tribus mongoles des Djurtchet et des Euleuthes. En désespoir de cause,

Tai Tsung avait fait appel aux fameux moines guerriers de Shaolin. La légende raconte que cinq moines guerriers avaient alors
investi par surprise le quartier général des rebelles, pourtant
défendu par cinq cents hommes en armes. Chaque soldat avait
été tué au corps à corps, et chaque gradé prisonnier mis au défi
d'affronter, armé, un moine guerrier aux mains nues. Aucun
n'était sorti victorieux des duels et tous avaient été décapités.
Seul un général avait refusé l'arme que les moines guerriers lui
proposaient et exigé, par respect pour son honneur, de se battre
à mains nues lui aussi. Impressionnés par son courage, les moines
avaient cependant jugé qu'un tel combat serait inéquitable et
contraire à leur code d'honneur. Ils avaient alors proposé au
valeureux Mongol d'être leur prisonnier le temps d'apprendre
leurs techniques de combat. Le jour où il se sentirait prêt, il pourrait alors défier n'importe lequel d'entre eux à mains nues, et
mourir ou gagner sa liberté. Comme chaque moine portait un surnom de son choix, il avait été décidé de n'en donner aucun au
prisonnier, qui avait été baptisé Sans Nom.

Entre-temps, l'empereur avait accordé de nombreux privilèges
aux moines guerriers ainsi que cinq monastères à travers l'empire.
Puis les moines étaient devenus plus guerriers que moines, plus
puissants que sages, plus cupides que généreux, au point de n'être
bientôt plus connus que sous le nom de moines brigands de Shaolin. Le seul honneur qu'il leur restait était celui de la parole donnée, que leur rappelait Sans Nom à chaque occasion. Se blâmant
de ne pas encore avoir atteint le savoir de ses geôliers, le Mongol
avait réussi, par ruse, à éviter de combattre ses maîtres. Puis, peu
à peu, il était devenu évident pour eux, engoncés dans l'âge,
l'opulence et les compromissions politiques, que Sans Nom, qui
s'entraînait jour après jour depuis des années, leur était désormais
bien supérieur dans l'art de la guerre et de la méditation. Déjà
les novices le voulaient comme exemple et bientôt plus aucun

maître ni nouvel élève ne pouvait prétendre l'affronter, lui qui avait acquis le meilleur de l'enseignement des cinq monastères. Leurs patriarches s'étaient donc réunis pour lui proposer enfin le combat tant attendu, lui offrant, en cas de victoire, outre la vie sauve, le devoir de rentrer en Mongolie fonder le sixième monastère. La légende veut que Sans Nom s'était défait de son adversaire d'un seul coup si rapide qu'aucun des patriarches n'avait jamais pu le décrire, et qu'il avait tué son adversaire en projetant son corps à trente pas sans bouger lui-même d'un seul. L'homme, le meilleur moine guerrier des cinq monastères de Shaolin, était mort sans perdre de sang, comme le voulait la tradition mongole.

Sans Nom avait alors déclaré prendre officiellement le nom de *Nerguii*, n'avait demandé qu'un cheval et était parti vers le nord sans arme ni nourriture. Très vite les patriarches avaient fait disparaître sa trace de la légende de Shaolin, et l'existence d'un sixième monastère avait été effacée des mémoires.

Yeruldelgger savait cette histoire par cœur, tout comme il en connaissait la suite. L'épopée du *Nerguii* lui donnait un courage et des forces qu'il n'espérait plus. Il marchait depuis deux heures à présent, ses chaussures de ville roulant sur les caillasses et son manteau s'empêtrant dans les broussailles, mais le souffle ne lui manquait pas. Il avait décidé de traverser la forteresse montagneuse en suivant la petite vallée de la Tuul et marchait à flanc de montagne, retrouvant des sentiers abandonnés que des chasseurs prudents avaient tracés à distance et hauteur respectables de la rivière. Dans le bourbier du dégel ou sous les titanesques orages d'été, les eaux pouvaient déferler dans la vallée sur cent mètres de chaque côté et plusieurs mètres de hauteur. Sur les berges, le sol presque plat était érodé et lessivé, et seule parvenait à y repousser une petite herbe têtue et bleue. Puis le terrain s'élevait en pente douce, recouverte d'une herbe plus épaisse et fleurie. C'est à la lisière de cette herbe grasse et des buissons jonchés de rochers épars que couraient les sentiers des chasseurs. Au-delà, le paysage se faisait à la fois plus pentu et percé de vals profonds sous les pins et les mélèzes.

Yeruldelgger marchait vers le sud. Quand il aurait traversé la forteresse de part en part, il déboucherait sur la grande vallée rocailleuse qui l'encerclait. De l'autre côté de la vallée, à cinq kilomètres, se dresseraient alors les contreforts d'une autre for-teresse beaucoup plus large et imposante dont le cœur abritait le magnifique parc naturel du Terelj. Le monastère de Yelintey s'y cachait, dans l'ombre d'un repli de rocaille. Yeruldelgger calcula qu'il lui faudrait encore trois heures pour atteindre la vallée, mais il était parti à l'aube et le temps ne lui manquerait pas.

Il marchait, heureux de retrouver des instincts oubliés. Il redé-couvrit des sensations qu'il croyait perdues. Il s'étonna de ce que son corps, usé par la ville et son métier, le porte encore avec autant de facilité à travers la montagne. Il ne ressentait absolu-ment aucune peur. Ni de l'immensité enivrante qui l'entourait, ni des animaux sauvages qui peuplaient ces bois préservés, ni de la nuit et du froid qui pouvaient le rattraper. Il n'éprouvait qu'une grande sérénité à être là, enfin seul, ignoré de tous, à se pénétrer dans l'effort de ce monde vivifiant qui se réemparait de lui. C'était le sentiment exact qui l'habitait à ce moment-là. Il avait appartenu à ce monde, il avait communié avec lui d'une façon si profonde qu'il s'en était nourri. Il en avait tiré une force qu'il n'avait plus, mais dont il se souvenait à présent. Il eut soudain l'impression qu'il avait été vivant, avant. Bien plus vivant qu'à présent, et qu'il pouvait peut-être le redevenir.

C'est à cet instant qu'il perçut le danger. Pas un danger proche, ni sauvage. Ce n'était pas un ours. Ce n'étaient pas des loups. Ce n'était pas non plus un danger naturel. Il n'annonçait ni un éboulement sournois ni un de ces orages soudains. Ce n'était ni un essaim ni une vipère. C'était un danger froid. Un danger lointain. Un danger lié au paysage, qui se cachait quelque part, loin devant lui. Yeruldelgger reprit son chemin sans quitter des yeux l'horizon fermé. Imperceptiblement il s'éloigna du sentier de chasseurs en remontant en diagonale vers l'orée des bois. Le danger le surveillait. On l'observait. Il s'épongea ostensiblement le front d'un revers de manche et fit mine d'être fatigué. Il ôta son manteau d'un geste ample, le jeta au sol sur un tapis d'épines de pin et se laissa tomber dessus comme un homme épuisé. Dès qu'il fut à terre, il roula derrière un tronc, à l'abri de quelques buissons, et scruta l'autre côté de la vallée.

La vallée qu'il avait suivie traversait la montagne du nord au sud. une autre vallée la rejoignait, presque à la sortie du massif. Une vallée plus étroite, mais plus fréquentée, qui descendait en oblique du Lac Noir. La jonction des deux cuvettes se faisait à quelques centaines de mètres plus au sud et c'est là que Yeruldelgger devinait le danger. Quelqu'un ou quelque chose l'attendait là-bas, tapi en embuscade. Quelqu'un qui avait dû le prendre en chasse trop tard pour le suivre et le rattraper, à découvert dans la vallée, et qui avait donc choisi de le contourner et de le précéder par l'autre vallée. Il en était persuadé maintenant : quelqu'un l'attendait là-bas pour le tuer. Mais il n'avait toujours pas peur.

La balle lui brûla l'épaule alors qu'il cherchait encore à deviner où son chasseur s'était posté à l'affût. Elle faucha un jeune saule derrière lui. Deux secondes plus tard la deuxième se ficha dans le tronc du grand mélèze derrière lequel s'était plaqué Yeruldelgger. Il sentit le choc dans le bois résonner contre son crâne. L'homme tirait des balles pour gibier sauvage, probablement avec un fusil à lunette à travers laquelle il devait pouvoir le surveiller aussi nettement qu'avec des jumelles. En revanche c'était un piètre chasseur. Mauvais pisteur, trop impatient, il venait de perdre son effet de surprise. Yeruldelgger n'en était pas moins pris dans son angle de tir. Derrière lui le terrain montait en pente raide. Aucune retraite dans les sous-bois n'était possible sans s'exposer davantage.

Comme l'homme ne pouvait l'atteindre que s'il se déplaçait, Yeruldelgger choisit de ne pas bouger. Le tueur allait perdre patience et chercher un autre angle de tir. Le temps de faire les quelques pas nécessaires, il ne pourrait pas tenir son arme en joue avec précision et Yeruldelgger en profiterait pour bondir se mettre à couvert plus haut dans les bois. Même s'il tirait à l'instinct, avec l'arme qu'il avait choisie, l'homme n'aurait qu'une chance infime de le toucher. Un degré d'écart à une telle distance déporterait son tir de plusieurs mètres.

Yeruldelgger se mit à réfléchir tout en surveillant l'autre versant de la vallée. Le tueur ne pouvait pas l'avoir suivi la veille depuis Oulan-Bator. Erdenbat l'avait pratiquement enlevé de force à bord de sa Lexus, et personne n'aurait pu les suivre sur les pistes désertes du Terelj sans être repéré, ne serait-ce que par la lumière des phares dans la nuit. De plus, si ce type venait du nord, c'est qu'il savait que Yeruldelgger avait passé la nuit au ranch. C'était donc probablement un homme du ranch. Et au ranch, rien ne se faisait sans qu'Erdenbat l'ait ordonné. Le magnat avait donc donné l'ordre qu'on l'abatte !

Yeruldelgger s'apprêtait à lister les conséquences de cette conclusion quand il perçut un infime mouvement de l'autre côté de la vallée. Il risqua un œil prudent tout contre le tronc du mélèze et aperçut l'homme au fusil qui rampait parmi les buissons en descendant vers la rivière. Yeruldelgger comprit qu'il cherchait un meilleur angle pour le tirer en contre-plongée à l'intérieur du bois. Il bondit aussitôt sur ses pieds et s'élança le plus vite possible à l'assaut de la pente la plus raide pour que l'angle de tir du chasseur soit aussitôt fermé par les feuillages des premiers arbres. Il ne porta même pas attention aux deux détonations. Quelques secondes plus tard il était à l'abri un peu plus haut dans les bois, mais cette fois il avait eu peur et son cœur battait à se rompre dans sa poitrine. Il s'assit sur une grosse pierre pour reprendre son souffle une minute ou deux, et ça lui fut fatal. Déjà il devinait le vrombissement du 4x4 qui se désembourbait de la rivière et se lançait à l'assaut de la pente.

Il aperçut bientôt en contrebas du bois les roues du tout-terrain qui cherchait à se frayer un chemin le plus haut possible entre les troncs. Puis il vit le bas de la portière s'ouvrir avec force en cognant contre un arbre et une paire de pieds chaussés de rangers se lancer à sa poursuite. Grâce à l'angle de la pente, l'homme ne pouvait pas encore apercevoir Yeruldelgger, mais il n'était plus qu'à une cinquantaine de mètres de lui, mieux chaussé, mieux équipé, et armé. Yeruldelgger se jeta à l'assaut de la pente et dans sa précipitation provoqua la chute de quelques cailloux qui rebondirent jusqu'en bas en heurtant les troncs. L'homme tira aussitôt au jugé dans sa direction. Il ne pouvait pas l'atteindre et son tir à l'aveugle n'avait pour seul but que de paniquer sa cible et la pousser à l'erreur. Yeruldelgger le savait et il aurait dû se maîtriser, mais encore une fois il sentit la peur lui griffer le cœur. Il reprit son ascension paniquée en trébuchant dans la pente de plus en plus raide, si raide que bientôt il dut s'aider des mains pour progresser. À chaque mètre, il se tordait le cou d'un côté ou de l'autre pour essayer d'apercevoir celui qui le traquait, et ne rien voir l'effrayait chaque fois un peu plus. L'homme pouvait être n'importe où. Le tir pouvait le surprendre et l'abattre comme une bête à n'importe quel moment. Yeruldelgger suait à grosses gouttes, de peur autant que d'efforts, et la sueur lui brûlait les yeux.

Soudain, par-dessus son épaule, il aperçut l'homme qui n'était plus qu'à une vingtaine de mètres en contrebas sur sa gauche. Il en fut tétanisé quelques secondes. Le tueur s'était posté en position de tir et le mettait en joue avec calme et application. Paniqué, Yeruldelgger bondit droit devant lui pour se cacher à l'abri d'un grand mélèze. Au moment où le coup de feu claqua, quelque chose céda sous son poids et le bascula dans le vide. Il entendit la balle siffler contre son oreille et vit le tronc des arbres, le ciel entre les cimes et les rochers se chevaucher pêle-mêle pendant qu'il tombait en roulant de l'autre côté d'une petite crête qu'il n'avait pas remarquée. Un dernier rebond le jeta sur le dos dans le fond d'une ravine, un trou humide, un cul-de-sac sans issue qui dégageait au-dessus de lui un ovale de ciel bleu ciselé par la cime sombre des mélèzes. Une émotion fugace le saisit devant cette beauté inattendue et il se surprit à se résoudre qu'elle soit sa dernière vision du monde. Il était pris, le corps meurtri et blessé par la chute, sans force pour se relever et se battre, et sans aucune chance de fuir. Il releva la tête et aperçut l'homme debout sur le bord de la ravine, à dix mètres à peine au-dessus de lui. Il tenait son fusil sous le bras, le canon pointé vers le sol, et le regardait derrière des lunettes moirées. Il n'y avait aucune hâte dans l'attitude de cet homme-là. Il regarda longuement Yeruldelgger amoché au fond de la ravine comme s'il hésitait à prendre une décision. Puis il changea son fusil de main, tira un pistolet automatique qu'il cachait dans son dos, se campa légèrement de côté, jambes écartées, et le mit en joue.

Yeruldelgger se força à se résigner à la mort. Il allait mourir et n'y pouvait plus rien. L'idée qu'une petite ogive en métal chauffée à blanc par une explosion de poudre allait lui fracasser le crâne le terrorisa. Il tendit une main devant son visage pour se cacher l'image de son assassin et ne put que deviner le mouvement furtif d'une ombre par-dessus la ravine quand le coup de feu explosa dans le ciel bleu. Quand sa main retomba, Yeruldelgger eut le temps de voir que l'homme n'était plus là et que son fusil tournoyait dans le ciel bleu. Il vit l'arme disparaître derrière lui, l'entendit rebondir quelque part contre un rocher, et reçut la crosse en plein front au moment où elle retomba. Le coup l'assomma et du sang ruissela dans ses yeux, ajoutant au chaos et à la panique qui explosaient en lui. À demi-inconscient, il entendit encore le choc sourd d'une chute, le bruit d'un éboulis de cailloux qui bondissaient les uns contre les autres, le déchirement sec d'un tissu dans un craquement de branche et un corps s'abattit sur lui de tout son poids mort, un bras sur son visage tuméfié. Juste avant de perdre conscience, à travers le tissu déchiré par la chute, sur l'épaule de l'homme tout contre son œil, Yeruldelgger aperçut un tatouage. Celui d'un *soyombo* avec un svastika à la place du Yin et du Yang...

# 34

*Facile à dire ! murmura Saraa.*

Cinq ans plus tôt, au début de l'automne, quand les matins étaient déjà piquants de froid et les jours encore chauds, le Bouriate était venu très tôt au marché aux voitures dont les parkings sauvages dessinaient un grand triangle à l'est de la ville, dans le dix-septième district. Il avait remonté la rue Dorj et, comme tous les provinciaux, s'était garé le long du trottoir, à la pointe sud du marché. Il n'était pas question de s'aventurer dans le grand marché au risque d'empiéter sur le territoire d'un plus voleur que lui. Le peu de sagesse qu'il gardait encore de son ancienne vie de nomade lui recommandait la seule attitude possible : attendre. Il s'était accroupi devant la calandre du van, comme font les nomades quand ils échangent du tabac dans la steppe, et s'était perdu dans la contemplation de cet océan de carrosseries en attendant de se faire remarquer.

Il avait deviné le Kazakh à son mouvement et à son regard en biais. Les jeunes cavaliers encore arrogants qui rassemblent les troupeaux et surveillent les bêtes les cherchent toutes une à une du regard et se fatiguent. Ils énervent les chevaux qui s'agitent à leur tour et rendent leur tâche encore plus difficile. Les vieux cavaliers, eux, perdent leur regard juste au-dessus de l'échine des chevaux, jusqu'à n'en voir plus qu'une masse mouvante. De ce mouvement ils devinent les chevaux de caractère, ceux qui les affrontent ou les suivent, ceux plus fatigués qui se laissent porter par la masse, et ceux, blessés, qui freinent le mouvement général. Quand un vieux cavalier a repéré ainsi le cheval blessé, alors seulement il le regarde et ne le quitte plus des yeux, quel que soit le mouvement autour de lui. Très vite l'animal le sent et l'homme peut l'approcher malgré tous les autres chevaux qui s'agitent. Le cheval l'attend, pour se soumettre ou se défendre, mais il l'attend.

Dans la petite foule encore prise par le froid du matin, le regard perdu du Bouriate avait reconnu le mouvement du Kazakh entre les voitures alignées. Il avait la lenteur des visiteurs, mais pas leur pas hésitant. Il avait l'assurance des vendeurs, mais pas leur empressement. Et contrairement au mouvement général qui, à cette heure matinale, remontait vers l'intérieur du marché, les pas du Kazakh le ramenaient toujours autour des quatre ou cinq premières voitures du parking. Le Bouriate avait aussi remarqué qu'il fumait pendant qu'il feignait de déambuler. Alors qu'ici les hommes s'arrêtaient pour fumer. Plusieurs fois il avait laissé le regard de l'autre glisser sur lui, en biais, par en dessous, comme faisaient les chevaux. Puis, quand il avait senti que le Kazakh, de l'autre côté de la rue, était prêt à la rencontre, il l'avait enfin regardé droit dans les yeux de loin.

Maigre et grand, la silhouette taillée à la serpe dans un survêtement Nike trop grand, le Kazakh portait un sweat à la gloire de Madonna sous son haut ouvert et recouvert d'un gilet matelassé. Il avait remarqué le vieux *deel* bleu élimé du nomade avec ses boutons en bois et l'amulette qu'il portait autour du cou. Tous sorciers ! Puis, dès que son regard eut croisé celui du Bouriate, il avait jeté sa cigarette et traversé la rue pour s'accroupir à son côté. D'une poche de son gilet matelassé il avait tiré une petite boîte à tabac qu'il avait ouverte avec précaution pour la tendre à deux mains au nomade qui ne la quittait pas des yeux. Celui-ci l'avait acceptée de sa main droite, soutenant son poignet de l'autre main, pour montrer que lui aussi respectait les traditions. Après s'être servi une pincée de tabac, il avait rendu la tabatière de la même façon qu'il l'avait reçue. Le Kazakh s'était servi à son tour et chacun avait roulé une cigarette en prenant bien garde de ne pas croiser le regard de l'autre. Un long moment plus tard, après que la fumée âcre et bleue eut brûlé leur gorge et réchauffé leur poitrine, le Kazakh avait fait une allusion au bon état du van devant lequel ils étaient accroupis, en regardant loin de l'autre côté un vendeur sur le point de ferrer un gogo. Le Bouriate l'avait remercié de son compliment et confirmé l'excellent état du van et la réticence qu'il avait à s'en séparer, regardant sur la droite deux hommes qui échangeaient des billets entre deux voitures. Puis ils avaient négocié la vente, le Bouriate s'excusant de n'avoir pas les papiers, le Kazakh comprenant le nomade qui devait comprendre en retour qu'ils parlaient d'un marché avec des règles différentes, le Bouriate acceptant que cela impliquait un sacrifice sur le prix…

Malgré toute la rouerie du nomade, le Kazakh avait deviné l'embrouille, mais le van était en bon état et il avait senti que son vendeur était là pour s'en débarrasser plus que pour le vendre. Ce jour-là il avait fait une bonne affaire, mais le van était un peu trop chaud et lui un peu trop connu de la police pour le garder longtemps. Dès que le Bouriate eut disparu, le Kazakh avait appelé un numéro avec son portable et échangé quelques mots dans sa langue. Dix minutes plus tard, Khüan, un Kazakh lui aussi, qui avait monté une petite affaire d'atelier mécanique dans de vieux conteneurs russes, était passé lui racheter cash le van.

— Qu'est-ce que Khüan en a fait ? demanda Oyun.

Elle était remontée jusqu'au vendeur grâce au numéro effacé par Yeruldelgger dans le portable de Khüan. Sur ce coup-là au moins, ils avaient encore un peu d'avance sur Chuluum. Elle avait facilement localisé le type dans le quartier du marché aux voitures où il exerçait toujours sa pêche aux provinciaux aux abois. Pour des questions de discrétion autant que pour lui mettre un peu la pression, Oyun l'avait embarqué à bord de son Cube Nissan jusque dans un grand terrain vague clos au nord du marché.

– Je ne sais pas. Je suppose qu'il l'a revendu. C'est son business après tout !

– Et toi, ton business c'est d'arnaquer les vieux nomades endettés ?

– Attends, ce type était tout sauf un vieux nomade endetté. Il cherchait à se débarrasser du van, c'était évident !

– Et tu crois que ça arrange tes affaires de le lui avoir racheté ? Tu sais à quoi il a servi ce van ?

– J'en sais rien, répondit le Kazakh bravache. À un trafic de marmottes ? À transporter des œufs de dinos ? Qu'est-ce que j'en sais…

– Eh bien tu vas le savoir, histoire de ne pas mourir idiot en taule, où tu vas finir : ce van, il a peut-être bien servi à transporter le cadavre d'une petite étrangère de cinq ans.

– Hey ! hurla le Kazakh soudain tout blême. J'ai rien à voir avec ça, moi ! J'ai juste racheté le van à ce Bouriate ! C'est tout ce que j'ai fait ! J'ai tué personne !

– Va savoir ! lâcha Oyun, contente d'avoir fissuré son arrogance. Pour l'instant, on n'a que toi sous la main et si tu ne veux pas porter tout seul un chapeau un peu grand pour ton petit crâne, tu as intérêt à m'en dire plus sur le vendeur !

– Mais je sais rien sur le Bouriate, gémit le type apeuré, tu sais comment ils sont : tous des chamanes, on ne devine rien de ce qu'ils pensent, ils parlent à peine ! Le type, je l'ai payé et il a disparu.

– De quel côté ?

– Je ne sais pas, moi ! Par là, vers le nord, vers l'hôpital psy-chiatrique !

Les nomades ne prenaient jamais une direction au hasard. La rue qui montait vers le nord jusqu'à l'hôpital psychiatrique ne menait que vers des quartiers de yourtes. La seule raison pour qu'un nomade de passage à Oulan-Bator l'emprunte plutôt qu'une autre, c'était pour récupérer la route qui, après l'hôpital, redescendait sur quatre kilomètres le long de la rivière vers le sud-est jusqu'à l'usine où avaient été émasculés les trois Chinois, d'où elle rejoignait enfin la route principale qui filait vers l'est du pays. De là, l'homme avait pu venir des grandes steppes désertes du sud-est par la route de Tchör, ou de l'est par la route d'Ondërkhaan. Mais il aurait aussi bien pu venir des montagnes boisées du Terelj au nord-est, ou même du Khentii encore plus au nord. Et ces trois routes convergeaient vers un point situé à quelques kilomètres à peine au nord de l'endroit où Yeruldelgger avait trouvé la petite.

– Qu'est-ce qu'il t'a dit qui pourrait nous faire deviner d'où il venait ? De quoi avait-il l'air ? De quoi avez-vous parlé ? Comment était-il habillé ?

– Je te l'ai déjà dit : un vieux *deel*, bleu je crois, des bottes, un chapeau bouriate… Un Bouriate, quoi !

– Quelque chose ! Donne-moi quelque chose ! insista Oyun.

– Que veux-tu que je te dise ! J'étais là pour lui acheter son van, pas pour le prendre en photo !

La jeune femme sortit son arme et la braqua sur la joue du Kazakh en hurlant :

– La petite a été enterrée vivante, tu comprends ? Alors rappelle-toi vite quelque chose avant que je m'énerve vraiment !

– Les boutons ! Les boutons de son *deel* ! Ils étaient en bois de cerf, j'en suis sûr ! J'ai déjà vu ça : des boutons en bois de cerf pour se protéger. Il portait un petit tube aussi en bois de cerf attaché par un lacet de cuir autour du cou. C'est un de leurs trucs de sorciers contre les maladies. Il en portait un, je l'ai vu !

Oyun tenait peut-être enfin un début de piste. Le cerf était une des grandes figures du bestiaire sacré des animistes. En particulier le cerf maral dont les chamanes récoltaient le velours pour guérir une bonne cinquantaine de maladies. C'était le tissu vivant qui se formait sur les nouveaux bois de l'animal avant que la calcification ne les durcisse. Les guérisseurs l'utilisaient depuis plus de deux mille ans. Deux ans plus tôt, un garde forestier plutôt beau gosse et très bavard lui avait raconté tout ça et bien d'autres choses encore pour gagner du temps et reprendre des forces sous la couette dans sa yourte, au cœur du parc national du Khentii. Oyun avait même lu quelque part qu'un chercheur russe avait identifié son principe actif, la pantocrine, qui semblait promis à un grand avenir dans la lutte contre le vieillissement, la fatigue et les problèmes de cicatrisation. Mais ce qui l'intéressa plus que tout ce jour-là, c'est que cette piste réduisait le champ de ses investigations. Dans cette région du pays, on ne trouvait le cerf maral qu'à partir du nord du Terelj. Le revendeur du van venait donc probablement de cette région. Du Terelj ou du Khentii, au nord-est d'Oulan-Bator.

– C'est bon, dit-elle en rangeant son arme. Qu'est-ce que tu peux me dire d'autre ?

– Rien ! En partant je lui ai demandé s'il n'avait pas d'autres choses à vendre pour faire des affaires…

– Et alors ?

– Alors il m'a dit qu'il demanderait.

– Qu'il demanderait ? À qui ?

– À son frère…

Oyun fit descendre le Kazakh sans ménagement de son Cube et démarra en trombe, le laissant seul au beau milieu du terrain vague. Puis elle sauta sur les freins et enclencha la marche arrière pour revenir sur lui dans un nuage de poussière criblé de graviers. Elle se pencha sur le siège du passager pour descendre la vitre et interpella le Kazakh qui n'avait pas bougé.

– C'était quand ?

– Il y a cinq ans, je te l'ai dit !

– Quand, il y a cinq ans ?

– Juste après les jeux du grand *naadam*. Une semaine après, je dirais.

Toutes les provinces jusqu'aux plus petits villages organisaient des jeux un peu n'importe quand pendant l'été. Mais la grande fête des trois jeux virils, le grand *naadam* d'Oulan-Bator, se déroulait chaque année du 11 au 13 juillet pour coïncider avec les commémorations de l'indépendance. Cela correspondait assez bien à l'idée d'une petite famille de touristes remontés des Flaming Cliffs jusqu'à Oulan-Bator pour le grand *naadam* national à bord de leur petit van. Pourquoi pas une mauvaise rencontre avec des brutes fracassées de vodka, ou un vol qui avait mal tourné ? Ou un accident avec un quad ?

Oyun aurait aimé prévenir Yeruldelgger de ses découvertes, mais il ne s'était toujours pas manifesté. Devant Solongo et Saraa, elle donnait le change et mentait en affirmant qu'il lui arrivait souvent de disparaître en immersion pendant des enquêtes difficiles. Mais chaque jour elle avait un peu plus peur de ce qui aurait pu arriver à son supérieur. Par une association d'idées qui la mit mal à l'aise, elle repensa à Chuluum et décida de ne pas repasser au département. Elle prit le chemin de la yourte de Solongo qui se trouvait à moins d'un kilomètre de là. Celle-ci n'y serait pas, mais Oyun pourrait s'occuper de Saraa et de Gantulga que la légiste avait accepté de recueillir lui aussi. Quand elle entra dans la yourte, Gantulga était debout, une jambe et un bras dans le plâtre, et bousculait le paravent de la pointe d'une de ses béquilles pour taquiner Saraa.

– Alors c'est vrai ? T'es allongée à poil derrière ce truc sans pouvoir bouger ? Tu te rends compte s'il tombe ?

– Tu touches à ce paravent encore une fois, et je serai la dernière chose que tu auras vue dans ta courte vie !

– Attends, une fille à poil jambes écartées qui ne peut pas se défendre, ça vaut peut-être le coup de prendre le risque, non ?

– Excuse-moi, partenaire, de t'interrompre ainsi, dit Oyun dans son dos, mais je croyais que tu avais plutôt le béguin pour moi et ce que je viens d'entendre pourrait me rendre très jalouse. Et chez moi, la jalousie peut être très violente, si tu vois ce que je veux dire !

– Que veux-tu, répondit Gantulga en tournant vers elle son visage de petite racaille au grand cœur, c'est l'appel de la nature, je n'y peux rien !

– Bah, quelle nature ? se moqua Oyun en posant son sac. Tu n'es qu'un agneau de l'année ! On te presse le machin et il en sort du lait !

– Bien dit ! approuva la voix rieuse de Saraa, de l'autre côté du paravent.

– Bon, allez, dégage d'ici et va faire un tour au jardin, ordonna Oyun, on a des choses à faire entre filles.

– Ah bon, parce que vous êtes des gouines en plus ? rigola Gantulga en sautillant sur ses béquilles jusqu'à la porte.

Oyun attrapa la première chose qui lui tomba sous la main et lui lança à la tête une tasse qu'il évita de justesse.

– Non mais qu'est-ce que c'est que ce langage à ton âge ? Tu dois le respect à cette yourte, tu m'entends, à ceux qui y ont vécu et ceux qui y vivent ! Quand j'en aurai fini avec Saraa, tu viendras t'excuser auprès d'elle.

– Bah, laisse-le, dit la voix indulgente la jeune fille, ce n'est qu'un gosse !

– Oui, mais un sale gosse, rétorqua Oyun avec une fausse fermeté.

Elle ne voulut pas céder trop vite au sourire enjôleur de Gantulga qui, dehors, se moquait d'elle en silence.

– Tu as des nouvelles de lui ? demanda Saraa pendant que la jeune femme passait la graisse d'ours sur son corps.

– Non, mais ça ne m'inquiète pas. Il m'a déjà souvent fait le coup pendant nos enquêtes, répondit Oyun sans oser la regarder.

– Tu mens, dit calmement l'adolescente, ça se voit dans tes yeux, ça s'entend dans ta voix, ça se sent dans tes mains...

– C'est lui, Saraa, on n'y peut rien. Il est toujours comme ça, à ne penser qu'à lui, à ne faire que ce qui lui passe par la tête, à ne pas s'occuper des autres ! Bien sûr que je suis inquiète, mais chaque fois que je l'ai été, il a réapparu comme si de rien n'était. Tu dois avoir confiance en lui.

– Facile à dire ! murmura Saraa.

# 35

*Le tatouage découpé du Tatoué.*

L'homme chargé de la sécurité du ranch se tenait à distance respectable, sur le grand deck face au lac. Erdenbat devina sa présence dans son dos au regard de son invité coréen par-dessus son épaule. L'homme sut d'instinct que son patron allait se retourner et se raidit par réflexe.

– Parle, commanda le magnat à l'homme qui n'osait pas le regarder en face.

– Le Tatoué n'est toujours pas rentré...

– Ah ! lâcha Erdenbat soudain pensif en se retournant vers le lac.

– Et il va faire nuit dans deux heures...

– Je le sais !

Il ne se fiait qu'à lui-même. Il n'avait confiance en personne. Les années de camp et de goulag avaient ancré en lui un instinct de survie fondé sur la méfiance à l'égard des autres. De tous les autres. Il se défiait juste un peu moins du Tatoué, probablement pour avoir partagé avec lui, au temps du régime d'avant, deux tentatives d'évasion et les représailles qui s'étaient ensuivies. Sa méfiance le poussa néanmoins à envisager une trahison, ou un abandon. Après tout, les choses prenaient mauvaise tournure, et des âmes moins bien trempées que la sienne pouvaient s'en effrayer. Même celle d'un être aussi froidement violent que le Tatoué. Si c'était le cas, il lui faudrait bien sûr s'en inquiéter et prendre les mesures radicales qui s'imposeraient. Mais une autre inquiétude le taraudait. Celle, plus sourde, plus inquiétante, de ne pas s'être assez méfié de Yeruldelgger. Était-il possible qu'il ait pris le dessus sur le Tatoué ? Erdenbat l'avait vu partir à pied à travers la montagne, en chaussures de ville, sans arme et mal en point après son tabassage de la veille. Le Tatoué était parti en voiture à ses trousses, armé d'un fusil à lunette, pour le contourner, le précéder et lui tendre une embuscade alors que l'autre aurait déjà marché plusieurs heures. Yeruldelgger pouvait-il vraiment lui avoir échappé ? Et si le Tatoué n'était pas rentré, était-ce parce qu'il le traquait encore ou parce que le flic avait réussi à s'en défaire ?

Erdenbat ne croyait pas aux choses magiques. Toutes ces histoires de chamanes qui embrouillaient l'esprit simple des nomades et des trappeurs. Mais il était superstitieux et croyait à l'instinct. Le sien l'avait sauvé des meutes de chiens que des gardes-chiourmes avaient lâchés après lui. Des coutelas que des déportés fiévreux voulaient lui ficher dans les côtes pour voler sa gamelle ou ses lacets. Des eaux glacées où il avait plongé pour se cacher. Des regards sadiques des commissaires politiques choisissant les hommes à exécuter pour l'exemple. Son instinct ne l'avait jamais trahi jusqu'à présent, mais ce qu'il lui disait ce jour-là était confus. Le Tatoué était mort, il le devinait à quelque chose d'indicible. Il le sentait.

Le Coréen fixa avec étonnement Erdenbat qui regardait par-delà le lac, au-dessus des forêts, le cou tendu vers l'horizon, narines écartées, comme s'il humait au loin l'odeur du danger.

– *A problem ?* demanda-t-il.

Erdenbat ne répondit pas. Si le Tatoué était mort, qu'était-il advenu de Yeruldelgger ? Tout son corps était tendu maintenant vers le sud, en direction du Terelj, vers où s'était dirigé le flic. On aurait pu croire qu'il prenait le vent, comme un animal aux aguets, immobile. Inquiet, ou prêt à la chasse.

Le Coréen n'osa pas reposer sa question. Erdenbat tendit sa coupe à l'homme qui était venu le prévenir et était prudemment resté dans son dos. Il posa une main sur l'épaule de son hôte, sans quitter des yeux le ciel au-dessus de la forêt.

– *I'll be back before night. Make yourself comfortable.*

Puis il se tourna vers l'homme, toujours immobile, la coupe à la main :

– Une voiture et un fusil chargé avec des munitions. Tout de suite. Que le majordome s'occupe de mes invités.

L'homme s'exécuta, trop content de s'éclipser, et cinq minutes plus tard le magnat partait au volant d'un Land Rover sur les traces du Tatoué.

Après une heure à peine de piste attentive, il aperçut la voiture de l'autre côté de la vallée, à travers les troncs droits des mélèzes. Comme il s'écartait de la piste pour s'arrêter, il remarqua les traces de pneus dans l'herbe. Il descendit du Land Rover avec une prudence de chasseur, tous les sens en alerte. Avant de traverser la vallée pour finir entre les arbres, la voiture du Tatoué avait été garée au même endroit que la sienne. Erdenbat observa les alentours. La petite vallée descendait du nord, canalisant une rivière capricieuse entre des berges larges et fleuries. Le Tatoué s'était garé sur le flanc est, à l'abri du regard de celui qui descendait la vallée. Lui-même aurait choisi cet endroit pour une embuscade. À travers les bosquets, le tireur avait eu le temps de suivre longtemps sa cible, de l'autre côté, sur le versant ouest, en bordure des bois. Yeruldelgger n'avait pu prendre que cette piste. Par-dessus la crête, le soleil de l'après-midi, encore haut au-dessus de la vallée, avait dû inonder de lumière le versant oriental. Trop lumineux pour un homme qui marchait depuis longtemps, trop chaud pour un homme mal équipé, et trop exposé pour un homme traqué. Le Tatoué avait choisi d'attendre sa cible à l'abri de ce bosquet et Yeruldelgger avait dû s'avancer assez haut sur l'autre rive, juste à la limite de la forêt de mélèzes, dans la fraîcheur de l'ombre des grands arbres. Alors pourquoi son corps désarticulé n'était-il pas bourdonnant de petites mouches noires quelque part ? Et pourquoi le Tatoué avait-il disparu en abandonnant sa voiture à l'orée de la forêt de l'autre côté ?

Erdenbat observa lentement tout le paysage comme un trappeur cherche à comprendre une piste. Les roues de la voiture avaient creusé deux sillons bien nets à travers les hautes herbes et les buissons, mais le vieil homme sut d'instinct que le Tatoué ne s'était pas lancé dans une course-poursuite en voiture à travers la forêt. C'était laisser trop d'avantage à son gibier. Il observa encore les alentours et trouva d'abord un chemin d'herbes froissées qui contournait le bosquet et descendait vers la rivière. Pourquoi son homme de main s'était-il mis ainsi à découvert ? Il redouta aussitôt la réponse.

Il observa le sol autour du Land Rover, étonné de ne rien trouver, puis il fixa quelques instants sa voiture en silence avant de s'agenouiller pour regarder dessous. Il trouva la douille. C'était bien ce qu'il pensait. Le Tatoué avait tiré d'ici et, pour une raison qui lui échappait, avait manqué Yeruldelgger qui avait pu courir vers la forêt se mettre à l'abri. L'autre avait alors couru vers le fond du vallon pour rechercher un angle de tir qui lui permette de pénétrer plus profond et plus haut à travers les arbres. Erdenbat suivit le chemin d'herbes froissées. À l'endroit où elles étaient droites et fleuries à nouveau, il trouva sans trop chercher deux autres douilles. Le Tatoué avait encore manqué sa cible et il était remonté par le même chemin jusqu'à sa voiture pour rejoindre l'autre versant au plus vite et traquer Yeruldelgger à travers la forêt. L'avait-il touché ? Peut-être le traquait-il encore ? En forêt, cela pouvait durer des heures.

Erdenbat remonta jusqu'à sa voiture, chargea le magasin de son fusil, et traversa le vallon aux aguets jusqu'à l'autre voiture. Il s'en approcha avec prudence, l'arme pointée sur la portière ouverte, et jeta un coup d'œil prudent à l'intérieur. Sur le siège avant, côté passager, il aperçut une gourde, des jumelles et une boîte de balles pour fusil. Il se glissa lentement à l'intérieur et inspecta la boîte à gants du bout du canon. Le second MKV automatique du Tatoué était toujours là. Yeruldelgger n'avait donc pas mis la main sur l'arme et les équipements pour fuir en abandonnant le corps dans la voiture.

À nouveau Erdenbat observa avec minutie l'orée de la forêt. Il retrouva soudain des sensations immondes et exaltantes à la fois. Il avait été si souvent traqué à mort dans sa vie ! Il avait traqué et tué aussi. Il avait pisté pour manger, pour survivre, pour se venger. Dans le désordre bien ordonnancé de la nature, il remarqua bientôt des cailloux juste un peu plus nombreux qu'ils n'auraient dû au pied d'un arbre. Il chercha des yeux d'où ils avaient roulé jusque-là et petit à petit devina la trace plus qu'il ne la vit. Elle montait entre les arbres et il la suivit à pas prudents jusqu'à ce qu'il remarque la première glissade. Puis une autre plus profonde un peu plus haut. Il connaissait bien ces traces-là. Les traces d'un animal qui se croit à l'abri et cherche à s'enfoncer, insensiblement, encore un peu plus dans son camouflage, et qui, soudain repéré par le chasseur, détale en panique n'importe où droit devant lui.

Erdenbat accéléra le pas pour gravir la pente et faillit basculer de l'autre côté d'une crête que masquait un buisson. Il se rattrapa de justesse au tronc d'un jeune bouleau, mais au moment où il s'aperçut que la base de l'arbre avait été déchiquetée par une balle, le tronc cassa et le vieil homme bascula en roulant plusieurs fois sur lui-même jusqu'au fond d'une ravine profonde d'une dizaine de mètres.

Quand il reprit ses esprits, allongé sur le dos, face à un ovale de ciel rosissant, crénelé par les pointes des mélèzes, il eut aussitôt conscience d'une présence menaçante à ses côtés. Il tourna lentement la tête et contre ses yeux, sur une pierre plate soigneusement posée sur le sol, il vit le dessin. Le symbole du drapeau mongol avec un svastika à la place du Yin et du Yang. Un dessin à l'encre bleue sur un papier qui saignait. Le tatouage découpé du Tatoué.

# 36

*Non, reconnut Oyun en soupirant.*

Solongo regardait Saraa dormir, nue, sur son lit derrière le paravent. Depuis qu'elle la soignait chez elle, elle équilibrait les molécules antidouleur avec des sédatifs naturels à base de pivoine de Chine. Sa joue brûlée retrouvait jour après jour une peau lisse et plus rose. Malgré la douleur, Saraa parvenait à glisser dans de longs sommeils apaisants. Solongo la regarda dormir en pensant à Yeruldelgger, son père. De fil en aiguille elle en vint à penser aux parents de l'enfant au tricycle. On n'avait pas beaucoup pensé aux parents dans cette enquête. Où étaient-ils ? Yeruldelgger s'en était-il vraiment inquiété ?

– Tiens tes chiens ! cria Oyun depuis l'extérieur de la grande yourte.

Elle entra sans attendre la réponse de Solongo.

– Comment va-t-elle ? demanda la jeune inspectrice.

– Elle dort.

– Et toi ?

– Ça va. Je tiens le coup.

– Toujours pas de nouvelles ?

– Non, mais je ne suis pas inquiète.

– Je ne sais pas comment tu fais, avoua Oyun, ça fait trois jours maintenant. Il n'est jamais resté aussi longtemps sans me donner signe de vie.

– Il vit, ne t'en fais pas.

Oyun fut impressionnée par le calme de Solongo et se demanda si c'était de la confiance ou de l'autopersuasion. À moins que…

– Solongo, tu ne me caches rien, n'est-ce pas ? Tu ne sais vraiment pas où il est ni ce qu'il est parti faire ?

– Tu as ma parole.

– Je veux bien te croire, mais tu m'as l'air plutôt préoccupée pour quelqu'un de confiant.

Solongo prit Oyun par le bras et l'entraîna doucement vers la porte de la yourte. Elles sortirent s'asseoir dans le jardin.

– En fait je pense aux parents de la petite. Où sont-ils d'après toi ? Pourquoi n'a-t-on aucune trace d'eux ?

– Yeruldelgger et moi avons déjà réfléchi à la question. Il n'y a que trois hypothèses. La première, la plus triste, c'est qu'ils sont vivants quelque part après avoir tué la petite, peut-être par accident. Dans ce cas, ce sont eux qui l'ont enterrée pour qu'on ne la retrouve pas, puis ils sont rentrés chez eux, loin d'ici.

– Comment peut-on imaginer ça ? Comment des parents pourraient-ils vivre avec ça ?

– Va savoir ! Ils sont peut-être terrés quelque part, anéantis par le chagrin, détruits par leur geste après l'accident. Ou bien ils se cachent ailleurs, complices, et se refont une vie en faisant semblant d'oublier leur crime… La deuxième hypothèse est qu'ils sont morts en même temps et au même endroit que la petite. Tués dans le même accident, ou par celui qui l'avait provoqué et qui ne voulait pas de témoins. Mais les nomades n'ont pas retrouvé d'autre tombe sauvage à proximité de celle de la petite. En tout cas, pas encore.

– Et la troisième hypothèse ?

– La troisième, c'est qu'ils seraient morts, mais ailleurs, et pas en même temps que la petite, et c'est la plus dramatique.

– Pourquoi dis-tu ça ?

– Parce que ça implique des choses beaucoup plus cyniques, beaucoup plus crapuleuses...

Elles restèrent quelques instants silencieuses à regarder les arbres du jardin et le ciel bleu où glissaient vite à grande altitude de petits nuages blancs.

– Dans les Flaming Cliffs le vieux cavalier a parlé d'un couple avec un seul enfant. On ne peut pas vérifier les entrées et les sorties du pays et voir si un couple n'est pas entré avec un enfant et sorti sans ?

– En fait, Yeruldelgger a demandé aux douanes de le vérifier. Nous attendons les résultats. Tu sais, les douanes travaillent au rythme des douanes !

– Vous n'avez rien d'autre ?

– J'ai peut-être une piste pour le van. Il aurait été revendu à Oulan-Bator par un Bouriate originaire du Khentii.

– Comment tu le sais ?

– Un témoin me l'a décrit. Son *deel* avait des boutons en bois de cerf et il portait une amulette semblable également, probablement avec de la poudre de bois. C'est assez dans le genre des Bouriates du Khentii, non ?

– Comment tu sais ça, toi ? s'étonna Solongo.

– Je fais beaucoup de randonnées en quad dès que je peux m'évader d'Oulan-Bator. J'adore ça. Il y a deux ans, au cours d'une virée, j'ai passé un week-end sauvage dans le Khentii avec un garde forestier, répondit Oyun en levant les yeux au ciel comme pour s'excuser.

– Un week-end sauvage avec un garde forestier ? Et c'était comment ? la taquina Solongo.

– Sauvage !

– Sauvage, d'accord ! Et pour les Chinois ?

– Rien. L'alibi que Saraa a fourni à l'autre taré nous coupe la piste des nazis, et nous n'en avons pas d'autre. Yeruldelgger reste convaincu que ce sont eux, ou qu'ils y ont au moins participé. C'est son intime conviction, mais l'intime conviction, c'est déjà pas grand-chose, alors l'intime conviction d'un fantôme, ça compte encore moins, surtout s'il est officiellement déchargé de toutes ses enquêtes, et moi aussi pratiquement, même si c'est plus officieux.

– Et alors, qu'allez-vous faire ?

– Lui, je ne sais pas, mais moi je creuse la piste des quads. Je trouve qu'entre celui qui a probablement renversé la petite et celui du type qui a voulu flinguer Gantulga, ça fait un peu plus qu'une coïncidence.

– C'étaient les mêmes ?

– Presque. Tous les deux coréens en tout cas.

– C'est plutôt mince, non ?

– C'est mince mais c'est tout ce qu'on a !

– Adolf vend des quads…, dit alors Saraa dans leur dos.

Oyun et Solongo se retournèrent dans le même mouvement. Saraa était debout sur le pas de la porte, nue, la peau marbrée de plaques roses et brillantes, jambes et bras légèrement écartés pour éviter le frottement.

Solongo se précipita vers elle, puis s'arrêta brusquement sans savoir quoi faire. Elle ne pouvait ni mettre un tissu ou un vêtement sur son corps blessé, ni la prendre dans ses bras, ni la porter…

– Je n'en peux plus de rester allongée. Il fallait que je bouge un peu. Je me suis levée et je vous ai entendues. L'an dernier, un peu après le grand *naadam*, Adolf a gagné pas mal d'argent en vendant des quads d'occasion. Apparemment ce n'était pas la première fois, et à plusieurs reprises ces derniers mois il a fait allusion au paquet de pognon qu'il allait bientôt se refaire.

– Pourquoi tu ne nous as pas dit ça plus tôt ? s'énerva Oyun.

– Hey, intervint Solongo, doucement avec elle, d'accord ?

– C'est la première fois que j'entends parler de quads dans cette affaire, s'excusa Saraa soudain au bord des larmes.

– Ce n'est rien, ce n'est rien, s'excusa Oyun, désolée. Pardon, je suis un peu sur les nerfs, ne m'en veux pas. Mais c'est une information très importante ! Qu'est-ce que tu sais d'autre ?

– Rien, malheureusement. Je n'étais pas encore avec la bande l'an dernier. J'en ai juste entendu parler deux ou trois fois quand ils étaient ivres ou défoncés.

– Ce n'est pas grave, la rassura Oyun. Dis-moi, est-ce qu'Adolf et sa bande ont des quads eux aussi ?

– Oui. Ils partent quelquefois faire des balades de deux ou trois jours.

– Tu les as déjà accompagnés ?

– Non, jamais. Ces virées, c'est toujours entre mecs. Jamais de filles.

– Et tu sais où ils vont ?

– Je les ai entendus parler d'un bled près des sources de la Selbe, à une vingtaine de kilomètres au nord de Bator. Il paraît que là-bas Adolf a son ranch avec des pistes pour ses quads.

– Son ranch ?

– C'est comme ça qu'il l'appelle.

– Et il y va souvent ? Avec qui ?

– Il y...

Soudain un nuage d'absence glissa dans les yeux de Saraa et son regard roula vers le ciel. Puis elle vacilla sur ses jambes qui tout à coup se dérobèrent sous elle et Solongo n'eut que le temps de se glisser derrière elle pour la retenir en essayant de ne pas déchirer ses brûlures.

– Elle s'est évanouie, diagnostiqua la légiste. Vite, prends-la
par les mollets, sans toucher la peau brûlée, et aide-moi à la
remettre sur son lit. C'est juste le fait d'être debout après tant
de jours allongée. Ce n'est pas grave, tu peux y aller, je m'en
occupe.

– Comment ça, je peux y aller ? s'offusqua Oyun en l'aidant
à déposer délicatement le corps abandonné de Saraa sur le lit.
Tu me mets à la porte ?

– Non, mais il ne faudrait pas enquêter tout de suite sur ces
quads d'Adolf ?

– Bien, chef ! se moqua la jeune femme.

– Je veux dire : ce n'est pas très important de t'y mettre tout
de suite ?

– Ça alors ! On peut dire que vous faites vraiment la paire,
Yeruldelgger et toi !

– Comment ça, la paire ?

– Ouais, ouais, je me comprends ! lâcha Oyun en sortant de
la yourte. À propos, je n'ai pas vu Gantulga. Il est passé où ?

– Il ne m'a pas dit. Il a juste dit qu'il allait enquêter.

– Enquêter ? Avec deux béquilles et un bras dans le plâtre ?

– C'est ce qu'il a dit !

– Et tu l'as laissé partir ?

– Tu as déjà réussi à faire obéir ce gosse, toi ?

– Non, reconnut Oyun en soupirant.

# 37

## ... c'est Lapin Crétin !

– Où est Yeruldelgger ? hurla Mickey à l'adresse d'Oyun.

C'était la première fois qu'elle était convoquée dans son bureau. Mickey passait dans les services pour un misogyne. Très peu de femmes étaient admises dans son bureau que tout le monde appelait le Club des Virils. Un peu pour les spectaculaires colères dont il tétanisait ses subordonnés, et beaucoup pour son bar à whisky dont il abreuvait ses supérieurs et ses hôtes de marque. Et de mémoire de service, si on avait vu quelques rares inspecteurs *female*, comme il aimait à dire en anglais, sortir en larmes, effondrées, humiliées par tout ce qui avait été dit et entendu par tout l'étage, jamais on n'en avait vu se faire inviter pour un verre. Pour celles dont il voulait un peu de sexe en échange d'un changement de planning ou d'affectation, il avait ce que tout le monde appelait son Mickeyland. Une petite garçonnière rustique dans l'immeuble de l'Irish Pub sur Seoul Street. Quant aux autres, elles n'existaient même pas dans son univers de musculation, de sports mécaniques et d'arrivisme politique. Sinon comme exutoire à sa frustration.

Oyun savait tout ça et n'était pas prête à en pleurer. Elle gardait en mémoire la scène que lui avait racontée Yeruldelgger et était disposée à faire la même chose. Si Mickey la cherchait trop, sexuellement ou hiérarchiquement, elle lui planterait le canon de son arme dans la joue en lui demandant lequel des deux, de Yeruldelgger ou d'elle, lui semblait le plus capable de le descendre.

— Je ne sais pas, Sukhbataar, répondit-elle en usant à propos de son prénom mongol.

— Comment ça, tu ne sais pas ? Tu es sa partenaire, vous êtes toujours fourrés ensemble, comment pouvez-vous faire votre boulot si tu ne sais même pas où il est ?

— Tu lui as retiré toutes ses enquêtes, nous n'avons plus de boulot, répondit calment Oyun, les mains derrière les fesses, sur son arme qu'elle avait glissée à sa ceinture dans son dos, le regard perdu au-dessus de Mickey qui était un peu plus petit qu'elle.

— Ne pousse pas l'insolence trop loin, Oyun ! menaça-t-il hors de lui en haussant la voix pour être sûr qu'on l'entende à travers la porte et la cloison. Je ne t'ai rien retiré à toi !

— Sukhbataar, c'est Yeruldelgger qui me donnait des ordres. Sans ses ordres, je n'ai rien à faire...

— Putain, c'est moi qui donne les ordres ici, explosa-t-il, le visage cramoisi. Pas ce vieux psychopathe pathétique, tu m'entends ? Yeruldelgger n'est plus rien, il est fini, il est mort, tu comprends ?

— Je comprends, Sukhbataar. Ça doit être pour ça qu'il n'est pas là. Il a dû comprendre lui aussi qu'il ne servait plus à rien.

— Ne te fous pas de moi, Oyun, ne te fous pas de moi sinon je t'enterre avec lui toi aussi, je te le jure sur ce que j'ai de plus cher !

— C'est dangereux, Sukhbataar !

— Quoi ? Qu'est-ce qui est dangereux ?

— De jurer sur ce que tu as de plus cher !

— Qu'est-ce que...

– La seule chose qui soit chère à tes yeux, c'est toi, Sukhbataar. C'est ta petite personne de petit chef arriviste. Alors jurer dessus, je dis que c'est dangereux pour toi !

– Espèce de sale petite pute de...

Mickey se précipita sur elle en levant la main et Oyun pensa que le moment était arrivé de lui planter le canon de son arme dans la joue, mais la sonnerie du téléphone le stoppa net dans son élan.

– Ne bouge pas d'ici ! Ne bouge pas d'un centimètre, je n'en ai pas fini avec toi ! lui cria-t-il en allant vers son bureau pour se saisir du combiné. Ouais ! hurla-t-il en décrochant. Oh, pardon, excuse-moi, excuse-moi !... Non, non, juste une mise au point avec une subordonnée incapable... Pardon ?... Quoi ? Quand ça ?

Oyun devina aussitôt la gêne dans la voix de Mickey et les regards furtifs qu'il jeta de son côté. Il baissa le ton jusqu'à murmurer, se dirigeant vers le coin opposé du bureau pour tourner le dos à la jeune femme. Elle en profita pour rompre avec le garde-à-vous négligé et insolent qu'elle avait adopté et s'éloigna pour se perdre dans la contemplation du mur de photos. Que du Mickey dans tous ses états les plus flatteurs : polo, golf, ski, quad, chasse, pêche au gros... Médailles, honneurs, discours, diplômes... Oyun s'attarda sur chaque cliché, examinant chaque détail, chaque visage, dans le seul but d'essayer d'intercepter un peu de la conversation du capitaine. Quand son portable vibra dans sa poche, elle préféra ne pas répondre pour rester concentrée sur ce qu'il disait.

– Tu es certain que c'est lui ?... Et l'autre il est... ? Des pistes ?... Tu veux des hommes ?... Un hélico ?...

Oyun sortit alors discrètement son téléphone portable de sa poche, réactiva le son et programma l'alarme avant de le glisser dans sa poche à nouveau. Une minute plus tard le téléphone sonnait en faisant sursauter Mickey, qui lui décocha un regard furieux. Elle haussa les épaules pour s'excuser, plongea la main dans sa poche pour en tirer ostensiblement le téléphone, en couper la sonnerie et le poser sur le coin de la table de conférence comme on pose une arme avec précaution. Le calme revenu, Mickey lui tourna le dos à nouveau.

— Je sais, je sais bien... J'en ai conscience... Je le sais aussi... Je pense que nous pourrions...

Il se tut soudain. Il garda quelques instants le combiné à son oreille, puis le tendit devant lui en le fixant d'un air absent. Oyun le regardait du coin de l'œil tout en continuant de paraître absorbée par la contemplation des photos. De toute évidence, Mickey venait de se faire raccrocher au nez et l'inquiétude qui plombait son visage n'était pas pour déplaire à Oyun. D'autant que cela avait brisé son élan colérique et qu'elle pouvait tranquillement reprendre l'avantage.

— Des ennuis, chef ?

— Rien qui t'intéresse !

— Et pour Yeruldelgger ?

— Quoi, Yeruldelgger ?

— Que dois-je faire pour Yeruldelgger ?

— Rien, ne te préoccupe plus de lui. Tu reprends ses enquêtes et tu n'en réfères qu'à moi directement.

— Comme Chuluum pour ses enquêtes ?

Oyun poussait l'insolence un peu loin, mais elle voulait tester la réaction de Mickey et voir jusqu'à quel point cette mystérieuse conversation l'avait affecté.

— Dégage et obéis aux ordres. Fais ton boulot et rien d'autre !

Elle se dirigea vers la porte et sortit sans le saluer. Mickey l'interpella juste avant qu'elle ne referme derrière elle.

— Oyun ?

— Oui ?

— Oublie Yeruldelgger !

En refermant la porte, elle devina que Mickey composait déjà un numéro sur son téléphone. Si l'étage n'avait pas été plein de lèche-bottes encore tétanisés par les éclats de voix, elle aurait volontiers collé son oreille à la porte pour espionner le capitaine, mais elle n'avait pas besoin de ça. Elle resta quelques instants face à tous les planqués de l'étage qui n'osaient pas la regarder directement, mais la surveillaient par en dessous.

– Alors, la meute, on ne hurle pas avec le loup ? Soyez sauvages, les gars, au moins une fois dans votre vie ! Tout le monde sait qu'on a tous envie de buter ce nabot, alors qui en aura le courage, hein ? C'est quand même pas à moi d'avoir les couilles de le faire, non ?

Puis elle secoua la tête et se dirigea vers l'autre bout de l'étage. Elle sentit les regards pointés sur ses reins. Pas pour sa plastique, qu'elle savait pourtant rendre tentante, mais pour l'arme qu'elle avait glissée dans sa ceinture.

Dès qu'elle jugea s'être suffisamment éloignée pour que la tension retombe un peu, elle fit un brusque demi-tour et se dirigea à nouveau d'un pas décidé vers le bureau de Mickey. Dans sa vision périphérique, elle devina des silhouettes pressées qui quittaient leur bureau ou se glissaient dessous en faisant mine d'y chercher quelque chose, une ou deux autres se dressèrent dans une position prudente et vigilante, prêtes à dégainer, mais personne n'osa l'intercepter avant qu'elle n'atteigne la porte. Elle y fut en quelques enjambées et l'ouvrit sans frapper, surprenant Mickey en pleine conversation téléphonique. Il sursauta comme un élève surpris en flagrant délit de triche, le regard écarquillé par la peur et la surprise, mais Oyun l'ignora et se dirigea droit vers l'endroit où elle avait observé les photos.

– Mon portable ! murmura-t-elle à voix basse en mimant le geste de téléphoner et en désignant du doigt la table de conférence au fond du bureau.

Avant même qu'il ait pu réagir, elle récupéra son téléphone et se dirigea à nouveau vers la porte. Elle fit mine de marcher sur la pointe des pieds, comme si elle ne voulait surtout pas déranger Mickey dans sa conversation, brandissant en silence le téléphone pour bien lui montrer qu'elle l'avait récupéré. Puis elle haussa les épaules en écartant les mains dans un geste muet d'excuse et s'éclipsa, refermant la porte sans bruit et avec précaution.

– Pan ! lâcha-t-elle moqueuse à la meute apeurée qui avait vraiment cru qu'elle revenait le flinguer. Ça sera pour un autre jour, si aucun de vous n'a le courage de le faire d'ici là.

Seul un jeune inspecteur stagiaire osa rire franchement. Un type plutôt beau gosse, et qui cherchait toujours ses yeux du regard quand ils se croisaient. Elle crut se souvenir qu'il s'appelait Shinebileg, mais qu'on le surnommait Billy. Elle quitta le service et dès qu'elle fut hors de vue dans l'escalier, elle appuya discrètement sur la touche pause de la fonction dictaphone de son portable. Aussitôt dans son bureau, elle transféra le fichier audio sur sa messagerie et l'envoya vers le portable de Yeruldelgger avec une copie pour Solongo. Puis elle effaça le fichier audio de son appareil et la trace des deux derniers envois. Une seconde plus tard, Mickey poussait la porte de son bureau.

– Oyun, nous n'avons pas terminé notre conversation tout à l'heure. Je ne veux pas que tu te méprennes sur ce que je t'ai dit. Je ne t'en veux pas, pas plus qu'à Yeruldelgger, mais il est complètement parti en vrille et il va entraîner tous ses proches dans sa chute. Ça m'embêterait que tu fasses partie de la charrette parce que tu es un bon flic. Voilà, et si je me suis un peu emporté, excuse-moi, mais ce type a le chic pour me mettre hors de moi, même quand il n'est pas là !

Elle ne répondit pas. Elle avait posé son portable sur son bureau et remarqua tout de suite que Mickey l'avait repéré. Il hésita quelques secondes, dans un silence un peu gêné, puis se dirigea vers la porte.

– Merde, lâcha-t-il en revenant brusquement sur ses pas, j'ai oublié de décommander un rendez-vous. Je peux utiliser ton téléphone, le mien est vide ?

Oyun n'eut pas le temps de répondre que déjà il se saisissait du téléphone et composait un numéro.

– Je t'en prie ! dit-elle quand même.

Mickey lui fit un petit signe de la main pour lui signaler que quelqu'un lui répondait.

– *Gloria ? Yes, how are you, sweety ? Excuse me but...*

Il plaqua la main sur le micro du portable et s'adressa à Oyun, articulant chaque syllabe dans une sorte d'alphabet muet :

– Excuse-moi, c'est un peu *private*, si tu vois ce que je veux dire, murmura-t-il en surjouant le mode complice. Je te le rapporte dans deux secondes.

Puis il se glissa hors du bureau avec un clin d'œil de dragueur impénitent pris sur le fait mais fier de l'être. Oyun fit mine d'y croire, le laissa sortir sans répondre et s'adossa à son siège, contente de sa petite ruse.

– C'est pas Mickey qu'il faut l'appeler, celui-là, c'est Lapin Crétin !

# 38

*... comme on s'abandonne
à une petite mort attendue.*

Yeruldelgger devina d'abord le parfum roux de l'écorce des mélèzes, puis celui plus poudreux de la terre grise chauffée par un soleil blond sous une herbe rare et jaune. Il reconnut ensuite la pointe fraîche et bleutée des senteurs d'ombre dans les sous-bois. L'odeur aigrelette des jeunes bouleaux...

Il ouvrit les yeux et comprit qu'il était allongé à plat ventre dans une clairière. Il se força à demeurer immobile, par réflexe et par prudence, cherchant à repérer le moindre bruit, mais il n'entendit rien. Il avait la joue dans la poussière et voyait un côté de la clairière de travers. Il fit un effort pour redresser la tête et remettre d'aplomb le paysage, puis il la tourna lentement pour essayer de deviner où il se trouvait. C'est à ce moment-là qu'il reçut le premier coup.

Yeruldelgger chercha à se redresser sur ses genoux, mais son corps encore courbaturé par son passage à tabac et sa chute eurent raison de sa volonté. À l'instant même où il se sut vulnérable, essoufflé, meurtri, à quatre pattes, le deuxième coup lui faucha les bras et il retomba face contre terre. Mais s'il était déjà vieux et fatigué, Yeruldelgger gardait la même volonté farouche de faire face. Il s'agenouilla, gardant ses mains libres pour une parade cette fois, quand un troisième coup le frappa dans les reins, et pendant qu'il pivotait en grimaçant pour faire face à son agresseur, un quatrième le toucha à la tempe droite. Il vacilla et faillit s'effondrer, mais parvint à se remettre sur ses pieds en titubant. Le coup lui faucha les deux jambes dans le même balayage et il retomba lourdement à plat dos, le souffle coupé par la chute, comme si le choc avait décroché ses poumons dans sa poitrine. Il lui fallut quelques secondes pour reprendre sa respiration et ses esprits. Il en profita pour essayer d'apercevoir ses adversaires, mais la clairière restait aussi calme et immobile qu'à son réveil.

Il sentait pourtant leur présence partout. Il devina qu'ils se jouaient de lui. Les coups n'étaient pas portés pour blesser, encore moins pour tuer, juste pour le harceler, lui faire perdre la tête. Le paniquer. Ils allaient le frapper à nouveau, de là où il ne pouvait pas les voir. Il fit volte-face sur le ventre mais n'aperçut qu'une ombre blanche bondissant sur lui. Quand il chercha à s'asseoir pour faire face à nouveau, il reçut un autre coup sur la tempe et bascula dans la poussière. Le temps qu'il tombe, un autre coup le cueillit au foie. Deux secondes plus tard, la douleur irradiait tout son corps. Pourtant Yeruldelgger se releva encore, titubant au milieu de la clairière, comme un homme ivre assailli par des gladiateurs invisibles.

– Montrez-vous ! hurla-t-il.

Un coup plus violent que les autres le frappa très haut entre les omoplates et le projeta jusqu'à l'autre bout de la clairière. Quand il crut s'affaler dans les taillis, quelqu'un le saisit par-derrière à hauteur des épaules et le fit pivoter sur lui-même. Le temps qu'il cherche à apercevoir qui l'agressait, l'ombre se glissa sous lui et le propulsa dans les airs. Yeruldelgger sentit ce terrifiant sentiment de panique qui pousse à s'abandonner à l'inéluctable. Baisser la garde, baisser les bras, tout abandonner et se laisser frapper, prendre les coups comme ils viennent, et espérer celui qui, par sa force ou sa précision, mettra fin au massacre.

Mais il lui restait encore quelques instincts de flic et il s'accrocha
à la manche de celui qui le tenait. Ce fut peine perdue. Aussitôt
tombé au sol, son agresseur enchaîna avec une clé sans même
qu'il puisse l'apercevoir, le ramenant à plat ventre à nouveau
avant de disparaître comme s'il s'était envolé.

Yeruldelgger se retrouva exactement dans la même position
qu'à son réveil et commit la même erreur têtue de chercher à se
redresser. Il reçut le même coup qui faucha ses bras et le fit
retomber le visage dans la poussière. Alors la rage le prit et il
bondit comme il put sur ses pieds et hurla de colère.

– Montrez-vous ! Montrez-vous, je n'ai pas peur de vous !
Montrez-vous !

Il tituba, le corps endolori, comme un boxeur groggy, et tourna
sur lui-même pour chercher à surprendre ses adversaires.

– Montrez-vous !

– C'est un peu présomptueux de croire que nous ayons besoin
d'être plusieurs, tu ne crois pas ?

Yeruldelgger se retourna pour voir qui avait parlé dans son
dos. Il fit volte-face si brusquement qu'il faillit en perdre l'équilibre, et il ne vit rien qu'une ombre qui le contournait en le fau-
chant au passage. Il eut encore le réflexe de sauter pour éviter
le balayage, mais il était à peine retombé sur ses pieds qu'un
coup au creux du genou le fit vaciller. Cette fois il anticipa la
chute et se jeta loin vers l'avant dans une roulade dont il se releva
aussitôt, bien calé sur ses jambes fléchies, les mains en garde,
prêt à frapper son assaillant.

L'ombre blanche avait disparu, mais l'instinct de Yeruldelgger le poussa aussitôt à se retourner pour frapper à hauteur
de visage. Le vieil homme sec comme un bois pétrifié bloqua
son poing d'une seule main, dans sa paume ouverte. Yeruldelgger aurait pu frapper contre un mur en marbre que son
poing ne l'aurait pas fait vaciller davantage. Puis, sans que

le vieillard ait bougé d'un cil, une terrible énergie souleva le policier du sol et le projeta en arrière. Il retomba assis et sonné trois mètres plus loin, comme soufflé par une explosion inattendue.

– Trop de colère ! jugea le vieil homme en rajustant son kimono blanc.

– Qui es-tu ? demanda Yeruldelgger en se redressant pour s'asseoir face à lui.

– Tu as donc tout oublié au point de l'ignorer ?

Yeruldelgger concentra toute l'attention de son corps meurtri sur le vieil homme, comme s'il cherchait à le reconnaître.

– Tu es... tu es Batbayar, c'est ça ? Tu étais un des grands frères du monastère, je me trompe ?

– Tu te trompes ! confirma le vieillard.

– Non, je te reconnais. Tu es Batbayar. C'est toi qui m'as appris à chasser la marmotte, l'argali et le cerf, je m'en souviens.

– Tu aurais mieux fait de te souvenir de ce que tu as appris pour te battre.

– Alors tu es bien Batbayar !

– Non, aujourd'hui je suis le *Nerguii*.

– Le *Nerguii* ! s'exclama Yeruldelgger en se relevant. Depuis combien de temps ?

– Depuis presque aussi longtemps que le temps qu'il t'a fallu pour oublier celui qui était moi avant moi.

– Je n'ai jamais oublié ni le monastère ni le *Nerguii*, mentit Yeruldelgger.

Le coup le fit tournoyer en l'air et retomber lourdement à plat ventre, dos au vieillard. Mais quand Yeruldelgger se cambra pour redresser la tête, les pieds nus du *Nerguii* étaient déjà plantés dans la terre devant lui.

– C'est bon, protesta le policier sans se relever, j'ai compris la leçon !

– Tu n'as rien compris et ce n'est pas une leçon. Si c'en était une, je ne t'aurais laissé aucune chance de te relever.

– Alors qu'est-ce que c'était, une démonstration ?

– Juste un rappel à l'ordre.

– Un rappel de quoi ?

– Un rappel de ce que tu es devenu : un homme en colère. Les hommes en colère ne font ni des hommes bons ni de bons combattants. Regarde-toi, tu es même en colère contre ton corps. Tu es gros et gras et lent. Notre plus jeune novice te mettrait hors de combat en trois coups de pied !

– C'est qu'il n'a probablement rien d'autre à faire que ça ! grommela Yeruldelgger vexé. La vie en dehors du monastère est un peu plus compliquée, *Nerguii*. Au-delà de cette forêt, c'est la jungle. Jour après jour j'enquête sur des horreurs. Une fillette enterrée vivante, trois Chinois émasculés... Qu'est-ce que tu crois ? Que ça me laisse du temps pour la méditation et les katas de kempo ?

– Je te trouve encore bien arrogant pour un homme qui vient de rouler à terre. Mais, dis-moi, est-ce que ta colère t'a permis de résoudre l'affaire de la fillette ou celle des Chinois, ou est-ce pour que nous t'aidions à le faire que tu nous as appelés ?

– Moi ? Je n'ai appelé personne, *Nerguii*. Surtout pas vous : ça fait des lustres que je vous ai oubliés.

– C'est ce que tu crois, Yeruldelgger, mais ta colère et ta douleur sont si criantes qu'elles bruissent dans les feuillages de chaque arbre de ce pays. Ton désarroi court les steppes dans la complainte du vent chaque jour et chaque nuit depuis la mort de ta petite fille...

– Comment sais-tu ! ? Ne prononce jamais le...

– Je sais qu'entendre le nom de Kushi provoque ta colère. Nous t'avons suivi dans chaque vertige de ton désarroi, dans chaque abîme de tes frayeurs. Nous avons eu mal à chacune de tes blessures, à chaque coup reçu, à chaque espoir évanoui.

– Pourquoi n'êtes-vous pas venus m'aider alors ?

– Pourquoi n'as-tu rien demandé ?

– Tu as dit que je l'avais fait !

– Tu l'as fait il y a quelques jours à peine. Le jour où tu as frappé Saraa. Ce jour-là nous avons enfin senti ton cœur appeler au secours et nous t'avons guidé jusqu'ici pour que tu retrouves ton chemin. Tu te souviens de cette clairière ?

– Oui, répondit Yeruldelgger soudain ému en regardant autour de lui. Tu étais mon grand frère d'armes et tu m'y enseignais le kempo. Est-ce toi qui as neutralisé l'homme qui voulait me tuer dans la forêt ? Que lui est-il arrivé ?

– Un novice a suffi. C'était un homme en colère lui aussi. Une colère froide qu'il gardait toujours en lui depuis des temps cruels. Il est mort et nous nous sommes occupés de son âme.

Yeruldelgger se sentit soudain las et vidé de toute force. Il s'accroupit sur ses talons, le visage dans ses mains pour se frotter vigoureusement les yeux de la base charnue de ses deux pouces.

– Je suis fatigué, *Nerguii*, je n'en peux plus. Je te demande l'hospitalité s'il te plaît. Je t'en prie !

– Le sixième monastère des Shaolin reste toujours la maison de ceux qui y ont reçu l'enseignement. Tu n'as pas à demander l'hospitalité, tu es ici chez toi. Mais l'enseignement est le même pour tous. Tu devras participer aux tâches, aux entraînements et aux méditations.

– Je t'en prie, *Nerguii*. Je n'y résisterai pas. Je suis trop épuisé. Je n'ai plus aucune force, plus aucune...

– La force est toujours en toi, Yeruldelgger. C'est ton âme qui est faible. Tu vas dormir deux jours et deux nuits pendant lesquels tu devras renouer avec ton totem. Puis tu combattras contre les dix novices et les quatre maîtres pendant cinq jours et cinq nuits, et ensuite tu rentreras chez toi.

Yeruldelgger n'entendit pas les dernières paroles du *Nerguii*. Il s'endormit, épuisé, avachi dans la poussière blanche de la clairière, insensible au parfum roux de l'écorce des mélèzes, à celui plus poudreux de la terre fine chauffée par un soleil blond sous une herbe rare et jaune, à la pointe fraîche et bleutée des senteurs d'ombre dans les sous-bois, à l'odeur aigrelette des jeunes bouleaux... Il était tombé dans un sommeil épuisé comme on s'abandonne à une petite mort attendue.

# 39

*... dans une ornière*
*le long de la palissade.*

Le soleil atteignait son zénith et Solongo regardait le jardin immobile. Pas un souffle d'air. Elle s'était avancée jusqu'au milieu des arbres, les pieds nus dans l'herbe rase, une tasse bouillante de thé au beurre salé entre ses mains jointes. On aurait pu croire qu'elle priait et c'était presque le cas : elle pensait à Yeruldelgger qui n'était pas rentré depuis cinq nuits déjà.

– Il est vivant...

Solongo se retourna, surprise, et découvrit un vieil homme à cheval à quelques pas derrière elle. Le vieux nomade qui l'avait sauvée des cavaliers dans les Flaming Cliffs.

– Qu'est-ce que tu dis ?

– L'homme à qui tu penses est vivant.

– Tu l'as vu ?

– Non, mais je le sais.

– Tu le sais ?

– Oui, et toi aussi. Au fond de toi, tu n'es pas inquiète pour sa vie. Tu es inquiète de ce qu'il fait. Ou de ce qu'il ne fait pas, n'est-ce pas ?

Solongo regarda le petit vieillard. Il mit pied à terre d'un mouvement qui trahit à la fois une longue chevauchée et les outrages de l'âge. Mais son visage n'exprimait aucune douleur. Il affichait le même sourire malicieux qui pouvait tout aussi bien n'être qu'une grimace plissée gravée sur son visage par les tempêtes glacées et les soleils aveuglants.

– Que fais-tu ici ? demanda Solongo. Comment m'as-tu trouvée ?

– Cette fois c'est toi qui m'as appelé, répondit le vieux nomade. Comme je devais me rendre au marché des chevaux du grand *naadam*, je suis venu un peu plus tôt pour répondre à ton appel et t'apporter ce dont tu as besoin.

Elle le regarda en silence, amusée par l'assurance tranquille du bonhomme. Il émanait de ce vieillard un optimisme calme et confiant qu'elle sentait déjà couler en elle.

– Je peux t'offrir un thé ?

Il accepta d'un signe de la tête. Il détacha de la selle un petit paquet roulé dans un tissu que retenaient deux lanières de cuir. Au soin qu'il prit pour le glisser dans sa ceinture, Solongo devina que cela lui était destiné. Comme le veut la tradition, il la laissa entrer la première dans la yourte.

– Que ton cheval ne mange pas mes arbres ! recommanda-t-elle.

– Je l'ai bien élevé, il n'y touchera pas.

– Tu ne l'attaches pas ?

– Je l'ai bien dressé, il ne bougera pas.

Solongo ne put retenir un petit rire et se retourna pour le voir entrer dans la yourte. Il avait dû chevaucher longtemps, au pas sous le soleil, coiffé par la chaleur étouffante de la ville, dans les ornières des trottoirs et les trous de l'asphalte défoncé. Il en avait retroussé les manches de son *deel*, mais par respect pour les esprits, il les baissa jusqu'aux poignets avant de franchir la porte. Il ajusta son chapeau, prit bien garde d'enjamber du pied droit le pas de la porte et de s'arrêter du côté gauche, réservé aux invités, en attendant que Solongo l'invite à avancer plus avant. En vertu du même code traditionnel, il avait glissé sa fine cravache dans les cordes qui tendaient le feutre de la yourte, à l'extérieur. Solongo aimait cet ordre des choses que sont le respect et le sens des traditions. Tous ces gestes, depuis quelque temps, glissaient vers le folklore à cause du manque de croyance de ceux qui les répétaient. Pour Solongo, c'était au contraire un équilibre plein de sens entre des gestes de respect qu'on se devait les uns aux autres.

Elle invita le vieil homme à s'avancer dans sa yourte bien plus grande qu'une yourte traditionnelle. Elle remarqua qu'impressionné par la taille des lieux, il en approuvait la disposition rituelle. Comme elle s'y attendait, il préféra s'asseoir à même le sol et elle fit de même.

— Alors je t'ai appelé ? demanda-t-elle, curieuse et étonnée à la fois.

— Oui, moi ou quelqu'un qui puisse t'aider, mais il faut croire que je suis le seul à t'avoir entendue.

— Il faut croire ! s'amusa Solongo.

— Tu voulais en savoir plus sur ce qui s'était passé dans les Flaming Cliffs et tu t'inquiétais aussi pour des personnes que tu aimes.

— *Des* personnes ?

— Oui. Celui dont je t'ai dit qu'il est vivant, et celle que tu soignes et pour laquelle je t'ai apporté ça.

Le vieil homme lui fit face pour lui tendre à deux mains le paquet roulé dans le tissu. Elle attendit qu'il lui demande de l'ouvrir pour le faire d'un geste délicat et sans empressement. Solongo découvrit deux pots en verre dans lesquels elle reconnut de la graisse d'ours dans le premier, si vieille qu'elle semblait de l'eau claire, et dans l'autre de la résine de pollen.

— Est-ce que je peux voir la jeune fille ? demanda le vieil homme.

– Comment sais-tu que c'est une jeune fille ?

– À la façon dont tu y penses, répondit-il comme une évidence.

Ils se levèrent et elle replia le paravent derrière lequel dormait Saraa. Maintenant que ses brûlures le permettaient, Solongo la couvrait d'un très léger voile de mousseline de soie bleue. Le vieil homme s'approcha de la couche et souleva le voile. Saraa dormait sur le dos, les jambes et les bras légèrement écartés.

– C'est une belle femme, apprécia le vieux nomade, ses seins sont fermes et ses cuisses aussi, mais ses hanches ne sont pas assez rondes encore...

– Je ne pense pas que tu sois venu pour ça..., coupa Solongo.

– Il faut que tu changes le voile, reprit le vieil homme. Tu la couvres d'un ciel parce que le ciel est léger et que son souffle apaise, mais il lui faut un voile vert comme une terre riche et grasse. Ce dont ont besoin ses nouvelles peaux, c'est qu'on les nourrisse comme tu le fais de la graisse d'ours. Change de couleur.

– Et c'est tout ?

– Non, il faut t'inquiéter de ça surtout.

Il montra à Solongo la joue de Saraa marbrée par les plaques de peau rose et nouvelle, lisses et brillantes. Il attira son attention sur le contour de certaines plaques et du fin liseré pourpre ou brun qui les ourlait.

– Tu ne dois pas laisser s'installer ça si tu veux qu'elle reste belle et en bonne santé. L'infection peut naître là et se propager. Fais infuser du thé blanc quelques minutes à peine, laisse-le refroidir, et lave-la bien avec. Ensuite va dans ton jardin au petit matin, trouve des toiles d'araignées, autant que tu peux, et applique-les sur les petites plaies bien nettoyées. Elles cicatriseront plus vite et mieux.

– Je ferai ce que tu dis, répondit Solongo, confiante.

Mais le vieil homme ne l'écoutait plus. Il s'était posté derrière Saraa, avait posé ses mains sur ses tempes et se concentrait, les yeux fermés vers l'ouverture dans le toit de la yourte. La légiste observa son visage cisaillé par les intempéries et ses joues limées par les vents de sable, et elle y devina soudain une force et une volonté extraordinaires qu'elle n'avait jusque-là pas décelées, s'étant contentée de le prendre pour ce qu'il semblait être : un vieux nomade excentrique. Elle venait de comprendre qu'il était plus que ça.

– Elle guérira de ses brûlures, dit-il sans ouvrir les yeux, mais il lui faudra beaucoup plus de temps et de souffrances pour guérir de ses autres blessures, et tu ne pourras rien pour la soigner. C'est un destin bien tourmenté qui l'attend. Tu devras la laisser souffrir, mais ne jamais l'oublier. Vous en souffrirez tous, mais elle bien plus que vous, et quelquefois par la faute de certains d'entre vous.

Le regard de Solongo avait glissé du visage du vieil homme à celui de la jeune fille, et les larmes lui montaient aux yeux. Elle devina que ces paroles concernaient Yeruldelgger autant que sa fille.

– Ne pleure pas, la consola le vieux nomade. De cette souffrance naîtra un bonheur qu'il vous faudra apprendre à partager.

Il regarda une dernière fois le corps nu de Saraa, puis tira sur elle le voile de soie aérien.

– C'est vraiment une belle femme. N'oublie pas de changer le voile.

Ils retournèrent s'asseoir autour de leurs tasses de thé et le petit vieux resta silencieux jusqu'à ce que Solongo lui pose enfin la question :

– Alors, dis-moi, pourquoi es-tu venu ?

– Tu appelais dans tous les sens. Tu es restée des heures à te poser des questions sur des crimes atroces et moi je les ai entendues. Alors je suis venu te dire ce que je sais.

– À quel propos ?

– À propos de ce qui s'est passé sur la falaise par exemple.
Tu dois savoir que le petit vieux qui avait vendu la fausse dent
pour la fillette n'est plus là.

– Il est parti ?

– Il est mort. Il aurait glissé en cherchant des fossiles à un
endroit où on n'en a jamais trouvé.

– Tu penses qu'on l'a tué ?

– Sa peur imprègne encore la terre et les roches tout autour
de l'endroit où il est tombé. J'ai aidé la vieille à démonter ses
deux yourtes. Je lui ai prêté des chevaux et elle est partie s'installer plus à l'est, près du campement du mari d'une de ses sœurs.

– Et l'homme au Toyota ?

– J'ai emprunté ses papiers, dit le vieux nomade en sortant
un portefeuille en cuir du pan croisé de son *deel*.

Solongo l'ouvrit et le fouilla, tirant un par un les documents
qu'elle y trouvait. Deux photos d'une petite famille dont le mari
avait bel et bien le visage aimant et souriant de celui qui avait
essayé de la tuer, un permis de conduire et une carte d'identité
au même nom, la carte d'un service de taxis à Oulan-Bator, celle
d'un restaurant de Dalanzadgad avec un numéro de téléphone ins-
crit au dos…

– Comment lui as-tu *emprunté* ça ? demanda Solongo.

– Je t'ai vue le balancer dans la pente avec sa voiture et
t'enfuir vers Dalanzadgad. Je suis allé voir de plus près. Il était
inconscient mais il vivait encore. Je l'ai fouillé puis j'ai galopé
jusqu'au petit musée du gamin et je lui ai demandé d'aller prévenir les cavaliers qui t'avaient poursuivie. Ils sont venus au
galop, ont remis le Toyota sur ses roues, et deux d'entre eux ont
aussitôt transporté l'homme vers l'hôpital de Dalanzadgad. Inutile
de le chercher, il a disparu depuis.

Solongo resta pensive quelques instants, cherchant une réponse
satisfaisante à la question qui la hantait.

– Pourquoi ce type cherchait-il à me tuer là-bas, alors que je m'intéressais au meurtre d'une fillette assassinée cinq ans plus tôt à six cents kilomètres de là ?

– Ce n'est pas la bonne question, répondit le vieux nomade entre deux gorgées gourmandes de thé bouillant.

– Ah oui ? Tu as une question plus pertinente que celle-là ?

– J'en ai une, répondit-il.

– ...

– ...

– Alors ? Ta question pertinente ?

– La question est : pourquoi cet homme t'attendait-il ce jour-là à cet endroit-là ?

– Et pourquoi ta question serait-elle plus pertinente que la mienne ?

– Parce que la tienne accepte plusieurs réponses : il est le meurtrier, il est complice du meurtrier, il n'est pas le meurtrier mais il sait quelque chose, il est en service commandé... Le fil que tu cherches à tirer de cette pelote peut venir de n'importe où : de la fillette, de ses parents, de son meurtrier, des témoins, de l'homme tombé de la falaise, de sa femme partie, de l'homme à la Toyota... Compliqué, non ? Ma question par contre ne demande qu'une seule réponse : comprendre comment il savait que tu venais. Et là, le fil, c'est toi. Qui savait que tu venais ? Un de ceux qui le savaient l'a prévenu. C'est plus simple, non ?

– Oui, si on veut..., hésita Solongo. Et pour l'homme dont tu dis qu'il est toujours vivant, qu'est-ce que tu sais de plus ?

– Il va revenir, l'âme et le cœur ensanglantés par des monstres que toi seule sauras tenir en laisse.

– Qu'est-ce que ce charabia signifie, grand-père ? Je veux juste savoir s'il va bien et quand il va revenir.

– Merci pour le thé, répondit le vieux nomade en posant sa tasse sur le sol pour se relever, raide comme un petit garçon trop poli. De là où il va revenir, on ne revient jamais tout à fait. Ça peut le détruire, ou tout dévaster autour de lui, ou le reconstruire. C'est bien trop fort pour un vieux chamane comme moi. Maintenant il faut que je te laisse, quelqu'un arrive.

Le vieil homme la salua de ses mains jointes et sortit de la yourte. Il vérifia les sangles du harnachement, se hissa sur la selle et fit faire demi-tour à sa monture. Il s'éloigna sans un mot ni un regard, mais le sourire au cœur de savoir Solongo derrière lui dispersant aux quatre points cardinaux un peu de lait d'une coupelle pour lui souhaiter bon voyage. Comme il dépassait la barrière, une petite voiture grise et laide se garait dans une ornière le long de la palissade.

# 40

## *... en démarrant trop vite.*

– C'était qui ce vieil homme à cheval ? demanda Oyun.

– Tu te souviens de mes mésaventures dans les Flaming Cliffs ? Lui, c'est le vieux nomade qui m'a sauvée des cavaliers et les a mis en déroute.

– Ce vieillard ? Et qu'est-ce qu'il venait faire par ici ?

– Il m'a apporté des onguents pour Saraa et ça : le portefeuille de l'homme à la Toyota, celui qui voulait me balancer de la falaise.

Oyun prit le portefeuille que lui tendait Solongo et en examina chaque repli.

– Est-ce qu'il t'a dit qui c'était et ce qu'il venait faire dans cette histoire ?

– Le grand-père dit que le meilleur moyen de le savoir, c'est de comprendre comment il a su que j'allais dans les Flaming Cliffs.

– Il n'a pas tort. Il ferait un bon flic. Le meilleur fil à tirer de cet écheveau, c'est encore toi !

– C'est exactement ce qu'il a dit ! s'étonna Solongo.

– Alors il n'aurait pas fait un bon flic, il aurait fait un *excellent* flic ! Attends, qu'est-ce que c'est ? Je connais ça... ça me rappelle quelque chose...

– C'est la carte d'un restaurant à Dalanzadgad. Tu connais ce resto ?

– Non, répondit Oyun, mais je connais ce numéro... Regarde, c'est un numéro à Oulan-Bator. Ça ne te dit rien ?

– Ça devrait ? s'inquiéta Solongo.

Oyun ne répondit pas. Elle plongea une main dans sa poche et en tira son iPhone. Elle pianota sur l'écran jusqu'à la liste de ses contacts, la fit défiler en effleurant l'écran du pouce, puis appuya du même doigt sur un contact pour l'afficher. Elle vérifia d'abord avec le numéro sur la carte, puis, convaincue, elle tourna l'écran de l'iPhone vers Solongo. Quand celle-ci lut ce qui était écrit, Oyun vit la stupeur figer son regard, puis une sourde crainte l'assombrir.

– C'est impossible ! murmura-t-elle.

Sur l'écran, sous le numéro, apparaissait en toutes lettres le nom du contact : Sukhbataar.

– Mickey, murmura à nouveau Solongo. C'est impossible, pas lui !

– C'est plus que possible, et c'est pour ça que je suis venue, répondit Oyun. Tu dois écouter quelque chose. Je peux utiliser ton ordinateur ?

– Prends plutôt ça, dit Solongo en lui tendant son iPad.

La jeune inspectrice se saisit de la tablette et pianota sur le clavier pour se connecter à sa messagerie. Puis elle afficha un message avec un fichier audio en pièce jointe et vint s'asseoir à côté de la légiste.

– J'ai piraté ça dans le bureau de Mickey avec mon portable il y a une heure à peine. Écoute...

Solongo reconnut aussitôt la voix du capitaine. Il semblait à la fois anxieux et en colère.

– *Il est furieux !* glapissait Mickey. *Et tu sais de quoi ce type est capable quand il est en colère !*

Dans le court silence qui suivit, elles devinèrent que l'interlocuteur de Mickey, affolé, lui demandait ce qu'on attendait de
lui.

– *Il veut qu'on bute l'autre. Qu'on l'en débarrasse une bonne*
*fois pour toutes, et ça, c'est ton boulot !*

À l'autre bout du fil, le correspondant de Mickey devait maintenant protester que ce n'était pas à lui de s'en charger, que ça
allait trop loin, qu'il ne voulait pas...

– *Hey, ferme-la, Adolf, et écoute-moi bien...*

– Il a dit Adolf, là ! C'est bien ce qu'il a dit, non ?

– Oui, confirma Oyun. C'est bien ce qu'il vient de dire ! Ce
fumier de Mickey appelle en douce notre principal suspect dans
l'affaire des Chinois. Mais attends la suite...

– *Écoute bien ce que je vais te dire. Il a déjà envoyé le Tatoué*
*et il pense que l'autre l'a buté, tu m'entends ? Il pense que l'autre*
*a buté le Tatoué et que maintenant il est quelque part dans la*
*nature à nous chercher tous les uns après les autres. Alors tu*
*le trouves en premier et tu le butes, tu m'entends ? Sinon il va*
*se sentir menacé et il va couper les branches tout autour de lui*
*pour que l'autre ne puisse pas remonter jusqu'à lui, tu piges ?*
*Et laisse-moi te dire une chose : t'as intérêt à piger très vite*
*parce que les premières branches, c'est nous !*

Adolf devait protester encore et geindre à l'autre bout du fil,
mais le ton de Mickey ne lui laissait guère le choix.

– *Oui, tu as raison, tout ça parce que ce vieux con est allé*
*déterrer le corps de la gamine !*

– Quoi ! ? hurla Solongo. Attends, arrête, arrête, mets sur
pause. Tu as entendu ça ?

– Oui, moi aussi je l'ai pris en pleine tête : Adolf parle du
cadavre de la fillette. Il y a un lien entre ce crime et lui, alors
que nous, on ne le cherchait que pour les Chinois !

– Ça alors ! souffla Solongo décontenancée. Ça veut dire qu'il y a aussi un lien entre le meurtre des Chinois et celui de la gamine ? À cinq ans de distance ?

– Peut-être pas directement, expliqua Oyun. Pour l'instant les seuls liens entre les deux affaires, c'est Adolf qui, d'une façon ou d'une autre, est impliqué et Mickey qui chapeaute les deux enquêtes, et maintenant on sait qu'Adolf et lui sont en contact, au moins dans l'affaire de la fillette.

– Ils disent autre chose ? s'inquiéta Solongo.

– Non, ils raccrochent quelques instants plus tard, répondit Oyun en relançant la fin de l'enregistrement.

– *Arrête de chialer et écoute-moi si tu veux qu'on s'en sorte. Je vais localiser l'autre et je te ferai savoir où lui tomber dessus pour que tu le butes. En attendant va t'occuper de nos amis qui sont déjà en route. Déjà qu'il est furieux à cause de l'autre, ne va pas lui faire foirer ça aussi. Dès que tu les as récupérés, tu rappliques ici, compris ?*

Adolf devait être mort de peur et essayait probablement de dire qu'il préférait s'enfuir, disparaître, tout laisser tomber…

– *Écoute-moi bien, connard : tu fais un pas en dehors du chemin et c'est moi direct qui viens te buter. C'est assez clair comme ça ? Raccroche maintenant !*

*Clic.*

Solongo se leva pour préparer du thé en silence. Elle le servit à Oyun sans dire un mot, et elles restèrent un long moment, soucieuses, à réfléchir à tout ce qu'elles venaient d'apprendre.

– Ce serait logique que je doive à Mickey mon aventure dans les Flaming Cliffs, raisonna Solongo à voix haute. Il était un des rares à savoir que j'y allais. J'étais sur un dossier avec lui et j'ai dû trouver une excuse pour le reporter. J'ai été obligée de le prévenir. Je ne lui ai pas vraiment dit pourquoi, mais il m'a demandé si je serais joignable et j'ai répondu que ce serait difficile parce que j'allais du côté des Flaming Cliffs. D'autre part le type à la Toyota avait son numéro dans son portefeuille... Et maintenant on remonte jusqu'à lui avec le coup de fil à Adolf où ils parlent de la fillette. Donc ça colle et Mickey a quelque chose à voir avec la mort de l'enfant. Ça, c'est nouveau, mais c'est clair.

– D'un autre côté, c'est clair aussi que lui et Adolf sont des sous-fifres. Ils sont terrorisés par le type furieux qui veut la peau de celui qu'ils appellent « l'autre ». Peut-être que Mickey n'est qu'un flic corrompu qui fait le ménage pour un commanditaire ? Un type puissant apparemment, mais en quoi un type puissant serait impliqué dans la mort d'une fillette ?

– D'une fillette, et probablement de ses parents, ne l'oublie pas. On ne sait toujours pas ce qu'ils sont devenus. La fillette n'était peut-être qu'une victime collatérale dans un truc genre règlement de compte, trafic mafieux, espionnage industriel... Si au moins on savait qui c'était, cette petite famille !

– Et l'autre, d'après toi, qui c'est ? Tu penses comme moi ?

– Qu'est-ce que tu penses, toi ? biaisa Solongo qui ne voulait pas entendre ce qu'Oyun voulait lui dire.

– Tu le sais bien, non ? Ça ne te fait pas penser à Yeruldelgger ?

– Oui, bien sûr que j'y ai pensé, soupira la légiste, anxieuse.

– D'un autre côté, ça veut dire aussi qu'il est vivant.

– Qu'il est supposé vivant par le type qui a envoyé un tueur après lui, corrigea Solongo.

– Oui, supposé vivant, si tu veux...

– Supposé vivant mais avec un contrat sur sa tête mis par un inconnu puissant qui manipule des policiers pourris et des nazis déglingués.

– Certes, admit Oyun, mais supposé vivant quand même !

– C'est vrai que le vieux chamane aussi m'a dit qu'il était vivant quelque part, sourit tristement Solongo comme pour se rassurer.

– Ah, tu vois ! s'exclama Oyun d'un ton trop optimiste pour être honnête. Maintenant il ne te reste plus qu'à...

Le bip de son iPhone interrompit son élan volontariste. Elle se saisit du téléphone et regarda l'écran d'un air étonné. Ce n'était pas une sonnerie d'appel mais celle d'un rappel de message.

– Tu m'as envoyé quelque chose ? demanda-t-elle à Solongo sans lever les yeux du téléphone sur lequel couraient déjà ses doigts.

– Oui, je t'ai fait suivre un fichier de mon contact en Allemagne. Une photo du quad identifié d'après les références des éclats de phare...

– Ah..., fit simplement l'inspectrice en affichant l'image. Oh merde alors !

– Quoi ? s'inquiéta Solongo en la voyant bondir sur ses pieds et quitter la yourte en courant.

– J'ai déjà vu ce quad ! cria Oyun. J'ai vu ce quad et...

Le reste de sa phrase fut masqué par le hurlement du moteur de son Cube et la mitraille des graviers qu'elle projeta contre la palissade en démarrant trop vite.

# 41

*... reprendre sa voiture*
*et retourner chez Solongo.*

Oyun monta dans les étages jusqu'au bureau de Yeruldelgger. Elle avait une meilleure vue sur l'ensemble du service et sur l'aquarium où Mickey se cloîtrait derrières ses petits stores à l'ancienne. De temps en temps, il glissait l'index et le majeur entre deux lames qu'il écartait et il surveillait ses troupes, plus pour s'assurer qu'elles étaient bien là que pour les pousser au travail. Oyun devait trouver quelqu'un. Elle hésita à jeter son dévolu sur Billy, le jeune et bel inspecteur stagiaire qui la matait avec amour chaque fois qu'elle passait devant son bureau. Il allait y laisser sa carrière et ça la désolait ! Mais au même moment un grand type dégingandé au visage émacié cogna sur le montant de la porte.

– C'est toi qui le remplaces ?
– Qui ça ?
– Yeruldelgger !
– Le commissaire n'est pas mort, que je sache !
– C'est pas ce que je voulais dire !
– Et tu voulais dire quoi ?
– Putain, c'est trop compliqué vos histoires ! soupira le grand pantin dans un geste désarticulé. Il est là, il est pas là, on le vire, il revient, il disparaît... J'en fais quoi, moi, des analyses balistiques ?

– La balistique de quoi ? demanda Oyun, soudain intéressée.

– L'exécution des Chinois, un Makarov déposé par Yeruldelgger et les balles que tu m'as demandé d'analyser l'autre jour.

– Alors ?

– Alors quoi ? Je commence par quoi ?

– Par les balles...

– Toutes des 9 mm...

– La belle affaire !

– Toutes des 9 mm 22 spéciales paranos soviétiques tirées par des Makarov PM. Tu sais, les munitions au diamètre juste un peu plus grand que le 9 mm au cas où les méchants de l'OTAN auraient mis la main sur les stocks de l'Armée rouge ! En plus, le ressort à lame qui sert à la fois au chien et à la détente donne un impact de percussion très...

– On s'en fout ! coupa Oyun. Quoi d'autre ?

– Merci pour la reconnaissance confraternelle, camarade ! Quoi d'autre ? Eh bien... rien d'autre !

– Et le flingue ?

– Le flingue ? Makarov PM soviétique, évidemment !

– Et c'est tout ?

– Oui, sauf que tu te souviens de la débandade russe au début des années quatre-vingt-dix ? Tchör, 1992 ?

– Quand les Russes sont rentrés chez eux ? Et alors ?

– Alors les pauvres bidasses sont partis la queue basse et les poches trouées, sans solde depuis des mois. Ils ont pratiquement vendu toute la base au marché noir en pièces détachées, et leurs armes par caisses entières. Le Makarov PM était l'arme de poing réglementaire de l'armée soviétique. Il y en avait des milliers à Tchör, et pratiquement tous les soldats sont partis sans leur arme au ceinturon. Aujourd'hui le Makarov est une des armes de poing les plus recherchées aux États-Unis, et je te garantis que le trafic en a rendu quelques-uns très riches à Oulan-Bator.

– Le rapport avec nos dossiers ?

– Tu es trop jeune pour te souvenir de la parano des Soviets. Leur état-major a imperceptiblement modifié chaque lot de percuteurs pour éventuellement remonter à une arme à partir d'une douille. La marque sur toutes les douilles que tu m'as remises est identique. Les différentes armes qui ont percuté ces douilles sont toutes issues du même lot. Un lot de deux cents Makarov PM achetés au marché noir de Tchör et revendus ici par des intermédiaires à des groupuscules nationalistes. Je crois même que c'est ton pote Yeruldelgger qui avait identifié ces armes avant le... enfin tu sais, quoi, le drame de sa môme, là !

– Ce que tu essayes de m'expliquer, si je comprends bien, c'est que dans toutes ces affaires, on retrouve comme point commun des armes identifiées comme ayant fini dans les mains de groupuscules nationalistes, c'est bien ça ?

– C'est exactement ce que je viens de dire !

Oyun resta pensive un long moment pendant que le grand désarticulé écarquillait les yeux à s'en plaquer les oreilles pour marquer son étonnement... puis son attente... puis son impatience !

Oyun sembla soudain se souvenir de sa présence et le congédia.

– C'est bon, tu peux y aller !

– Quoi, c'est tout ? Comme ça ? Comme un chien ?

– Et alors, s'énerva Oyun, c'est ton boulot, non ? Tu ne veux pas des médailles en plus !

– C'est con qu'il t'ait perverti le caractère comme ça, le Yeruldelgger, parce que t'es plutôt bandante comme nénette si on regarde bien, mais là, franchement, y a rien à sauver, ma pauvre fille, vraiment rien à sauver !

Il fit demi-tour dans le montant de la porte comme un contorsionniste qui s'extirpe d'une caisse à savon, et s'apprêtait à partir quand Oyun l'arrêta net.

– Hey, attends ! Reste là !

– Oh, c'était juste un compliment, Oyun ! s'excusa-t-il prudemment. Tu dois juste le prendre comme un compliment !

– Je me fiche de ce que tu as dit. Tu penses de moi ce que
tu veux. Moi, ce que je veux, c'est que tu restes dans ce bureau
avec tes dossiers le temps que j'aille voir Mickey. Compris ?

– Mickey ? Mais qu'est-ce que j'ai à voir avec Mickey, moi ?

– T'occupe et ne bouge pas !

Oyun sortit du bureau d'un pas décidé. Il fallait tenter le coup
maintenant. Les étages étaient surveillés par vidéo et le bureau
du capitaine fermé à clé dès qu'il quittait le service. La rumeur
voulait même qu'il ait installé une alarme et des micros au cas
où. Alors elle devait le faire maintenant. Avec ce qu'elle venait
d'apprendre du vieux nomade et du type de la balistique, elle
pouvait réussir en y allant au culot.

Elle saisit son iPhone, pianota sur l'écran tactile, et se dirigea
droit vers le bureau de Mickey, sans laisser à la secrétaire le
temps de réagir. Elle ouvrit la porte en même temps qu'elle frappait, surprenant son supérieur dans la lecture d'un dossier qu'il
tenta aussitôt de dissimuler sous d'autres papiers.

– Non mais qu'est-ce que...

– Il faut que je te parle, Sukhbataar. C'est très important.

– Je t'interdis d'entrer comme ça...

– Écoute, ferme-la, tu veux ? C'est une question de vie ou de
mort pour le service !

– Quoi ? Qu'est-ce que ça veut dire ? Qu'est-ce que c'est que
ces conneries ?

Oyun se tenait loin du capitaine, le forçant à se lever pour venir
à elle lui hurler au visage. Et c'est exactement ce qu'elle voulait.

– Écoute, Sukhbataar, il y a le type de la balistique, là, le
grand dégingandé, dans le bureau de Yeruldelgger. Il se balade
avec des dossiers qui sont de la dynamite, tu peux me croire !

– De quels dossiers tu parles ? s'inquiéta soudain l'autre en baissant un peu la voix, convaincu par son ton alarmiste.

La secrétaire crut bon de passer une tête pour s'excuser d'avoir laissé entrer Oyun, et Mickey lui aboya de retourner à ses paperasses.

– Sukhbataar, le type a croisé plusieurs dossiers et il était en train de me démontrer des liens entre des vols d'armes dans les ex-bases russes, des groupes nationalistes et des flics ! Là, dans le bureau de Yeruldelgger, au beau milieu du service, devant tout le monde, tu te rends compte !

– Putain d'abruti ! hurla Mickey en se précipitant hors du bureau, les muscles de son cou bandés de colère, et les poings serrés à blanc.

Oyun n'eut que quelques secondes pour brandir son iPhone qu'elle avait programmé en mode vidéo et filmer tout le mur de photos dont elle avait pris soin de ne pas s'éloigner. Au moment de se précipiter à son tour à la suite de Mickey, elle devina sur elle le regard de la secrétaire.

– Tu lui en parles, et je reviens te découper les tétons au cutter ! Tu m'as bien comprise ? murmura-t-elle à son oreille au passage.

Sans attendre de réponse, elle se précipita à la poursuite du capitaine et le rejoignit au moment même où, débouchant dans le petit bureau de Yeruldelgger, il défonçait d'un coup de poing rageur la tête du pauvre type de la balistique qui n'avait rien vu venir.

Quand trois inspecteurs finirent par maîtriser Mickey, quand il eut ramassé les dossiers éparpillés, quand il eut hurlé à la cantonade que c'était lui le patron et que tous les dossiers, sans exception, devaient passer par lui et par lui seul, Oyun avait déjà rejoint la terrasse du Dorgio Club, sur la petite place sans arbres derrière les bâtiments de la Cour suprême et du ministère de l'Équipement. Elle commanda une bière, chercha un peu d'ombre sous un auvent, et visionna le film qu'elle avait pris à la sauvette dans le bureau. Il ne lui fallut pas longtemps pour trouver la photo qu'elle cherchait, mais en l'observant de près, elle se rendit compte que c'était pire encore que ce qu'elle avait imaginé.

Elle se leva au moment où le serveur lui apportait sa bière, la paya sans la boire, et partit en courant jusqu'au parking du département de la Police pour reprendre sa voiture et retourner chez Solongo.

# 42

*Pour elle comme pour nous !*

C'était le même quad que sur la photo de catalogue transférée par le contact de Solongo en Allemagne. Sauf qu'en situation, avec un pilote aux commandes, il semblait plus puissant encore. Il faut dire que le pilote n'était pas bien grand. Un Coréen, riche et arrogant de toute évidence, fier d'être là, harnaché comme un mannequin de mode sportive avec une Rolex en or au poignet et à l'annulaire droit une bague comme en portent les anciens des universités ou des grandes écoles américaines. Il souriait à l'objectif, brandissant une bouteille de vodka, un bras jeté par-dessus l'épaule d'un Mickey fier d'être là lui aussi, comme un fan photographié au côté de son idole. Un autre homme posait près d'eux, coréen lui aussi, et légèrement en retrait.

— Tu reconnais ce type, n'est-ce pas ? demanda Oyun à Solongo.

— Son visage me dit quelque chose…

— La délégation coréenne invitée pour le grand *naadam*. On les a vus dans tous les journaux. Je crois que lui est le représentant officiel du patronat coréen, ou un truc comme ça.

— Attends, on peut vérifier, dit Solongo en pianotant sur son iPad.

Le moteur de recherche lui proposa cent quatre-vingt mille résultats pour « chef, patronat, Corée ». Elle en réduisit le nombre à douze mille en ajoutant « visite Mongolie », puis filtra encore les résultats en ajoutant « *naadam* » à sa recherche pour obtenir cent huit réponses. Dans les liens proposés, elle choisit celui du quotidien populaire *L'Oriflamme* et l'écran afficha la photo d'une délégation officielle du patronat coréen en visite à Oulan-Bator à l'occasion de la fête.

— C'est lui ! dit Solongo en désignant l'homme à la une du journal où il posait comme le patron de la délégation. Regarde la montre et la bague, elles sont identiques.

— Oui, confirma Oyun, mais lui est différent. Il semble beaucoup plus jeune sur la photo.

— C'est vrai. Je dirais de six ou sept ans, quelque chose comme ça.

— Eh bien moi je dirais cinq ans pile poil !

— Que vient faire Mickey dans cette affaire d'accident entre le tricycle rose de la fillette de parents disparus et le quad d'un patron coréen ?

Les deux femmes se concentrèrent à nouveau sur la photo, comme si les visages virils et heureux du capitaine et de l'homme d'affaires pouvaient leur apprendre quelque chose de plus. La photo n'était pas très bien cadrée. Un instantané qui marquait le départ ou l'arrivée d'une épreuve, quelque part en forêt. Sur le bord gauche, le photographe n'avait pas entièrement réussi à sortir du cadre un personnage dont on n'apercevait qu'un bout d'épaule. De l'autre côté, un bras tendait une canette de bière à quelqu'un dans le dos du Coréen. C'est en suivant le geste qu'Oyun remarqua le personnage au second plan, entre les têtes rapprochées de Mickey et du patron étranger.

— Regarde qui est là ! siffla-t-elle en pointant le personnage du doigt.

— On dirait…

— Oui, c'est lui. Ce type, c'est cet arriéré mental d'Adolf !

– Qu'est-ce que ça veut dire ? soupira Solongo. Adolf, Mickey et ce qu'on peut probablement considérer comme l'arme du crime sur la même photo, avec en prime un officiel coréen ?

– À mon avis, à cette époque, il devait être beaucoup moins officiel qu'aujourd'hui. Déjà aussi riche probablement, mais sûrement beaucoup moins officiel !

– Et est-ce que ça te pousse aux mêmes conclusions que moi ?

– Si tu penses à une virée sauvage de Rambo virils sur leurs gros cubes qui vire à l'accident de chauffard, c'est tentant !

– Mais ça n'explique pas où sont les parents. On ne tue pas trois personnes d'un seul coup avec un quad !

– Sauf si quelqu'un fait le ménage après l'accident pour éviter des ennuis à une grosse huile étrangère.

– Et tu penses que Mickey pourrait être l'homme de ménage ?

– Pourquoi pas ? Tu ne crois pas qu'il nous met assez de bâtons dans les roues dans cette enquête pour mériter nos soupçons ?

– Peut-être, mais ça ne nous donne pas assez de munitions pour aller lui poser la question directement. Et encore moins au Coréen d'ailleurs !

– Oui, mais à Adolf, on peut aller lui en poser quelques-unes, des questions. Et des violentes, si tu vois ce que je veux dire !

– C'est comment une question violente ? demanda Gantulga.

Les deux jeunes femmes se retournèrent dans un même mouvement pour voir le gamin avancer en sautillant sur ses béquilles.

– D'où tu viens, toi ?

– Enquête de terrain, répondit Gantulga d'un air faussement secret. Alors, c'est comment ?

– C'est une question du genre de celle que le type a essayé de te poser l'autre soir à grands coups de flingue.

– Si tu veux mon avis, répondit le garçon en s'approchant, le type de l'autre soir n'avait pas vraiment l'intention de me poser des questions ! C'est quoi cette photo ?

Sans attendre la réponse, une béquille coincée sous son aisselle, Gantulga se saisit de l'iPhone d'Oyun et examina le cliché.

– Hey, je le connais lui, là, c'est votre chef, non ? Et ça, c'est le Tatoué, le type de l'incendie, hein ?

Oyun lui arracha l'iPhone des mains. Il sautilla sur un pied pour retrouver son équilibre et Solongo, qui était restée assise, l'agrippa par les fesses pour le retenir.

– Hey ! Maîtrise ta libido, grande sœur ! plaisanta le gosse.

– Ma libido ? D'où tu connais des mots comme ça, toi ?

– Arrêtez vos gamineries ! coupa Oyun, concentrée. Il est où ton Tatoué ?

– Là ! montra-t-il sans réussir à se pencher à cause de ses béquilles. Sur la gauche, le bras, on voit son tatouage dessus.

– Tu plaisantes, on ne voit presque rien !

– C'est son tatouage, je te dis. Un *soyombo* traditionnel mais avec leur croix machin au milieu. Regarde, on voit bien deux des branches cassées de la croix !

Le gosse avait raison. Elles pouvaient reconstituer dans leur tête le tatouage du symbole national avec la croix gammée à la place du Yin et du Yang.

– Qui te dit que c'est le type de l'incendie ? demanda Solongo. C'est peut-être la marque d'une bande ou d'un gang et ils sont peut-être plusieurs à porter ça.

– Ça ne change rien, murmura Oyun soudain perdue dans ses pensées. Lui ou un de sa bande, le type au tatouage faisait partie de l'enquête sur les Chinois, pas de celle sur la fillette. Ça confirme peut-être le lien entre les deux, mais ça embrouille l'enquête plus qu'autre chose !

– De toute façon ça confirme notre choix : le Tatoué est dans la nature, le Coréen est intouchable, ce n'est pas le moment de chercher des poux à Mickey, alors le seul cocotier à secouer pour espérer en faire tomber quelque chose, c'est cette buse d'Adolf.

– Tu peux compter sur moi, dit Oyun en se levant. Est-ce que pendant ce temps-là tu peux creuser la piste du Coréen, qu'on en sache un peu plus sur lui ? Essaye aussi de savoir qui est l'autre type qui pose avec eux.

– Je m'en occupe ! répondit Solongo en se levant à son tour pour la raccompagner jusqu'à la porte.

– À propos, dit Oyun en se retournant à la dernière minute, comment va Saraa ?

La voix de la jeune fille lui répondit de derrière le paravent :

– Saraa se demande pourquoi son taré de père a encore une fois disparu en abandonnant toutes ses femmes comme d'habitude, en les laissant dans la merde !

Oyun et Solongo échangèrent un regard inquiet et résigné. Dans la voix de Saraa pointaient à nouveau cette hargne et cette provocation qui la déchiraient de l'intérieur. Et les déchiraient elles aussi.

– Hey, je suis un mec, moi, et j'y suis aussi, dans la merde ! plaisanta Gantulga pour essayer de détendre l'atmosphère.

– Va boiter ailleurs, merdeux ! répliqua l'adolescente sans trace d'humour dans la voix.

Solongo haussa les épaules pour faire comprendre à Oyun qu'il n'y avait rien à faire et elle la suivit jusqu'à sa voiture.

– Il serait temps pour elle qu'il revienne ! dit-elle.

– Oui, répondit Oyun. Pour elle comme pour nous !

# 43

*... à voix basse*
*pour ne pas réveiller Saraa.*

— C'est quoi cette couleur ?

Solongo se retourna et vit Saraa debout derrière elle, enveloppée nue sans pudeur dans un voile transparent de soie verte. Quelque chose avait changé en elle. Dans le ton sec de sa voix et l'éclat sombre de son regard.

— Un ami m'a recommandé le vert pour mieux guérir tes brûlures, répondit Solongo d'une voix déjà résignée à l'affrontement.

— Et tu crois à ces conneries de charlatan ?

— Je crois à la sagesse et l'expérience des anciens, répondit la légiste en essayant d'être patiente.

— Parce que tu crois que les anciens sont sages ? Et quand l'autre vieux con nous abandonne encore une fois, c'est par sagesse, peut-être ?

— Ne parle pas comme ça de ton père. Il n'est pas parti, il a disparu. On ne sait pas ce qui a pu lui arriver !

— Tu parles, il s'est débiné et il attend juste de réapparaître en pauvre héros meurtri par le destin...

— Et ce n'est pas ce qu'il est ?

— Lui ? Tu plaisantes ! C'est un lâche qui se cache derrière son insigne plutôt que d'affronter la vraie vie. Il a laissé mourir Kushi plutôt que de renoncer à une enquête, il a laissé ma mère sombrer dans la folie plutôt que de rester auprès d'elle, et moi il m'a laissée m'enfoncer et me détruire sans jamais me tendre la main.

– C'est vrai que tu n'as besoin de personne pour te détruire, Saraa, et pour le reste, tu sais très bien que tu te mens à toi-même. C'est Erdenbat qui héberge ta mère et interdit à Yerul-delgger de l'approcher. Et personne n'a jamais su comment et pourquoi Kushi est morte !

– C'est ça, défends-le ! On en reparlera le jour où il te laissera tomber comme il l'a fait pour nous !

– Tu as raison ! approuva sèchement Solongo pour marquer la fin de la conversation. Nous en reparlerons ce jour-là, si ce jour arrive. Entre-temps je ne veux plus t'entendre parler de lui comme ça sous mon toit !

– Ne t'en fais pas, je vais foutre le camp d'ici vite fait.

– Ce n'est pas ce que je voulais dire !

– Mais moi, c'est très exactement ce que je veux dire ! répli-qua Saraa en retournant se coucher.

Solongo la regarda disparaître derrière le paravent et demeura quelques instants immobile, le regard triste et perdu. Puis elle se tourna à nouveau vers son ordinateur portable et se plongea dans ses recherches.

Park Kim Lee était un patronyme plutôt connu avec quarante-sept millions d'entrées sur le moteur de recherche, mais en quelques mots clés relatifs aux affaires, à la fortune et au business, Solongo élimina les acteurs, les joueurs de foot et autres quidams pour isoler quelques milliers de résultats seulement, avant de cliquer sur l'option image. Non seulement elle tomba dès la première page sur un portrait de celui qu'elle cherchait, mais deux rangées plus bas elle afficha la même photo que celle qui le montrait avec Mickey sur le quad. En cliquant sur la

légende, elle remonta sur le site des WKR qu'elle finit par identifier comme celui des Wild Korean Riders dont Park Kim Lee
semblait être le fondateur et le principal animateur. Le Coréen
avait quitté sept ans plus tôt la direction de la communication
du premier constructeur automobile de Corée, au plus fort de sa
cotation, en réalisant des millions de dollars de stock-options, et
il en avait profité pour créer sa propre agence de communication. Au pays de l'industrie, capitaliser sur les services lui avait
souri et il était aujourd'hui à la tête du premier groupe de médias
et de services coréen, le quatrième dans toute l'Asie. Il pesait
sept milliards de dollars, à trois milliards de dollars du principal
actionnaire de Samsung. Park Kim Lee s'était donné cinq ans
pour le rattraper et intégrer à sa place le centième rang des mil-
liardaires les plus riches du monde. Sans douter un seul instant
qu'à quarante-quatre ans seulement, il pouvait encore dans les
vingt ans à venir gagner quelques dizaines de places dans ce clas-
sement flatteur.

Ancien de l'industrie automobile, l'homme affichait aussi un
goût certain pour les sports mécaniques. Au hasard des sites et
des blogs, on le voyait chevaucher toutes sortes de bolides ter-
rifiants, sur terre comme sur mer, sur neige ou sur glace. Il avait
même à son actif des records idiots de départ arrêté, d'accélération, de force G au démarrage et autres trophées virils. Sinon il
avait le visage plutôt sympathique du golden boy asiatique à qui
tout réussit, et Solongo se demanda derrière quel sourire il cachait
les dents de requin qui seules permettent de se tailler une telle
fortune.

Elle rechercha d'autres sources pour percer au mieux son histoire personnelle et son ascension professionnelle, et réalisa que
tout, partout, était parfaitement cadré et calibré. On devinait très
vite la patte du communicant derrière chaque mot et chaque
image.

Elle revint alors au site des Wild Korean Riders et trouva le début de ce que son intuition la poussait à chercher. Park Kim Lee était par-dessus tout un mordu de quad et s'accordait chaque année deux semaines « hors du temps et des hommes », comme il aimait à dire, pour des raids sauvages dans des contrées inaccessibles où il aimait « braver l'interdit et défier le danger ».

Là encore le texte avait été passé au crible sémantique de l'autopromotion. Les qualificatifs ne s'appliquaient qu'à l'homme et rien ne permettait d'identifier ni les lieux ni les époques. Même les photos avaient été retravaillées sur Photoshop, et c'est pourtant ce qui mit Solongo sur la piste. Celle en compagnie de Mickey qui figurait sur les sites officiels avait été recadrée et retravaillée par rapport à l'image qu'Oyun lui avait montrée. L'épaule du Tatoué sur la gauche et le bras tendu avec la canette de bière avaient disparu, et le visage d'Adolf entre Mickey et Park Kim Lee avait été remplacé par un copier-coller de feuillages. Pourtant Solongo était certaine que cette photo apparaissait sur le mur du moteur de recherche. C'est donc qu'elle existait quelque part sur la Toile.

Après quelques minutes, elle remonta jusqu'à un lien qui ne menait pas au site des Wild Korean Riders, mais qui en parlait. En cliquant dessus, elle afficha un petit site de quelques pages à peine, dédié à un jeune homme apparemment décédé d'une méningite fulgurante contractée lors d'un voyage d'affaires en Chine du Sud. C'était l'autre Coréen de la photo, celui qui posait légèrement en retrait à côté de Park Kim Lee et de Mickey. Un site sobre et sans prétention, conçu par la mère du jeune homme disparu comme un petit temple bouddhiste où de fausses bougies en animation flash éclairaient un bouddha doré rieur et prospère. Quelques images en trois dimensions décoraient la page d'offrandes et de fleurs, et une autre animation faisait danser la fumée bleutée d'un bâton d'encens. Une seule photo apparaissait à l'écran, comme si le bouddha la tenait entre ses mains, sur ses genoux. Mais ce n'était que le portrait du jeune homme disparu et pas la photo que cherchait Solongo. Pourtant, si les liens l'avaient conduite du mur d'images à ce site, c'est que la photo s'y trouvait quelque part. Solongo chercha le moyen d'accéder à d'autres pages, mais il semblait bien que ce petit temple de prière soit la seule page du site.

C'est en balayant au hasard l'écran que Solongo vit la flèche de la souris se changer en petite main en passant sur le portrait du jeune homme. Elle cliqua par réflexe et déclencha un petit diaporama à l'emplacement de la photo. Les clichés montraient une famille heureuse et un être souriant, tour à tour bébé, étudiant, amoureux, sportif. Chaque fois s'inscrivait en dessous une courte légende réduite souvent à un nom, un prénom, un lieu, et toujours une date. Quand la photo qu'elle cherchait apparut, Solongo eut le temps de lire : « Wild Korean Riders, Khentii, Mongolie 2007. » Elle relança aussitôt le diaporama pour être certaine de bien avoir tout noté, puis demeura immobile, le regard perdu dans celui du jeune homme souriant et mort entre les bras du bouddha. Un jeune homme mort de maladie, mais qui avait connu Park Kim Lee et participé avec lui à un raid sauvage dans le Khentii. Un jeune homme dont la mère effondrée de chagrin n'avait pas retouché les photos, permettant à Solongo de situer Park Kim Lee sur son quad dans le Khentii à la date supposée de l'accident ayant provoqué la mort de la fillette…

Après de longues minutes, elle sortit doucement de ses pensées et téléphona à Oyun à voix basse pour ne pas réveiller Saraa.

# 44

## Les sauvages n'étaient plus
## ce qu'ils étaient...

Le téléphone sonna à nouveau. Cette fois les deux enfants étaient bel et bien réveillés et le bébé pleurait.

– Pour l'amour de Dieu, tu ne peux pas répondre, Batnaran ? Tu vas finir par réveiller tout le quartier ! gémit la femme encore alourdie par le sommeil et assaillie par les enfants grognons.

Elle se redressa de mauvaise grâce pour s'adosser au mur, tira le bébé hurleur contre son sein lourd et brun et lui enfourna son gros téton mauve dans la bouche pour le réduire au silence. Le nourrisson s'étrangla dans un pleur gourmand puis téta goulûment la jeune femme qui se frottait les yeux pour ne pas retomber dans son sommeil.

– Comme si c'était de ma faute ! protesta l'homme en enjambant tous les corps avachis de sommeil sur les matelas à même le sol. J'en sais rien de qui appelle, moi ! C'est pour toi si ça se trouve !

– Ne discute pas et réponds, je t'en prie !

– C'est bon, c'est bon, j'y vais ! s'emporta l'homme.

Il fouilla dans les poches de ses vêtements éparpillés pour trouver son portable.

– Allô ? Qui c'est ? Oyun ? Quelle Oyun ? Ah, cette Oyun-là ! Dis donc, qu'est-ce que tu veux ? Tu as vu l'heure qu'il est ?

Je m'en fous de tes excuses, tu m'as réveillé toute la marmaille, et ma femme en plus !

– C'est qui cette Oyun ?

– Quoi ? Urgent ? Tu ne m'as pas appelé depuis deux ans et là c'est urgent ? Qu'est-ce que c'est que ces conneries à deux heures du mat ?

– Batnaran, c'est qui cette Oyun, hein ?

– Des raids à travers le Khentii ? Qu'est-ce que ça peut te foutre s'il y a des raids à travers le Khentii, tu es garde forestière maintenant ? Oui, je sais que tu es flic, mais tu m'emmerdes quand même avec tes questions à deux heures du mat.

– Dis donc, Batnaran, c'est qui cette poule qui t'appelle à deux heures du mat ?

– Ah ! Fais pas chier, toi ! Non, pas toi, elle, ma femme, celle que tu as réveillée... Bon, tu veux savoir quoi exactement ? Oui, il y a des raids sauvages organisés à travers le Khentii... Bien sûr que je sais que c'est un parc national protégé, tu me prends pour qui ? J'y travaille, moi, au Khentii !... Eh bien parce que c'est organisé pour de riches étrangers par des riches de chez nous très puissants, c'est pas compliqué à comprendre !

– Hey, tu lui dis de raccrocher à ta poule, tu m'entends ? Tu pourrais demander à tes putes de ne pas t'appeler devant les enfants !

– C'est pas une pute, c'est une flic ! Tu veux que je l'invite à prendre le thé chez nous ? s'énerva Batnaran. Dis-lui que tu es une flic, pas une pute.

Il tendit son portable contre l'oreille de la femme, qui détourna la tête d'un mouvement si brusque que le bébé en perdit le téton. Elle ressaisit son sein à pleine main pour le lui fourrer à nouveau dans la bouche d'un geste excédé.

– Je suis flic, madame, je ne suis pas une des putes de Batnaran..., expliqua Oyun d'un ton qu'elle voulut le plus désolé et le plus compatissant possible.

– Oui, c'est bon, c'est moi, dit Batnaran qui avait repris le téléphone. De toute façon elle ne veut pas t'écouter. Bon, voilà, et après lâche-moi, d'accord ? Des raids il y en a au moins un chaque année dans le Khentii. Ils débarquent de Russie après une première nouba sur le Baïkal et descendent jusqu'à Oulan-Bator. Ils ont des guides de chez nous et sont protégés par du très haut et très lourd, si tu vois ce que je veux dire... Ah, tu ne vois pas ? Eh bien du genre tellement haut que je ne cherche même pas à savoir qui c'est ! Ils déboulent comme des fêlés avec tout leur attirail et en général ils repartent en laissant tout sur place. C'est comme ça que les guides et les autres se payent... Bien sûr en quads ! En quads ou en motos, avec quoi d'autre crois-tu pouvoir traverser le Khentii ?... Hein ? Quoi ? Comment ça, quand ? D'après toi, pourquoi on nous a tous mis en congé pour la semaine à venir ? Bien sûr que c'est maintenant. C'est toujours à cette période... Attends, attends... Tu ne veux pas lui foutre quelque chose dans la bouche qu'il la ferme, non ? dit-il en s'adressant à sa femme.

La femme s'était levée en jurant contre Oyun. Elle faisait maintenant les cent pas dans la petite pièce et secouait le bébé qui pleurait et ne voulait plus téter.

– Bon, écoute, y en a marre, je vais raccrocher parce que c'est l'enfer ici, tu piges ? C'est loin de ma yourte bucolique dans le parc, si tu vois ce que je veux dire. Alors, oui, ils doivent être quelque part en train d'arriver, parce que généralement ils s'arrangent pour terminer leur raid par une grande fiesta pendant le *Naadam*, à Oulan-Bator ou chez un gros ponte bourré de fric. Ça te va ?

– Oui, répondit Oyun, merci, et désolé de t'avoir réveillé comme ça...

– Ouais, tu parles, après deux ans, ça surprend... Dis-moi, à propos, tu viens toujours camper du côté de... ?

Oyun avait raccroché. Elle resta quelques instants à essayer d'imaginer la scène à l'autre bout du fil, cet homme qu'elle avait vu nu et qui l'avait prise sauvagement dans et hors de sa yourte perdue au cœur du Khentii. Peut-être était-il encore fort et rude comme le bûcheron aux muscles noueux qu'il était, mais quelle déception de l'entendre ainsi. Les sauvages n'étaient plus ce qu'ils étaient...

# 45

*Tout est compliqué, toujours !*

La salle pleine du Nid d'Aigle bruissait d'une agitation plus sauvage et plus électrique que d'habitude. À part quelques couples de touristes égarés et encore surpris de leur audace d'oser dîner sous le portrait d'Hitler, la plupart des clients étrangers affichaient une fierté provocante d'être servis aux yeux de tous par des hommes portant l'uniforme noir de la Waffen SS. Depuis la rue, Gantulga repéra la bande des habitués. Ils semblaient plus nombreux et plus festifs que d'habitude. Ce qui ne le fit en rien renoncer à son plan, et les premiers Chinois de passage en âge de courir assez vite allaient faire son affaire. Mais comme il ne passait aucun Chinois dans le quartier depuis plus d'une demi-heure, Gantulga se rabattit sur deux étudiants japonais qui cherchaient leur chemin dans un guide et eurent la mauvaise idée de lui demander de l'aide.

Sans leur laisser le temps de réagir, Gantulga brandit une de ses béquilles et frappa le plus grand des deux étudiants en hurlant des insultes contre les Chinois et toute leur race. Ils ne comprirent rien à ce qui leur arrivait et n'osèrent pas se défendre contre un gamin avec une jambe et un bras dans le plâtre. Gantulga en profita, hurlant de plus en plus fort des insultes racistes, rameutant le quartier, prenant les « bons Mongols » à témoin, appelant au secours, à l'aide, et bientôt les clients du Nid d'Aigle alertés par un serveur se précipitèrent pour l'aider.

— *Run away, run away now !* siffla alors Gantulga aux deux Japonais médusés dans son mauvais anglais. *They gonna kill you ! They gonna kill you ! Run now, don't stop ! Now !*

Les deux Japonais marquèrent un temps d'hésitation, le temps de décrypter l'anglais d'urgence de Gantulga. Mais *kill you* associé à l'image de la foule furieuse qui se précipitait vers eux déclencha le déclic de la panique. Ils détalèrent en silence et Gantulga en profita aussitôt pour rouler à terre en hurlant et en envoyant valdinguer ses béquilles. La moitié de la meute s'arrêta pour lui porter secours et les autres se lancèrent à la poursuite de ses prétendus agresseurs.

Quand ils revinrent au Nid d'Aigle, excités mais bredouilles, on était aux petits soins pour Gantulga. Il était installé à une table dont on avait chassé un couple de touristes italiens en maillots de la Lazio. Sa jambe plâtrée bien à l'horizontale sur la chaise d'en face, il buvait une bière en acceptant les compliments des habitués.

— Ces fumiers de Chinois ont refusé de me donner un dollar pour manger ! Ces cons croyaient que je leur demandais l'aumône ! Moi je ne leur demande rien aux Chinois, je leur prends. Je suis mongol, moi, ici tout est à moi, rien n'est à eux et tout ce qu'ils ont, ils nous l'ont volé !

— Bien dit, petit frère ! Tu as raison, tu as bien fait ! Tous des putains de voleurs !

— Moi je dors dans les égouts et eux ils vivent dans des villas alors qu'ils ne sont même pas chez eux ! Est-ce que c'est normal, ça ?

— Non, ils n'ont rien à foutre ici. Ils ne sont là que pour nous ruiner !

— Moi, avant de vivre dans les égouts, je vivais sur la terre de nos ancêtres, du côté d'Oyu Tolgoi, et vous savez ce que c'est maintenant, nos steppes ? Une mine chinoise de cuivre à ciel ouvert ! Ils volent même les entrailles de notre terre ! C'est une honte ! Il faudra bien un jour qu'on les chasse tous de chez nous, qu'ils rentrent chez eux vivre dans leur crasse ! Ou bien qu'on leur coupe les couilles comme à ceux du journal, voilà ce qu'il faut leur faire !

— Bien parlé, petit frère ! T'es un vrai Mongol, toi ! Un vrai petit-fils de Gengis Khan. Tu es ici chez toi !

— Ouais, il est ici chez lui !

— Tu ne vivras plus dans les égouts !

— Il n'a qu'à venir avec nous !

— Oui, qu'il reste ici !

— Tu fais partie du clan, maintenant !

— Ouais, c'est ça, tu es notre mascotte !

— Comment tu t'appelles ?

— Gantulga.

— Cœur d'Acier ? Ça te va bien !

— À Cœur d'Acier ! hurla quelqu'un en brandissant une bière.

— À Cœur d'Acier ! hurla la foule en trinquant en l'honneur de Gantulga.

— Tu sais quoi, Cœur d'Acier ? Demain tu viens avec nous. Hey, les gars, demain on emmène la mascotte au ranch avec nous ! Tu vas voir, petit frère, deux ou trois jours entre mecs, avec de la bière, de la vodka et une piste de quad d'enfer, ça va te plaire !

— C'est loin ? Je pourrai y aller avec ma jambe ?

— À deux heures à peine, sur la Selbe, au nord. On y va en quad, tu verras.

— Des quads coréens ?

— Non, non, les coréens, c'est pour le ranch là-haut. Nous, ici, on a des gros quads américains, petit frère, qu'est-ce que tu crois ? Tu vas voyager avec moi comme dans un fauteuil !

– Et on y va tous ? demanda Gantulga en forçant son air ravi.

– Pas tous d'un coup, mais on va s'y retrouver par petits groupes dans la nuit et Adolf nous y rejoindra plus tard.

– Pourquoi il n'est pas là ? Il est où ?

– Ah ça, petit frère, c'est pas tes oignons. Adolf, il est parti comme chaque année faire un peu de business et tu n'as à savoir ni où ni comment. Mais rassure-toi, il va revenir plein aux as et ça va être la grosse fiesta !

Tard dans la nuit, Gantulga quitta le Nid d'Aigle où l'ambiance virait à la beuverie en prétextant des médicaments à prendre pour sa jambe. Il demanda la permission d'utiliser un téléphone et quelqu'un lui tendit son portable, puis il sortit du restaurant pour téléphoner tranquille en pestant contre le bruit.

Oyun décrocha et le garçon lui demanda si elle pouvait le récupérer en voiture. Elle voulut protester contre l'heure indécente, mais il la coupa d'un ton sans appel en lui expliquant qu'il avait passé la soirée au Nid d'Aigle et qu'il avait des informations qui méritaient qu'elle se bouge un peu.

– Hey, reste poli, tu veux ? répondit-elle de mauvaise humeur.

– Qu'est-ce qui t'arrive, je te dérange ? T'es pas toute seule ?

– Qu'est-ce que ça peut te faire, morveux ? Occupe-toi de tes affaires.

– Bah, excuse-moi, surjoua le gamin, j'ai toujours eu tendance à être jaloux de mes petites poulettes, moi !

Il réussit à la faire rire et ils se donnèrent rendez-vous sur le parking du restaurant Havana, au carrefour de Seoul Street et de Peace Avenue.

– Hey, Gantulga, tu m'appelles d'où ?

– Du portable d'un des gars.

– N'oublie pas d'effacer mon numéro, alors !

– Bien, chef !

Gantulga raccrocha puis pianota sur l'écran du portable pour revenir à la fonction appel et effacer le numéro d'Oyun de la liste des numéros sortants.

– Qu'est-ce que tu fous, petit frère ?

Le garçon sursauta et son cœur manqua un battement. Le gars qui lui avait prêté le portable était penché par-dessus son épaule.

– Qu'est-ce que tu fouilles dans mon portable ?

– Attends, je fouille pas, j'efface le numéro que je viens d'appeler.

– Tu l'effaces ? demanda le type d'un ton suspicieux. On peut savoir pourquoi ?

– Excuse-moi, mec, surjoua à nouveau Gantulga pris de court, mais j'ai un peu tendance à être jaloux de mes petites poulettes, moi !

Le gars était moins vif qu'Oyun. Il resta immobile sans comprendre et força Gantulga à préciser.

– Oh, grand frère, tu crois vraiment que j'appelais mon infirmière en pleine nuit pour qu'elle soigne ma guibole ? insista Gantulga d'un air complice en agrippant à pleine main son sexe à travers son pantalon. Si tu veux savoir, c'est pas ma jambe dont j'ai besoin qu'elle s'occupe, et ça tombe bien, parce qu'elle n'est pas infirmière justement, si tu vois ce que je veux dire !

L'autre resta encore quelques secondes avant de percuter, puis explosa de rire. Il reprit son téléphone en secouant la tête et retourna dans le restaurant pour raconter à la cantonade que le gamin avec sa patte folle était parti s'envoyer en l'air.

L'anecdote ne fit pas rire Oyun. Elle était furieuse que Gantulga ait pris autant de risques, mais le gamin s'en offusqua brusquement.

– Dis donc, partenaire, c'est quand même une bonne info, leur virée en quad, non ? C'est pas toi qui cherches partout des quads coréens ? Et qui t'en dégote une dizaine bien au chaud dans un ranch à deux heures d'ici ? C'est quand même moi, non ?

– Oui, mais tu n'es pas flic, Gantulga, et ces types-là ne sont pas des anges ! Avec Yeruldelgger introuvable dans la nature, tout ça devient trop dangereux pour toi, tu as compris ? Alors je vais te déposer chez Solongo et tu n'en bouges plus, d'accord ?

– Et toi, qu'est-ce que tu vas faire ?

– Gantulga, je viens de te dire de laisser tomber cette affaire !

– Oui, mais je peux quand même m'inquiéter pour toi, non ?

– Oui, tu peux, mais ce n'est pas la peine, parce que je ne sais pas encore moi-même ce que je vais faire.

– Alors pourquoi tu ne restes pas avec nous chez Solongo ?

– Parce que... parce qu'il faut bien que je fasse quelque chose !

– Hum... c'est compliqué ton truc.

– Oui, Gantulga, c'est compliqué. Tout est compliqué, toujours !

# 46

*... dans un long sommeil tiède
et apaisé.*

Cette nuit-là, Solongo se réveilla en sueur sous le choc d'un
rêve étrange. Elle flottait haut au-dessus du pays et pourtant ce
n'était pas elle. Elle habitait l'esprit de celui qui planait comme
un aigle et elle savait qui c'était, sans jamais réussir à le voir ni
à lui donner un nom. Elle volait en lui au-dessus des vallées et
des bois, et elle savait que c'était le Khentii. Elle et lui glissaient
au-dessus de prairies immenses, moirées de reflets bleus et déchi-
rées de forêts sombres. La houle d'herbes folles les faisait tan-
guer, et soudain ils étaient là à frôler le sol en rase-mottes, quand
la terre s'ouvrit devant eux sur une vallée verdoyante dans
laquelle ils plongèrent. Un serpent d'argent brillait dans les herbes
luisantes et se transforma en une rivière bondissante et joyeuse.
L'homme était là, juste en dessous d'eux, à genoux près de
l'onde, immobile et heureux. Il avait relevé la manche de son
*deel* sur son bras nu et pensait à celles qu'il aimait en surveillant
le couple de carpes qui perdaient leurs écailles dans un trou d'eau
froide et sans rides. L'homme dont elle ne voyait toujours pas
le visage comptait, en riant de bonheur, les écailles qui dérivaient,
et à la quatre-vingt-unième, il plongea dans l'eau de cristal son
bras tendu comme un bec de héron. La rivière se cabra et
s'enroula à son bras et, le cœur palpitant de peur et de colère,

l'homme le tira avec violence hors du nœud de vipères furieuses. Il était en sang, du coude jusqu'à son poing qui étranglait une poupée effrayée. Tout ruisselait de sang, la poupée, son bras et la rivière qui débordait et inondait les berges où trempaient ses genoux. Alors l'homme leva au ciel un visage sans regard, brandit la poupée en hurlant, et un aigle s'abattit sur elle et lui déchira les yeux, puis plongea son bec acéré dans la gorge de l'enfant dont le long cri muet tétanisa l'homme en pleurs. Et ses larmes devinrent une nuée de corbeaux qui plongèrent à leur tour leurs becs noirs dans la gorge de l'enfant et l'empêchèrent de pleurer en le dévorant de l'intérieur. Solongo habitait maintenant l'âme de cet homme terrorisé de voir le chiffon dépérir, à regarder l'enfant se déliter en lambeaux et devenir poussière dans sa propre gorge et tout, tout devint noir subitement. Un vent de terre descendit en bise oblique de la gauche du ciel et l'homme qu'elle était levait au ciel ses yeux aveuglés de poussière, quand de l'autre côté des cieux s'abattit sur lui une pluie de sang brûlante et visqueuse qui transforma tout le paysage en collines de cendres. Un lac déborda, emportant la steppe dans ses eaux, et la terre se mit à trembler. L'homme en pleurs, le cœur distendu d'un chagrin sans fond, courut vers le haut de la colline en portant une femme déchirée dans ses bras. Derrière lui la steppe s'effondrait dans des gouffres de charbon irradiés de pépites froides. Plus il avançait, s'enfonçant dans une boue noire jusqu'aux genoux à chaque pas, plus la colline devant lui devenait une montagne noire infranchissable dont il semblait ne jamais pouvoir atteindre le sommet pour se réfugier de l'effondrement qui le poursuivait. Puis la terre s'ouvrit en deux devant lui et de la faille jaillit une harde de grands cerfs marals dont les bois acérés de poignards s'entrechoquaient dans un vacarme métallique. Ils fracassèrent de leurs sabots la rocaille qui crépita comme une mitraille tout autour de leur galop et transperça d'éclats brillants l'homme qui s'enfonçait

dans la terre à chaque pas et hurlait de découragement. Puis surgirent des loups au regard fou qui couraient devant les cerfs haineux et leur ouvraient le chemin. Soudain la petite fille rieuse
fut entre leurs pattes. Elle s'amusait de leur course meurtrière
qui grondait et qui, petit à petit, provoqua en elle une terreur
éperdue. Un homme couvert de quatre-vingt-une écailles surgit
alors, brandissant un orbe royal dans sa main à quatre doigts. Il
percuta l'enfant, trébucha, et laissa échapper le globe qui roula
sous la meute et devint un ballon rouge et bleu après lequel courut
la petite fille qui riait à nouveau sous les pleurs de rage et de
désespoir de l'homme, dont la femme déchirée se décomposait
en lambeaux dans le vent violent du galop. Les loups ne couraient
plus devant les cerfs, c'étaient quatre chevaux sans queue maintenant, qui passaient et repassaient en regardant vers Solongo de
leurs yeux fous. Quand la petite fille rattrapa le ballon et le serra
contre elle en se blottissant de peur pour se protéger des sabots
qui la piétinaient, son corps se flétrit aussitôt et devint de la vermine. Des vers sortirent de sa bouche quand elle vomit de la
terre en essayant de rattraper son tricycle rose qui lui échappa
et dévala la pente pour fracasser la poitrine de l'homme planté
dans la boue. Il ne put éviter le choc et se protégea le visage du
corps de la femme morte qui se brisa contre ses dents et l'étouffa
d'une poussière acide. À la seconde où le choc l'emporta,
l'homme devint Yeruldelgger et il tenait dans ses bras sa petite
Kushi adorable qui riait et croyait que tout ça n'était qu'un jeu.
Elle admirait à son cou un collier de dix-sept dents de dinosaure
et son rire résonna contre le ciel devenu pur et bleu comme un
bloc de cristal menthe. Quand elle lui échappa, Yeruldelgger
tomba à la renverse et vit le monde basculer au ralenti tout autour
de lui. Juste avant de s'assommer, il aperçut un ours qui mangeait
à même le ventre de la femme. Il ouvrit les yeux à nouveau,
troublé par cette sensation identique à celle du début du rêve,

mais à l'envers. Il flottait en dessous du ciel qui tanguait et un berger vêtu d'une peau d'ours lui tendait la main pour qu'il se relève. Mais les doigts du berger étaient prolongés de griffes qui s'enfoncèrent dans la chair des bras de Yeruldelgger pour le forcer à regarder son troupeau de loups déchiqueter son enfant. Kushi hurlait et l'appelait à son secours sans comprendre. Yeruldelgger arracha son bras aux griffes du berger et chassa les loups en hurlant d'une rage terrorisée, mais Kushi n'était plus là. Il ne restait que la poupée dans une mare de sang où se reflétaient la lune et une étoile. Ce fut le hurlement de désespoir de Yeruldelgger qui tira Solongo de son cauchemar...

Elle se redressa sur son lit, comme un automate mû par un ressort trop bandé, le corps mouillé de terreur, et enfouit son visage dans ses mains le temps de reprendre son souffle. Avant même qu'elle les écarte à nouveau, elle eut l'impression étrange d'être seule dans la yourte et pourtant pénétrée d'un regard d'une pureté infinie. Enfant déjà, par deux fois, Solongo avait ressenti cette même émotion. Une nuit de fièvre, après sa brûlure, et un soir au crépuscule, quand sa mère était morte à des milliers de kilomètres d'elle.

Elle ouvrit les yeux et vit le moine, assis au pied de son lit, qui la regardait avec une bienveillance lumineuse.

– Ce n'était pas ton rêve, petite sœur, expliqua-t-il d'une voix à peine audible qui glissa dans le cœur de Solongo comme un souffle tiède d'été au crépuscule.

– Je sais, répondit-elle apaisée, et je sais qui me l'envoie.

– Personne ne te l'envoie. Les rêves n'appartiennent ni à ceux qui les font ni à ceux qui les lisent. Ils sont juste un lien invisible entre les âmes et les cœurs.

– Je sais, répéta Solongo en souriant. Ils disent ce qui se cache en nous.

– Ou en ceux que nous aimons, compléta le moine. Celui qui cache en lui tous ces tourments souffre beaucoup.

– Il est vivant ?

– La réponse dépend de toi, petite sœur. Crois-tu qu'il soit assez fort ?

– Oui, répondit Solongo, convaincue, je le crois.

– Alors tout dépend de ce qu'il fera de ce rêve ou de ce que tu pourras l'aider à en faire. Ferme les yeux à présent, petite sœur, et ne me regarde pas partir.

Solongo ferma les yeux comme l'image du moine le lui avait demandé. Elle écouta longtemps son cœur battre doucement et revenir à elle. Quand elle ouvrit les yeux à nouveau, l'image du moine n'était plus là. Elle leva la tête vers la grande ouverture centrale au sommet de la yourte. Le trou dessinait un rond de nuit constellé d'étoiles par lequel elle se plut à imaginer, sans y croire, que l'esprit du moine s'était envolé.

Elle avait maintenant la certitude que Yeruldelgger était vivant quelque part, et protégé par l'esprit des moines. Elle savait aussi qu'elle était seule dans la yourte, ce qui signifiait que Gantulga et Saraa étaient partis pendant la nuit. Elle ne chercha pas à le vérifier. Solongo croyait aux esprits. À ces liens qui se tissent entre des êtres distants. Elle ne croyait ni aux superstitions ni aux sciences divinatoires. Juste au mystère de ces connexions encore inexpliquées entre ce qui est en nous et ce que nous ignorons. Beaucoup d'images de son cauchemar lui parlaient déjà, dont elle savait qu'elle trouverait facilement le sens. Seule l'image de la steppe qui se creusait et s'effondrait derrière l'homme portant la femme morte l'intriguait. La terre éventrée, et le collier de dents au cou de Kushi. Pourquoi dix-sept ? Pourquoi l'inconscient de Yeruldelgger voulait-il attirer son attention sur ce nombre précis ?

Mais la sérénité du moine, même s'il n'avait été qu'une illusion, glissait déjà en elle comme un miel chaud. Elle s'allongea sur le dos, le regard dans les étoiles par le toit ouvert de la yourte, et se laissa aller dans un long sommeil tiède et apaisé.

# 47

*... faire rire la bande*
*et se faire pardonner par Oyun.*

Oyun n'avait pas beaucoup dormi. La veille au soir, après avoir déposé Gantulga chez Solongo et bavardé un peu avec elle à voix basse, dans le jardin, pour lui avouer son inquiétude au sujet de Yeruldelgger, elle était repartie avec son vieux Cube vers le sud jusqu'à Peace Avenue. Elle s'était ensuite engagée vers l'est sur la route de Nalayh, puis avait bifurqué vers le nord dès la sortie de la ville en direction de Shiligeen, sur la route du Terelj. Oulan-Bator se prolongeait en fait jusque-là et elle s'arrêta deux kilomètres à peine après la bifurcation, juste en face de l'ancienne base militaire russe du dixième district. Son plus jeune frère habitait là avec sa femme et ses trois enfants, dans un quartier de yourtes cloisonné de palissades en bois décolorées par le gel et le soleil. Oyun avait toujours la tristesse au cœur quand elle découvrait la yourte sur son minuscule lopin de terre, claquemurée entre ses palissades. La tente traditionnelle de feutre et de bois semblait recluse et triste dans son enclos comme un animal dans un mauvais zoo. La yourte est la fille des steppes, se disait-elle, personne ne devrait l'enfermer ainsi. De quelle illusion de grand départ et de joyeux vagabondages se berçaient encore ceux qui s'y terraient, cloués à jamais dans la capitale dans l'unique espoir d'y survivre ?

Selon la tradition, Oyun avait apporté un cadeau utile et sa belle-sœur lui servit un thé salé gras et chaud à souhait. Puis la jeune inspectrice dit qu'elle était venue pour le quad et son frère l'accompagna à l'extérieur. L'engin était caché sous une bâche, et son frère dit que c'était à cause des gosses, pour qu'ils ne jouent pas dessus. Oyun comprit en le regardant qu'il n'osait pas avouer que c'était à cause des voleurs, et qu'il avait honte de ce qu'était devenu l'esprit des steppes dans ce quartier de pauvres. Elle comprenait, et même si la machine était la sienne et que son frère ne faisait que la garder pour elle, elle demanda la permission de l'emprunter quelques jours. Elle proposa en échange de laisser le Cube à son frère pendant son absence. Une demi-heure plus tard, elle partait en chevauchant le quad pendant que sa belle-sœur, malgré son jeune âge et le quartier pourri, aspergeait les quatre horizons de quelques gouttes de lait pour bénir et protéger son voyage.

Oyun ne rentra pas chez elle. Elle retourna jusqu'au centre de la ville puis bifurqua vers le nord en longeant la rivière Selbe. Trois kilomètres après avoir quitté le douzième district nord, elle s'arrêta au Sukhbataar Ambulatoire, un petit hôtel où elle avait réservé une chambre, juste en face du Kindergarten 109, dans un quartier où les isbas à la russe commençaient à remplacer les yourtes traditionnelles.

La chambre était encore à la mode soviétique et Oyun se demanda quelle clientèle improbable permettait à un hôtel comme celui-là de survivre. Il était trop tard pour chercher la réponse parmi les pensionnaires, tout le monde dormait déjà, même le gardien de nuit qui n'était autre que le propriétaire. Il se réveilla de mauvaise grâce et bougonna quelque chose d'incompréhensible quand elle lui demanda de s'assurer que son quad ne risquait rien. Puis Oyun prit les clés et gagna la petite chambre du deuxième étage. Elle puait le renfermé, la vieille literie et le tabac froid.

Par la fenêtre, dans la lumière glauque de quelques néons épars, Oyun observa un instant cette banlieue plate et sans âme où les yourtes, dans les arrière-cours, ne servaient plus que de réserves ou d'ateliers. Elle regretta de ne pas avoir prévu de thé chaud dans une thermos et se laissa tomber sur le lit. Le sommier craqua et le matelas s'affaissa sans rebondir. Elle retira son arme de sa ceinture et la posa à portée de main sur la table de nuit branlante, à côté de son portable.

Il était deux heures du matin. Elle espérait pouvoir dormir au moins quatre ou cinq heures avant que son indic ne la prévienne du départ des quads de la bande du Nid d'Aigle. Elle croisa les mains derrière sa nuque et essaya de s'endormir sans penser à Yeruldelgger.

Elle se réveilla le lendemain matin sans qu'on l'ait appelée. Dans le matin sale, la chambre lui parut plus misérable encore. Elle se dirigea vers la fenêtre et souleva le rideau gris pour jeter un coup d'œil dehors. À part le cœur nouveau d'Oulan-Bator et la perfection infinie des steppes et des montagnes, Oyun se demandait souvent pourquoi sa belle Mongolie semblait aussi délabrée. Partout, quand elle traversait les banlieues et les villages, elle ressentait cette impression étrange d'un abandon résigné. Comme si le quotidien des gens, dans ce pays immense et magnifique, s'étriquait dans un présent rabougri avec pour seule ambition de survivre aux jours qui passent. Elle ne savait dire si le pays de l'intérieur était un chantier à l'abandon, ou une construction en décomposition. Et elle gardait toujours ce sentiment étrange d'un passé et d'un futur sans vie qui laissaient les pauvres gens dans un présent sans ambition, fait de petits espoirs quotidiens. Ou de petits désespoirs...

Il n'y avait rien de prévu pour le petit déjeuner. L'homme de l'hôtel, le même qu'elle avait réveillé dans la nuit et qui dormait sur un sofa dans ce qui servait de hall d'entrée, lui indiqua de mauvaise grâce le chemin du monastère de Dambadarjaalin autour duquel elle trouverait des gargotes pour prendre un thé salé chaud et des beignets frits. Oyun s'y rendit en quad. Elle n'avait jamais visité ce temple dont elle avait souvent entendu parler. Une fondation portait son nom, qui militait à travers tout le pays pour le renouveau de l'art religieux traditionnel.

Elle arriva par l'angle sud-est de la grande enceinte. L'entrée principale, qui s'inscrivait au sud dans la perspective du temple, n'était plus utilisée. Elle longea le mur jusqu'à la porte est ouverte aux visiteurs, mais ne trouva aucun endroit pour se restaurer. Elle fit demi-tour pour revenir au carrefour, à l'angle du mur d'enceinte où elle avait remarqué quelques échoppes. Trois ou quatre pièges à touristes bariolés de réclames et de panneaux publicitaires avec, devant une des boutiques, une petite terrasse de trois tables sous des parasols Coca-Cola. Oyun se gara juste contre une des tables et s'assit en regardant un gros car luxueux bondé de touristes chinois blasés et arrogants s'approcher en se dandinant sur l'asphalte défait.

– Qu'est-ce que tu veux ?

La femme sans âge et sans forme était aimable comme une marâtre.

– Un thé au beurre, du pain, de la crème et de la confiture de myrtilles.

– Tu te crois où ?

– En Mongolie, non ?

– Je n'ai pas ça !

– Ah bon ? Et tu as quoi ?

– Des cornets de glace, des barres chocolatées, et des sodas.

– C'est pas un menu pour un petit déjeuner ça !

– C'est tout ce que j'ai.

– Ça m'étonnerait. Tu as pris quoi, toi, à ton petit déjeuner ?

– Du thé salé, du pain, de la crème et de la confiture de myrtilles.

– Ah, tu vois !

– Oui, mais ça, c'est pour moi, pas pour toi.

– Pourquoi ? Parce que je suis une touriste ?

– Non, parce que tu voyages avec ça ! dit la femme en désignant d'un geste sec et méprisant du menton le véhicule d'Oyun.

– À cause de mon quad ?

– À cause de toute ta bande de voyous. Vous voir ici, ce n'est
jamais bon pour le commerce.

Oyun se redressa, soudain intéressée, et laissa tomber le ton
ironique et détaché avec lequel elle avait choisi d'affronter la
femme.

– Je n'appartiens à aucune bande, dit-elle en souriant. Je
voyage seule. De quels voyous parles-tu ?

– De cette bande de loups qui monte plusieurs fois par an un
peu plus au nord dans leur camp et qui s'amuse à terroriser tout
le monde.

– Tu les connais ?

– Oui. Ils font ce qu'ils veulent quand ils débarquent quelque
part. L'an dernier ils ont tabassé mon mari. Quand il est allé se
plaindre à la police, il s'est fait tabasser par la police. Ils sont
intouchables et ils ne respectent même pas le temple.

– Écoute, je n'ai rien à voir avec eux et j'ai faim. Sois gentille,
prépare-moi ce que je t'ai demandé. Si tu veux je le mangerai à
l'intérieur pour ne pas que les touristes le voient. Je vais essayer
de parler à quelqu'un dans le temple. Je reviens vite. Je laisse
mon quad ici, d'accord ?

La femme ne répondit pas, mais Oyun comprit qu'elle accep-
tait. La jeune inspectrice se leva et se dirigea vers l'entrée du
temple. Au milieu du grand parc d'herbe rase et d'arbres desséchés, elle coupa entre les quatre petits pavillons traditionnels

plantés comme des sentinelles, avant de rejoindre le grand et haut bâtiment blanc en U, au jardin intérieur jauni et barré d'un monumental portique à colonnades. Sous le portique, elle avisa un novice à qui elle demanda de parler à un moine responsable. Elle attendit quelques instants, puis un homme sans âge la rejoignit sans presser le pas.

— Je voulais vous demander ce que vous savez de la bande de motards qui, semble-t-il, terrorise les gens de la région.

— Que voulez-vous savoir ?

— On dit qu'ils ne respectent pas le temple, c'est vrai ?

— C'est vrai. Ils créent des chahuts, se moquent des novices et les poursuivent quand ils les rencontrent à l'extérieur, ils renversent les offrandes dans les jardins, et l'été dernier ils ont écrit des slogans sur le mur nord, là où il n'y a pas de porte.

— Quel genre de slogans ? demanda Oyun en cheminant aux côtés du vieux moine.

— Des slogans à la gloire de la Mongolie éternelle, des appels au grand Gengis Khan, qu'ils appellent le Guide, des symboles chamaniques, des têtes de loup, des cerfs et des aigles...

— Mais pourquoi s'en prendre à vous, au temple ? Vous êtes le symbole du renouveau de la religion nationale, non ?

— Par pour eux, mon enfant, pas pour eux. À leurs yeux, le bouddhisme, par sa non-violence, est une faiblesse. Ils nous reprochent d'avoir affaibli la ferveur guerrière nationale, d'être à l'origine de la décadence de l'empire du Khan, et de nous être laissés exterminer par les communistes sans résister par les armes. Pour eux, nous sommes les ennemis de l'intérieur.

Oyun aimait bien les moines pour ce qu'ils représentaient de lien avec le passé. Elle savait aussi ce réseau si particulier qu'ils entretenaient à travers le pays, non seulement entre les temples mais aussi entre les familles des novices et des élèves qu'ils accueillaient.

– On dit qu'une bande se regroupe de temps en temps plus au nord. Vous savez où ils se retrouvent ?

– Oui. On parle d'un camp dans la forêt à vingt kilomètres d'ici, du côté de Sanzai, près de la source de la Selbe. À dix kilomètres d'ici, quand la route du nord bifurque vers l'ouest dans un village, face à un petit bâtiment vert, continue tout droit par la piste jusqu'à perdre de vue la Selbe sur ta gauche. Leur camp sera là, quelque part sur ta droite, à un kilomètre ou deux dans les bois.

– Merci, dit Oyun en prenant congé du moine avec respect.

– Tu es bien jeune et jolie pour une policière, dit-il alors d'un petit air malicieux.

– Vous êtes bien observateur et dragueur pour un moine, répondit-elle en souriant.

Elle quitta le parc par la porte sud, pour profiter de la perspective du temple en se retournant, et s'en alla déjeuner chez la femme de la terrasse qui l'accueillit chez elle, dans une arrière-boutique chaotique et encombrée. Elle se régala d'une grosse tartine de pain frais abondamment couverte d'une épaisse couche de crème de lait de yack, elle-même surmontée de confiture de myrtilles brillante et sucrée à souhait. Puis elle but son thé, prit congé de la femme en la payant généreusement, enfourcha son quad et reprit la route jusqu'à l'embranchement qui rattrapait la route du nord.

Elle y arrivait quand son téléphone sonna. L'écran afficha le nom d'un de ses indics et elle s'arrêta pour répondre.

– Ils viennent de partir. Une douzaine, sur huit quads.

– OK, merci.

– Attends, un groupe est parti plus tôt ce matin, à ce que j'ai entendu dire. Je ne sais pas combien ils étaient. Je n'étais pas encore en planque.

– D'accord.

– Oyun, je ne pouvais pas savoir...

– OK, OK, je comprends, ne t'en fais pas, ce n'est pas un problème.

– Tu es sûre ?

– Je suis sûre. Je raccroche, il faut que j'y aille.

Elle réfléchit à la situation avant de repartir. Si le groupe était parti tôt ce matin, il était peut-être déjà arrivé. Il avait dû passer pendant qu'elle était au temple ou qu'elle prenait son petit déjeuner. De toute façon, ça ne changeait rien à ses plans. Elle prit la route du nord jusqu'à la bifurcation qu'avait indiquée le moine. Elle repéra la maison verte et la route obliquait bien vers l'ouest sur sa gauche alors qu'une mauvaise piste en terre continuait tout droit vers Sanzai.

Par sécurité cependant, elle choisit de les attendre avant l'embranchement pour être sûre de ne pas les manquer. Elle revint en arrière pour repérer un bon endroit, puis fit demi-tour pour remonter à nouveau vers le nord. Vingt mètres avant l'embranchement, elle s'arrêta sur la droite à hauteur d'une grosse datcha au toit bleu. L'endroit était parfait.

Elle descendit de son quad, s'agenouilla près de la roue arrière gauche, et la dégonfla. Pendant qu'elle attendait l'arrivée de la bande, elle dut refuser l'aide de trois ivrognes du coin qui s'étaient refilé le mot d'une belle fille en panne devant la datcha bleue.

Les motards arrivèrent une heure plus tard. Ils roulaient en groupe, tous phares allumés malgré le jour, cheveux au vent, dans un tourbillon de poussière. Elle bondit sur ses pieds et, du plus loin qu'elle put, se mit à bondir sur place en agitant les bras dans une gesticulation désespérée. Une jeune femme avec un quad, ils ne pouvaient pas ne pas la remarquer. Une minute plus tard, ils l'entouraient dans le vacarme des moteurs et les moqueries sexistes. Elle choisit de les ignorer et de ne s'adresser qu'à celui qui semblait être le chef de la meute. Elle lui expliqua qu'elle avait crevé à l'arrière et qu'elle n'avait pas de quoi réparer. Le type se moqua de son Kymco Green Line 400MXU. Une chinoiserie de gonzesse bonne à tondre le gazon !

— Attends, c'est toi sur ton tracteur yankee qui te fous de moi ? le provoqua Oyun.

— Tu plaisantes, petite sœur ! T'as jamais vu un Artic Cat de ta vie ou quoi ?

— Tu parles d'un « chat » ! Un veau, oui ! Dis-moi où tu vas, et je t'attendrai à la porte. T'auras peut-être droit à une bise si t'arrives pas trop tard !

L'arrogance d'Oyun titilla l'hilarité machiste du groupe. Certains prenaient déjà des paris, donnant la jeune femme gagnante pour provoquer l'autre. Vexé mais faisant bonne figure, il tira une bombe anticrevaison d'une sacoche et la jeta à Oyun, qui la rattrapa avec calme et provocation.

— Répare ta roue et essaye de nous suivre si tu peux, dit-il en redémarrant.

— Dis-moi quand même où c'est, des fois que je sois obligée de t'attendre.

— Tout droit vers le nord. Un grand mur en travers de la route à la sortie de Sanzai. On ne t'attendra pas plus d'une heure !

Le groupe redémarra dans une pétarade de moteurs et de rires moqueurs. Oyun regonfla sa roue avec sa propre bombe anticrevaison et se lança aussitôt à leur poursuite. Elle fut sur eux en quelques minutes. Son Kymco chinois avait la même puissance de vingt chevaux que l'Arctic Cat, mais il rendait cinquante kilos aux trois cent trente du quad américain. Cet avantage, ajouté à la différence de poids entre Oyun et le gros nazi gonflé à la bière et aux beignets frits, ne laissait aucune chance au pauvre type. Il vit la jeune femme le dépasser et le distancer sans pouvoir réagir, sous les moqueries de sa bande. Sans compter qu'elle leur apparut à tous comme un pilote à respecter.

Trois kilomètres plus loin, Oyun atteignit une sorte de muret qui semblait barrer la route. Elle prit garde toutefois de ne pas afficher trop d'avance. Quand ils la rejoignirent, la bande observa un silence prudent en attendant la réaction du chef. Elle n'était pas descendue de son quad, pour ne pas l'humilier inutilement, et n'avait pas coupé le contact pour pouvoir réagir en toute circonstance. Il approcha son quad du sien, sans couper le contact non plus.

– Pas mal. Suis-nous. Là où on va, on pourra se mesurer sur les mêmes bécanes et on verra bien alors qui est le meilleur pilote.

– Pas des grosses amerloques lourdingues, j'espère !

– Non, répondit l'autre, des coréennes. Rien que des coréennes.

Bingo ! se félicita mentalement Oyun en faisant signe au motard qu'elle rentrait dans le rang pour le suivre.

Le mur était une longue palissade qui barrait inexplicablement le paysage et à travers lequel la piste passait comme par un portail. Le groupe s'y engagea et continua vers le nord en montant encore un bon kilomètre jusqu'à rejoindre un court chemin de terre qui s'enfonçait dans la forêt sur la droite. Trente mètres plus loin ils débouchèrent dans une grande clairière. Cinq quads étaient déjà garés près de l'entrée. Sur la gauche, Oyun remarqua deux longs baraquements en bois qui dominaient la clairière en pente douce. Un des bâtiments était aveugle comme un grand hangar ou un établi. L'autre ressemblait de l'extérieur à une sorte de réfectoire. De l'autre côté, sous les arbres, elle aperçut quatre petits chalets tout simples derrière une yourte montée sur une dalle en béton. Partout elle nota des traces profondes qui convergeaient vers ce qui lui sembla être le début d'un circuit tout-terrain pour les quads.

Au milieu de la clairière, autour d'un grand feu de bois, des hommes buvaient de la bière. Ils se levèrent pour saluer les nouveaux arrivants comme des guerriers victorieux accueillent l'arrière-garde d'une confrérie. Un tronc de mélèze avait été tronçonné en quatre morceaux qui servaient de bancs. Quand Oyun contourna le feu pour satisfaire à la curiosité de tous et qu'elle l'aperçut, elle fit mine de trébucher pour camoufler sa panique.

– Hey, frangine, fais gaffe ! Ne va pas te casser une guibole comme Cœur d'Acier...

– Cœur d'Acier ? Vous appelez Cœur d'Asier un petit trou du cul comme ça ? répliqua Oyun en fusillant du regard Gantulga, appuyé sur ses béquilles, les plâtres décorés de croix gammées.

– Hey, doucement avec notre mascotte, frangine. Ce môme-là, il a déjà cabossé du Chinois. C'est un des nôtres !

– Tu parles ! lâcha-t-elle en essayant de se remettre de sa surprise. Les mômes, c'est pas mon truc. Compte pas sur moi pour lui changer ses couches ! Montre-moi plutôt tes bécanes !

Le type entraîna Oyun vers le baraquement aveugle en riant. Pendant qu'il lui parlait des quads qu'elle allait voir, elle essaya de saisir la nouvelle situation. La présence de Gantulga, à moitié infirme, changeait tous ses plans. Enfin, changeait la situation, parce que des plans, elle n'en avait pas échafaudé beaucoup en cherchant à s'introduire dans le camp. À part compter sur la chance et tomber sur le bon quad.

– Hey, Cœur d'Acier, on va faire une petite compète avec la dame. Prépare une bière pour le vainqueur !

– Et une bière pour la dame, une ! hurla Gantulga pour faire rire la bande et se faire pardonner par Oyun.

# 48

*Il était seul dans la nuit
depuis longtemps.*

— Tu l'as appris, mais tu l'as oublié, dit soudain le *Nerguii*
d'une voix étrange et sereine, à peine perceptible dans les ombres
de la nuit qui glissaient des collines boisées vers le cœur sombre
de la clairière. Les rêves sont un langage. Ils ne sont ni divinatoires ni prémonitoires. Ils ne font qu'essayer de te dire ce que
tu n'oses encore t'avouer. Tout ce qui fait ton rêve est déjà en
toi. Il est fait de détails enfouis, d'intuitions fugaces, de déduc-
tions refoulées, qu'il te restitue dans une logique autre que celle
de ta pensée. Tu l'as appris et tu l'as oublié, mais tu as compris
son premier message, je l'espère. Tu as renoué avec ton animal
totem. Tu es redevenu l'aigle doré aux ailes marbrées que tu étais
parmi nous. C'est lui qui te porte au-dessus de la steppe au début
de ton rêve et c'est bon signe. Il survole la steppe, il embrasse
le problème, et cela marque ta volonté de chercher à comprendre…

Yeruldelgger était assis face à eux, au cœur de la clairière où
ils entraînaient leurs corps à l'endurance, à la force et à la souffrance. Il était assis à croupetons, comme la tradition et le respect
l'exigent envers les moines, devant les cinq petits rochers d'équilibre sur lesquels étaient assis les novices, face à lui. Il avait le
souvenir très précis des exercices et des entraînements qu'il avait

appris à endurer sur ces pierres usées. Le *Nerguii* était assis sur sa gauche, un peu en retrait dans la pénombre, à mi-chemin entre les novices et lui. Il s'était tu.

– L'homme du début de ton rêve est double, expliqua le premier novice dans un murmure. Nos traditions font de la rivière le symbole de la femme et de la mère. L'homme qui regarde en paix le couple de carpes dans l'eau claire est un père. La rivière joyeuse évoque une femme heureuse, et l'homme, à genoux près d'elle, un compagnon aimant. La poupée est encore leur seul enfant. Mais l'homme qui pénètre cette femme-rivière d'un bras tendu et ensanglanté n'est pas le même homme. Il y a dans cette image le symbole du viol et du meurtre. Ton rêve ne lui donne pas de visage pour en faire un inconnu qui tue. Il est inconnu pour toi, et tu penses qu'il est inconnu pour le père et sa famille, ou plus exactement qu'il leur est étranger. C'est ce que tu penses et que ton rêve te pousse à formuler...

– Dans toute l'Asie, continua le deuxième novice, les carpes fécondent la légende des dragons. Les dragons d'Occident sont des créatures terrestres qui crachent le feu, mais tous les dragons d'Orient sont des créatures aquatiques. C'est toujours la carpe sacrée qui leur donne ses écailles pour les protéger et c'est pour cette raison qu'elle apparaît dans ton rêve. Le dragon aux quatre-vingt-une écailles est le dragon coréen. Tout ton rêve cherche à attirer ton attention sur ce pays. Quand ton rêve appelle un vent de terre qui descend de la gauche vers la droite, puis une pluie de sang brûlant qui s'abat de la droite vers la gauche, il te donne comme indices les trigrammes du drapeau du pays du matin calme : Kun, le ciel, en haut à gauche, et Kon, la terre, en bas à droite, et dans l'autre diagonale Kam, l'eau, en haut à droite, et Yi, le feu, en bas à gauche. Voilà ce que veut te dire ton rêve. Seul en Asie le dragon coréen est représenté avec un orbe royal dans sa patte à quatre griffes. Et quand l'orbe tombe, ton rêve en fait un ballon rouge et bleu comme le Yin et le Yang au cœur du drapeau coréen. Au fond de toi tu as l'intuition juste qu'un homme puissant, car il est vêtu d'une armure, venu de Corée, a provoqué la mort de la petite fille.

– Il l'a provoqué au cours d'une furieuse cavalcade, enchaîna la voix du troisième novice noyée dans la nuit descendue. Les cerfs qui jaillissent de la forêt sont tous de grands mâles. Une harde entière de grands mâles sauvages qui fracassent la montagne de leurs sabots et qui pourtant ne fuient pas les loups. Les loups courent devant eux au contraire. Dans ton rêve, l'homme en armure appartient aux cerfs, pas aux loups. On peut penser que les cerfs sont tous coréens, et que les loups leur ouvrent le chemin pour leur grande cavalcade. Dans nos rêves, les loups représentent toujours des bandes d'individus unis, forts et sauvages. Craints des populations. Difficile de comprendre ce que ton rêve cherche à te dire, mais un détail doit retenir ton attention. Ton rêve transforme les loups en quatre chevaux sans queue et ce n'est pas innocent. Quand les hordes de Gengis Khan déferlaient sur le monde, les cavaliers suivaient l'étendard de l'empereur : une flamme blanche ourlée d'or et surmontée d'un trident doré orné de quatre queues de chevaux blancs pour symboliser les quatre points cardinaux sur lesquels s'étendait son royaume. Dans ton rêve, les loups ne sont pas coréens, ils sont mongols et fiers de l'être.

– Pour toi, continua la voix du quatrième novice qui avait disparu dans la nuit noire, la petite fille a été renversée par la cavalcade virile d'une bande de Coréens guidés par des Mongols. À partir de l'armure et des cerfs, on peut penser que tu imagines les Coréens riches et puissants, et à partir des loups, les Mongols plutôt sauvages et nationalistes. C'est l'idée que tu as en toi. Tu portes aussi en toi l'idée que les parents de la petite fille sont morts eux aussi, mais curieusement ni au même endroit, ni de la même façon, ni de la même main. L'ours qui les tue n'apparaît dans ton rêve que pour les tuer. Il n'a semble-t-il de rapport ni avec les cerfs ni avec les loups et il disparaît aussitôt de ton rêve. Mais pour toi, il n'est pas innocent pour autant. C'est lui qui fait le lien avec ta propre histoire et la mort de ton enfant. C'est par lui qu'apparaît Kushi, et sa peau fait le lien avec le personnage du berger.

– Le berger, dans un rêve, n'est pas le pâtre innocent, reprit la voix du dernier novice. Le berger, c'est le guide, le chef, celui qui dirige. Dans ton rêve, il commande aux loups, ceux-là mêmes qui ouvrent le chemin aux Coréens. C'est quelqu'un d'assez proche de toi pour te tenir par le bras, et d'assez cruel pour te le déchirer. C'est quelqu'un qui t'a forcé à regarder mourir Kushi. Le rapport qu'établit ton rêve entre la petite fille et Kushi n'est pas dû au hasard. Il démontre ce que tu penses au fond de toi et que tu n'as pas encore réussi à formuler. Il existe un lien entre la mort de Kushi et celle de la petite fille, et ce lien, c'est le berger. Si tu connais un Turc, alors trouve-le, car ton rêve te dit que c'est lui. En 1071, à la bataille de Manzikert en Arménie, les troupes du sultan l'emportèrent sur celles de l'armée de Byzance. Quand il parcourut le champ de bataille parmi les morts, à la nuit tombée après les combats, le sultan aurait aperçu le reflet de la lune et de l'étoile du berger dans une mare de sang. L'image lui aurait inspiré le dessin du drapeau turc. Ton berger est un Turc, un homme de grand pouvoir, et il n'est étranger ni à la mort de la fillette ni à celle de ta propre enfant. C'est ce que dit ton rêve…

Un long silence se figea dans la nuit. Yeruldelgger attendit la suite des explications. Tout ce que les voix des novices avaient porté dans la nuit avait un sens. Il savait que tout remontait de lui. Il n'y avait rien de nouveau, sinon que désormais les choses étaient dites. Mais pour le reste ?

– Est-ce que le nombre dix-sept a un sens ? demanda-t-il enfin dans la nuit noire. Pourquoi est-ce que je cherche, par mon rêve, à attirer mon attention sur ce nombre ? Et pourquoi tout ce fracas de la terre, sous les sabots des cerfs ? Pourquoi est-ce que la terre s'ouvre sur ses entrailles au début de mon rêve, et pourquoi l'homme et moi nous nous y enlisons ?

La nuit était si noire que Yeruldelgger ne distinguait plus le ciel obscur de l'ombre profonde des arbres. Aucune étoile, aucun reflet de lune. Il eut soudain l'impression de flotter dans un abîme de ténèbres. Au-delà de la clairière s'étendaient les forêts immenses jusqu'aux montagnes et aux lacs, aux steppes, et au-delà encore jusqu'à d'autres pays et d'autres océans ténébreux et jusqu'au monde entier au cœur d'un univers vide et sidéral. Il lui sembla que lui seul vivait encore dans ce grand néant. Il était pourtant prêt à rester seul dans l'univers éteint si c'était le prix à payer pour les réponses qu'il attendait. Mais aucune voix ne résonna dans la nuit. Aucun murmure. Aucun mot. Et soudain le froid et la fatigue lui piquèrent les reins.

– *Nerguii* ?

Yeruldelgger ne reçut aucune réponse. Il était seul dans la nuit depuis longtemps.

# 49

*... en finissant les bouteilles éparses.*

— Qu'est-ce que tu fiches ici ? s'énerva Oyun.

— Et toi, partenaire ? Tu ne m'as même pas dit que tu venais !

— Moi je fais mon boulot, et si tu fais tout capoter, on est mal, toi et moi !

Oyun rentrait de deux heures de tout-terrain à travers les terres du ranch. Quatre autres types s'étaient joints à elle et à celui qui se prenait pour le chef. Elle avait bien pris garde de ne jamais les distancer. Elle s'était tout juste forcée à rester à la deuxième place, quel que soit le premier, pour susciter leur admiration sans les humilier. À son retour, elle avait sifflé Gantulga comme on siffle un larbin pour qu'il vienne l'aider.

— Si tu veux savoir où sont les quads coréens, il y en a plein le hangar, murmura le gamin d'un air complice pour se faire pardonner.

— Non, quelle surprise ! se moqua Oyun. Et d'après toi, ce quad coréen que je chevauche depuis deux heures, il vient d'où ?

— Mais non, ce que je veux dire, c'est qu'ils font l'aller-retour d'Oulan-Bator en quads américains, mais qu'ils laissent toujours les coréens ici, dans le hangar.

— Whaou ! se moqua encore Oyun. Et tu en déduis quoi ?

— Ben je sais pas... Tu ne trouves pas ça bizarre, toi ?

– Pourquoi bizarre ? Ils friment avec du gros lourd américain et ils crapahutent avec du petit nerveux coréen, ça me semble dans l'ordre des choses, non ?

Elle jeta un coup d'œil discret autour d'elle. Deux ou trois types les regardaient du coin de l'œil. Elle jeta un chiffon à Gantulga en lui demandant de faire au moins semblant de briquer son engin.

– Ce que j'aimerais savoir d'abord, en fait, c'est d'où viennent ces quads coréens.

– Fallait le dire ! Les quads, c'est Adolf qui les ramène. C'est pour ça qu'il n'est pas là aujourd'hui. Il est parti en récupérer de nouveaux dans le Khentii.

– Comment tu sais ça, toi ?

– Hey, attends, moi je suis Cœur d'Acier, leur mascotte. On dit tout à sa mascotte !

– Et qu'est-ce que tu sais d'autre ?

– Pas grand-chose. Un autre groupe doit arriver ce soir, et peut-être plus tard dans la nuit, leur big chef.

– Adolf ?

– Non. Adolf, je t'ai dit qu'il était dans le Khentii. Le big chef, plus big qu'Adolf...

Oyun allait répondre quand un des motards surgit derrière eux, deux canettes à la main.

– Hey, Cœur d'Acier, y a qu'une femme dans tout le ranch, alors t'imagine pas qu'on va te la laisser, mon pote ! Une petite bière, ma belle ?

À voir ses chicots, Oyun se dit qu'il devait les décapsuler avec les dents. S'ils se mettaient tous à boire, ils risquaient de devenir vite lourds. D'un autre côté, elle voyait mal comment elle pourrait empêcher une bande de motards en week-end de se saouler. Mais comme elle avait entendu Yeruldelgger le dire, la seule façon de maîtriser une rivière trop rapide, c'était de pagayer plus vite que le courant. Alors...

— T'as pas plus fort qu'une bière, Bambi ?

— Bien sûr que si ma biche, mais ça, c'est pour la grande fiesta de ce soir !

— Eh bien alors, tu te la mets sous le bras et tu attends ce soir !

Toute la journée, Oyun essaya de garder la juste distance avec la troupe qui s'alcoolisait de plus en plus. Elle était la seule femme au milieu d'une vingtaine de motards fachos au quotient intellectuel de mollusque. Elle ne devait rien sous-estimer. Ni la violence brutale qu'elle devinait en chacun d'eux, ni l'effet de bande qui pouvait d'un seul coup déclencher leur hystérie collective, ni leur machisme primaire, ni peut-être l'esprit retors et pervers de prédateur solitaire de n'importe lequel d'entre eux. Autant qu'elle le put, elle les poussa à boire plus et plus vite pour les voir tomber ivres morts avant l'arrivée du reste de la troupe. Elle ne voulait surtout pas leur laisser la maîtrise de leur ivresse.

Gantulga comprit aussitôt ses intentions et se mit à jouer les cantinières. Il avait mis la main sur des bouteilles de mauvaise vodka et passait d'un type à l'autre en servant de longues rasades à même leurs gorges grandes ouvertes. Il jouait de sa gloire de mascotte, de sa petite gueule d'ange futé et de ses béquilles pour les défier de boire toujours plus, et ça marchait.

De son côté, Oyun profitait de chaque défi au quad pour prendre la piste et s'éloigner du groupe. À chaque retour, Gantulga allait vers elle comme pour l'aider, et Oyun faisait semblant d'avaler une longue rasade de vodka à même la bouteille. Gantulga se montrait très à son aise dans toute cette comédie, et Oyun sentit à nouveau une grande affection pour ce môme.

— Pourquoi tu es venue ici, Oyun ? s'inquiéta-t-il. J'aurais pu te rapporter toutes les informations que tu cherches, tu sais !

— Ah oui ? répondit-elle, en le battant toujours un peu froid pour ne pas risquer de trahir aux yeux des autres le lien qui les unissait. Et comment j'aurais pu savoir que tu serais là, tête de marmotte ?

– Bon, d'accord, j'aurais dû te prévenir, mais maintenant qu'on est là tous les deux, je peux t'aider, non ? Tu cherches quoi exactement ?

– Je cherche un quad coréen, mais pas n'importe lequel. Un modèle 2007. Tu te souviens, le fameux ZHST250-KS ? dit-elle en affichant discrètement la photo du quad sur son iPhone.

– Ils sont presque tous dehors, mais je n'ai rien vu qui ressemble à ton ZHS machinchose. Sinon il en reste quelques-uns dans l'atelier, je crois...

– Alors c'est ceux-là que je veux voir.

– Pas de problème, mais il faut patienter un peu. On ira ce soir, quand ils seront tous ivres morts. Avec ce que je leur sers, ça ne devrait pas tarder.

Gantulga affichait un aplomb incroyable. Oyun se demanda s'il mesurait vraiment les risques qu'ils prenaient. Elle sentait que la situation pouvait dégénérer de façon dramatique à n'importe quel moment avec cette bande de soûlards, et l'avenir allait lui donner raison.

Il y eut pourtant un instant de grâce, au crépuscule, quand une ombre mauve coula sur la région de Sanzai. Les collines érodées et douces ondulèrent dans le couchant, plantées de pins et de mélèzes bleus espacés, et parsemées de vastes prairies argentées immobiles. Le ciel, au-dessus du camp, s'enflamma de rose et de pourpre, courut en longues traînées obliques de petits nuages violets. Le feu de bois embrasait le centre de la clairière et chacun écoutait descendre le soir dans le crépitement des flammes et le sifflement des braises.

La troupe s'était regroupée, un peu sonnée par l'alcool et les courses en quad à travers les bois, par l'ivresse de ces étendues immenses et magnifiques aussi, et le sentiment grisant que par-

delà chaque horizon s'étendait encore le même pays fier et beau
jusqu'aux confins d'autres mondes. La plupart des hommes
étaient étendus à même le sol. Un ou deux s'étaient assis sur les
troncs. Puis un des motards se mit à chanter et ce ne fut ni un
chant guerrier ni une chanson à boire. L'homme au faciès de
brute s'était redressé, assis en tailleur face au feu, le torse fier
et droit pour dégager sa gorge et sa poitrine. Il entonna les yeux
fermés un chant diphonique traditionnel, dont la mélopée magique
toucha le cœur de chacun dans le crépuscule. Deux mélodies dans
la même voix, l'une de gorge, rauque et basse, longue, sourde,
solide, comme les steppes immenses et millénaires, et l'autre de
tête, sinueuse, ondulée, changeante, comme le galop des chevaux
libres dans l'herbe affolée par les vents.

Oyun se laissa prendre par la beauté du chant. Gantulga s'était
blotti contre elle, les autres s'étaient tus, plus personne ne buvait,
chacun écoutait avec émotion cette incantation à la beauté du
monde...

Puis quelqu'un hurla que les autres arrivaient et le charme fut
aussitôt rompu par un tumulte de vivats et de bouteilles entre-
choquées. Quelques instants plus tard, une petite troupe de
motards rejoignit la clairière. Cinq hommes montés sur trois
engins, accueillis comme des frères d'armes, et qui s'enquirent
aussitôt de la présence de la jeune femme. Celui qui jusqu'ici
avait tenu le rôle du meneur la présenta à celui qui guidait les
nouveaux arrivants. L'autre prit aussitôt l'ascendant sur le groupe
et Oyun se demanda s'il était le fameux chef qu'ils attendaient.

Il marqua tout de suite son hostilité envers elle. Ce camp était
un repaire de mecs, pas un salon de thé pour femelles. On lui
expliqua qu'Oyun s'était révélée une pilote hors pair et qu'elle
avait donné du fil à retordre à la plupart des gars. Il répondit
que ceux qui perdaient leur temps et leurs forces à se mesurer à
une femme n'étaient qu'une bande de pédales chinoises. Puis le

nouveau chef ignora Oyun pour attirer virilement dans ses bras Gantulga, la nouvelle mascotte du gang.

Derrière lui, deux des nouveaux ne quittaient pas la jeune femme des yeux et elle comprit que la situation venait soudain de changer à son désavantage. Tous ses efforts de la journée pour s'intégrer au groupe étaient balayés par l'arrivée des nouveaux motards. Comme la nuit était là maintenant, elle ne pouvait plus faire la démonstration de ses talents de pilote pour les amadouer. Elle était tout à coup redevenue une simple femme au milieu d'un gang de motards avinés et machos. Elle décida de faire profil bas et de se faire oublier en laissant les hommes parler entre eux sans les interrompre ni poser de questions.

Sa stratégie finit par porter ses fruits. Autour du feu, l'alcool et l'obscurité aidant, les langues se délièrent. Oyun apprit bientôt qu'Adolf, le patron du Nid d'Aigle et le chef présumé de tout ce petit groupe de néonazis, était parti pour son voyage annuel dans le Khentii et qu'il allait bientôt en revenir avec quelques nouveaux quads. Quelqu'un parla aussi d'un camp de l'Ours où il avait accompagné Adolf une année, et de gamines apeurées qu'il y avait baisées avec des Coréens. Un autre confirma, et plusieurs plaisantèrent sur la chance qu'avait Adolf d'y retourner chaque année.

Oyun enregistrait tout dans sa mémoire. Les noms et les dates. Elle restait assise, jambes repliées, tête dans les genoux, comme ivre ou fatiguée, mais concentrée sur les informations qu'elle récoltait. Elles complétaient une bonne partie du puzzle qui l'obsédait depuis la disparition de Yeruldelgger. Un vrai lien matériel commençait à s'établir entre cette bande de fachos et la mort de la fillette. Un lien qui passait par le Khentii, par Adolf, par des quads coréens, et par ce camp de l'Ours dont elle ne savait encore pas grand-chose.

Oyun releva la tête en faisant mine de boire une longue rasade de vodka à la bouteille. Le feu claquait ses flammes jaunes contre le ciel obscur. Quand une branche s'affaissait dans la fournaise, des panaches de comètes incandescentes s'enroulaient en volutes et montaient rejoindre les étoiles. Tout autour de la clairière, le feu faisait danser les ombres démesurées des hommes immobiles.

Comme elle s'essuyait les lèvres d'un revers de la main, en exagérant son geste d'ivrogne, Oyun aperçut un des deux motards qui l'avaient dévisagée à leur arrivée. Il la fixait encore. Elle leva sa bouteille vers lui, comme pour trinquer à distance, puis laissa retomber sa tête contre ses genoux comme si elle était déjà bien trop ivre. À nouveau elle se força à écouter les autres. Elle reconnut la voix de Gantulga qui continuait, imperturbable et joyeux, sa mission de saouler les hommes au plus vite. Puis elle entendit quelqu'un parler de la venue du chef, plus tard dans la nuit, et pour la première fois la peur instilla en elle son adrénaline. Elle ne put résister à l'envie de vérifier l'état de la troupe pour évaluer la situation, mais dès qu'elle releva la tête, ses yeux se plantèrent dans ceux de l'homme qui l'observait toujours. Elle essaya de donner le change en alourdissant son regard, puis fit mine de ne même plus réussir à lever la bouteille à bout de bras. Mais celui de l'homme ne laissait aucun doute : il n'avait pas envie de trinquer avec elle.

Oyun reposa la tête sur ses genoux. Pour la première fois elle se concentra sur ce qui pourrait arriver plutôt que sur ce qui se disait. Elle retraça dans sa tête la géographie des lieux et écha-fauda des plans de fuite au cas où la situation prendrait mauvaise tournure. Elle avait envisagé que des types un peu lourds pour-raient laisser traîner sur elle des mains baladeuses et était venue sans arme pour ne pas se faire repérer. En cas d'urgence, il fau-drait faire sans ! Mais quel que soit le repli qu'elle imaginait, elle restait seule contre une vingtaine d'hommes. À part l'hypothèse d'atteindre un quad, de le faire démarrer avant d'être rattrapée et d'échapper dans la nuit à une meute de motards, elle ne voyait pas d'issue très optimiste pour elle si la situation dégénérait.

Elle réalisa soudain que quelque chose avait changé autour du feu. Elle se concentra à nouveau sur la conversation et son cœur manqua un battement quand elle comprit qu'ils parlaient d'elle. Elle ne releva pas tout de suite la tête, cherchant à comprendre avant de réagir.

– Holà, voilà Galsan qui craque, les mecs !

– Depuis le temps qu'il la reluque, il a déjà dû faire son affaire dans son froc !

– Hey, Galsan, tu cherches à te faire briquer le moulin à prière ?

Oyun releva la tête. Tous les hommes s'étaient redressés, et celui qui la fixait depuis son arrivée s'était levé et s'avançait vers elle. Elle se dit que s'il la touchait, s'il avait le moindre geste déplacé, elle l'aspergerait de vodka, se laisserait rouler sur le dos et le projeterait dans le feu avec ses pieds pour l'envoyer brûler en enfer. Transformé en torche humaine, il provoquerait sûrement quelques secondes de panique qu'elle pourrait mettre à profit pour fuir.

Elle le regarda marcher sous les allusions salaces et moqueuses de toute la bande. Elle comprit un quart de seconde trop tard qu'il n'en voulait pas à son corps. Sans hésiter et sans un mot, il la transperça d'un regard haineux et lui asséna un coup de poing qui lui éclata la pommette et l'envoya rouler hors du cercle de lumière.

– C'est un flic ! hurla-t-il. Cette salope est un flic ! Elle était dans le tunnel quand on a voulu faire son affaire à la fille de l'autre flic !

Oyun essaya de se redresser pour se défendre, mais le sang qui coulait dans ses yeux la gênait pour apprécier la situation.

L'homme s'acharna aussitôt contre elle à coups de pied et elle roula sur elle-même pour éviter d'être touchée à la tête ou au ventre. La bande s'était levée comme un seul homme et plusieurs motards essayèrent de retenir son agresseur. Pour l'instant elle avait pu éviter le pire. Elle se recroquevilla en position de protection jusqu'à ce que les coups cessent, puis se redressa en restant assise par terre.

— Il est fêlé, votre pote ! maugréa-t-elle en essuyant du plat de la main le sang et les larmes sur son visage, préférant jouer la fille ivre qui ne comprend pas, plutôt que la victime innocente qui se rebiffe.

— T'es flic ou pas ? demanda celui qui avait repris le rôle du chef.

— Est-ce que j'ai une tête de flic ? le provoqua-t-elle.

— C'est quoi une tête de flic ?

— Qu'est-ce que j'en sais, moi ? Demande à l'autre énervé là, il a l'air de savoir. Peut-être bien que c'est lui qui fréquente la flicaille d'un peu trop près !

— Pourquoi il dit qu'il t'a vue dans le tunnel ? Tu y étais ?

— Vous êtes tous dingues ou quoi ? Qu'est-ce que tu veux que j'aille foutre dans les tunnels ? Ça pue et il n'y a que de la misère là-dedans. D'ailleurs qu'est-ce qu'il va y faire, lui, dans les tunnels : se piquer ou se branler ?

Un court instant, Oyun crut avoir retourné la situation à son avantage. Elle aperçut plusieurs visages hilares se moquer de celui qui l'avait frappée. Même le chef, après avoir hésité, esquissait un sourire. Mais une autre voix mit fin à ses espoirs.

— Galsan a raison, c'est un flic. Moi aussi je l'ai vue quand le Tatoué a mis le feu à la planque et à son appart. Elle enquêtait avec l'autre flic, le père de la môme à Adolf.

— Tu dis n'importe quoi ! coupa Gantulga. Moi aussi j'étais là-bas le soir des incendies. J'y habite, là-bas, et j'ai jamais vu cette fille !

– Tu rigoles ou quoi ? Je te connais, toi, je t'ai déjà vu avec la bande des mômes du coin. Souviens-toi, ce soir-là tu faisais même la manche. Tu as essayé de lui soutirer une pièce. Même que tu es revenu plusieurs fois à la charge et elle t'a rembarré !

– C'était pas elle, je la reconnaîtrais !

– Je te dis que c'est elle. J'en suis sûr, c'est un flic, les mecs, vous pouvez me croire !

– Putain de flic ! hurla une voix dans la nuit.

Oyun chercha aussitôt à se relever pour s'enfuir, mais un coup de botte la cueillit au menton. Elle retomba sur le dos et sa nuque cogna contre le sol. À moitié sonnée, du sang plein la bouche, elle sentit qu'on lui empoignait les pieds et qu'on la tirait dans la lumière du feu. Elle essaya de se débattre mais un coup de pied au foie la tétanisa. Avant qu'elle ne surmonte la douleur, des mains s'étaient saisies des siennes pour l'écarteler pendant que d'autres arrachaient son blouson et ses vêtements. Elle sentit ses seins jaillir hors du tissu déchiré. Quelqu'un en empoigna un de toutes ses forces pendant qu'une bouche avinée lui mordait l'autre jusqu'au sang. Elle hurla et se cabra pour se dégager, mais un homme s'agenouilla sur ses bras et l'immobilisa tandis qu'un autre, assis de tout son poids sur sa poitrine, se défouailla et chercha à forcer son sexe dans sa bouche. Un autre lui broya les mâchoires entre ses mains pour la forcer à garder sa bouche ouverte. Elle réussit à libérer une de ses jambes et frappa l'homme à califourchon sur elle d'un grand coup de genou dans le dos. Il s'affaissa sur elle et son sexe s'enfonça dans sa gorge. Oyun s'étrangla et vomit toute sa mauvaise vodka entre le ventre gras de son violeur et son visage ensanglanté. Dès qu'il retrouva son équilibre, souillé de sang et de vomissures, le type se redressa et l'assomma de deux coups de poing. À moitié inconsciente, elle devina alors que des mains déchiraient son jean et sa culotte, et la colère, plus que la peur, la submergea. Ceux qui la retenaient, écœurés par le vomi, avaient un peu relâché leur prise. Elle dégagea ses bras, et dans un violent mouvement du buste se redressa et fracassa d'un coup de tête le nez de celui qui était sur elle. Il bascula sur le côté, sonné pour le compte, dans un flot de sang chaud qui ruissela sur Oyun. Mais déjà d'autres mains la plaquaient au sol et elle vit devant elle, écartelées en l'air par d'autres types, ses jambes nues et son sexe offert à celui du chef de la bande.

Gantulga était tétanisé. Tout avait dégénéré si vite. Tout avait basculé dans l'horreur en quelques minutes et il n'avait rien pu faire. Le temps d'une seconde, le temps que leurs regards se croisent pendant qu'on la violait, Oyun lui fit comprendre de ne surtout pas se dévoiler à son tour. De rester hors de tout ça. De ne rien tenter. Il eut envie de se jeter sur eux, de les frapper avec ses béquilles, de les asperger de vodka et d'y mettre le feu, mais il savait que cela ne servirait à rien. Le regard d'Oyun lui signifiait qu'il devait se préserver et il essaya de se convaincre qu'elle avait raison, que quelque chose allait survenir qui lui permettrait de la sauver.

La bande était déchaînée contre la jeune femme maintenant et les motards s'apprêtaient à la violer à tour de rôle pendant que d'autres lui pissaient dessus et mordaient ses seins et ses fesses à pleines dents.

— Putain de flic ! jura le chef en se reboutonnant. Si elle croit s'en tirer en tombant dans les pommes, je vais lui en enfoncer un qui va la réveiller, moi !

Il se dirigea vers le feu et choisit une branche que les flammes avaient entamée par le milieu. À l'extérieur, le bois encore vert fumait et suintait d'une écume blanche. À l'autre bout, c'était un tison incandescent qui rougeoyait dans la nuit. L'homme passa un gant de motard, s'empara du brandon en le montrant fièrement à la cantonade et revint vers le corps inanimé d'Oyun. Devinant l'horreur de ce qui se préparait, les autres firent aussitôt silence, fascinés par l'abjection de ce à quoi ils allaient assister. Le chef tenait le brandon à bout de bras et s'apprêtait à l'enfoncer entre les cuisses écartelées de la femme.

– Celui-là, putain de flic, c'est le phallus ardent de la nouvelle nation mongole !

Il soufflait sur la braise pour la raviver quand Oyun émergea de l'inconscience en gémissant. Tous les hommes regardaient le brandon, hypnotisés par la braise qui irradiait dans la nuit, mais il manquait quelque chose à la perversion de leur chef. Il était allé trop loin. Ils attendaient maintenant qu'il ose ce qu'il avait suggéré être capable de faire. Pourtant il lui manquait un peu de ce courage des lâches. Il attendait en fait que quelque chose le conforte dans son bon droit à oser ce geste ultime, ou lui permette au contraire de reposer le brandon sans perdre la face. Mais aucun des hommes ne chercha à retenir son geste, et Oyun, qui reprenait conscience, lui offrit ce qu'il espérait en murmurant un borborygme à peine audible entre ses lèvres tuméfiées.

– Bande de putes…

– Alors là, tu l'auras voulu ! lâcha l'homme, trop heureux du prétexte.

D'un geste de sa béquille, Gantulga frappa le brandon fumant, qui échappa à la brute. La braise virevolta contre le ciel et retomba sur l'épaule d'un autre motard, qui hurla dans la nuit.

– Qu'est-ce qui te prend ! s'étonna le chef.

– Tu te rends compte de ce que tu fais ? C'est un flic, putain !

– Je sais que c'est un flic ! Pourquoi tu crois qu'on la tabasse, morveux ?

– Mais réfléchis un peu : si c'est un flic, ça ne t'intéresse pas de savoir pourquoi elle est là ? Ce qu'elle est venue faire ? Ce qu'elle cherche ? Qu'est-ce qu'elle a après vous, hein, dis-moi ?

— J'en sais rien ! répondit l'autre en perdant un peu de son assurance.

— Tu n'en sais rien et tu vas la tuer sans chercher à le savoir, juste pour le plaisir de lui enfoncer ce machin brûlant ? Moi je vais te dire une chose : si j'étais le big chef que vous attendez, j'aimerais savoir très exactement pourquoi cette femelle a infiltré ma bande, voilà ce que j'aimerais savoir ! Et en plus, si elle méritait vraiment d'être baisée au tison pour ça, je n'admettrais pas que quelqu'un d'autre le fasse à ma place sans me prévenir ! Voilà ce que je ferais, si j'étais le chef !

— Il a pas tort ! lâcha une voix dans le noir.

— Ouais, c'est vrai, je suis un peu de son avis. Je suis pas sûr que le big boss aimerait ça…, dit un autre.

Le type regarda Gantulga droit dans les yeux, comme s'il cherchait à déceler une défaillance ou un excès d'arrogance. Le groupe autour de lui se rangeait aux arguments du gosse, prenant soudain conscience de ce qu'ils avaient déjà fait et de ce qu'ils s'apprêtaient à faire. Le chef resta un long moment silencieux. C'est Gantulga qui choisit de briser le silence.

— Hey, mec, c'est à ça que ça sert une mascotte : à éviter les conneries !

— Putain, ce gosse a raison. Pas question de tuer ce flic sans la faire parler pour savoir ce qui l'a amenée jusqu'à nous. Ça sera au boss de décider ce qu'on en fait après.

— Je suis d'accord avec toi, reconnut Gantulga, mais dans l'état où tu l'as mise, elle ne va pas dire grand-chose maintenant. À ta place, je la mettrais au frais pour le boss. Il aura sûrement envie de l'interroger lui-même, tu ne crois pas ?

— Ouais, tu as sans doute raison. Qu'est-ce qu'on fait alors ?

— On l'enferme quelque part jusqu'à ce qu'il arrive.

Le chef chargea deux types de traîner Oyun jusque dans la remise. Ils la jetèrent à même le sol et lui lièrent les mains dans le dos autour d'un des poteaux qui soutenaient la charpente.

Dehors, Gantulga retint discrètement le chef par la manche et lui fit signe de laisser les deux autres prendre de l'avance et s'éloigner.

— Qu'est-ce qu'il y a encore ? s'inquiéta le type.

— Écoute, hésita le gamin d'un air embêté, ça me gêne de te demander ça, mais... Enfin, tu vois... C'est que vous vous l'êtes presque tous faite sauf moi...

— Pourquoi tu n'en as pas profité ? Personne ne t'en empêchait, mon gars, fallait faire comme nous si tu en avais envie !

— Ben non justement, tu vois, c'est ça qui me gênait, tu comprends pas ?

— Non, je ne pige pas : où est le problème ?

— Attends, c'est gênant. Promets-moi de ne pas te foutre de moi et de ne rien dire aux autres, d'accord ?

— C'est bon, c'est bon, je promets. Alors accouche !

— Ben... tu comprends, moi je suis qu'un gosse, je ne voulais pas paraître ridicule avec mon petit machin, tu vois ? Vous, vous avez tous de gros bazars, des bazars de motards quoi, et moi... enfin, tu vois ce que je veux dire ! Et puis, avec mes plâtres et mes béquilles, tu comprends, j'aurais eu l'air complètement ridicule, tu vois ? C'est ça qui me gênait, c'est pour ça que je ne l'ai pas fait. Mais quand même, tu comprends, ça m'a donné vachement envie !

— Je comprends, gamin, mais qu'est-ce que tu veux que j'y fasse ?

— Justement, je me disais que maintenant qu'elle est là-dedans, là, à poil et attachée, je pourrais peut-être... enfin, tu comprends, quoi.

— Tu veux te la faire ? Là ? Maintenant ? Là-dedans ? Mais bien sûr, mon gars, pas de problème ! Baise-la tant que tu veux, tu l'as bien mérité, montre-lui que tu es un guerrier toi aussi, un vrai Mongol !

– Oh merci ! Merci beaucoup, mec ! Mais sois sympa, ne dis rien aux autres, d'accord ? Déjà qu'à mon âge c'est dur de tenir la distance, alors s'ils viennent se foutre de moi, j'y arriverai pas !

– Bouche cousue ! lâcha le type d'un air complice.

– Et puis laisse-moi prendre mon temps, tu veux bien ? Avec ma guibole et mon bras dans le plâtre, ça va pas être évident d'aller vite. Et puis j'ai envie d'en profiter un max : une flic, c'est pas tous les jours !

– Profite tant que tu peux, personne ne viendra te déranger jusqu'à ce que tu sortes de toi-même sur les genoux. Tu as ma parole.

– Merci, mec ! dit Gantulga en donnant un grand coup de béquille contre l'épaule du type.

Il fit demi-tour en sautillant sur une jambe et poussa la porte de la remise.

– Hey, bite d'acier ! chuchota l'homme dans son dos, si tu te sens trop petit, sers-toi de ta béquille !

Il partit en riant rejoindre les hommes qui s'étaient regroupés autour du feu. Le viol et tout l'alcool que leur avait servi Gantulga avaient eu raison d'eux. Beaucoup s'étaient avachis autour des braises et dormaient déjà, le visage au chaud face au feu et le dos contre le froid de la nuit. Quelques-uns somnolaient en équilibre instable, assis, en finissant au goulot les bouteilles éparses.

## 50

*... qui l'empêchait d'écraser
le corps d'Oyun au passage.*

Gantulga pleurait debout dans la pénombre de la remise encombrée d'outils, d'établis et de vieux quads démontés. Tout un bric-à-brac était suspendu aux poutres, et un vieux vélo était même accroché au mur en bois par deux crochets en ferraille. Au milieu, avachi à même la terre, le corps meurtri d'Oyun. Son visage était marqué par les coups. La chair de sa pommette éclatée boursouflait autour des blessures et une de ses dents brisées avait lacéré sa lèvre difforme. Elle était écorchée à vif et tuméfiée de partout, depuis le ventre et les genoux jusqu'à l'intérieur des cuisses. Ses seins et ses fesses étaient déchirés de morsures qui viraient au mauve et au jaune. Un de ces salauds lui avait presque arraché un téton. Partout où ils l'avaient maintenue de force, à chaque bras, sur les jambes, aux poignets, aux chevilles, aux épaules, aux hanches, partout se formaient de larges hématomes marbrés qui viraient au marron violacé. Ses cheveux étaient souillés de sang par les coups de pied et ses doigts avaient bleui d'avoir été écrasés par les talons de leurs bottes.

Gantulga était tétanisé. Il ne pouvait ni parler ni faire le moindre mouvement. Il ne pouvait que pleurer en l'imaginant morte devant lui.

– Et alors, beau gosse, marmonna Oyun sans réussir à lever les yeux vers lui, c'est mon corps de rêve qui te met dans cet état ?

Il savait qu'elle prenait sur elle pour le préserver. Elle se forçait à plaisanter pour ne pas le laisser penser à ses souffrances.

– Ça va ? demanda-t-il bêtement sans oser s'approcher.

– Qu'est-ce que tu fais là, partenaire ?

– Écoute, il ne faut pas m'en vouloir, Oyun, mais je leur ai dit que je voulais ma part moi aussi...

– Ta part de quoi ?

– Ben... ma part de toi... je veux dire... je leur ai fait croire que je voulais... tu comprends, quoi, te violer un peu, moi aussi !

Elle essaya de sourire, mais ses lèvres gonflées ne déformèrent son visage que d'une douloureuse grimace.

– Tu n'es pas un peu prétentieux sur ce coup-là, partenaire ?

– Ben si, justement, je l'ai fait exprès. Je leur ai dit que je n'avais jamais vraiment fait ça. Que j'étais trop timide et trop honteux pour le faire devant tout le monde. C'est pour ça qu'ils m'ont laissé tout seul avec toi et que personne ne nous surveille...

– Bien joué, gamin. Alors il faut nous dépêcher de partir d'ici.

– Attends, on n'est pas si pressés, on a le temps de réfléchir un peu.

– Tu crois ça ? Ils ne vont pas pouvoir se retenir longtemps de venir vérifier tes exploits, tu peux me croire.

– Ben non, justement. Je leur ai dit qu'à mon âge, en fait, j'avais un tout petit machin, alors que ça risquait de prendre du temps, tu vois ? En plus, avec mes béquilles et mes plâtres ! Alors ils m'ont dit qu'ils comprenaient et que je pouvais prendre tout mon temps, toute la nuit s'il le fallait.

– Décidément, t'es un futé, toi, partenaire ! Mais ça ne te donne pas le droit de te rincer l'œil comme tu le fais. Détache-moi et trouve-moi quelque chose pour éviter que mon corps de rêve ne finisse par exciter ta petite chose.

– Hey, j'ai dit *petit* juste pour gagner du temps, c'est tout !
Parce que...

– D'accord, d'accord, on verra ça plus tard. Trouve-moi des
vêtements ou quelque chose pour me couvrir et détache-moi.

Gantulga défit les liens, les larmes aux yeux de voir les bras
d'Oyun boursouflés d'hématomes. Elle préféra se relever seule
et refusa qu'il l'aide, l'envoyant par pudeur fouiller la remise à
la recherche de vêtements. Tout son corps était meurtri, chaque
muscle la nouait de douleur et ses premiers pas lui déchirèrent
le ventre.

– Tiens, j'ai trouvé ça, dit Gantulga en revenant avec de vieux
treillis militaires maculés de cambouis, ils doivent s'en servir
pour faire de la mécanique.

– Ça fera l'affaire, dit-elle en s'appuyant à un établi, j'en pas-
serai un tout à l'heure. S'ils reviennent, il faut qu'ils me retrouvent nue, sinon...

– S'ils reviennent, je les tue ! jura Gantulga.

– Moi aussi, rassure-toi, mais dans ce cas on a intérêt à trouver
quelque chose qui puisse nous servir d'arme.

Le garçon fouilla la remise à nouveau et mit de côté quelques
tournevis et un bidon d'essence. Puis, en soulevant une bâche,
il découvrit un vieux quad poussiéreux et à moitié désossé.

– Hey, partenaire, c'est pas ton quad, ça ?

– Mon quad ?

Oyun se cramponna à tout ce qui pouvait la retenir debout
pour aller voir l'engin, et ce qu'elle découvrit sous la bâche lui
redonna un peu de force et de courage. C'était bien le modèle
qu'elle cherchait. Il était déjà bien désossé et elle en déduisit
qu'ils s'en servaient pour en tirer des pièces de rechange. Vu
l'état du petit phare avant gauche, celui-là ne pourrait rien remplacer. Le verre était brisé et le carénage enfoncé. Oyun tendit
péniblement la main vers le phare, mais ses jambes la trahirent

et elle tomba à genoux contre le vieux quad. Gantulga allait se précipiter pour la relever quand il entendit quelqu'un approcher à l'extérieur et tambouriner à la porte.

— Hey, bite d'acier, t'y arrives tout seul ou tu veux que je t'aide à terminer ?

— Ne les laisse plus me faire du mal, partenaire, je t'en prie, supplia la jeune femme.

— Compte sur moi, et pardonne-moi.

— Te pardonner pour quoi ?

— Pour ça, dit Gantulga en l'empoignant par les cheveux.

— Qu'est-ce que tu fais ? gémit-elle en découvrant que le gamin avait laissé tomber son pantalon sur ses chevilles.

Quand le motard poussa la porte d'un coup de pied, il aperçut Gantulga de dos, le cul à l'air, qui s'affairait contre la croupe de la fille en tirant ses cheveux à pleine main pour lui cambrer les reins.

— Hey, dégage d'ici ! T'as promis que personne ne me dérangerait, alors dégage ! hurla le garçon en jouant les furieux.

— Qu'est-ce que vous foutez contre le quad ? Tu l'as détachée ?

— Quoi, tu crois que c'était faisable, elle attachée à son poteau et moi avec mes béquilles et mes plâtres ? Je fais ce que je peux, alors fous-moi la paix et casse-toi !

— OK, OK ! s'excusa l'autre. C'était juste pour te dire que tout le monde roupille maintenant et que moi aussi je ne vais pas tarder à tomber. Quand tu auras fini, n'oublie pas de bien la rattacher. Appelle-moi si tu as besoin, ou assomme-la si elle te cause des ennuis !

Le type claqua la porte de l'atelier et Gantulga resta immobile dans sa position obscène le temps de se convaincre qu'il était bien reparti cuver quelque part.

— Oh, tu ne crois pas que tu en profites un peu, là ? murmura Oyun à quatre pattes, les fesses contre le ventre du garçon et les reins cambrés.

Il bondit aussitôt en arrière en trébuchant dans son pantalon défait.

– Oh excuse-moi, excuse-moi ! bredouilla-t-il. Je ne voulais pas… enfin je voulais au contraire… enfin, tu comprends, quoi…

– Tu es un vrai petit salopard d'obsédé, toi, en fait ! jura-t-elle en se relevant péniblement.

– Non, non, Oyun, je te jure ! C'était juste pour… D'ailleurs je ne t'ai même pas…

– Je plaisante ! le rassura-t-elle. Tu es décidément un gosse incroyable. Tu as vraiment assuré sur ce coup-là, comme à chaque fois depuis qu'on se connaît d'ailleurs. Je te dois encore une fière chandelle. Merci, partenaire !

Une émotion subite et violente avait étranglé les derniers mots dans la gorge d'Oyun. C'était fou ce qu'elle commençait à ressentir pour ce gosse. Une tendresse mêlée d'admiration, un besoin de le protéger et de le sentir à ses côtés en même temps. Il comprenait tout si vite, les gens comme les situations !

– C'est ça que tu voulais ? dit-il après avoir descellé du bout des doigts quelques éclats du verre coincé dans le joint du phare brisé. Je suppose que Solongo va pouvoir essayer de confirmer si ça vient du même phare que l'éclat retrouvé sur le vélo de la petite, non ?

– Tu supposes juste, partenaire, mais maintenant qu'on sait que plus personne ne va venir, tu pourrais peut-être me passer le treillis au lieu de faire mon métier à ma place !

Gantulga lui tendit le treillis et l'aida à le passer. Elle s'appuya sans honte et sans pudeur contre lui chaque fois qu'un mouvement provoquait dans son corps des décharges fulgurantes. Puis elle trouva la position debout la moins douloureuse possible et proposa à Gantulga de réfléchir à un plan pour s'enfuir. Pour l'instant, tous semblaient s'être endormis, affalés n'importe où, assommés par la vodka. Mais elle n'oubliait pas qu'ils attendaient la visite d'un chef qui pouvait arriver n'importe quand. Il était urgent de s'enfuir au plus vite maintenant.

Aidée par Gantulga, elle fit le tour de l'atelier. Elle rassembla des cordes, un petit chalumeau, une pochette d'allumettes du Nid d'Aigle, une grosse boîte de clous tripodes, un jerrican d'essence, un cutter à moquette… Ils mirent au point un plan complètement désespéré, et le garçon se glissa bientôt hors de l'atelier avec les cordes et les clous. Quand il revint, Oyun avait à nouveau inspecté le vieux quad. Elle avait trouvé la plaque de métal où était gravé le numéro d'identification de l'engin, l'avait forcée avec un gros tournevis et glissée dans la poche de poitrine de son treillis, puis Gantulga lui expliqua ce qu'il avait fait. Elle aurait voulu essayer de récupérer son téléphone qui devait traîner près du feu parmi ses vêtements déchirés. Ils décidèrent que c'était trop dangereux. Gantulga décrocha le vélo et le poussa dehors en silence, puis il revint chercher le jerrican et disparut avec dans la nuit. Par chance, de lourds nuages noirs masquaient à présent la lune.

Oyun sortit à son tour et marcha jusqu'au quad le plus proche de l'entrée du ranch. Derrière elle, Gantulga zigzaguait entre les autres machines en vidant derrière lui son jerrican d'essence.

– Qu'est-ce que tu fous là, le môme ?

Le gosse se retourna. Le type qui l'avait laissé seul avec Oyun était debout derrière lui, les mains sur les hanches. Il ne pouvait pas voir son visage dans la nuit, mais Gantulga devina à sa posture qu'il était suspicieux et menaçant.

– Qu'est-ce que tu veux que je fasse : je pisse ! T'as jamais envie de pisser après, toi ?

– Tu pisses ? reprit l'autre. Avec un jerrican d'essence à la main ?

– Ben oui ! lâcha-t-il comme une évidence, pris de court.

– Attends, ça pue l'essence en plus ! Mais qu'est-ce que tu fous ? Espèce de fils de pute, mais tu es en train de chercher à cramer nos...

Sa phrase se termina dans un gargouillis incompréhensible. Oyun avait surgi derrière lui et lui avait tranché la gorge avec le cutter à moquette. Le sang de la carotide gicla jusque dans le visage de Gantulga, qui bondit en arrière dans un mouvement de dégoût. Le jerrican cogna contre les barres de protection d'un quad et le bruit résonna dans la nuit.

– Hey, c'est quoi ce bordel là-bas ?

Oyun laissa glisser à ses pieds le corps sans vie du type et attrapa le garçon par les épaules.

– Plus le temps de finasser, partenaire. On fout le feu et on dégage !

Dans la nuit, du côté de la clairière, les hommes encore saouls se réveillaient en désordre. La jeune femme aperçut les faisceaux de leurs torches électriques balayer le ciel et la forêt en panique, puis s'organiser peu à peu pour pointer dans leur direction.

– Lâche le jerrican et sauve-toi ! cria-t-elle. Vite, ça va péter !

Gantulga disparut en courant dans la nuit et Oyun enflamma le paquet d'allumettes pour le jeter vers un des quads aspergés d'essence. Mais son bras meurtri la trahit et les allumettes retombèrent trop loin de l'engin pour l'enflammer. Déjà des hommes couraient vers elle. En hurlant pour forcer sa rage et sa douleur, elle se glissa sur le siège du quad qu'il avait préservé pour elle. Elle entendit la voix de Gantulga sans réussir à le voir.

– Oyun, démarre sans les phares et planque-toi tout de suite dans les bois sur ta gauche. Et surtout baisse la tête !

Le gosse avait jusqu'ici montré tant d'assurance et d'inventivité qu'elle lui obéit sans réfléchir. Tous feux éteints, plaquée contre le guidon malgré la douleur, elle fonça droit vers l'orée des bois. Au même instant elle aperçut un quad qui fonçait droit vers la sortie du ranch tous phares allumés, loin devant elle sur sa gauche. Puis elle vit Gantulga qui courait à la rencontre de la bande sans chercher à se cacher.

– C'est la fille là-bas, elle se tire ! C'est elle, elle a piqué une bécane, faut la rattraper !

Aussitôt la meute furieuse se regroupa pour organiser la chasse. Tapie dans les bois, Oyun surveilla les premiers quads qui croyaient se lancer à sa poursuite. Quelques secondes plus tard, elle entendit des hurlements de moteurs lancés à fond dans le vide et vit les faisceaux des phares se dresser en panique contre le ciel au milieu des cris et des jurons. Les premiers poursuivants venaient de se prendre dans les cordes tendues par Gantulga à hauteur d'homme en travers du chemin.

Soudain il fut contre elle.

– Beau boulot, partenaire !

– Et attends, c'est pas fini…

– Il faut partir de là. Ils vont finir par nous repérer. Quelqu'un a bien dû me voir entrer dans les bois avec mes feux arrière quand j'ai freiné.

– Pas sûr, vu que je les ai brisés à coups de béquille ! lâcha le gamin.

– Tu as fait ça ?

– Oui, et d'autres choses encore, mais tu n'auras pas le temps de tout voir. Il faut que tu profites de la panique pour fuir. Tu as zigouillé le seul type qui pouvait nous repérer. Les autres ne se doutent pas que je suis ton complice, et personne ne sait que tu portes un treillis. Mêle-toi à eux. L'autre quad va les entraîner droit devant, de l'autre côté de la route. Toi, tu as juste à la rejoindre et prendre sur ta gauche pour descendre jusqu'au village. Coupe ton moteur et tes phares et descends à l'aveugle en roue libre. On se rejoint quelque part par là-bas.

– Mais qui est sur le quad qui les attire de l'autre côté ?

– Personne : accélération et direction bloquées. J'espère qu'il va bondir droit devant le plus loin possible pour te laisser du temps !

– Et toi, comment tu vas faire ?

– Moi ? Dans pas longtemps plus personne ne pensera à moi, ne t'en fais pas : j'ai laissé le petit chalumeau près des autres jerricans dans l'atelier. Ah, et longe bien les bois jusqu'à la sortie du ranch. Il y a des clous partout ailleurs. À plus, partenaire !

Oyun voulut ajouter quelque chose, le prendre dans ses bras, le remercier, lui faire promettre d'être prudent, mais il avait déjà disparu dans la nuit. Elle démarra et sortit du bois juste derrière trois engins rugissants dont les pilotes hurlaient des injures contre ce qu'ils croyaient être, loin devant, le quad qu'elle pilotait.

Le premier se planta dans la terre quand son pneu avant droit éclata sur une poignée de clous tripodes. Le deuxième l'évita de justesse et le troisième se tourna vers elle pour la prévenir qu'il y avait des clous partout. En une fraction de seconde elle vit son regard passer de la stupeur à la fureur en la reconnaissant. Mais il n'eut pas le temps de hurler le rappel de la meute. L'atelier explosa au même instant, projetant contre le ciel des débris enflammés qui retombèrent en gerbe un peu partout sur la clairière. Un éclat de bois alluma la traînée d'essence qui courut aussitôt entre les quads que trois types cherchaient encore à démarrer avec colère. Hommes et machines s'embrasèrent, et le temps que celui qui avait reconnu Oyun se rende compte de l'horreur, il n'était plus qu'une torche lui aussi.

Elle profita aussitôt du chaos. Il n'y avait plus personne derrière elle pour la surprendre, et devant, surexcités par l'explosion, les autres fonçaient à la poursuite du leurre.

Dès qu'elle eut rejoint la route, elle accéléra pour prendre de l'élan, puis coupa phares et moteur pour descendre en roue libre la pente qui menait au village, deux kilomètres plus bas. Sans frein moteur, le quad butait dans chaque trou et bondissait contre chaque ornière, torturant tout le corps blessé d'Oyun qui pleurait de douleur. Maintenant elle voulait des secours, elle voulait des soins, elle voulait quelqu'un pour la protéger, quelqu'un pour la mettre à l'abri. Elle espérait que Yeruldelgger, quelque part, avait reçu tous ses messages. Qu'il savait où elle était et qu'il allait venir à son aide. Il fallait qu'il soit là, maintenant. Il fallait qu'il la sauve.

Soudain elle aperçut au loin deux phares qui balayaient la nuit. Il n'y avait pas d'autre piste. La voiture ne pouvait que venir vers elle. Elle arrêta son quad en catastrophe mais l'engin partit en dérapage. La rage d'être enfin secourue lui donna la force de le maîtriser jusqu'à l'arrêt. Elle glissa du siège en grimaçant et se plaça au beau milieu de la piste, face à la voiture qui arrivait droit sur elle. C'était une grosse berline allemande. Elle freina à cinq mètres à peine d'Oyun, tous phares allumés. Le chauffeur laissa le moteur tourner et attendit un long moment avant de descendre. Une fois hors de la voiture, il resta près de sa portière ouverte. Aveuglée par les phares, Oyun mit quelque temps avant de le reconnaître.

– Mickey ? Par le ciel… mais qu'est-ce que…

La balle frappa la jeune femme en pleine poitrine et elle bascula à la renverse sur le quad. Le capitaine l'avait touchée en plein cœur, mais il ne voulait prendre aucun risque. Il s'approchait du corps pour le coup de grâce quand un fantôme surgi de la nuit dans un cliquetis de ferraille déglinguée le bouscula pour disparaître aussitôt derrière la voiture. Mickey perdit l'équilibre et se retourna pour tirer au hasard, mais il aperçut alors des phares qui remontaient la piste et s'approchaient à grande vitesse. Il jura de colère, remonta dans sa voiture et démarra en trombe, maudissant le quad qui l'empêchait d'écraser le corps d'Oyun au passage.

# 51

*... quand on avait tous besoin de toi ?*

En passant le muret, à la sortie de Sanzai, Yeruldelgger crut à l'éclair d'un orage sec derrière la cime des mélèzes. Pendant quelques secondes, l'éclat macula son pare-brise d'un film de poussière opaque et jaune. Quand la nuit redessina les contours du paysage, de chaque côté de la piste, il comprit que la lueur embrasant le sommet de la colline n'était pas celle d'un orage. C'était une explosion. Un instant distrait par les lueurs qui l'intriguaient, il aperçut soudain un véhicule à l'arrêt, au milieu de la route devant lui. Un voyageur lui aussi surpris par l'explosion, supposa-t-il. Il ralentit et devina la silhouette du conducteur debout près de la voiture. Il eut aussitôt la sensation de quelque chose d'étrange. L'homme avait laissé ses grands phares allumés. Dans la lumière des projecteurs, Yeruldelgger remarqua une moto, ou quelque chose qui y ressemblait. Soudain un improbable équipage surgit de la nuit et bouscula l'homme, qui trébucha de côté. Dans la même seconde Yeruldelgger reconnut la forme d'une arme dans la main du type, et aperçut un corps effondré contre la moto. Mais déjà la chose qui avait bondi surgissait dans ses phares et se jetait sur lui.

Il n'eut que le temps de donner un brusque coup de volant pour éviter Gantulga en panique sur son vieux vélo sans freins, ses plâtres et ses béquilles dans tous les sens. Une béquille brisa le rétroviseur gauche et l'équipage fantomatique valdingua par-dessus la voiture dans une chute acrobatique. Dans son rétroviseur intérieur, Yeruldelgger vit le gamin se faire engloutir par la nuit rougie par les feux de sa voiture qui freinait. Il courut aussitôt à son secours et le trouva vingt mètres plus loin, sur le dos, dans une ornière.

– Gantulga ! Gantulga ! Ça va ?

– Oyun, il a tué Oyun !

– Quoi ? Qu'est-ce que tu dis ? fit Yeruldelgger en se retournant vers le corps gisant devant la moto. C'est Oyun ?

– Oui ! Le type l'a tuée. Le type à la voiture, il lui a tiré dessus !

Yeruldelgger tourna la tête, le temps d'apercevoir l'autre voiture qui disparaissait dans la nuit.

– Ne bouge pas ! Ne bouge surtout pas, je reviens m'occuper de toi. Ne bouge pas d'un pouce, tu m'entends ?

Il courut vers le corps de la jeune inspectrice. Quand il découvrit son visage tuméfié, il se força à retenir ses larmes pour garder toute sa lucidité. Elle était sans connaissance, touchée en plein cœur par une blessure qui ne saignait pas beaucoup. Il essaya de se souvenir si c'était bon signe ou pas et décida de ne pas s'en soucier. Il chercha son pouls à son poignet mais ne le trouva pas. Il le chercha à la jugulaire, et ne le trouva pas non plus. Il insista, cherchant la bonne artère, le moindre flux, et enfin un faible battement.

– Elle est morte ? demanda Gantulga dans son dos.

– Je t'avais dit de ne pas bouger, toi ! Rien de cassé ?

– Si, un plâtre et une béquille. Elle est morte ?

– Non, elle vit encore. Aide-moi, vite, on l'emmène. Tu m'expliqueras ce qui s'est passé.

– Ça risque d'être long, soupira Gantulga en essayant tant bien que mal d'aider Yeruldelgger à allonger Oyun sur la banquette arrière de sa voiture.

– Ça tombe bien, on a au moins une heure de route.

– Tu crois qu'elle tiendra ? On ne peut pas s'arrêter plus près ? Quelque part ? Un dispensaire, un truc comme ça ?

– Non, on l'emmène à l'hôpital de Solongo. Je n'ai plus confiance qu'en elle maintenant.

– C'est grave, n'est-ce pas ?

– Je n'en sais rien. Elle a une balle dans la région du cœur, mais elle vit et elle ne saigne pas beaucoup.

– C'est pas bon signe ?

– Je n'en sais rien. Je n'en sais foutre rien !

Le garçon grimpa avec difficulté côté passager, avec ses plâtres cassés et ses béquilles tordues. Avant même qu'il ne referme la portière, Yeruldelgger manœuvra entre deux fossés dans la nuit et fit demi-tour pour redescendre vers Sanzai.

– Tu as vu celui qui a tiré sur Oyun ?

– Non, désolé, j'essayais de maîtriser ce putain de vélo.

– Hey ! Surveille ton langage avec moi, compris ?

– Tu sais qui c'est ?

– Qui ?

– Celui qui lui a tiré dessus ?

– Tu crois que je te le demanderais si je le savais ?

– Qui sait ! Pour une confirmation oculaire peut-être.

– Une confirmation oculaire ? Mais où vas-tu chercher des trucs comme ça ?

– Ben, des témoins oculaires, c'est toujours ce qu'ils cherchent dans les séries policières à la télé, non ?

– On n'est pas à la télé, là, mon garçon. On est dans la réalité. Dans la putain de réalité ! jura Yeruldelgger, qui regarda aussitôt Gantulga de côté. Je sais, ne dis rien, ne dis surtout rien. Moi c'est moi, et toi c'est toi. Et moi je dis ce que je veux, pas toi !

– J'ai rien dit ! s'offusqua le gosse.

– Non mais tu allais !

– Alors on ne sait pas qui a tiré sur Oyun.

– Non, et on n'a pas beaucoup d'indices pour le trouver. Il conduisait une grosse allemande. Une Mercedes si j'ai bien vu, mais je n'ai même pas eu le réflexe de noter le numéro. On n'a vraiment pas grand-chose...

– Et ça, tu crois que ça peut nous aider ?

Yeruldelgger jeta un coup d'œil surpris sur la main vide que lui tendait Gantulga. Il était sur le point de ne pas trouver ça drôle du tout quand le gamin, en secouant son plâtre, fit rouler quelque chose de l'intérieur jusque dans sa paume. C'était une douille, du 9 mm probablement...

– Où tu as trouvé ça ?

– Un peu plus loin derrière toi, par terre, quand tu cherchais le pouls d'Oyun.

– C'est la douille de la balle qu'a tirée l'homme sur elle ?

– Qu'est-ce que ça pourrait être d'autre, tu as vu un ball-trap ou une fête foraine, toi ?

– Hey, remballe ton insolence, petit frère, compris ? Pas de ça avec moi. Tu réponds à mes questions et sans commentaire, d'accord ?

– Oui, chef. C'est sûrement la douille de la balle qu'a tirée l'homme sur Oyun, chef ! hurla Gantulga à la façon des marines.

Yeruldelgger se retint de rire devant l'assurance du gamin. Ce môme était tout simplement admirable.

– C'est un bon indice matériel, partenaire, j'espère qu'on en tirera quelque chose ! apprécia-t-il d'un ton de héros américain.

– Je l'ai glissée dans mon plâtre en la poussant avec un caillou. Ma transpiration aura peut-être pollué les éventuelles traces d'ADN de celui qui l'a manipulée, mais pas les empreintes.

Yeruldelgger se tourna vers lui et ne put masquer son étonnement. Ce môme et ce pays et même le monde entier n'avaient pas fini de l'étonner. Voilà maintenant que tout le monde, jusque dans son pays de steppes et de forêts parsemées de yourtes, parlait comme des experts de la police scientifique de Las Vegas ou de Miami.

Puis le silence s'installa dans la voiture et, les larmes aux yeux, ils ne pensèrent plus qu'à Oyun dont le corps gisait sur la banquette arrière. Après un très long silence, Yeruldelgger demanda à Gantulga de lui expliquer ce qui s'était passé. Le gamin lui raconta tout en détail, d'une voix sans émotion apparente, comme s'il se réfugiait derrière un récit factuel pour ne pas céder au souvenir de l'horreur, surtout de ce qu'avait subi la jeune femme. Yeruldelgger écouta sans quitter des yeux la route qui surgissait du néant dans la lumière des phares. Seules ses mâchoires crispées à chaque détail de violence trahissaient sa colère.

– Je suppose que l'homme qui a tiré sur Oyun sur la route était le chef qu'ils attendaient ! fit-il, se surprenant à parler au gamin comme à un vrai partenaire.

– Je suppose, confirma celui-ci.

– Tu es sûr de ne pas pouvoir le reconnaître ?

– Non, il était dans le contre-jour de ses phares.

– Si un détail te revient, tu...

– Bien sûr que je te le dirai ! hurla soudain Gantulga. Qu'est-ce que tu crois ! Pour qui tu me prends ! On parle d'Oyun, là ! Ce type l'a flinguée en plein cœur, tu ne crois pas que j'ai envie de le flinguer à son tour moi aussi ?

Yeruldelgger sauta sur les freins et la voiture partit dans une longue glissade en travers qu'il maîtrisa tant bien que mal.

– Hey, calme-toi, Gantulga. Je ne doute pas de toi une seule seconde, tu comprends ça ? Je ne connais pas beaucoup de flics aguerris qui se seraient comportés aussi bien que toi là-haut, alors ne craque pas maintenant, d'accord ? Le contrecoup de tout ça va te secouer pendant longtemps, petit frère, mais il va falloir que tu tiennes bon, parce que rien n'est encore fini, compris ?

– Oh merde ! lâcha le garçon en regardant le siège arrière sans lui répondre.

Yeruldelgger regarda par-dessus son épaule et s'aperçut que son violent coup de frein avait fait glisser le corps d'Oyun entre les sièges. Il bondit hors de la voiture pour ouvrir la portière arrière pendant que Gantulga, empêtré dans ses plâtres et ses béquilles, essayait de s'extirper de son siège. Quand il ouvrit l'autre portière arrière à son tour, ils essayèrent de remonter le corps d'Oyun sur le siège. Yeruldelgger glissa ses bras sous son dos pour la soulever sans prendre le risque de toucher sa blessure, mais il n'avait ni la bonne position ni la bonne prise pour le faire. Il se résolut à glisser ses bras sous ses aisselles, croisant par-devant ses mains sur sa poitrine.

– Attends ! dit-il à Gantulga qui essayait de soulever les pieds d'Oyun de son seul bras valide. Qu'est-ce que c'est que ça ?

Yeruldelgger tira légèrement la jeune femme pour adosser son corps contre lui et glissa une main sur sa poitrine, sur son sein gauche, à hauteur de la blessure.

– Elle a quelque chose, là...

Par-dessus l'épaule d'Oyun toujours inconsciente, le policier descendit la fermeture à glissière du treillis. Puis il glissa sa main sous la toile rêche pour découvrir, un peu gêné, qu'elle était nue et qu'il caressait son sein. Mais il ne sentit rien d'autre qu'une peau fine et douce déchirée de plaies engluées de sang. Ce qu'il avait senti sous ses doigts, il le sentait maintenant sur le dos de sa main. Il la retira vivement du treillis, repéra la poche sur la poitrine et détacha le scratch qui la fermait. Il y trouva une plaque de métal déformée et trouée par l'impact.

– Qu'est-ce que c'est que ça ? demanda-t-il à Gantulga.

– Je crois que c'est la plaque d'identification du quad coréen qu'elle cherchait. Elle l'a récupérée comme indice, commença à expliquer le garçon avant de s'arrêter net. Oh ! tu crois que...

– J'espère que oui, Gantulga ! J'espère que c'est ça ! murmura Yeruldelgger en glissant la fermeture du treillis jusqu'en bas pour dénuder le torse et la poitrine d'Oyun.

En voyant son corps tuméfié, ses seins déchirés de morsures pourpres, les marques abrasées des coups, les hématomes marbrés de jaune et de violet, il marqua un temps d'arrêt. Mais ce qu'il découvrit lui arracha un cri d'espoir.

– C'est ça, petit frère, c'est ça, regarde ! Regarde là : ce salaud a tiré dans la plaque ! Quel hasard incroyable ! Quelle chance ! Regarde, la balle n'a presque pas pénétré !

Yeruldelgger en pleurait de joie. Sur le dessus du sein gauche d'Oyun, le choc de l'impact avait imprimé dans sa chair le dessin de la plaque de métal. Un peu excentrée, là où la balle avait transpercé la plaque, ils découvrirent une blessure irrégulière aux bords tailladés par le métal déchiqueté. Mais dans la blessure, encore visible à l'intérieur des chairs meurtries, la masse écrasée de la balle n'avait pas pénétré à plus d'un centimètre dans le corps de la jeune femme.

Yeruldelgger prit aussitôt Oyun à bras-le-corps pour l'allonger sur le siège arrière avec l'aide de Gantulga. Puis ils remontèrent dans la voiture et il s'apprêta à démarrer, le cœur plus léger. Le garçon l'arrêta d'un geste. Il se retourna péniblement, glissa sa main entre les sièges jusqu'au corps inanimé d'Oyun, et remonta la fermeture du treillis pour cacher sa nudité et préserver sa dignité malgré son inconscience. Yeruldelgger regarda ce gamin si responsable et si fort. Il lui ébouriffa les cheveux pour ne pas avoir à trop montrer son émotion.

– C'est bien, petit frère, c'est bien ! dit-il en démarrant enfin.

Il se passa quelques instants silencieux pendant lesquels le policier roula vite en se disant qu'il était heureux d'avoir dans sa vie, d'une façon ou d'une autre, des personnes comme Gantulga, Oyun et Solongo…

– Yeruldelgger, je peux te demander quelque chose ?

– Bien sûr, petit frère ! Quoi ?

– Pourquoi tu n'étais pas là quand on avait tous besoin de toi ?

# 52

*Il composa le numéro d'Erdenbat.*

Mickey était effondré. Tout ça virait au cauchemar. Il contemplait l'étendue du désastre dans la lueur des flammes du ranch incendié. Il y avait au moins deux morts. Un type qui avait cramé vif et l'autre égorgé. Des brûlés aussi, qui gisaient, hébétés, dans l'herbe roussie. Près des quads calcinés, il aperçut un autre type par terre, mort également, la tête presque arrachée. Lui-même avait tué Oyun. Il avait mis une balle en plein cœur d'une collègue, un flic de l'équipe de Yeruldelgger ! Et ce môme surgi de nulle part qui l'avait peut-être vu et qu'il allait devoir éliminer maintenant. Et tous ces abrutis de nazillons incontrôlables qui n'allaient pas tenir le choc et se mettraient à table au premier interrogatoire. Il fallait prévenir Erdenbat. Il lui fallait sa protection. Le vieux lui devait bien ça. Tout ce qui arrivait aujourd'hui n'était que la conséquence de ce qui était arrivé cinq ans plus tôt, où lui, Mickey, les avait tous tirés d'affaire, Erdenbat et les Coréens. C'était à eux maintenant de lui renvoyer l'ascenseur.

Quand l'autre voiture avait surgi, il avait fui sur quelques centaines de mètres seulement et s'était arrêté, tous feux éteints, pour surveiller ce qui se passait. Il était si effrayé par son crime qu'il aurait flingué tous les témoins si la voiture était montée jusqu'à lui. Mais il avait vu le véhicule faire demi-tour et redescendre vers Sanzai. À la lueur des phares, il avait compris que le conducteur ne s'arrêtait pas au village et qu'il continuait vers Oulan-Bator.

Lui était alors monté jusqu'au ranch et avait découvert l'étendue des dégâts. Puis son instinct de flic avait repris le dessus. Il avait récupéré les hommes les plus valides et leur avait fait raconter ce qui s'était passé. Puis il leur avait ordonné de regrouper tout le monde au centre de la clairière, morts compris, en se comptant et en prenant bien soin de s'assurer que le compte y était.

– Je ne veux pas savoir ce que vous avez fait. Je vais vous dire ce qui s'est passé et ce qui va se passer, et vous allez tous apprendre ça par cœur, compris ? D'abord, personne ne parle de la fille. Cette fille n'était pas là. Elle n'a pas existé. Le premier qui oublie ça et en parle, je le fais descendre aussitôt, c'est clair ? Ensuite, l'explosion est un accident, d'accord ? Vous allez mettre les morts dans les ruines de l'atelier et vous allez remonter les quads brûlés à côté. Le rapport de la Scientifique, j'en fais mon affaire pour sauver votre cul. Ensuite, personne n'a poursuivi personne, c'est bien compris ? Vous étiez ivres comme d'habitude, quelqu'un a fait le con dans l'atelier près des jerricans, tout a sauté et c'est tout. Et moi, vous ne me connaissez pas. Vous ne m'avez pas vu ce soir. Officiellement, j'arrive dans une ou deux heures pour mener l'enquête. Le premier qui dit le contraire, il est mort, c'est clair ?

Mickey surveilla le déplacement des corps et des carcasses de quads puis il inspecta l'état des blessés. Trois étaient très mal en point, brûlés sur presque tout le corps. Il appela deux des rares types indemnes et attira leur attention sur le danger que représentaient les blessés.

– Ces gars peuvent parler à n'importe quel moment sous l'effet de la douleur ou des médicaments, et s'ils parlent, c'est vous qui

allez trinquer. De toute façon, ils vont traverser d'horribles souffrances et resteront défigurés à vie.

– Qu'est-ce que ça veut dire ? demanda un des hommes qui
n'osait pas comprendre ce que sous-entendait Mickey.

– Ça veut dire qu'il vaut mieux pour eux et pour vous qu'ils
meurent maintenant, avant mon arrivée officielle et celle des flics.

– Tu veux dire...

– Ouais. C'est ce que je veux dire. Étouffez-les. Les brûlés meurent souvent asphyxiés. Ils ont déjà dû respirer pas mal de saloperies, alors je m'arrangerai pour l'autopsie. Il y en a trois.
Regroupez-les à l'écart comme pour les premiers soins et étouffez-
les. Vous pourrez laisser les corps sur place. Vous direz que vous
avez éloigné les blessés de l'incendie et regroupé les morts à l'extérieur de l'atelier. Je vais rassembler les autres un peu plus loin
pour vous laisser du temps. Et n'oubliez pas : s'ils ne meurent pas,
c'est vous qui êtes morts. Vous avez créé ce bordel en violant la
fille, maintenant il faut payer de votre personne pour vous en sortir.

Mickey les abandonna à leur horrible mission, et détourna
l'attention des autres au prétexte de leur expliquer son plan. Il
allait appeler la police, attendre que les flics locaux arrivent, pour
débarquer aussitôt et prendre l'enquête en main. C'est lui qui pro-
céderait à leur interrogatoire et ils avaient intérêt à se souvenir
de ce qu'il leur avait dit de raconter.

Quand les deux types rejoignirent le groupe, il sut que l'essentiel était fait et qu'il avait repris ce qu'il pouvait espérer reprendre
de la situation. Il appela la police pour signaler une explosion
accidentelle avec de nombreuses victimes. Avant d'aller cacher
sa voiture au-delà de l'entrée du ranch pour bien donner l'impression qu'il arrivait après les premiers secours, il s'adressa à toute
la bande une dernière fois :

– Je ne veux pas une seule trace de cette fille. Si vous l'avez
violée comme les sauvages que vous êtes, je ne veux pas que

les flics en trouvent le moindre indice. Pas de culotte, pas de soutien-gorge, pas de fringues, rien. Si vous faites ce que je vous dis, vous vous en tirerez tous. Si un seul parle, tout le monde part pour vingt ans de cabane ! Alors retrouvez tout ce qui était à elle et brûlez tout. Vous avez une heure avant que le grand cirque ne commence.

Puis Mickey partit se planquer un peu plus loin dans sa voiture. Il devinerait l'arrivée des secours au ballet des phares et des gyrophares. Il lui fallait maintenant protéger ses arrières. Il composa le numéro d'Erdenbat.

# 53

*... il fallait commencer par lui...*

— Comment ça s'est passé ? demanda Mickey, le visage défait par une nuit d'angoisse.

— On lui a tiré dessus ! répondit Yeruldelgger.

— Oh merde ! Elle est morte ?

— Non...

— *Non ?*

— Non, elle est dans le coma...

Mickey avait débarqué à l'hôpital tôt le matin. Yeruldelgger y avait passé la nuit, mais le capitaine le trouva étonnamment calme pour un flic dont la partenaire venait de se faire descendre.

— Elle a dit quelque chose sur le tireur ? s'inquiéta Mickey.

— Elle est dans le coma, je te dis !

— Oui mais avant ? Elle a dit quelque chose avant de tomber dans le coma ? Elle a eu le temps de donner des indices aux secours ?

— Les secours c'était moi ! J'ai pratiquement vu ce salaud la descendre dans la lumière de mes phares. J'étais juste derrière lui.

— Tu étais là ! Tu l'as vu ? Tu l'as vu ! Tu as quelque chose ?

— Non... J'aurais pu le poursuivre, mais le gosse m'est tombé dessus avec son vélo.

— Le gosse ? Quel gosse ? On a un témoin ?

– Non, il dit que le tireur était dans le contre-jour des phares et qu'il n'a rien vu.

– Pas de chance ! soupira Mickey soudain plus calme. Que disent les médecins pour Oyun ?

– Pronostic vital engagé...

– Merde, je suis vraiment désolé pour toi, Yeruldelgger...

– Merci. Et toi là-haut, qu'est-ce que tu as ?

– Un bordel monstre. Une bande d'abrutis avinés qui ont foutu le feu à leur atelier de quads et qui ont tout fait péter. Il y a cinq morts. Je me demande ce qu'Oyun allait faire là-haut.

– Comment ça ?

– On m'a dit que ça s'était passé sur la route qui menait au camp, non ?

– Ah oui ? J'avais plutôt l'impression qu'elle en revenait...

– Tu l'as vue revenir du camp ?

– Non, elle et le tireur étaient au milieu de la route. Lui allait vers le camp, mais elle, je ne sais pas. J'avais juste l'impression que...

– Négatif. Aucune trace d'elle là-haut. J'ai tout passé au peigne fin. C'était plutôt le genre fiesta entre mecs. Si c'est là-bas qu'elle allait, elle s'est fait flinguer avant d'y arriver.

Yeruldelgger regarda Mickey droit dans les yeux. Longtemps...

– Comment tu expliques ça, toi ? demanda-t-il.

– Je n'en sais rien. Je suis arrivé sur place dans la nuit, environ deux heures après l'explosion. Il y avait bien un quad accidenté un kilomètre avant le camp, mais sur le coup je n'ai pas percuté. Après j'ai été pris par l'enquête. Tu vois ce que je veux dire : cinq morts, mon vieux ! C'est au petit matin, en revenant sur Oulan-Bator, que je me suis arrêté près du quad accidenté sur la route. J'ai pensé à une chute. Un des types qui fuyait l'explosion, ou qui avait fait le con dans la journée et qui était rentré à pied au camp après s'être viandé. J'étais loin de me douter que quelqu'un s'était fait descendre, et encore moins qu'il s'agissait d'Oyun. C'est en rentrant au département que j'ai appris ce qui lui était arrivé là-bas.

– Tu y es retourné ?

– Où ça, au département ?

– Non, là-haut !

– Non, je suis cassé. J'ai prévu d'y aller plus tard dans la journée.

– Et quand tu t'es arrêté près du quad, tu as récupéré des indices ? Un truc, n'importe quoi, une douille ?

– Une douille ? Non, pourquoi une douille ? Tu en as récupéré une ?

– Non. Je n'ai rien pu voir, c'était en pleine nuit...

– Dans les phares peut-être ?

– Mickey, j'avais Oyun dans les bras avec une balle dans le cœur !

– Ouais, ouais, c'est vrai !

Ils restèrent quelques instants silencieux pendant lesquels le capitaine, suspicieux, ne quitta pas Yeruldelgger des yeux.

– C'est quand même un sacré hasard que tu sois passé par là-bas en pleine nuit, finit-il par dire.

– Aucun hasard là-dedans, Mickey. Pendant toute mon absence, Oyun m'a laissé des messages sur mon portable pour me tenir au courant de tout ce qu'elle faisait. Le dernier disait qu'elle montait au camp pour enquêter sur une bande de nazillons.

– Dans le cadre de quelle affaire ? s'inquiéta l'autre.

– Celle des Chinois je crois, mentit Yeruldelgger.

– Je ne comprends pas ce qu'elle cherchait chez ces types. C'est juste une bande d'ultranationalistes abrutis. Quand on voit l'organisation et la mise en scène minutieuse du crime des Chinois et la façon dont ces imbéciles ont réussi à se faire sauter tout seuls, je me demande quel rapport Oyun aurait pu établir entre eux et les crimes.

– Aucune idée, répondit Yeruldelgger en soupirant. Oyun devait me le dire mais quelqu'un l'a descendue avant.

– À ce propos, glissa Mickey, tu te souviens quand même que je t'ai retiré toutes tes enquêtes et que tu es sur le point de te faire virer. Tu t'en souviens, n'est-ce pas ?

– Bien sûr que je m'en souviens...

– Alors qu'est-ce que tu foutais là-haut et où étais-tu passé pendant dix jours ?

– Là-haut, c'était juste pour un soutien logistique à ma partenaire. Les dix jours, c'était un stage de ressourcement personnel...

– Ouais, maugréa Mickey sans y croire, en tout cas reste en dehors de tout ça, compris ? Je me charge de la protection d'Oyun.

– Sa protection ? Tu penses qu'elle doit être protégée ?

– Écoute, quelqu'un est allé jusque là-haut pour lui mettre une balle dans le cœur et elle n'est pas morte. Et si toi et le gosse vous n'avez rien vu, elle a dû voir le tireur bien en face. Alors combien tu paries qu'il va essayer de terminer le boulot ?

– Tu as raison, mais ne te prends pas la tête avec ça. La protection d'Oyun, je m'en charge !

– Pas question ! répliqua Mickey. Toi tu dégages. Tu n'es déjà presque plus flic, alors je ne veux plus te voir sur aucune scène de crime, ni à moins de cent mètres d'une victime ou d'un témoin. C'est bien compris ?

– Va te faire foutre, Sukhbataar, la protection d'Oyun, même si ce n'est pas moi qui l'assure, c'est moi qui l'organise, que tu le veuilles ou non ! D'ailleurs ils sont déjà là...

Mickey suivit le regard du commissaire et s'étonna de voir deux moines se diriger vers eux. Yeruldelgger salua le *Nerguii* avec tout le respect dû à son rang, et marqua aussi sa déférence envers le novice qui l'accompagnait. Il leur indiqua d'un geste la chambre d'Oyun et ils s'y rendirent en silence. Le *Nerguii* entra et s'assit bien droit sur une mauvaise chaise en métal, près de la tête du lit où reposait Oyun inconsciente, reliée à des câbles et des tuyaux.

– Décidément, tu vires loufoque, mon pauvre Yeruldelgger, soupira le capitaine en secouant la tête devant le spectacle de ces bonzes maigres et pieds nus dans leur toge drapée jaune. Qu'est-ce que c'est que ce cirque encore ?

– Ils veilleront sur son corps et sur son âme. Qu'elle meure ou qu'elle se réveille, ils seront là, expliqua Yeruldelgger en s'éloignant.

– Hey, attends ! Où crois-tu aller comme ça ?

– Tu me l'as dit, Mickey. Pas à moins de cent mètres d'une victime ou d'un témoin. Je rentre chez moi.

– Tu rentres chez toi ? Comme ça ? Et Oyun ?

– Entre toi et les bonzes, elle est dans de bonnes mains, non ?

Mickey le regarda s'éloigner sans savoir quoi penser. Ce type avait l'art de prendre tout le monde à contrepied. Est-ce qu'il se doutait de quelque chose pour Oyun ? Pourquoi n'avait-il pas parlé du viol ? Et lui, est-ce qu'il s'était coupé en lui parlant ? Est-ce qu'il s'était trahi ? Est-ce qu'il... Par le ciel, le gosse ! Il allait devoir éliminer le gosse en plus d'Oyun. Et comme pour l'instant elle ne risquait pas de parler dans son coma, il fallait commencer par lui...

# 54

*... il murmura :*
*« Merci » avant de l'étreindre.*

– Je suis désolé, dit Yeruldelgger.

– De quoi ? demanda Solongo, et sa question n'était pas un pardon, mais comme un découragement devant la longue liste des choses dont son ami pouvait effectivement être désolé.

– De tout ce qui arrive. Pour Oyun, pour mon absence...

Il était allé chez Solongo en sortant de l'hôpital. Elle était absente, prise par son boulot. Il avait laissé un message et l'avait attendue. Il s'était assis sur le sol en bois de la grande yourte, contre le lit sous la carte des éléments du monde, jambes allongées en prenant bien soin de ne pas pointer les pieds vers le fourneau central pour ne pas offenser les esprits de tous ceux qui avaient vécu là avant lui, et il avait souri. Il avait souri au bonheur du refuge dans la tourmente, au parfum de vie qui l'habitait dans ces jours de mort, aux liens indestructibles qui désormais le liaient à Solongo, à Oyun, à Gantulga, au *Nerguii*, aux novices, et peut-être même à Saraa. En quelques jours au monastère, il avait perdu la colère et retrouvé la force. On n'apprend pas seul, et l'adversaire aussi est un partenaire. Sa force fait la nôtre, cette force qui détruit ce que la colère ne fait qu'emporter. Comment avait-il pu s'éloigner à ce point de la vérité de l'enseignement ? Il espérait aujourd'hui avoir retrouvé cette richesse intérieure.

Chercher à ressentir autant qu'à réfléchir. Éviter les combats inutiles, qui ne sont que la preuve de l'inefficacité de toute autre chose, mais ne jamais reculer une fois le combat engagé. Toujours avancer, sans colère, toujours, à son rythme. Maintenir sa force. Ne pas essayer d'éviter les coups en reculant, mais toujours avancer sur eux en se désaxant. Pénétrer l'attaque de l'autre plutôt que d'attaquer soi-même. Comment avait-il pu oublier tout ça ? Quelle colère avait réussi à troubler à ce point son jugement sur lui-même ? Yeruldelgger le savait bien : c'était la mort de Kushi. En tuant l'innocence de son enfant chérie, ils avaient fracassé la sérénité de son âme et il s'était tourné vers la vengeance. Face à l'échec de son enquête, c'est de lui-même qu'il s'était finalement vengé pour n'avoir pas su venger sa petite fille. Mais il n'avait plus de colère à présent. Plus aucun désir de vengeance. Ni pour Kushi, ni pour Saraa, ni pour Oyun. Il n'était plus habité que par le devoir intime, serein, calme de prendre la vie de ceux qui avaient pris ou essayé de prendre la vie de ceux qu'il aimait. C'est cette plénitude absolue qui le faisait encore sourire quand, beaucoup plus tard, Solongo était venue le retrouver.

— Tu n'étais pas absent pour moi, dit-elle en s'agenouillant près de lui et en l'embrassant sur le front, j'ai partagé un de tes rêves et un moine m'est apparu pour me dire que tu étais vivant.

— Je sais, j'ai senti ta présence chaleureuse pendant cet horrible cauchemar. Le *Nerguii* dit que les rêves ne sont pas prémonitoires, qu'ils ne font que remonter en désordre ce que nous nous cachons au fond de nous-mêmes.

— Alors tu es retourné au monastère ?

— Oui, ça m'est soudain apparu comme une évidence, et je crois qu'eux aussi me cherchaient. J'avais tout oublié de ce qu'ils m'avaient enseigné. Ils m'ont gardé le temps que je le réapprenne. Par chance l'enseignement du *Nerguii* ne disparaît jamais. On peut l'enfouir, faire semblant de l'ignorer ou de l'oublier, mais il est en nous à jamais. J'avais besoin de ces dix jours pour me retrouver et comprendre pourquoi Erdenbat cherchait à me tuer.

– Erdenbat a cherché à te tuer ?

– Oui, j'en suis convaincu, et il faudra trouver son image dans mon rêve. Mais sa menace m'a été salutaire. J'ai compris soudain que ma colère me laissait sans force, qu'elle fractionnait ma volonté, qu'elle brisait mes intuitions. La colère et la peur qui va avec. Un homme m'a poursuivi. Il avait une arme, j'étais désarmé et j'ai eu peur. J'ai fui, j'ai couru, j'ai oublié tout ce qu'on m'avait enseigné au monastère. Quand je suis tombé dans une ravine et qu'il est apparu sur le rebord, son fusil pointé sur moi, la peur m'a dévasté, mais ce n'était pas la peur de lui. C'était la peur de ce que j'étais devenu.

– Les moines t'ont sorti de là ?

– Je suppose. J'ai aperçu une ombre traverser le ciel. L'homme a vacillé. Il a basculé dans le vide et est tombé sur moi. La crosse de son fusil m'a assommé et je me suis réveillé au monastère.

– Ils se sont occupés de toi ?

– Oui, répondit Yeruldelgger avec humilité. Ils m'ont jeté à terre, battu, meurtri, ils m'ont épuisé moralement, ils m'ont brisé physiquement, puis ils m'ont guidé pour me reconstruire et me retrouver.

Solongo était assise contre lui, les jambes sur le côté et la tête sur son épaule. Elle portait un *deel* en soie bleue. Il sentait le parfum froid du tissu brodé d'or, l'odeur sucrée de sa nuque, la fragrance discrète d'un parfum de femme, le bruissement soyeux de ses cheveux contre son oreille.

– Que vas-tu faire maintenant ?

– Maintenant ? Je vais te demander pardon... Je vais te demander de me garder chez toi, de rester avec toi, près de toi, je vais te demander la permission d'être ton amant, de m'abandonner dans tes bras, et d'aller chevaucher ensemble dans les steppes. Je vais te demander...

Solongo s'était tournée vers lui, le visage radieux. Elle chevaucha ses jambes tendues, s'assit sur ses cuisses face à lui, et posa un doigt sur ses lèvres.

– Chut, ne demande rien d'autre. Commençons par ce que tu viens de dire.

Elle déboutonna la longue guirlande perlée des petits boutons dorés qui tenaient son *deel* et fit glisser le tissu derrière ses épaules. Le mouvement qui creusa son dos et gonfla ses seins le troubla de surprise et d'attente. Elle portait un soutien-gorge noir qu'elle lui laissa dégrafer.

Sans savoir pourquoi, il murmura : « *Merci* » avant de l'étreindre.

# 55

*... l'heure fragile de la nuit.*

L'idée qu'Oyun puisse se réveiller et parler le rongea toute la journée. Tout le temps pendant lequel il courut la ville pour retrouver le gosse, l'éventualité de cette catastrophe hanta son esprit. Malgré les menaces et les coups de gueule contre ses indics, il ne trouvait aucune trace du gamin. Pire encore, le petit monde interlope du centre-ville ne semblait ni le craindre ni pressé de l'aider.

Mickey n'était pas le meilleur flic du monde, mais il avait assez de métier pour sentir qu'il se passait quelque chose. La rumeur courait plus vite que les enquêtes. Tout ce qu'il pouvait officiellement colmater dans ses rapports fuyait déjà officieusement dans les rues et les ruelles. Le marché aux voitures devait déjà bruisser des échos de la nuit précédente. Un petit trafiquant à qui il conseillait vivement de l'aider à trouver le gamin s'il voulait sauver son cul lui répondit qu'il devrait plutôt penser à sauver le sien. Ce n'était jamais bon qu'un indic se rebiffe, c'était le signe qu'il vous craignait moins que quelqu'un d'autre.

Mickey sentait que les choses lui échappaient et que ça le mettait en danger. Il essaya de se rassurer en cherchant à tout verrouiller. Il envoya un homme à l'hôpital avec pour mission d'empêcher quiconque, y compris du service, d'approcher Oyun.

Ordre de suivre les médecins dans la chambre. Ordre de la mettre au secret absolu si elle se réveillait.

Puis, vers la fin de matinée, il partit comme un fou jusqu'au ranch calciné pour tout vérifier à nouveau et voir comment expliquer la présence d'Oyun à l'endroit où il l'avait abattue. Il passa plus d'une heure à inspecter la piste et les bas-côtés à la recherche de la douille, et plus il cherchait, plus il se convainquit que Yeruldelgger l'avait trouvée. Il se repositionna à l'endroit exact d'où il pensait avoir tiré et fit feu deux fois de suite pour voir où jaillissaient les douilles et jusqu'où elles rebondissaient. Mais il ne trouva rien.

Il redescendit en trombe jusqu'à Oulan-Bator et, au mépris de toute prudence, se rendit directement au Nid d'Aigle pour interroger les motards et savoir d'où sortait ce gosse. Une brute encore sous le choc lui expliqua l'histoire de la bagarre avec les Chinois et comment Gantulga était devenu leur mascotte. Il ne savait rien d'autre sur le gamin, mais Mickey savait au moins son nom à présent. Il refit le tour de ses indics avec cette nouvelle information puis se rendit à l'hôpital. Avant de descendre de sa voiture, il vissa un silencieux sur le canon de son arme, qu'il glissa dans sa poche.

Dans le service de réanimation, il aperçut son homme avachi sur une chaise et le redressa d'un coup de pied dans les bottes. L'homme bondit sur ses pieds et esquissa une sorte de salut. À ses côtés, debout, sans toucher le mur du dos, le novice n'avait pas bougé d'un millimètre depuis le matin. Mickey interrogea du regard le policier, qui haussa les épaules. Puis il aperçut le *Nerguii* à l'intérieur de la chambre et s'énerva.

— Qu'est-ce qu'il fait là-dedans, celui-là ?

— Il y était déjà quand je suis arrivé ! s'excusa le policier.

— J'ai dit : personne à l'intérieur ! Personne, tu sais ce que ça veut dire ? Personne !

Il bouscula le planton pour entrer dans la chambre et se dirigea droit vers le *Nerguii*. Mais à deux mètres de l'homme immobile, une force invisible le figea dans son élan. Mickey n'avait jamais connu ça. L'impression d'une masse d'énergie contre laquelle il butait, avant de se rendre compte que la force n'était pas mécanique, et que rien ne l'empêchait en fait d'avancer, sinon lui-même. Le moine assis sur la chaise, raide et immobile, exactement dans la même position que cinq ou six heures plus tôt, appuyait son regard à hauteur de son plexus. Mickey pouvait presque sentir la chaleur irradier son corps à partir de cette source.

– Ce n'est pas ce que tu veux, affirma le moine sans lever les yeux.

– Écoute, moine, je suis…

– Je sais qui tu es, et je te répète que ce n'est pas ce que tu veux.

– Quoi ! s'énerva l'autre. Qu'est-ce qui n'est pas…

Cette fois le moine leva les yeux sur lui et Mickey sentit la peur le pétrifier. Le regard du moine était à la fois noir et lumineux, dense, minéral, solide. Mais surtout d'une énergie si contenue et si brutale que son explosion glacée le projetterait à travers les murs.

– Ce n'est pas ce que je veux, c'est vrai, pardonne-moi, murmura le capitaine en reculant prudemment. Tu peux rester. Reste autant que tu veux.

Il sortit de la chambre et disparut dans les couloirs en pressant le pas, la tête dans les mains et les larmes aux yeux, laissant au policier interdit le soin de refermer la porte.

Aussitôt sorti de l'hôpital, il repartit à la recherche de Gantulga, l'esprit en chaos. Il fallait trancher dans le vif, couper les liens entre lui et cette affaire maudite qui le hantait depuis cinq ans. Il devait surtout protéger Erdenbat, parce que si le Turc se sentait menacé, c'est sa mort à lui, Mickey, qui garantirait sa protection.

Tard le soir, bredouille et furieux de l'être, le capitaine retourna à l'hôpital pour supprimer Oyun. Mais les deux bonzes étaient toujours là. Immobiles.

— Ils n'ont pas bougé, lui soupira à l'oreille le planton. Pas même pour boire un verre d'eau. Pas même pour aller pisser !

Mickey le congédia sans égard et resta dans l'hôpital pour profiter de la moindre faille dans leur surveillance. Oyun était là, étendue et vulnérable sur son lit d'hôpital. Il lui suffirait de débrancher quelque chose, de piquer une bulle d'air dans une veine, de l'étouffer sous un oreiller ou de tirer à travers... Il lui fallait juste trois minutes. Trois petites minutes ! Ces foutus bonzes devaient bien pisser comme tout un chacun, de temps en temps ! À moins qu'il n'attende le cœur de la nuit pour flinguer tout le monde, Oyun, les deux bonzes, et tous ceux qui passeraient par là. Après tout, il était armé d'un silencieux et le service serait presque désert.

Il décida de rester dans les parages. Quoi qu'il arrive, il fallait que l'inspectrice soit morte au petit matin. Il ne devait pas prendre le risque qu'elle parle s'il ne voulait pas devoir affronter la colère d'Erdenbat. Il agirait vers trois heures du matin, l'heure fragile de la nuit.

# 56

*Eh bien, cherche*
*où il est et dis-le-nous !*

Yeruldelgger n'avait pas voulu parler des affaires avec Solongo. Elle n'avait pas voulu qu'il en parle non plus. Pas quand ils venaient de se trouver après s'être si longtemps connus. Ils avaient fait l'amour en silence, s'en étaient remis sans dire un mot, et Yeruldelgger était reparti sans que Solongo s'en inquiète. Elle savait désormais qu'il lui reviendrait toujours.

Vers midi, il passa à l'hôpital s'enquérir de l'état d'Oyun. Il entra dans la chambre en passant outre les objections du policier et parla longtemps avec le moine. En repartant, il gratifia le planton d'une tape amicale sur l'épaule. Celui-ci lui apprit que Mickey était repassé à l'hôpital puis reparti à la recherche d'un témoin. Il avait laissé pour consigne qu'on le prévienne dès qu'Oyun se réveillerait : il rappliquerait aussitôt. De l'hôpital, Yeruldelgger rejoignit directement son bureau au département et convoqua Billy, le jeune inspecteur qui avait le béguin pour sa coéquipière.

Quand Chuluum arriva au bureau, il trouva les deux hommes dans la salle de réunion, affairés à lister au tableau des indices et des questions.

— Qu'est-ce que vous foutez ici ? demanda-t-il.

— On reprend les affaires comme on aurait dû le faire dès le début.

– Quelles affaires ?

– Celle des Chinois et celle de la gamine. Les deux, répondit Yeruldelgger en continuant à brasser les dossiers.

– Mickey t'a remis dessus ?

– Non.

– Alors qu'est-ce que tu fous là ?

Yeruldelgger s'arrêta d'écrire au tableau et le regarda droit dans les yeux.

– Je fais mon boulot. Tu crois que quelqu'un peut m'en empêcher ?

Son regard était si dur et si calme à la fois, si déterminé, si résolu que Chuluum en fut déstabilisé.

– Non, je ne crois pas...

– Toi peut-être ?

– Non, non, pas moi ! Après tout, tu as raison, tu fais ton boulot.

– Mickey alors ?

– Non plus...

– Tant mieux, parce que, vois-tu, je sais que Mickey est impliqué d'une façon ou d'une autre dans les deux affaires. Alors je cherche des preuves et des confirmations. Si tu veux te joindre à nous...

Chuluum n'hésita pas une seconde. Il défit sa veste, la plia soigneusement sur le dossier d'une chaise et s'approcha du tableau.

– Vous procédez comment ?

– On liste tous les points sur lesquels on a des confirmations et tous ceux qui restent sans réponse.

– Par exemple ?

– Les parents de la gamine, que sont-ils devenus ? Pourquoi est-ce qu'on n'arrive pas à le savoir ?

– Parce qu'ils sont morts ? suggéra Chuluum.

– Je le pense aussi, répondit Yeruldelgger en traçant une croix à côté du mot « parents ». Mais quand ?

– Comment ça, quand ?

– Avant ou après le meurtre de la petite ?

– Qu'est-ce que ça change ?

– Eh bien, si on part du principe que la petite a été renversée par un quad, soit ses parents étaient déjà morts et ça explique pourquoi elle traînait là toute seule sans surveillance sur le chemin des quads, soit ceux qui l'ont renversée ont ensuite tué les parents pour ne pas laisser de témoins.

– Et quelle est la différence pour nous ?

– Capitale. Les assassins ne sont pas les mêmes. Dans le premier cas, c'est n'importe qui pour n'importe quelle raison, dans le second, ce sont obligatoirement les motards pour éliminer les témoins de l'accident. Il faut absolument retrouver les corps des parents.

– Il y a aussi une autre solution, avança Billy. Les parents laissent la gamine sans surveillance, les motards ne s'arrêtent pas après l'accident, les parents récupèrent le corps de la petite, ils sont traumatisés par leur responsabilité, ils culpabilisent, ils l'enterrent et ils disparaissent en rentrant chez eux.

– Humainement possible, mais pas matériellement. J'ai fait vérifier les entrées et les sorties de visas. Il n'y a pas de visas d'entrée en souffrance qui corresponde à cette famille.

– Qu'est-ce que ça veut dire ? demanda le jeune inspecteur.

– Depuis 2002, le service des visas est informatisé et centralisé. Un logiciel signale tout visa d'entrée auquel ne correspond aucun visa de sortie dans les délais légaux. Si quelqu'un entre et ne ressort pas, on finit par le savoir.

– Le problème, c'est que personne n'est en charge d'exploiter ce fichier, intervint Chuluum. Je connais bien ce service. Quand j'étais en poste à Tchör, j'ai eu à gérer tous les problèmes des

Russes. Les soldats, leurs familles, leurs maîtresses, leurs putes, tout ce beau monde qu'ils avaient fait entrer sous couvert de transports militaires et qui se retrouvait sans visa. C'est là que j'ai connu Sukhbataar. Il m'a aidé à régler pas mal de situations tordues.

— Mickey a travaillé dans ce service ?

— Pas exactement. Il travaillait au contrôle des frontières. Il lui suffisait souvent d'un coup de fil ou d'un rapport arrangé pour signaler une fausse expulsion, et le nom disparaissait du fichier.

— Est-ce qu'il y a un moyen de remonter dans les fichiers ? D'avoir une trace de la manipulation ?

— Non, je ne crois pas...

— Mais Mickey aurait pu faire ça !

— Il aurait pu, mais rien ne dit que...

— Billy, il faut chercher dans ce fichier un couple avec une enfant de cinq ans qu'on aurait signalés « ressortis » entre juillet et septembre il y a cinq ans.

— D'un autre côté, continua Chuluum, notre pays est au cœur d'un continent de nomades. Les frontières sont des passoires. Les parents peuvent être sortis sans rien demander à personne.

— Je n'y crois pas. Un témoin les a identifiés comme plutôt de type européen, et probablement pas russes. Je ne vois pas un couple cachant la disparition de leur fillette penser mieux s'en sortir en Russie ou en Chine que chez nous. Pour moi, ils sont morts ici et enterrés quelque part. Mais j'ai demandé aux nomades qui ont trouvé la petite de chercher d'autres tombes et ils n'ont rien repéré dans la région. Si tombes des parents il y a, elles sont ailleurs dans le pays. N'importe où, mais moi je penche plutôt pour un endroit proche du lieu de l'accident.

— Qu'est-ce qu'on sait d'autre ? demanda Chuluum.

– Oyun a fait du beau boulot en récupérant les éclats de phare. Solongo travaille à établir le lien avec les éclats retrouvés sur le vélo de la gamine. Avec la plaque d'identification, on va pouvoir remonter à l'immatriculation. Billy, il faut vérifier tout ça et me mettre un nom sur le propriétaire de ce quad.

– OK, chef !

– Le van. Il faut aussi retrouver ce van. Je suis remonté à Khüan, le Kazakh du marché aux voitures, et Oyun a remonté la piste jusqu'à un revendeur probablement originaire du Khentii. Depuis que Mickey a foutu la pagaille dans cette enquête, plus personne ne s'est inquiété de retrouver le van. Il faut faire parler le Kazakh et remonter jusqu'à l'acheteur pour mettre la main sur le van. Même cinq ans après, il cache peut-être encore des indices.

– Je m'en occupe, dit Chuluum.

– Je préférerais que tu t'occupes des Chinois, trancha Yeruldelgger.

– Des Chinois ? Pourquoi ?

– Parce que, de ce côté-là, toutes les armes qu'on a identifiées sont originaires d'un lot acheté au marché noir à des militaires russes corrompus de la base de Tchör où tu as été en poste. Tu dois sûrement pouvoir nous aider à comprendre pourquoi des balles tirées par des armes de ce lot ont été retrouvées dans le crâne des trois Chinois. Pourquoi aussi ce sont des armes du même type qui ont été utilisées pour tirer sur Solongo dans les Flaming Cliffs, sur Oyun dans les égouts, et sur Gantulga dans le déversoir. Il y a un lien entre ces armes et les Chinois. Je veux savoir lequel.

– Ça risque d'être long…

– Ça ne peut pas être long, Chuluum. Cette enquête sur les Chinois, comme celle sur la gamine, a été menée n'importe comment depuis le début. Non seulement personne n'a cherché à

poser les bonnes questions, mais en plus personne n'a fait le travail de base. Mickey aurait voulu saboter les deux enquêtes qu'il
n'aurait pas agi différemment. Billy, je veux que tu fouilles plus
profond du côté des trois morts chinois : leurs affectations depuis
qu'ils étaient en Mongolie et où ils étaient les trois années précédentes. Je veux aussi plus d'infos sur les deux femmes pendues.

Le jeune inspecteur listait avec empressement toutes les
demandes sur son ordinateur portable. Yeruldelgger remarqua
avec satisfaction qu'il notait en même temps en marge le nom
des services ou des personnes qui pouvaient l'aider à trouver les
bonnes réponses.

— Ah, Billy, je veux aussi tout savoir sur le Chinois de
l'ambassade qui est venu demander ma tête à Mickey au début
de l'enquête. Ce type faisait semblant d'être très en colère, mais
en fait il était mort de trouille à l'idée de perdre quelque chose
et je veux comprendre quoi.

— Tu vas un peu loin, là, Yeruldelgger, coupa Chuluum. Aller
t'en prendre aux Chinois, je ne suis pas sûr que ce soit une bonne
idée. Ces gens-là tiennent la moitié du pays et du gouvernement,
ne l'oublie pas !

— Eh bien, ça laisse l'autre moitié pour me défendre. Ne t'en
fais pas pour moi. Occupe-toi plutôt d'Adolf.

— Adolf ? Pourquoi Adolf ?

— Parce qu'il est le lien entre les deux affaires. Ses nazillons
tabassent les Chinois à tour de bras, et il a un ranch genre camp
d'entraînement où ces mêmes nazillons passent leur temps à se
courir après sur des quads coréens. C'est gros comme coïncidence, non ?

— Oui, mais ce n'est peut-être qu'une coïncidence... De toute
façon, Adolf n'est pas en ville en ce moment.

— Eh bien, cherche où il est et dis-le-nous !

# 57

*... et vu les circonstances,*
*ce n'était déjà pas si mal !*

Erdenbat le regardait s'engluer dans le sable de la grande dune de Khongor Els. La poudre de pierre chaude et rêche coulait dans sa gorge et étouffait ses cris chaque fois qu'il hurlait de terreur. Il n'avait plus que la tête hors du sable. À quelques centimètres de ses yeux, entre les pieds bottés de fer d'Erdenbat, l'Olgoï Khorkhoï, le vers géant tueur du Gobi, rampait vers lui sous le sable. De temps en temps son corps sans tête, gros comme un bras mou et gorgé de sang, affleurait à la surface. Soudain le monstre de légende jaillit et lui cracha dans les yeux son acide mortel qui le tétanisa d'une décharge de plusieurs milliers de volts. Mickey fut secoué de soubresauts et son corps convulsé tomba du fauteuil où le cauchemar l'avait enfoncé.

– Ça va, Mickey ? demanda Yeruldelgger.

– Qu'est-ce que… Oh putain, quel cauchemar ! J'ai dû m'endormir ! dit le capitaine plutôt secoué. Quelle heure est-il ? Qu'est-ce que tu fais là ?

– Il est cinq heures. Oyun est morte.

– Oh merde ! lâcha Mickey en se relevant aussitôt.

Ils étaient seuls dans le couloir désert. Les moines avaient disparu. Dans la chambre d'Oyun, le lit avait été entièrement défait. Seules brûlaient encore deux bougies laissées par les bonzes.

– Que s'est-il passé ?

– Son cœur a lâché…, expliqua le commissaire.

– Il y a longtemps ?

– Une heure à peine…

– Désolé, Yeruldelgger. Ça va aller pour toi ? Tu vas tenir le coup ?

– Ça va aller. J'ai fait transférer le corps dans le service de Solongo. Elle va la préparer pour la rendre présentable. Si ça ne t'ennuie pas, je voudrais m'occuper personnellement de ramener le corps à la famille, de la paperasse…

– Oui, je comprends, répondit Mickey en prenant l'air le plus affecté possible. Prends le temps qu'il faut. Solongo a procédé à l'autopsie ?

– Pas encore. Justement, je pensais que peut-être…

– Oui, oui, bien sûr. Je vais passer lui dire qu'elle la fasse a minima. On peut même s'en passer. Pas la peine de compliquer les choses pour la famille. Qu'elle déclare une mort accidentelle, je m'arrangerai pour le dossier. Mais par contre, tu peux me croire, Yeruldelgger, quand on aura mis la main sur celui qui lui a fait ça, dossier ou pas dossier, je te promets de le flinguer moi-même. Je te le promets !

– Merci, Sukhbataar ! répondit son subordonné en lui serrant la main.

Mickey se dirigea vers la sortie, le cœur soudain plus léger et plein de mépris pour Yeruldelgger. Il venait de sauver la moitié de sa peau, et vu les circonstances, ce n'était déjà pas si mal !

# 58

*Personne ne savait où était passée Saraa.*

Yeruldelgger comprit aussitôt que tout le monde savait. Même si elle travaillait avec lui, Oyun était appréciée par la plupart des flics du département. C'était une belle fille et une flic courageuse qui savait tenir tête à Mickey et à ses larbins. Beaucoup l'admiraient pour ça, et aussi pour sa capacité à bosser avec le commissaire. Sa capacité à le supporter, surtout !

Depuis la mort d'Oyun, Mickey avait disparu de la circulation. Il était juste passé voir le corps à la morgue, au petit matin, et avait confirmé à Solongo l'inutilité d'une autopsie, par respect pour une collègue et sa famille. Solongo lui avait confirmé qu'elle avait déjà pris les dispositions pour que Yeruldelgger rapatrie le corps auprès des siens un peu plus tard dans la journée. Mickey n'avait pas de problème avec l'idée de la mort, mais il en tolérait mal l'image. Il avait pourtant tenu à voir Oyun et quand la légiste avait dévoilé le corps nu et figé de la jeune femme, il avait mal supporté la vue de toutes ses blessures. Il avait fixé quelques secondes celle qui perforait sa poitrine, à hauteur du cœur, puis avait autorisé la légiste à refermer le tiroir de la chambre froide. Solongo lui avait alors montré le certificat de décès qui concluait, comme il l'avait suggéré, à une mort par traumatisme suite à un accident de quad. Mickey était reparti et on ne l'avait pas revu de la journée dans les services.

Yeruldelgger fit signe à Billy de le rejoindre dans la salle de réunion où personne n'osa les déranger.

– Tu as du nouveau j'espère ! grogna-t-il.

– Oui, mais je voulais d'abord te dire pour...

– Laisse tomber. Le meilleur hommage que nous puissions lui rendre, c'est de résoudre ces deux affaires.

– D'accord, d'accord, bredouilla le jeune inspecteur très affecté. Bon, alors j'ai du nouveau sur les Chinois.

– Ah, ça, c'est bien ! Tu as fait parler quelqu'un à l'ambassade ?

– Non, non, pas du tout ! J'ai entré leurs noms sur le Net et je suis allé surfer sur les sites et les blogs d'info non officiels chinois. Regarde ce que j'ai trouvé sur un site basé à Hong Kong.

Billy afficha un document vidéo sur son écran et lança la lecture. On y voyait l'attaque surprise d'une délégation chinoise par des militants d'une ONG écologiste dans une capitale africaine.

– Qu'est-ce que c'est ? demanda Yeruldelgger.

– Des militants de Pure Earth à Libreville qui s'en prennent à une délégation technique chinoise de retour d'une prospection dans le nord du Gabon en vue de l'exploitation de mines de manganèse.

– Et en quoi ces images concernent nos Chinois ?

– Rien sur les images, mais sur le site dissident chinois qui reprend les images de Pure Earth, on trouve la liste des noms des techniciens qui composaient la délégation chinoise. Deux de nos macchabées y sont cités. Ces types étaient des experts en géologie minière.

– Bien joué, Billy. Le troisième aussi ?

– Non, le troisième figure bien sur le site officiel de l'ambassade comme attaché culturel, mais en fait il est listé sur plusieurs autres sites dissidents chinois et occidentaux comme représentant direct des instances dirigeantes du Parti. Une sorte de commissaire politique, dont le nom apparaît surtout quand de grandes négociations économiques sont en jeu. Il était déjà en poste au Nigeria et en République démocratique du Congo quand les Chinois y ont négocié des droits miniers importants.

– Les Chinois sont là-bas aussi ?

– Cinq milliards de dollars d'investissements dans chacun des deux pays ! répondit Billy sans consulter ses notes.

– Bravo, mon garçon ! Ça change un peu les perspectives de l'enquête, tout ça. Et pour le Chinois de l'ambassade ?

– Lui, il est attaché commercial à l'ambassade ici, à Oulan-Bator. Généralement, c'est un poste qui sert de couverture à des agents du dixième ou du dix-septième bureau du ministère de la Sécurité chinois, c'est-à-dire des agents chargés de la récolte d'informations scientifiques ou technologiques, ou alors purement économiques.

– Une sorte d'espion économique officiel, c'est ce que tu veux dire ?

– Non, disons plutôt qu'il doit être le responsable officiel de plusieurs opérations plus officieuses : collecte d'informations, lobbying, infiltration politique ou économique... À mon avis, le poisson-pilote des trois autres.

– Alors je crois que nous devrions avoir une petite conversation avec ce monsieur, non ?

– Ah, ça va être difficile. Il a été rapatrié d'urgence le lendemain de votre rencontre dans le bureau de Mickey. À mon avis ce pauvre type est déjà en camp de rééducation à l'heure qu'il est !

Yeruldelgger tira une chaise et s'assit à côté du jeune inspecteur.

– Deux géologues et deux barbouzes chinois, trois morts et un exfiltré, ça te fait penser à quoi ? demanda-t-il.

– Des histoires de prospection, des spéculations, une guerre de concessions, des choses dans ce genre !

– Je suis assez d'accord avec ça ! approuva Yeruldelgger à qui l'esprit du jeune inspecteur plaisait de plus en plus. Et je vais te dire une chose, ça me rappelle de très mauvais souvenirs ! Mais à quoi auraient servi les meurtres et toute cette mise en scène alors ?

– Écarter les Chinois d'un marché, leur faire peur, faire pression sur eux pendant une négociation. Ou bien des représailles par rapport à quelque chose qu'ils auraient fait. Ou refusé de faire !

– Si c'étaient des représailles, on aurait eu vent d'une affaire antérieure du même genre, avec d'autres victimes.

– Pas nécessairement. Quand les affaires se traitent par milliards de dollars, des crimes comme ceux-là peuvent faire payer des choses immatérielles, voire abstraites : une clause, une exclusivité, quelque chose comme ça !

– Mais pourquoi avoir émasculé ces types alors ? Les abattre aurait suffi. D'un autre côté, Oyun avait bien souligné le double mode opératoire. On peut penser qu'il y avait un double message dans ces meurtres : l'exécution des Chinois pour frapper leurs compatriotes, et le massacre des corps pour frapper le public.

– Le message de l'exécution, je le sens bien, murmura Billy en réfléchissant, mais le message du massacre, je ne vois pas. Confirmer l'opinion générale dans sa haine envers les Chinois peut-être, mais il n'y avait pas besoin de ça. Pourquoi pas une exécution avec un message à l'adresse des Chinois, déguisée en meurtre raciste sauvage pour détourner l'attention du public et de la police ?

– Peut-être bien…, concéda Yeruldelgger. Et qu'est-ce qu'on sait des filles ?

– Deux prostituées. Pas des pros, des occasionnelles d'après un collègue des Mœurs. Enfin, l'une aurait été un petit peu plus pro que l'autre. D'après lui elles avaient leur petit circuit pour aller ferrer le gogo. En général au Mass, dans le district nord, ou à l'Altaï Lounge. Elles levaient les gus puis elles téléphonaient à une ou deux copines qui rappliquaient pour la fiesta. Ce n'étaient pas des filles très haut de gamme.

– Le Mass et l'Altaï, tu dis ? coupa Yeruldelgger qui n'écoutait déjà plus le jeune inspecteur. Le Mass, ce n'est pas à deux pas de la cité où on a fait sauter deux appartements ?

– Si, c'est juste avant la grande barre, un peu à l'est...

– Et l'Altaï sur Peace Avenue, tu sais à qui ça appartient ?

– Non, mais je peux le savoir vite fait, s'excusa Billy pris en défaut.

– Pas la peine, ce n'était pas une question : cette boîte appartient à Erdenbat en sous-main, et quelque chose me dit que notre ami Chuluum y fait des ménages pour en assurer la sécurité. Intéressant, non ?

– Oui, reconnut Billy. Et si je pense à ce que tu penses, je réponds oui, ça pourrait être intéressant d'aller y faire un tour, histoire de voir qui connaissait ou fréquentait les demoiselles.

– Exact. Alors moi je prends l'Altaï et toi le Mass. Mais avant, dis-moi si on a eu des confirmations au sujet de la plaque du quad. On a pu remonter au propriétaire ?

– Non, pas encore. Apparemment c'était une importation temporaire immatriculée en Corée, mais les services coréens ne sont pas pressés de nous aider sur ce coup-là.

– Essaye de trouver un moyen de leur mettre la pression. Il faut qu'on le sache vite, d'accord ? En attendant, je file à l'Altaï et on se retrouve plus tard. J'ai juste encore un petit truc à régler avant...

– OK, chef ! dit le jeune inspecteur en replongeant le nez dans son ordinateur.

– Billy !

– Oui ?

– Je veux dire : un petit truc confidentiel, tu vois ? Un truc
où j'ai besoin d'être seul dans le bureau.

– Ah pardon ! Je n'avais pas pigé, chef ! Excuse-moi, je sors !
Je sors tout de suite ! répondit Billy en s'emmêlant les pieds dans
les câbles du chargeur de son portable pour déguerpir plus vite.

Quand il fut seul et que l'inspecteur eut bien refermé la porte
de la salle de réunion, Yeruldelgger passa une dizaine de coups
de fil très brefs à partir de son portable. À chaque fois la réponse
était la même. Personne ne savait où était passée Saraa.

# 59

*Ne t'en fais pas, elle saura, elle !*

Mickey avait commandé un White Russian. Il avait décidé d'en faire son cocktail préféré depuis qu'il avait vu *The Big Lebowski*. Il trouvait le cocktail plutôt classe. Il aimait les regards surpris quand il le commandait. Il aimait aussi le petit côté provocateur du mot *russian* dans la nouvelle Mongolie. Chuluum commanda un whisky « comme d'habitude », sans eau ni glace.

– Je ne savais pas que tu avais tes habitudes ici ! s'étonna Mickey.

– Je fais des ménages pour Erdenbat. La boîte lui appartient, expliqua Chuluum.

– Quel genre de ménages ?

– Sécurité, persuasion, protection... La même chose qu'en service, mais en privé. Exactement comme toi.

– Comment ça, comme moi ? Qu'est-ce que tu insinues ?

– Mickey, Mickey ! Tes petites virées touristiques annuelles dans le Khentii, ta petite activité de tour-opérateur pour Coréens friqués en quête d'aventures tout terrain : c'est du ménage aussi, comme moi, et je vais te dire une chose, il n'y a vraiment pas de mal à ça, crois-moi ! Je serais assez mal placé pour te le reprocher !

– Alors pourquoi tu as demandé à me voir, Chuluum ? C'est quoi l'embrouille ?

– Y a pas d'embrouille, Mickey. C'est juste que tu sembles embourbé dans la merde et qu'il y a des gens qui aimeraient éviter d'être éclaboussés.

– C'est une menace ça ? Tu sais qui je suis ? Tu te souviens quand même que je suis ton supérieur ?

– Calme-toi, Mickey, ce n'est pas une menace. On m'a juste demandé de te faire passer un message et de voir si tu avais besoin d'un coup de main.

– Erdenbat ? C'est un message d'Erdenbat, c'est ça ? Alors dis-lui que je n'ai pas besoin d'un coup de main. Rappelle-lui juste que ça fait cinq ans que je protège son cul, et que c'est la seule raison pour laquelle j'ai des emmerdes aujourd'hui. Pour le protéger, lui et ses copains coréens. Tu ne peux pas comprendre, mais lui comprendra, je te l'assure !

– Tu es peut-être encore mon supérieur, mais moi je suis flic, alors ne viens pas me faire le coup du type qui ne peut pas comprendre. Ton histoire avec le Coréen, je la connais par cœur jusqu'à la virgule, Mickey, et ce que tu as fait pour Erdenbat, il t'en est vraiment reconnaissant. Le problème, tu vois, c'est que ce con de Yeruldelgger est allé déterrer la gamine, et que ça, ça complique beaucoup les choses ! En plus, le Coréen, ce n'est plus juste un gus qui aime claquer son fric à faire des raids en quad, c'est devenu un ponte de l'économie chez lui. Il pèse lourd, très lourd, et Erdenbat a de grands projets avec lui. Et pour arranger les choses, il est là, chez nous, ici, en Mongolie. Tu l'as bien vu dans les journaux, non ?

– Bien sûr que je l'ai vu ! s'offusqua Mickey en forçant le ton pour reprendre de l'assurance.

Sur un signe de Chuluum, une serveuse aux charmes un peu lourds et au sourire gourmand déposa sur leur table un autre White Russian et un autre Lagavulin sec.

– Tu peux dire à Erdenbat que je fais ce qu'il faut pour enterrer cette affaire au mieux.

– Tu ne manques pas d'humour ! ricana l'inspecteur.

– Comment ça ?

– Enterrer ! insista Chuluum. Enterrer l'affaire de la gamine enterrée vivante : tu ne manques pas d'humour !

– Parce que tu trouves ça drôle, toi ?

– Non, moi, ce qui me fait rire, c'est l'équipe de bras cassés que tu avais montée pour t'occuper des Coréens ! Adolf, tu te rends compte ? Tu es allé le chercher où celui-là ?

– À l'époque c'était juste un gang de motards, des fêlés de quad qui faisaient parfaitement l'affaire, expliqua Mickey en baissant le ton. Ils n'étaient pas encore devenus les espèces de nazillons à la con qu'ils sont aujourd'hui !

– Il était quand même déjà assez abruti, ton Adolf, pour ne pas remarquer que la gamine qu'il enterrait était encore vivante !

– De toute façon ça changeait quoi ? Ce n'est pas parce qu'elle était vivante qu'elle est remontée à la surface. Il ne pouvait pas savoir !

– Ah non ? Il ne pouvait pas savoir que là où il l'a enterrée, c'est un bout de steppe inondable lessivée par les pluies et les crues de la rivière ? Tu te rends compte tout de même qu'il a fait deux cents bornes pour l'enterrer au plus loin du lieu de l'accident, et qu'il a trouvé le moyen de le faire dans l'un des rares endroits où le corps pouvait remonter ! Et puis il ne pouvait pas creuser un peu plus profond, non, cette feignasse ? Tu vois, Mickey, Erdenbat t'est reconnaissant de ce que tu as fait pour lui et le Coréen, mais ce qu'il ne te pardonne pas, ce sont tous ces petits détails qui ont foiré !

– Comment ça, il ne me le pardonne pas ?

– Il faut le comprendre. Quand tu l'as appelé, la nuit de l'accident, tu lui as promis de t'en occuper. Et aujourd'hui il découvre qu'au lieu de faire ça toi-même, en professionnel, tu as chargé le premier imbécile venu de le faire à ta place et maintenant on a Yeruldelgger sur le dos.

— Bon, écoute, s'énerva Mickey, c'est quoi exactement le message d'Erdenbat ?

— Le message, c'est : fais le ménage et règle le problème.

— Et si le problème c'est Yeruldelgger ?

— Fais le ménage et règle le problème !

— Putain, Chuluum, tu sais quand même qu'il a aussi commencé à faire le ménage de son côté, Yeruldelgger, non ? Tu connais le Tatoué, n'est-ce pas ? Tu sais qu'il a disparu, hein ?

— Raison de plus pour faire le ménage et régler...

La même serveuse aux hanches rondes cambra les reins et roula des seins pour déposer sur leur table un nouveau White Russian et un Lagavulin sec.

— Je n'ai rien commandé ! dit Chuluum en se tournant vers la fille.

— Moi non plus ! se défendit l'autre en écartant les mains.

— C'est le type du bar qui vous l'offre, murmura la serveuse entre ses dents qu'elle avait larges et écartées.

Ils se retournèrent d'un même mouvement et tombèrent nez à nez avec Yeruldelgger qui venait s'inviter à leur table, un verre de Perrier à la main.

— Qu'est-ce que c'est ? demanda Mickey le temps de reprendre possession de ses moyens.

— Une eau gazeuse française, répondit Chuluum à la place du commissaire. Qu'est-ce que tu fais ici ?

— Je noie mon chagrin ! dit Yeruldelgger en brandissant son verre d'eau.

— C'est quand pour Oyun ? fit Mickey en s'empressant de saisir l'occasion.

– C'est pas ! Personne n'est invité. J'emmène le corps chez ses parents, dans la steppe, on l'enterre à l'ancienne au milieu de n'importe où et c'est tout.

– Tu sais que c'est interdit, les sépultures à l'ancienne, osa Chuluum en le regardant droit dans les yeux

– Tu crois que quelqu'un va m'en empêcher ?

– Non, je ne pense pas, non, répondit Chuluum en regardant Mickey.

– De toute façon je ferai bien attention ! reprit le commissaire.

– Attention à quoi ?

– À l'enterrer assez profond pour qu'elle ne remonte pas ! rétorqua Yeruldelgger en plantant son regard rieur dans les yeux affolés du capitaine.

Puis il leva son verre et porta un toast :

– À Oyun !

– À Oyun ! clama Chuluum.

– À Oyun, murmura Mickey.

– Bon, je crois que je vais me payer une fille, soupira Yeruldelgger sans toucher à son verre.

– Tu vas quoi ? s'indigna le capitaine.

– Un soir qu'on était en planque, Oyun m'a fait promettre de ne pas pleurer pour elle si elle mourait en service. Elle voulait que je m'occupe de tout et qu'ensuite je me paye une fille en souvenir de tout ce qu'on n'avait pas fait ensemble. Je crois qu'elle en pinçait pour moi...

– Et tu vas vraiment le faire ?

– Je suis un gosse de la steppe, Mickey. Chez nous, une promesse est une promesse. Et une promesse à une morte est un devoir !

– Alors le devoir t'appelle ! souffla Chuluum en lui désignant une fille à qui il venait d'adresser un signe discret.

– J'y crois pas ! s'offusqua Mickey, trop heureux de pouvoir s'éclipser. Tu vas vraiment le faire ! Oyun n'est même pas enterrée et tu vas vraiment faire ça ? Je vous laisse, je ne veux pas voir ça !

– Tu sais où on peut aller ? demanda Yeruldelgger à l'inspecteur pendant que la fille glissait sa main dans sa chemise.

– Ne t'en fais pas, elle saura, elle !

# 60

*... dans la petite vallée
devant son ranch...*

L'appartement donnait d'un côté sur les toits en terrasse de l'hôpital familial du quatorzième district et ses pelouses poussiéreuses, et de l'autre sur les larges trottoirs encombrés de négoces du petit périphérique à hauteur du Happy SanSar Center. La barre d'immeubles se dressait comme une falaise à trente mètres de la rue bruyante et de ses courants contraires de trafic pollué. Entre les deux, comme dans d'autres pays plus heureux le feraient des restaurants de plage, s'alignaient de grands commerces de n'importe quoi comme des cubes de couleur juxtaposés qui finissaient par donner aux larges trottoirs le long des parkings des allures de promenades commerciales.

Yeruldelgger regardait la foule nonchalante déambuler sous le soleil, depuis la fenêtre du sixième étage. C'était un petit deux pièces surchargé de meubles et de bibelots, avec des jouets de gosse entassés dans un coin, et qui sentait le vieux, la poussière et les gâteaux de lait aigre. La fille avait essayé plusieurs clés avant de trouver la bonne et commencé à se déshabiller avant même de les poser sur le meuble de la télé, comme on le fait en rentrant chez soi pour se mettre à l'aise. Mais l'instinct de Yeruldelgger ne l'avait pas trompé. La fille n'était pas chez elle et il avait interrompu son geste de sa voix la plus douce possible.

– Pas la peine…

Maintenant ils étaient là, dans la pénombre du petit appartement, elle mal rhabillée au fond d'un mauvais fauteuil en cuir
craquelé recouvert d'un maigre crochet, et lui pensif, à la fenêtre,
à regarder cette ville en désordre qu'il n'arrivait pas à haïr. Yeruldelgger s'imprégnait de l'odeur des lieux et du parfum de la fille.
Il pensa à un mot de Marilyn Monroe qui disait dormir nue et
vêtue de son seul parfum. La fille devait chercher à faire pareil :
se mettre nue pour ses clients en les enivrant de son parfum.
Dans la rue déjà, il avait eu cette impression qu'à ses côtés il
traversait la ville trop polluée dans une bulle trop parfumée.

– Rien de personnel, petite sœur. Tu es belle, ce n'est pas le
problème. C'est juste que je ne suis pas venu pour ça !

– Tu es flic, hein ? C'est ça ?

– Oui, c'est ça.

– Merde, Chuluum aurait pu me prévenir quand même !

– Je bosse avec lui. Nous sommes tous les deux sous les ordres
de l'autre type qui était à l'Altaï avec nous, dit Yeruldelgger sans
se retourner, toujours captivé par le calme chaos d'Oulan-Bator
vu d'en haut.

– Chuluum n'est sous les ordres de personne, répondit la fille
un brin provocante. À l'Altaï, quand le Turc n'est pas là, c'est
lui qui commande !

– C'est Erdenbat que tu appelles le Turc ?

– Qui d'autre ? On voit bien que tu ne connais pas Erdenbat.
Si tu voyais comment il est bâti, tu comprendrais que le Turc,
ça lui va comme un gant ce petit nom !

– Je connais bien Erdenbat, petite sœur. En fait, dans une autre
vie, j'ai épousé sa fille.

– Oh merde ! lâcha-t-elle en resserrant sur ses gros seins le
fin tissu de son décolleté. Tu es Yeruldelgger, c'est ça ? C'est
toi le flic fou ?

Il laissa retomber le rideau gris qu'il retenait d'un doigt et se retourna.

— C'est ce qu'on dit de moi ? demanda-t-il doucement. Que je suis fou ?

— Ne me fais pas de mal, je t'en prie !

— Je n'en ai pas l'intention, souffla-t-il en se laissant tomber sur un petit sofa, de l'autre côté d'une lourde table basse. On est où ici ? Ce n'est pas chez toi, n'est-ce pas ?

— Non. Avant on avait un appartement au dixième étage, dans la cité, derrière l'hôpital, mais il a brûlé.

— Le double incendie de l'autre semaine ?

— Oui, répondit-elle, aussitôt sur la défensive.

— Tu sais ce qui s'est passé ?

— C'est toi le flic, pas moi !

— Peu importe, de toute façon ce n'est pas ce qui m'intéresse. Je veux te parler des deux filles pendues, celles qui étaient avec les Chinois.

— Jamais entendu parler ! se ferma la fille.

Yeruldelgger n'insista pas. Il se contenta juste de la fixer en silence, et ce qu'elle vit dans son regard la fit craquer aussitôt. Ce n'était pas une menace, juste une inébranlable détermination. Une force enracinée en cet homme comme un rocher dans la steppe.

— Je t'en prie, pourquoi tu compliques les choses ? Prends-moi, fais-toi plaisir, fais ce que tu veux ! Pourquoi veux-tu parler d'elles ?

— Pourquoi ne veux-tu pas m'en parler ?

— Parce que si je le fais, Chuluum le saura et je ne pourrai plus jamais travailler à l'Altaï. Comment je vais gagner ma vie, moi, après ?

— Mais si tu ne m'en parles pas, alors tu ne pourras plus jamais travailler du tout. Nulle part ! expliqua posément Yeruldelgger.

La jeune femme resta silencieuse, tête baissée, des larmes dans les yeux, puis elle secoua longtemps ses cheveux de jais comme si elle ne pouvait pas croire elle-même à ce qu'elle allait faire. Elle avait le visage rond des femmes mongoles. Sans maquillage, elle aurait pu être une nomade joyeuse à la vie dure sous la yourte, entre la steppe et le ciel immenses. Mais elle n'avait pas voulu de cette vie dure. Aujourd'hui elle avait une vie privée de sens et d'horizon au milieu des fumées et du béton, mais qu'elle estimait moins pénible. Enfin, tant qu'elle ne croisait pas le chemin de types comme Yeruldelgger !

— Je les connaissais, c'étaient des occasionnelles. On travaillait quelquefois ensemble dans l'autre appartement, quand il y avait des groupes. C'étaient de braves filles. Je ne sais pas pourquoi les Chinois les aimaient bien. Le type de l'ambassade voulait toujours qu'elles fassent partie de leurs petites fêtes. C'est horrible ce qu'on leur a fait !

— Ce soir-là, qui avait organisé la petite fête dans l'usine ? Le type de l'ambassade ?

— Non, c'était la Saint-Valentin chinoise, alors le gars de l'ambassade avait organisé quelque chose dans un appartement qui lui sert à ça, dans le quartier des ambassades.

— Tu en étais ?

— Non, répondit la fille trop vite, en regardant soudain vers la fenêtre.

— Qui a amené les filles chez le Chinois ? C'est Chuluum ?

— Non. Pour le Chinois, c'est toujours l'autre, ton chef, qui s'occupait des filles.

— Mickey ?

— Il ne s'appelle pas Mickey, il s'appelle Sukhbataar.

— Je sais, Mickey c'est son surnom dans la police. Tu es sûre de ce que tu dis ?

– Certaine. Il a amené les filles. En général il reste un peu au début. Il regarde les strip-teases et puis il s'en va.

– Comment tu sais ça, toi ?

– Ça m'est arrivé qu'il me choisisse aussi pour le Chinois. Et puis on parle entre nous, on se raconte comment ça se passe, au cas où…

Yeruldelgger regarda la fille un long moment. Elle essaya de soutenir son regard quelques secondes, puis fouilla nerveusement dans un petit sac pour en sortir une cigarette qu'elle alluma en tremblant, perdant aussitôt son regard dans la fumée bleue qu'elle souffla haut et fort au-dessus d'elle.

– C'est aussi Mickey qui est revenu vous chercher après ?

– Qu'est-ce que tu racontes ? Je t'ai dit que je n'y étais pas ce soir-là !

– Tu portes quoi comme parfum ?

– Quoi ? Qu'est-ce que ça peut te faire ?

– Tu portes quoi ?

– Du français !

– Tu parles ! Du français de Shenzhen !

– Je m'en fous, du moment que mes clients aiment ça !

– Justement, la nuit du massacre, quand le Chinois a débarqué à l'usine dans la limousine de l'ambassade, il empestait ce parfum. Tu étais avec le Chinois de l'ambassade cette nuit-là, n'est-ce pas ?

– Parce qu'il sentait le même parfum que moi ? C'est tout ce que tu as trouvé comme preuve scientifique ? Je te croyais meilleur flic que ça !

– Et toi, tu crois que je suis venu à l'Altaï juste comme ça, par hasard ? J'ai potassé vos dossiers avant de venir. Ton nom de tapin à toi, c'est Colette, à la française, parce que tu portes toujours le même parfum français. Tu as passé plusieurs nuits au poste pour avoir tenté d'arracher les yeux à des filles qui essayaient de porter le même que toi. Pas vrai ?

– …

– Tu étais bien avec le Chinois ?

– Écoute, tu ne peux pas me lâcher un peu, non ? Je vais me faire tuer à cause de toi, et en plus je suis sûre que tu le sais et que tu t'en fous !

– Il ne t'arrivera rien, dit Yeruldelgger en fouillant dans ses poches pour en tirer une poignée de billets. Tu prends ça et tu vas te mettre dix jours au vert quelque part dans la steppe, et quand tu reviendras, tu n'auras plus rien à craindre.

La fille fixa quelques instants la liasse. Puis elle souffla sa fumée de côté, écrasa sa cigarette dans un cendrier volé à l'hôtel Mongolia, et prit les billets pour les compter. Il y avait à peu près dix fois ce qu'elle se faisait en moyenne en une journée, et elle se demanda si le flic était à ce point bien informé sur elle ou s'il avait vu juste par hasard.

– C'est bien ça ? demanda-t-il.

La fille leva les yeux au ciel et posa les billets sur la table basse pour se rallumer une nouvelle cigarette, d'un geste moins fébrile que pour la première.

– Alors, est-ce que Mickey, enfin je veux dire Sukhbataar, est venu vous rechercher cette nuit-là ?

– Non, mais il est passé deux fois dans la nuit. La première fois je l'ai juste aperçu dans un miroir. Il surveillait si tout se passait bien. La seconde fois c'était beaucoup plus tard, quand on avait déjà fini. Tout le monde dormait sauf moi. Ce salaud m'a presque violée vite fait dans la salle de bains. Il était très énervé. Il n'a même pas fini ce qu'il avait à faire. D'un seul coup il m'a repoussée contre le mur et il est allé réveiller le Chinois. Après ils sont partis en catastrophe et je ne les ai pas revus. Il a juste eu le temps de me dire de rassembler les autres filles et de disparaître en vitesse.

– Tu crois qu'il venait d'apprendre au Chinois le massacre de ses compatriotes à l'usine ?

– Je ne vois rien d'autre qui aurait pu faire rappliquer Sukhba-taar comme ça et paniquer autant le Chinois !

– Et pour les deux filles qui sont mortes, qu'est-ce que vous vous dites entre vous ?

– Que ça devient de plus en plus dangereux d'avoir des clients chinois. Il y a de plus en plus de gens qui les haïssent, et main-tenant ça nous retombe dessus.

– Tu crois qu'on les a tuées pour ça ?

– D'après toi ! provoqua-t-elle. Avec les paquets des Chinois enfoncés dans leur bouche, tu vois un autre message, toi ?

Yeruldelgger ne répondit pas. Il se redressa, regarda la fille qui leva vers lui des yeux inquiets piqués par la fumée, et alla à la fenêtre. Il ne fut pas surpris d'apercevoir la voiture de Chu-luum mal garée en épi devant le Happy SanSar Center. Il laissa retomber le rideau et se dirigea vers la porte.

– J'y vais. Appelle Chuluum et dis-lui que je suis déjà reparti. Et ensuite mets-toi au vert comme je te l'ai dit.

La fille ne répondit pas. Elle resta immobile dans son mauvais fauteuil à regarder le ciel sali à travers le rideau gris de nicotine.

Cinq minutes plus tard, elle entendit une clé glisser dans la serrure et la porte s'ouvrir. Elle écrasa sa cigarette dans le cen-drier, fourra les billets dans son petit sac en marmotte qu'elle serra fort contre son ventre, et se dirigea vers la porte.

– Alors ? demanda Chuluum sur le seuil.

– Alors c'est comme tu pensais, il a posé des questions, répon-dit-elle en sortant sur le palier.

– Et toi, qu'est-ce que tu as dit ?

– J'ai menti, comme tu m'as dit.

– Il t'a crue ?

– Tu as déjà essayé de deviner ce que pense ce type ? Je n'en sais rien. J'ai dit comme tu m'as dit.

– Tu lui as parlé de Mickey ?

– J'ai dit comme tu m'as dit, je te répète !

– Il t'a payée ?

– Oui...

– Fais voir !

– ...

– Fais voir !

Chuluum lui arracha le sac des mains et sortit la liasse de billets. La fille préféra prendre les devants.

– J'ai rien demandé, c'est lui qui m'a payée pour me mettre au vert une dizaine de jours. Je te jure que c'est pour ça !

– Je te crois, ce con est bien capable d'un truc comme ça.

– Tu me les rends ?

– Tu rêves ou quoi ? Allez, on dégage.

Chuluum la prit par le bras et la dirigea fermement vers les escaliers. Les faux talons parisiens de la fille résonnèrent à chaque marche dans la cage d'escalier en béton brut.

Yeruldelgger attendit qu'ils aient descendu deux étages pour descendre à son tour de celui où il était monté pour les épier. De tout ce que la fille lui avait raconté, elle n'avait pu mentir que sur une seule chose : le rôle de Mickey. Donc Chuluum chargeait le capitaine. C'était intéressant.

Yeruldelgger s'assura qu'ils étaient partis pour quitter l'immeuble, puis il appela Billy pour savoir où il en était avec l'autre fille. Le jeune inspecteur s'excusa de ne pas encore être passé au Mass à cause de paperasses en retard dans une autre enquête. Yeruldelgger le rassura. Il avait appris ce qu'il cherchait à savoir. Il lui donna rendez-vous plus tard dans la soirée, à l'adresse d'un restaurant connu, le Mongolian Barbecue, et profita du soleil d'été pour aller à pied jusqu'à l'hôpital de Solongo. Au passage il acheta le journal à un gamin qui n'avait pas cinq ans et qui essaya de lui vendre des cigarettes de contrebande. Toute la une était dédiée aux préparatifs du grand *naadam*, avec un encart consacré au *naadam* privé qu'Erdenbat organisait en l'honneur de la délégation coréenne, dans la petite vallée devant son ranch...

# 61

*C'est quelque chose*
*qu'il faut que tu voies !*

Mickey était repassé par la morgue quand il avait appris qu'on allait emporter le corps d'Oyun. Il assista de loin à la mise en bière et se surprit à penser que même le visage livide et tuméfié, Oyun restait belle. Il se demanda si Yeruldelgger se l'était faite. Puis Solongo autorisa les préposés à emporter le cercueil et rejoignit le capitaine. Elle le prit par le bras et le dirigea vers la porte.

— Désolé de te presser, Mickey, mais j'ai deux autopsies à terminer : bataille d'ivrognes. Tu sais ce que c'est dans les jours qui précèdent le grand *naadam* ! Pour la pauvre Oyun, Yeruldelgger s'est occupé des formalités. Il va rapporter le corps à sa famille. Ils sont encore nomades, quelque part à l'est de Bor Undur.

— Qu'est-ce qu'il pense de tout ça ?

— Qu'est-ce que tu veux dire ?

— Eh bien, vous êtes assez proches tous les deux, non ? Il t'a dit ce qu'il pensait de tout ça ? Est-ce qu'il continue d'enquêter ? Tu sais s'il a des pistes intéressantes ?

— Sukhbataar, tu es son supérieur et tu lui as retiré toutes ses enquêtes, comment peux-tu me poser de telles questions ?

— Parce que tout le monde sait qu'il n'écoute rien et qu'il n'en fait qu'à sa tête ! Je te dis ça pour son bien, Solongo.

Oyun s'est fait descendre, et ça pourrait très bien lui arriver à lui aussi !

– Qu'est-ce que ça veut dire ? Il est en danger ? Tu sais quelque chose ?

– Non, non, je veux juste dire que quelqu'un n'a pas hésité à descendre un flic, et qu'il pourrait très bien en descendre un autre, c'est tout ! Nous devons tous prendre garde à nous !

– Ne t'en fais pas pour Yeruldelgger, c'est un grand garçon. Mais, dis-moi, je n'ai pas vu passer tes cadavres de l'affaire du ranch des motards.

– Non, c'est vrai, j'ai pensé que tu aimerais prendre le temps de t'occuper d'Oyun, alors j'ai confié mes cinq macchabées au légiste de l'hôpital n° 7. Ça te permettra peut-être d'aller aux obsèques, si tu veux.

– Merci, c'est gentil, mais personne n'ira à part Yeruldelgger. Il paraît qu'Oyun et lui en avaient parlé pendant une planque. Elle ne voulait personne. Que lui et sa famille et une tombe dans la steppe pour rester seule avec son Créateur et ne jamais recevoir de visite. C'était son truc.

– Elle était devenue mystique elle aussi ?

– Pourquoi dis-tu ça ?

– Yeruldelgger se balade avec des bonzes maintenant, tu n'as pas remarqué ?

– Si, je crois que pendant les dix jours où il a disparu, il était en retraite quelque part dans un temple. L'affaire de la gamine l'a beaucoup secoué, tu sais. Ça lui rappelle trop la mort de Kushi.

– Ah, à propos de môme : quelqu'un sait ce que le gosse qui a été témoin du meurtre d'Oyun est devenu ? Il paraît que c'était la mascotte de la bande, non ?

– Tu sais, moi je peux te dire comment mes morts sont morts, mais ce que deviennent les vivants, ça m'échappe un peu ! Bon, il faut que tu me laisses maintenant. Il faut vraiment que je m'attaque à la découpe de mes ivrognes.

Mickey plissa le nez et se demanda comment une femme foutue comme Solongo avait pu choisir ce métier. Il se demanda par la même occasion si Yeruldelgger se la faisait, elle aussi.

La légiste le raccompagna jusque dans le couloir et s'assura qu'il ait bien quitté le service avant de revenir dans la morgue d'où elle appela son ami sur son portable.

— C'est moi. Le cercueil d'Oyun vient de partir d'ici. Mickey est venu assister à la mise en bière.

— Il a dit quelque chose ?

— Que tu n'es pas prudent et que tu devrais faire attention. Il a aussi demandé après Gantulga.

— Il sait qui il est ?

— Non, mais il sait que c'était la mascotte du groupe.

— Ne t'en fais pas. Il est en lieu sûr.

— Au monastère ?

— Et si tu étais sur écoute ?

— Tu crois qu'ils iraient jusque-là ?

— Tu ne trouves pas qu'ils sont déjà allés assez loin ?

— C'est vrai... À propos de Gantulga, comment l'a-t-il pris pour Oyun ?

— C'est un gamin intelligent.

— Qu'est-ce que ça veut dire ?

— Que c'est un gamin intelligent ! Dis-moi, ce soir je vais dîner au Mongolian Barbecue avec Billy. Tu veux te joindre à nous ?

— Comme ton légiste ou comme ta maîtresse ? demanda Solongo, un sourire dans la voix.

— Comme ma compagne, ça te va ?

— Je t'aime !

Yeruldelgger attendit qu'elle ait raccroché pour dire à son tour qu'il l'aimait. Il avait encore des pudeurs et des prudences à combattre avant d'aimer vraiment à nouveau.

Il lui restait un dernier point à éclaircir et il traversa toute la ville dans un bus surchauffé par un antique moteur en surrégime. L'homme qui ouvrit la porte de son misérable appartement sut tout de suite qu'il n'aurait pas dû.

– Batnaran ?

– Tu es qui ? demanda l'homme, méfiant.

– Je suis flic. Je suis un collègue d'Oyun.

– Oyun ? Oh non, c'est pas possible ! Mais je lui ai déjà tout raconté à Oyun, d'accord ? J'ai rien à ajouter !

– Le problème, reprit calmement Yeruldelgger, c'est que ça s'est un petit peu compliqué pour elle depuis que tu lui as parlé.

– Ça, je l'avais prévenue ! Qu'est-ce qu'il lui est arrivé ?

– Une balle en plein cœur, annonça Yeruldelgger d'un ton neutre.

Batnaran essaya de rester aussi impassible que possible. Il se doutait bien que le calme du policier annonçait quelque chose de pire encore.

– Et ? fit-il, résigné à l'avance.

– Et bingo ! C'est toi le dernier à lui avoir parlé ! Alors maintenant c'est pour toi que les choses se compliquent.

L'homme fit entrer Yeruldelgger dans son minuscule appartement aux boiseries délabrées. Il lui proposa un mauvais whisky chinois ou du thé salé, et son visiteur opta pour le thé. Batnaran répondit que pour le thé il fallait attendre que sa femme rentre, mais qu'elle n'allait pas tarder. Puis, à la demande du policier, il raconta à nouveau tout ce qu'il savait sur les fameux raids des Coréens.

Yeruldelgger le laissa parler. Quand il s'arrêtait, il ne le relançait pas. L'autre essaya plusieurs fois de rester silencieux, mais

Yeruldelgger se contentait alors de poser sur lui un regard de plomb. Sans un mot, sous la menace de son silence, il l'obligea à se faire chaque fois plus précis. Après vingt longues minutes, il sut qu'il venait de tirer un autre fil dans l'affaire de la fillette. Par trois fois dans son récit, le garde forestier avait mentionné un campement pour touristes qui servait apparemment d'ultime bivouac aux différents raids. Yeruldelgger reprit alors les choses en main, et sans jamais poser de questions directes, poussa Batnaran à tout lui dire du camp de l'Ours, où il se situait, comment s'y rendre, combien de yourtes, combien de chalets. Il apprit qu'il y avait une vieille femme aux cuisines, aidée de deux autres plus jeunes, trois ou quatre gamines des villages voisins pour le ménage et le service, et une brute patibulaire pour tenir le tout.

Yeruldelgger fut vite convaincu que la description des lieux et des circonstances cadrait avec l'idée qu'il se faisait de l'accident. Pour la première fois dans le puzzle de cette affaire, un lieu précis recoupait les trajectoires de la fillette, du Coréen, de Mickey et d'Adolf. Un lieu où, probablement, il pourrait aussi retrouver la trace des parents disparus. Et surtout, un lieu dont la description lui rappelait intimement le décor de son cauchemar.

Selon Batnaran, les gardes avaient été mis en vacances une semaine plus tard cette année, et pour lui ça signifiait que le raid arriverait au camp de l'Ours la veille du grand *naadam* et non pas une semaine avant comme les années précédentes. Yeruldelgger garda pour lui l'intuition que la présence de la délégation coréenne n'était pas étrangère à cet agenda et il prit congé de l'homme avant même que sa femme ne revienne pour servir le thé.

À peine sorti, il appela Billy pour lui confirmer le rendez-vous au Mongolian Barbecue.

— Ça tombe bien que tu m'appelles, répondit le jeune inspecteur, j'ai deux bonnes nouvelles pour toi. La première, c'est qu'on a presque fait parler la plaque d'identification du quad que tu as trouvée sur Oyun.

– Dis-moi vite qu'elle a un lien avec le Coréen, petit frère.

– Exact ! Les services de l'immatriculation de Corée nous ont répondu. Ce quad avait été enregistré chez eux au nom de la société Korean Vanguard. Actionnaire majoritaire : la Holding de Park Kim Lee qui en est aussi le *chief executive officer*...

– Bien joué, Billy !

– Aucun mérite, chef. C'est Oyun qui avait lancé toutes les requêtes avant de... enfin... Bon, par contre, dans le quart d'heure qui a suivi, le département a reçu un appel de l'ambassade de Corée qui s'interrogeait sur les raisons de notre intérêt envers la Korean Vanguard. Ils voulaient parler à Mickey, mais comme il était absent, c'est moi qui ai récupéré l'appel. J'ai dit qu'on avait mis la main sur l'épave d'un quad volé et qu'on cherchait à identifier le propriétaire. À mon avis, ils ne vont pas le croire longtemps.

– On s'en fiche, ça nous suffit pour faire le lien avec Park Kim Lee.

– On a autre chose aussi pour les éclats de verre qu'Oyun avait récupérés sur le quad du ranch : un premier examen rapide permet de confirmer qu'ils proviennent du même phare que celui dont tu as trouvé un éclat dans la pédale du tricycle de la gamine. Solongo interroge son contact allemand pour une confirmation, mais ça risque d'être un peu long. De toute façon, la scientifique de chez nous est déjà catégorique : un des éclats du tricycle s'emboîte parfaitement avec un de ceux du ranch.

– Ça, c'est vraiment une bonne nouvelle, Billy. Non seulement on a le lien entre Park Kim Lee et le quad, mais maintenant on a le lien entre le quad et l'accident. Sauf à démontrer que le Coréen n'était pas le pilote, c'est lui le meurtrier de la gamine. D'autant qu'Oyun avait récupéré une photo de lui sur

le quad. Cette fois on tient notre assassin. Beau boulot, mon
garçon !

— Attends, attends, il y a autre chose !

— Je croyais que tu n'avais que deux bonnes nouvelles ?

— Oui, mais l'immatriculation et le phare, pour moi, ça
concerne le quad, donc c'est la même chose. Ça, c'était la première bonne nouvelle.

— Dis-moi vite quelle est l'autre alors !

— Dis-moi plutôt où tu es et je passe te prendre. C'est quelque
chose qu'il faut que tu voies !

# 62

*... pour notre dîner*
*au Mongolian Barbecue !*

– C'est pour ça qu'on a fait trois heures de piste ?

Billy était si excité par ce qu'il voulait montrer à Yeruldelgger qu'il avait réussi à ne rien lui dire pendant tout le trajet. Ils étaient sortis d'Oulan-Bator par l'ouest en prenant Yaarmag Road, avant de laisser l'aéroport Gengis-Khan sur leur gauche et de bifurquer vers le sud-est en direction du parc national du Khustain Nuruu. Quelques kilomètres plus loin, l'asphalte avait laissé place à la piste et ils avaient continué à travers la steppe aride.

Billy conduisait avec plaisir. De temps en temps les traces des voitures s'égaillaient en éventail et il choisissait comme un pisteur celle à suivre pour éviter de casser un essieu dans un trou ou de verser dans une ravine à sec. Il pouvait s'éloigner de plusieurs centaines de mètres de la piste principale, surveillant du coin de l'œil le long panache de poussière jaune d'un autre véhicule qui avait choisi d'autres traces au loin. Puis toutes les traces convergeaient à nouveau vers la piste et il se retrouvait à poursuivre sans ralentir la même voiture à travers un nuage de terre rouge. Yeruldelgger avait laissé faire Billy, car il aimait ces folles échappées dans la steppe. Même mécaniques, elles réveillaient en lui des souvenirs de galops en liberté.

Ils avaient aperçu les premières palissades d'Altanbulag déla-
vées par les intempéries deux heures après leur départ. La piste
se jetait contre une grille de dix rues parallèles d'enclos en
planches abritant chacun une yourte grise ou une cabane. Pour
entrer dans Altanbulag, le chauffeur pouvait choisir n'importe
laquelle des dix rues et s'y engouffrer comme à travers une herse.
Et juste après il débouchait sur un village sans rues, avec des
maisons plantées n'importe comment sur un terrain aussi vague
que la steppe alentour. Toutes les pistes explosaient alors en bou-
quets de traces reliant entre elles toutes les maisons dans un indé-
chiffrable entrelacs.

Au beau milieu du village, Billy avait brusquement viré sans
ralentir vers le sud. Sur trois cents mètres de large, des pistes
filaient vers une ancienne base militaire soviétique dont on apercevait au loin les bâtiments bas tapis dans la steppe. Il n'avait
levé le pied que passé la base où des hommes désœuvrés traînaient dans de mauvais treillis autour de lourds camions russes
bâchés. Puis il s'était engagé sur la gauche sur une petite piste
qui déviait du flot pour rejoindre quelques yourtes à deux pas
de la décharge de la caserne. C'est là que l'homme les attendait.
Il semblait terrorisé à l'idée de recevoir chez lui des policiers de
la ville, et Yeruldelgger lui avait donné du « grand-père » pour
le rassurer. Dès qu'il les avait fait entrer dans son enclos, d'un
geste désolé de la main, il leur avait montré le van. Ou plutôt
ce qu'il en restait...

— Tu es sûr qu'il s'agit du nôtre ? demanda Yeruldelgger,
étonné.

— Aucun doute. Le grand-père a conservé la plaque à l'intérieur. Elle n'a pas brûlé avec le van.

— Comment est-il arrivé là ?

— Le grand-père est un peu ferrailleur, comme tu as pu t'en
apercevoir avec sa petite décharge à l'extérieur. Il travaille surtout

avec la caserne, mais il a aussi des combines en ville, avec des margoulins du marché aux voitures. On lui amène des trucs un peu chauds, qu'on lui demande de découper et de faire disparaître ou de ventiler en bouts de ferraille aux quatre coins du pays. C'est probablement comme ça qu'il a récupéré le van.

– Comment ça, *probablement* ? Tu n'en es pas sûr ?

– Non. Je crois qu'Oyun était sur une piste. Elle avait presque localisé le vendeur, un type du Khentii, et les premiers acheteurs : un Bouriate qui l'avait revendu au Kazakh à qui tu as tiré dans la jambe.

– Khüan ?

– Oui, c'est ça. Je sais qu'Oyun gardait un œil sur lui, mais ce n'est pas comme ça qu'on a récupéré le van.

– Comment alors ?

– Quelqu'un y a mis le feu il y a trois nuits. Le grand-père ne voulait pas en faire une histoire, mais comme c'est arrivé près de la caserne, les militaires sont venus l'aider à éteindre le feu et ils ont fait un rapport. Oyun avait mis une alerte sur tout ce qui pouvait concerner un van de ce type et de ce modèle, et d'une façon ou d'une autre, le rapport est remonté jusqu'à chez nous ce matin.

– Génial, murmura Yeruldelgger, purement génial !

Il était là, au milieu de nulle part, au cœur de sa Mongolie sous un ciel haut et immobile, avec loin sur sa gauche les contreforts du Khustain Nuruu, derrière lui toute la steppe immense et large qui galopait jusqu'au Gobi, de l'autre côté les contours massifs du Bogokhan sacré, et loin devant les montagnes qui grimpaient jusqu'au Baïkal, et là, tout à côté de lui, la carcasse calcinée d'un van UAZ 452. De *son* van UAZ 452. Pour la première fois depuis le début de cette enquête, il sentit son cœur se gonfler d'un espoir grisant. Pouvoir tenir la promesse faite au grand-père de la steppe de s'occuper de l'âme de la fillette.

– On regarde ça de plus près ? fit-il d'un ton enjoué à Billy.

– On regarde ça ! approuva le jeune inspecteur.

À l'époque, Khüan avait vite compris que le van était « chaud ». Il n'était accompagné d'aucun document et il avait remarqué des traces de sang mal lessivées à l'intérieur. Pourtant celui qui l'avait mis en vente sur le marché aux voitures avait essayé de faire le ménage. Khüan avait deviné que le van avait été équipé pour du camping, probablement avec un lit et quelques rangements, et peut-être un réchaud intérieur pour les jours de pluie. Tout avait disparu quand il l'avait racheté, mais il avait remarqué les traces des fixations et des branchements. Il l'avait vendu au grand-père parce qu'il le savait ferrailleur. Le vieux allait le découper, le désosser, le démanteler et revendre le tout. Khüan avait même négocié un juste prix qui lui laissait un moins bon bénéfice, mais faisait faire au grand-père une belle affaire pour le convaincre d'emporter le van loin du marché aux voitures d'Oulan-Bator et de son Altaï Car Service. Et pour être sûr de ne plus jamais le revoir et pousser le grand-père à le débiter en ferraille, Khüan s'était arrangé pour bricoler le moteur de sorte qu'il ne puisse pas supporter beaucoup plus de cent kilomètres supplémentaires.

C'est ce que Khüan raconta bien plus tard, après que l'affaire fut close, quand il fut convaincu de l'incendie volontaire du van. Mais déjà ce jour-là, le grand-père leur confia qu'il suspectait le Kazakh d'avoir saboté le moteur. Quatre jours après qu'il avait ramené le véhicule à Altanbulag, le joint de culasse rendait l'âme à hauteur de la caserne alors qu'il revenait du village. Des soldats l'avaient aidé à le remorquer jusqu'à l'enclos de sa yourte et à le pousser à l'intérieur. Un soldat s'était montré intéressé par les roues et ils les avaient démontées, calant le van sur des parpaings. Puis un autre était venu piocher dans le moteur de quoi réparer son propre véhicule, et c'est en voyant le joli van bleu immobile, sans roues et sans moteur, posé sur ses parpaings dans son enclos, que le grand-père avait eu l'idée de le garder pour y abriter un établi.

– Quelle chance ! murmura Yeruldelgger, encore incrédule. Quelle chance ! Tu as de quoi faire des prélèvements ?

– Étant donné ce que je t'emmenais voir, je ne suis pas venu les mains vides, fanfaronna Billy en montrant une petite valise.

Yeruldelgger prit les gants en latex qu'il lui tendit et les passa, sous le regard amusé du jeune inspecteur.

– Tu dis que je ressemble à Horacio Caine et tu te retrouves à garder les frontières au sud du Gobi !

– Tu parles, se moqua Billy, tu y seras bien avant moi !

L'incendie criminel ne faisait aucun doute. On avait retrouvé un jerrican en plastique fondu entre le van et la palissade en bois. Mais le pyromane s'était trop précipité. La peur d'être surpris sans doute, ou peut-être un embrasement trop brutal. L'essence avait été mal répartie et le van n'avait pas entièrement brûlé. Le grand-père avait surtout posé une sorte de plancher grossier à l'intérieur dont les planches épaisses avaient en partie résisté aux flammes et protégé le sol d'origine. Yeruldelgger y trouva plusieurs traces de sang, et d'autres encore quand il démonta ce qui avait dû être les fixations du lit. Billy, lui, en repéra en démontant le support de la plaque minéralogique arrière. Du sang avait coulé le long du hayon et avait séché dans les pattes qui fixaient la plaque à la carrosserie. Ils trouvèrent aussi des cheveux là où il y avait du sang et recueillirent soigneusement tous ces indices dans de petites enveloppes destinées au labo.

– J'espère que tu comprends l'importance de ce que nous avons sous les yeux, dit Yeruldelgger.

– Le van dans lequel vivait la famille dont la petite fille a été tuée par le Coréen. Un van que l'identité supposée du premier vendeur connu, le Bouriate qui l'a amené au marché aux voitures, situe quelque part dans le Khentii, là où nous pensons justement qu'a eu lieu l'accident...

– Tout juste. Ce qui repose la question de savoir ce que sont devenus les parents, ou plutôt qui les a tués et comment, car je parie mon salaire d'Horacio Caine que le sang et les cheveux que nous venons de retrouver sont les leurs. Qu'est-ce que tu ferais à ma place, toi, maintenant ?

– Moi ? J'irais arrêter le Coréen, sans hésitation, et ensuite j'irais faire un tour dans le Khentii pour voir si personne n'aurait aperçu un van UAZ 452 bleu vitré avec un couple et une adorable petite fille blonde à bord il y a cinq ans.

– Tout juste ! Mais avant, n'oublie pas que nous avons deux bonnes heures de piste pour rentrer à Oulan-Bator à temps pour notre dîner au Mongolian Barbecue !

# 63

*... deux ou trois petites choses
dont il pourrait avoir besoin.*

C'était une journée magnifique pour des jeux virils. Un soleil radieux avait vitrifié un ciel bleu et intense comme un vitrail au-dessus des vallons verts et jaunes du Terelj. Des visiteurs et des concurrents étaient venus planter leurs yourtes blanches, tôt le matin. Ils les avaient essaimées dans le vallon devant le ranch, un peu à distance les unes des autres. Des gamins au visage fermé, vêtus de casaques vives aux teintes acidulées, attendaient leurs chevaux en regardant, envieux, les lutteurs qui s'entraî-naient. C'étaient tous de jeunes hommes grands et massifs, lourds, sans muscles apparents. Leur corps lisse et imberbe et leur gros visage poupon leur donnaient l'air plus gros que forts, mais tous n'avaient d'yeux que pour eux, hommes et femmes confondus. Ils portaient un slip moulant rouge ou bleu, largement échancré sur les hanches, et le traditionnel petit chapeau conique en velours à pointe brodée sur leurs cheveux noués à la façon des sumos. Ils étaient chaussés jusqu'à mi-mollet de bottes de cuir à talon souple, travaillées de précieux motifs et de symboles. Seul leur dos était couvert par un minuscule boléro de la même couleur que leur slip. Noué par une fine cordelette sur le ventre, le léger vêtement laissait toute la poitrine et le ventre nus pour éviter l'humiliation légendaire, quand une princesse déguisée en

lutteur avait défait tous les mâles et virils prétendants au titre de
« titan » en écrasant ses seins d'un foulard serré sous sa tunique
fermée.

On avait planté des mâts peints en blanc pour y accrocher des
guirlandes d'oriflammes jaune et blanc aux couleurs de Gengis
Khan, et des grappes de haut-parleurs diffusaient des musiques
traditionnelles et des morceaux symphoniques d'Enkhtaivan
Agvaantseren. La table des juges autour de laquelle les lutteurs
se pressaient pour s'inscrire et participer au tirage au sort était
dressée entre deux poteaux. Déjà les spectateurs et les parieurs
abandonnaient leurs véhicules sur un parking improvisé dans
l'herbe pour se regrouper autour des concurrents. Tous portaient
leur plus beau *deel* de couleur brodé aux motifs traditionnels. Un
peu à l'écart, les femmes chauffaient les chaudrons d'huile pour
y plonger bientôt les raviolis d'agneau gras. À l'abri des relents
de friture, éloignée du vacarme nasillard des haut-parleurs, on
avait installé une autre table, couverte d'une nappe blanche sous
un dais de soie jaune. Même si une tradition perdue voulait qu'on
ne boive pas en présence des lutteurs, la table était couverte de
seaux à glace dans lesquels trempaient des bouteilles de champagne français et de vodka polonaise. Pour la bière, de larges
glacières en proposaient, à portée de main sous la table.

Erdenbat trônait là, au milieu des notables et de ses invités de
la délégation des patrons coréens. On devinait à leur empressement zélé et à leurs équipements la demi-douzaine de journalistes
dépêchés par le quotidien et la chaîne de télévision dont le maître
des lieux était propriétaire.

Soudain on amena les chevaux et l'excitation saisit l'assistance.
Les gamins devinrent le centre d'intérêt de la foule, y compris
des lutteurs qui les encouragèrent à monter. Les cavaliers avaient
de cinq à douze ans et quelquefois des lutteurs s'amusaient à les
monter d'une seule main sur le dos de leur monture. Puis ils

formèrent plusieurs rondes pour tenir et exciter leurs chevaux, entonnèrent des chants criards et aigrelets, se mirent en ligne, et au signal d'un ancêtre respecté, lancèrent leurs montures pour une quinzaine de kilomètres d'un galop sans retenue, encadrés par les 4x4 suicidaires des parents et des suiveurs qui effrayaient les chevaux autant qu'ils encourageaient les enfants. Tout le monde se passionna pour le départ de la course dont le gagnant reviendrait dans une heure ou deux, si son cheval ne s'était pas pris les antérieurs dans un trou de marmotte et ne l'avait envoyé au sol se briser les os. Seuls les archers et les archères, bien à l'écart et le dos aux autres pour ne pas les mettre en danger, continuèrent à régler leur tir de soixante à soixante-quinze mètres.

Yeruldelgger aimait les archers. Il avait été le meilleur du monastère. Il aimait la tension des muscles quand il fallait bander l'arc et le retenir, et le vide absolu qu'il fallait faire en soi pour que la main ne tremble pas. Il aurait eu la corpulence pour être un bon lutteur, mais il avait préféré l'arc. Dans les *naadam* pourtant, c'était devenu le sport des femmes. Ici, les hommes allaient tirer quarante flèches sur une cible à soixante-quinze mètres. Les femmes moitié moins de flèches, sur des cibles à soixante mètres. Mais les hommes étaient tous vieux. Peu de jeunes voulaient pratiquer ce sport féminin. Et jamais aucun archer ne plantait toutes ses flèches dans la cible. Il était rare qu'un concurrent entende, à chaque tir, le chant aigu du juge qui criait son score.

À la fin de sa première année au monastère, Yeruldelgger plaçait toutes ses flèches dans la cible. C'était un archer hors pair. Pour l'entraîner, le *Nerguii* de l'époque plantait les cibles au fond des bois et Yeruldelgger devait trouver la ligne droite qui transperçait la forêt entre les troncs et les branches. Il n'avait pas touché un arc depuis longtemps, mais après son récent séjour au monastère, il savait la puissance et la précision de son tir encore intactes au fond de lui. C'est ce que lui avait réappris le *Nerguii* :

« Tout, toujours, reste en nous, c'est nous qui oublions. » Il observa une dernière fois la scène depuis le haut de la colline. Un *naadam* de campagne comme il en avait tant fréquenté dans sa jeunesse. Chaque Mongol portait en lui un inoubliable souvenir de *naadam* : une première cuite, un premier baiser, un premier amour, une première bagarre, une première blessure, une rupture, une infinie solitude dans la foule... Nul doute que ce *naadam*-là allait aussi marquer la vie de Yeruldelgger.

Dès qu'il sortit de l'ombre des bois, tout en haut de l'herbage face aux archers, le commissaire fut repéré. On lui cria de dégager, de sortir du champ de tir, mais il n'en fit rien. Il descendit tranquillement, passa entre les cibles et les juges sans répondre à leurs réprimandes, continua jusqu'aux archers qu'il dépassa, passa les premières yourtes aux fumets de raviolis frits, traversa la foule houleuse des lutteurs scandalisés et se dirigea vers la grande table officielle, droit vers le chef de la délégation des patrons coréens, sous le regard noir d'Erdenbat.

— Monsieur Park Kim Lee, je vous arrête pour la mort d'une fillette encore non identifiée que vous avez percutée avec votre quad durant un raid sportif illégal en juillet 2005 dans le parc national du Khentii.

Le Coréen se fit traduire et répéter ce qui venait d'être dit par une interprète trop jolie et complètement paniquée. Yeruldelgger vit la peur gagner son regard quand il assimila la signification de ses propos. La traduction passa de bouche à oreille à travers la petite délégation coréenne et bientôt tous les regards se tournèrent vers Erdenbat. Le silence se fit parmi la foule, qui rendit encore plus incongrue la musique que crachotaient les haut-parleurs. Sur un imperceptible signe du propriétaire des lieux, quelqu'un se chargea aussitôt de la couper.

– Qu'est-ce que c'est que ce cirque, Yeruldelgger ? Sais-tu bien où tu es et qui je suis ?

– Je suis sur les terres publiques de la République de Mongolie où j'ai le droit d'agir, et vous êtes un citoyen mongol soumis à la loi mongole.

– Tu n'es pas dans ta juridiction et tu le sais !

– Les juges décideront de la légalité de cette arrestation.

– Personne ne décidera de rien. Ces gens sont mes invités et je n'ai pas l'intention de te laisser les approcher.

– Cet homme est un criminel qui a percuté une gamine de cinq ans, l'a laissée pour morte et l'a enterrée ou fait enterrer vivante. Si vous tenez à assumer le rôle du receleur de ce criminel, je vous arrête vous aussi.

– Tu n'arrêteras personne, ni mon invité ni moi-même, Yeruldelgger. Et tu n'arrêteras jamais plus personne. Tu ne fais plus partie de la police. Tu as déjà été suspendu de toutes tes enquêtes.

Puis Erdenbat se redressa et s'adressa à la foule terrorisée :

– Cet homme a déjà tiré une balle dans la jambe d'un simple suspect pour le faire parler, il a tabassé des témoins pendant des interrogatoires, y compris sa propre fille, il a enquêté illégalement sur des ressortissants étrangers, il a braqué une arme sur son supérieur au sein même des bureaux du département de la Police, il a abandonné tous ses subordonnés pendant plus de dix jours en pleine enquête. Cet homme est un homme malade qui ne s'est jamais remis de la mort de sa petite fille et qui aujourd'hui construit dans sa tête des amalgames infondés. C'est lui qu'il faut arrêter !

Plusieurs lutteurs s'avancèrent vers le commissaire. Le premier qui posa la main sur lui se trouva propulsé sans connaissance à plusieurs mètres sans que personne n'ait eu le temps de comprendre ce qui s'était passé. Mais le répit ne fut que de courte durée.

– Ne fais pas d'histoires, Yeruldelgger, dit la voix de Mickey dans son dos.

– Je serais toi, je lui obéirais, confirma la voix de Chuluum.

Yeruldelgger se retourna et vit les deux flics qui pointaient leurs armes sur lui. À la table officielle, l'apparition des armes provoqua la panique et le repli de la délégation coréenne qu'Erdenbat fit reconduire en catastrophe à ses véhicules. La foule en revanche se contenta d'agrandir un cercle prudent mais curieux pour observer l'arrestation du commissaire. Chuluum lui passa les menottes et le poussa vers une voiture. Pendant qu'il attendait sur le siège arrière, Yeruldelgger aperçut à travers la vitre fumée Erdenbat qui convoquait Mickey d'un geste de la main et lui glissait quelques mots à l'oreille. Puis celui-ci revint en courant vers la voiture, s'installa au volant et démarra pour couper à travers les prairies jusqu'à récupérer la route pour Oulan-Bator. Quelques centaines de mètres plus loin, le convoi des Coréens les força à se rabattre sur le bas-côté pour les dépasser et filer en panique vers la capitale. Yeruldelgger compta trois voitures, dont celle d'Erdenbat.

– J'espère qu'il a confisqué les cassettes vidéo ! lâcha le commissaire après que Mickey eut repris la route.

– Il sait ce qu'il fait ! répliqua celui-ci.

– J'espère que vous aussi !

– Nous aussi quoi ?

– J'espère que vous aussi vous savez ce que vous faites !

– On sait, ne t'en fais pas pour nous ! lâcha Mickey entre ses dents.

Un quart d'heure plus tard, après avoir plusieurs fois vérifié dans son rétroviseur, il tourna brusquement à droite sur une piste étroite qui s'enfonçait dans une petite gorge boisée. Après quelques centaines de mètres, il ralentit pour vérifier qu'ils n'étaient plus visibles depuis la route et s'arrêta. Il descendit de la voiture, regarda encore tout autour de lui pour se rassurer, puis fit signe à Chuluum de faire descendre Yeruldelgger.

– Avance par là !

Il poussa le policier menotté devant lui vers une sente qui courait à travers des buissons de myrtilliers au pied d'un bouquet de bouleaux blancs. Yeruldelgger se surprit à penser que ce n'était pas un si mauvais endroit pour mourir, et que le myrtillier qu'il avait offert à Solongo pour le jardin de sa yourte était bien aussi beau que ces arbustes sauvages vers lesquels on le poussait pour l'abattre.

– Ça t'apprendra à faire le con ! dit Mickey dans son dos, d'une voix méchante et sans remords. On peut vraiment dire que tu l'auras cherché !

Yeruldelgger entendit le clic du chien qu'on arme, mais il resta étrangement calme. Il n'était pourtant plus qu'une force d'énergie concentrée sur l'impact de la seconde à venir. Tous ses sens en éveil le poussaient à agir maintenant. Il avait le bon appui, la bonne gravité, ses muscles étaient bandés sans être tétanisés, et l'adrénaline affûtait ses réflexes et la limpidité de son jugement. Dans son dos il avait évalué la distance exacte qui le séparait de l'arme. Il visualisait le geste de son corps pour dégager sa jambe droite et lancer son pied pour frapper la main armée...

Mais la voix de Chuluum interpella Mickey.

– Attends, regarde !

Yeruldelgger sentit l'hésitation du capitaine à l'appel de Chuluum. Il devina l'infime distraction de son attention, l'oblique de son regard, et décida de frapper.

Le coup de feu claqua sèchement dans l'air chaud. Yeruldelgger s'étonna de n'entendre aucun écho dans la ravine, de ne sentir aucun choc, aucune fulgurance à travers son crâne, aucune douleur. Puis il sentit qu'on le poussait dans le dos, que quelque chose lui tombait dessus et glissait lourdement jusqu'à ses talons, et quand il comprit qu'il n'était pas mort, ni même blessé, il regarda par-dessus son épaule et vit le corps du capitaine rouler dans l'herbe à ses pieds, un trou sanguinolent à la place de l'œil droit. Chuluum était deux mètres derrière lui, légèrement sur la droite. Yeruldelgger comprit qu'il s'était décalé pour ne pas prendre le risque de l'atteindre si sa balle avait traversé le crâne de Mickey.

— Il était là pour t'exécuter ! lâcha Chuluum pour toute explication.

— Pas toi ?

Chuluum ne répondit pas. Il se contenta de retourner vers la voiture. Le commissaire le suivit en silence, cherchant en lui l'effet d'un contrecoup qu'il ne trouva pas.

— Monte devant, dit Chuluum, on a des choses à se dire.

Yeruldelgger monta côté passager. L'inspecteur démarra en marche arrière pour rejoindre la route, abandonnant le corps de Mickey au pied des bouleaux, parmi les myrtilliers.

— Tu ne dis rien ? demanda-t-il enfin à Yeruldelgger. J'admire ton calme, pour un type qui est passé à deux doigts de mourir.

— Je m'admire aussi, répondit le commissaire, presque sincère.

— Ce n'était pas prévu que tu t'en sortes, continua Chuluum. Mais j'ai pensé qu'il n'était pas nécessaire que tu meures pour tout arranger.

— Mais Mickey, si ?

— Mickey s'est laissé déborder par des conneries, et je crois que tu as presque compris lesquelles.

— Les histoires avec les Coréens ?

— Oui. Erdenbat organise depuis toujours des raids sportifs sauvages pour de riches étrangers. Sa façon à lui de nouer des amitiés personnelles propices aux bonnes affaires. Ces types, ils adorent se tirer la bourre, comme si celui qui en avait le plus dans le pantalon méritait d'être plus riche et plus puissant que les autres. Il y a cinq ans, Park Kim Lee participait pour la troisième fois à un de ces raids et il ne laissait personne prendre la tête. En arrivant

au camp de l'Ours, au détour d'un chemin creux il est tombé sur
une gamine en tricycle au beau milieu du chemin et l'a percutée
à pleine vitesse. Il n'a rien pu faire. Il n'a vraiment pas pu l'éviter.
C'était vraiment un accident. La gamine était là, inexplicablement !

– Mickey a été chargé d'arranger les choses, c'est ça ?

– Oui. Erdenbat le sucrait pour arrondir les angles avec les
gardes forestiers, les gardes des parcs nationaux, avec tous ceux
qui voulaient protester et qui ont vite pris l'habitude d'en croquer
comme Sukhbataar.

– Mais la gamine a été enterrée vivante à plusieurs centaines
de kilomètres de là. Tu expliques ça comment ?

– Qu'elle ait été vivante, je ne l'ai appris qu'en lisant le rapport d'autopsie après ta découverte du corps. En fait ils croyaient
la gamine morte. Le groupe est resté passer la nuit au camp de
l'Ours pour ne pas éveiller les soupçons, et Mickey a juste envoyé
un type enterrer la gamine le plus loin possible.

– Adolf ?

– Oui. Il avait recruté Adolf comme ouvreur pour ces raids.
Je ne sais pas d'où il le connaissait. Un de ses indics peut-être.
Quelle connerie ! Ce type a autant de cervelle qu'une marmotte.
Il n'a même pas été foutu d'enterrer la gamine convenablement,
et elle n'était donc même pas morte en plus.

– Et toi, comment tu as su tout ça ?

– J'ai appris à fouiller dans les bons dossiers.

– Ce n'est pas Erdenbat qui t'a affranchi ?

– Un peu aussi, je le reconnais.

– C'est quoi son intérêt là-dedans ?

– Ça, je n'en sais rien et je ne veux pas le savoir. Faire plaisir
aux Coréens, je suppose !

– Et les parents de la gamine ?

– Je n'en sais pas plus que toi. Personne ne sait rien, et comme
leur silence arrangeait tout le monde, personne n'a cherché à savoir.

– Et les Chinois ?

– Quels Chinois ?

– Les trois émasculés de la fabrique.

– Ah, ceux-là ? Aucune idée. Rien à voir avec l'affaire de la gamine.

– Que tu crois !

– Pourquoi dis-tu ça ? Tu as des pistes ?

– Les deux affaires ont Adolf en commun, non ?

– Tu n'as rien contre Adolf dans l'affaire des Chinois.

– J'ai mon instinct, Chuluum, ça vaut tous les indices.

– Ouais, le même instinct qui t'a fait passer à côté du rôle de Mickey dans tout ce merdier ? Tu parles d'un instinct !

– Il y a aussi le Tatoué.

– Le Tatoué ? Il n'a rien à voir avec l'histoire de la gamine !

– Je sais, mais pourquoi prends-tu alors pour acquis qu'il a quelque chose à voir avec les Chinois ?

Chuluum resta quelques instants sans réponse, le regard planté dans celui de Yeruldelgger.

– Quoi, je te sauve la vie et tu cherches à me piéger ?

– Oyun et moi n'avons jamais mentionné le Tatoué dans aucun rapport.

– Parce que tu crois que vous étiez les seuls à enquêter ?

– Oui, je crois que nous étions les seuls à enquêter. Mais sûrement pas les seuls à être impliqués.

– Qu'est-ce que ça veut dire ?

– Ça veut dire que tu étais chargé de filer Adolf, qui nous a menés aux deux types qui avaient essayé de tuer Saraa, qui avaient mené Oyun à les suivre dans les égouts où le Tatoué avait tenté de l'éliminer, avant de faire sauter votre planque et de chercher à flinguer le gosse et moi avec.

– Peut-être que Mickey avait raison après tout. Peut-être que tu es dingue en fin de compte. Me déballer tout ça, à moi, dans ma voiture, menotté et sans ton arme ! Si tu avais raison dans tes insinuations, c'est moi qui aurais dû t'en mettre une dans la tête sous les bouleaux au milieu des myrtilliers.

– Ose me dire que j'ai tort pour le Tatoué !

– Le Tatoué est un fêlé, un type incontrôlable, un peu voyou, un peu indic. C'est Mickey qui le gérait. Honnêtement j'ai du mal à croire qu'il y soit pour quelque chose dans l'histoire avec ta fille. J'ai plutôt l'impression qu'il en avait après ses deux agresseurs. Elle n'était pas un peu camée, ta fille ? Il paraît que tu l'as récupérée ivre morte cette nuit-là. Tu devrais un peu mieux surveiller ses fréquentations.

Yeruldelgger ne répondit pas. À son tour il fixa Chuluum d'un regard d'une incroyable dureté. Quelque chose que l'inspecteur n'avait jamais vu. De la force pure, sans émotion, sans colère. Quelque chose d'une densité minérale à vous pulvériser au moindre frôlement.

– Moi je dis ça, c'est pour toi, hein ! fit Chuluum en reportant son regard sur la route pour ne plus avoir à supporter celui du commissaire.

– Alors ne le dis pas, rétorqua Yeruldelgger d'une voix sans appel.

– D'accord, excuse-moi ! Quoi qu'il en soit, le Tatoué est un type ingérable...

– Je l'ai géré !

– Tu l'as géré ? s'inquiéta Chuluum. Qu'est-ce que ça veut dire, *je l'ai géré ?*

– Ça veut dire que je l'ai géré et que plus personne n'aura besoin de le faire.

– Oh non, putain, c'est pas vrai ! Ne me dis pas que tu l'as... Tu sais pour qui il travaille au moins..., soupira l'inspecteur.

– Pour qui il travaillait ? Oui, il travaillait pour Erdenbat, ton patron.

– Hey ! Erdenbat n'est pas mon patron !

– Tu étais là le jour où il m'a embarqué pour me tabasser, tu étais là tout à l'heure à son petit *naadam* privé... Je trouve que tu es souvent là quand il est là, pour quelqu'un qui ne bosse pas pour lui !

– Je fais quelques ménages pour lui aussi ! concéda Chuluum. C'est Mickey qui m'a entraîné là-dedans. Service d'ordre, garde du corps, quelques enquêtes privées à l'occasion, rien de grave. Ça ne fait pas de lui mon patron !

– Non, juste ton employeur.

– Occasionnel ! Mon employeur occasionnel !

– L'employeur d'Adolf aussi, n'est-ce pas ?

– Que veux-tu que ce taré d'Adolf puisse faire pour Erdenbat ?

– Je ne sais pas, enterrer les petites filles ou découper des Chinois peut-être ?

– Qu'est-ce que tu racontes ! Erdenbat possède la moitié du pays. Qu'est-ce que tu veux qu'il ait à voir avec ces crimes de malades sexuels ?

– Je sais mieux que quiconque d'où vient Erdenbat et ce qu'il a pu faire pour construire sa fortune. Cet homme a été capable du pire. Pourquoi ne serait-il pas capable de commander le pire aujourd'hui ?

– Tu es fou de t'en prendre à lui, Yeruldelgger. Quel intérêt aurait-il eu à faire castrer trois contremaîtres chinois ?

– Je n'en sais rien encore, mais s'il existe un lien entre eux et lui, je saurai le faire dire à Adolf !

– Tu vas te mettre après Adolf ?

– Évidemment, puisque tu ne l'as pas fait quand tu devais le faire.

– Pourquoi dis-tu ça ?

– Parce que tu devais le filer et garder un œil sur lui, et le voilà dans la nature en plein Khentii, à piloter le raid sauvage d'une bande de Coréens arrogants pendant que son ramassis d'abrutis violait ma collègue !

– ...

– Je veux dire *notre* collègue.

– J'allais le dire, bredouilla Chuluum. J'allais le dire.

– Eh oui, soupira Yeruldelgger, tu allais le dire, mais tu ne l'as pas dit !

Chuluum s'enferma alors dans un long silence têtu. Le commissaire s'en amusa d'abord, puis l'ignora en regardant droit devant lui la piste rejoindre la route asphaltée pour courir jusqu'à Oulan-Bator. Lui non plus ne dit plus un mot jusqu'à ce que la voiture se heurte au trafic chaotique de la capitale. Sans aucune raison préméditée, sinon pour jeter le trouble dans l'esprit de Chuluum, il lui demanda de le déposer devant l'entrée de l'usine chinoise où avaient eu lieu les crimes. Mais l'inspecteur ne sembla pas plus troublé que ça. S'il n'avait pu masquer son inquiétude pendant une bonne partie du trajet, il affichait maintenant une sorte d'assurance nouvelle qui prépara Yeruldelgger à un mauvais coup.

Dès qu'il se fut garé devant l'usine, il fit signe à Yeruldelgger de se tourner, lui enleva les menottes et l'invita à descendre. Le commissaire sortit de la voiture, hésita un peu, puis la contourna pour revenir du côté de Chuluum qui avait baissé sa vitre.

– Je peux y aller, alors ? demanda-t-il.

– Bien sûr ! Oublie l'arrestation, oublie tout ça !

– Donc je peux récupérer mon arme ?

– Ton arme ? Mais oui, bien sûr, tiens ! fit Chuluum en fouillant ses poches.

Il en sortit une arme qu'il lui tendit.

– Ce n'est pas la mienne, constata Yeruldelgger qui commençait à y voir clair.

– Oups ! lâcha l'autre en surjouant le type embarrassé. C'est vrai, c'est la mienne celle-là ! Merde alors, j'ai dû flinguer Mickey avec la tienne et je l'ai oubliée là-bas, près du corps !

Puis il regarda Yeruldelgger droit dans les yeux pour bien se faire comprendre.

– Ça risque d'être emmerdant pour toi, ça ! J'espère que ça va te pousser à te montrer plus prudent avec tout le monde. Beaucoup plus prudent même. Et un peu moins arrogant aussi, ça serait bien que tu sois un peu moins arrogant avec tout le monde. Allez, salut, vieux !

Chuluum démarra pour rejoindre le trafic, mais il dut attendre le passage d'un convoi de lourds camions surchargés de charbon. Pendant qu'il s'impatientait, il aperçut dans son rétroviseur Yeruldelgger qui se dirigeait tranquillement vers la voiture. Il était à pied et désarmé, et sûrement assommé de savoir que son arme l'impliquait dans le meurtre de son supérieur. Par précaution pourtant, Chuluum sortit la sienne et la garda dans sa main droite, le long de sa cuisse.

– Je crois que j'ai explosé mon forfait ! dit Yeruldelgger de loin en haussant les sourcils.

– Qu'est-ce que tu racontes ?

– Mon forfait, répéta-t-il en montrant son téléphone ouvert, je crois que je l'ai complètement explosé. Une heure cinquante-sept, tu te rends compte ? On a parlé une heure cinquante-sept !

– Ça ne prend pas, la fonction dictaphone de ce machin ne tient pas aussi longtemps, ne me prends pas pour une buse !

– Non, non, bien sûr ! La fonction dictaphone, ça aurait bouffé ma batterie, pas mon forfait ! Non, c'est bel et bien notre communication qui a duré une heure cinquante-sept ! C'est que tu en avais des choses à dire, camarade. Des choses intéressantes, n'est-ce pas, Solongo ? dit Yeruldelgger en portant le portable à son oreille.

Puis il le tendit à l'inspecteur pour le provoquer.

– Tu veux dire quelque chose à Solongo, Chuluum ? Un petit bonjour ? Tu veux qu'elle enregistre un démenti ?

Chuluum pensa que l'arrogance du commissaire le poussait à l'imprudence et il chercha aussitôt à en tirer parti. Il brandit son arme sans se douter que c'était ce qu'attendait Yeruldelgger, qui se plaqua de dos contre la voiture pendant que sa main droite, lâchant le téléphone, plongeait par la vitre ouverte pour maintenir la main armée de l'autre à l'intérieur. La première balle traversa la portière. Yeruldelgger orienta le deuxième coup et força Chuluum à se tirer une balle dans le mollet. Il hurla de douleur et lâcha son arme. Avant qu'il comprenne comment, Yeruldelgger était à sa place au volant et le tassait au pied du siège passager. Quand ils redémarrèrent, l'inspecteur était menotté les mains dans le dos avec ses propres bracelets.

– Fils de pute ! grimaça-t-il en serrant les mâchoires.

– Reste poli, répondit calmement Yeruldelgger, n'oublie pas que tu es un flic, et que tu as brillamment fait de moi un tueur de flic. Alors ne force pas mon talent !

Il s'engagea sur Peace Avenue et conduisit Chuluum à l'hôpital où travaillait Solongo. Il l'appela pour la prévenir, si bien qu'elle les attendait quand il s'arrêta à hauteur des urgences. Quand elle devina l'état de la jambe du blessé, elle réclama aussitôt un brancard et s'avança à leur rencontre.

– L'inspecteur Chuluum s'est tiré une balle dans le pied, expliqua Yeruldelgger avec un grand sourire. Il est si maladroit qu'on lui laisse les menottes jusqu'en salle d'op, d'accord ?

La légiste n'en crut pas un mot et voulut aider Chuluum à s'allonger sur le brancard, mais il la repoussa d'un coup d'épaule, vexé. Yeruldelgger posa sa main sur la nuque de l'inspecteur, qui ne put s'en dégager. La douleur le cassa en deux et il s'affaissa sur le brancard.

Solongo fit signe de la tête qu'il fallait qu'on emporte le blessé aux urgences et Yeruldelgger s'écarta pour laisser passer l'infirmier. Mais comme le brancard s'éloignait, il leur demanda d'attendre encore un instant. À la réflexion, l'histoire de Chuluum ne tenait pas debout. Laisser son arme près du cadavre de Mickey ne lui aurait rien apporté. Ça revenait à impliquer le commissaire automatiquement et trop vite, c'était sans aucun intérêt pour le ripou. Il était plus malin que ça. Il manipulait Mickey depuis des mois. Des années peut-être. Il s'était habilement construit son personnage de flic planqué et superficiel, dans ses jolis costumes de gravure de mode. Il avait su attendre, fouiller les dossiers, atteindre Erdenbat. Il venait de s'impliquer en tuant un autre flic, son propre supérieur : il n'était pas du genre à balancer son meilleur atout au premier pli...

Yeruldelgger les rattrapa juste avant qu'ils ne franchissent la porte des urgences. Il fouilla rapidement Chuluum que la douleur clouait sur le brancard et trouva très vite ce qu'il cherchait : son arme était dans une des poches du blessé. Yeruldelgger s'en empara aussitôt et vérifia le chargeur. Comme il s'en doutait, il y manquait une balle. Chuluum avait bien descendu Mickey avec son arme, mais comme il s'en doutait aussi, le tueur avait préféré garder l'arme avec lui pour avoir un moyen de pression sur Yeruldelgger, voire le faire chanter à l'occasion. Il lui avait fait croire qu'il l'avait volontairement laissée près du cadavre de Mickey pour le déstabiliser, et surtout pour éviter que Yeruldelgger n'essaye de la récupérer sur lui. Un peu plus tard, il l'aurait menacé de la faire réapparaître.

Le commissaire glissa son arme dans sa ceinture et sortit celle de Chuluum.

– Maintenant, c'est moi qui ai ton arme. Si tu me cherches, je la fais réapparaître. Je ne suis pas certain que quelqu'un comme Erdenbat apprécierait, par exemple, qu'on retrouve une de tes balles dans la tête du Tatoué. Ou dans le corps d'un des types de la tuerie du ranch de l'autre soir. Ça ferait désordre dans ce qui reste de ta carrière, tu ne crois pas ? Alors désormais tu me laisses tranquille. Qui que je sois amené à rencontrer pour le grand final de cette embrouille d'affaires, reste en dehors. Tu t'es déjà tiré une balle dans le pied, Chuluum, ne va pas finir par t'en tirer une dans la bouche !

Il fit signe à l'infirmier qu'il pouvait y aller et le regarda rouler le brancard vers les urgences, suivi de Solongo qui se retourna vers lui au dernier moment. Il s'étonna de son regard. De son regard sur lui. Comme si elle voyait en lui quelque chose de nouveau. Puis, comme elle disparaissait dans l'ombre du hall, il regagna la voiture de Chuluum. Il pensa à la sienne, qui était restée garée dans le Terelj. Il lui faudrait quatre heures aller-retour pour la récupérer. Il devait absolument y aller, même si ça le faisait revenir de nuit. À moins que... Il courut après Solongo pour lui demander de lui prêter deux ou trois petites choses dont il pourrait avoir besoin.

# 64

## *Ça doit bluffer grave les filles, ça !*

— C'est la peur qui t'épuise, mon garçon, et la peur se nourrit du feu de ton ignorance, dit Yeruldelgger, accroupi juste au bord de la fosse, sans même apercevoir celui à qui il parlait dans la nuit noire.

L'homme était terrifié. Son épaule le brûlait. Une douleur permanente qui le taraudait nuit et jour, en plus de la frayeur qui ne le quittait plus depuis qu'on l'avait jeté dans cette fosse profonde comme une tombe et grande comme une chambre. Il y était enterré à ciel ouvert depuis des jours et des nuits maintenant, il ne savait plus combien exactement.

Il s'était réveillé d'abord dans un cachot. Il y était resté au secret complet pendant plusieurs jours, dans l'obscurité totale, entre quatre murs de pierre sans aucune ouverture. Des ombres furtives déposaient un bouillon par une trappe dans la porte. Il avait supposé qu'elles le faisaient de nuit, car la trappe ouverte ne laissait entrer aucune lumière. Pendant ce qu'il pensait être le premier jour, il avait hurlé des menaces et des insultes à ceux qui le détenaient. Puis il avait essayé de dormir, malgré la douleur et la colère. Pendant ce qu'il pensait être le deuxième jour, il avait moins crié et beaucoup réfléchi à qui pouvaient être ses geôliers. Il avait aussi exploré du bout des doigts, dans le noir, chaque millimètre des murs de pierre de sa prison, du sol de terre battue jusqu'au plafond creusé dans la roche. Au troisième jour peut-être, un trou minuscule avait été ouvert dans le plafond, laissant tomber un fin rai de lumière raide et droit comme un bâton lumineux. C'est dans cette lumière qu'il avait découvert le pansement ensanglanté sur son épaule, et c'est pendant qu'il le regardait sans comprendre qu'une ombre avait glissé une corbeille en osier par la trappe. La lumière qui avait inondé sa geôle le temps d'une seconde lui avait battu les yeux si fort qu'il en avait perdu l'équilibre et s'était cogné l'épaule contre le mur. La douleur l'avait tétanisé. À quatre pattes il avait récupéré la corbeille pour ramper jusqu'au rai de lumière et en examiner le contenu. Il y avait trouvé un tissu propre et soigneusement plié, quelques bouts de cordelette de chanvre, la même que celle qui retenait le tissu souillé sur sa plaie. Il y avait aussi trouvé un petit pot en terre cuite plein d'un onguent pâteux couleur d'ambre, et il en avait déduit qu'il fallait qu'il change son pansement. Quand il avait défait le tissu sale qui collait à son épaule, il avait reçu son premier coup de frayeur en plein cœur : il manquait sur son épaule un large rectangle de peau parfaitement découpé à la place de son grand tatouage, et sa chair à vif suintait. Un souffle glacé de panique avait glissé jusqu'à son cerveau pour aussitôt s'ébouillanter et perler à grosses gouttes sur son front. Ces types étaient des fous furieux ! Ils l'avaient découpé ! Ces types avaient découpé la peau de son bras ! Longtemps après cette macabre découverte, il était resté prostré face à ce qu'il savait être la porte, prêt à bondir pour se défendre, quitte à mourir plutôt que de se laisser découper à nouveau. Puis, affaibli par la douleur sourde de son épaule, il avait tiré à lui la petite corbeille. Le baume avait aussitôt apaisé sa douleur. Il en avait appliqué une couche généreuse, puis avait enroulé le tissu propre autour de son bras et noué le pansement à l'aide des cordelettes. Il était ensuite

tombé dans un sommeil agité, baissant sa garde, soudain épuisé
par la violence de ce qu'il venait de découvrir.

Pendant ce sommeil troublé de cauchemars, la porte s'était
brusquement ouverte. Avant qu'il ait pu réagir, des ombres
s'étaient saisies de lui pour le tirer hors de sa geôle. Il en avait
deviné au moins trois qui l'avaient traîné trop vite pour qu'il
puisse se débattre. Des émotions violentes avaient chaviré ses
sens : sa peur, l'odeur de la nuit, sa fureur, la froidure de l'ombre,
la douleur de son épaule, la vision entraperçue d'un ciel tamponné
de nuages, la force tranquille de ses tortionnaires, le bruit soyeux
de leurs vêtements, leur souffle sans fatigue, ses pieds dans la
terre... Il n'avait pas même réussi à tenter de résister que déjà
il tombait dans cette fosse où les ombres l'avaient jeté.

Huit pas de large sur douze pas de long. Haute deux fois
comme lui. Un sol et des murs taillés dans la terre, impecca-
blement plats et verticaux. Il avait veillé toute la nuit, accroupi
et tassé dans un coin, puis il avait hurlé toute la journée, campé
bien au centre de la fosse. Cent fois il avait essayé de s'en
échapper. En tentant de grimper, de sauter jusqu'au rebord, en
prenant son élan, en creusant des marches dans les murs de terre,
en se calant dans un coin pour s'appuyer aux deux murs en
équerre... Chaque fois il était retombé en maudissant les
ombres invisibles qui le surveillaient sans qu'il les voie. Puis
il avait perdu courage sans se l'avouer, préférant se persuader
qu'il les prendrait à leur propre jeu, et il s'était allongé au
milieu de la fosse, les mains derrière la nuque, à regarder passer les nuages. C'est à ce moment-là qu'ils avaient jeté les
premiers serpents...

— Qui es-tu ? gémit la voix du fond de la fosse.

— Si tu es celui auquel je pense, alors moi je suis celui dont
tu as aussi essayé de tuer la fille puis que tu as essayé d'abattre.

– Tu es Yeruldelgger ? C'est toi, c'est vrai ? dit la voix qui regagna un peu de force. Si c'est toi, alors tu dois me tirer de là, Yeruldelgger. Ces types sont fous, tu dois m'en protéger ! Tu es flic, tu ne peux pas les laisser faire ! Ils m'ont découpé un bout entier de peau ! Ils l'ont fait, Yeruldelgger, je te jure qu'ils l'ont fait !

– Tu veux dire qu'ils ont enlevé ce tatouage insultant où la croix nazie remplaçait le Yin et le Yang du *soyombo* ?

– ...

– À propos, combien sont-ils ? reprit Yeruldelgger.

– Eux ? Je ne sais pas, ils ne se montrent jamais !

– Non, pas eux, les serpents.

L'homme dans la fosse se mit à hurler de frayeur. Le policier l'entendit marteler du pied contre la terre.

– Ils sont fous ! Ils sont fous ! hurla la voix. Ils m'ont jeté des serpents dessus ! Il y en a plein la fosse, Yeruldelgger ! Sors-moi de là ! Sors-moi de là, je t'en supplie !

– Que veux-tu dire par plein de serpents ? Tu ne sais pas combien il y en a exactement ? Comment espères-tu t'en protéger si tu n'en connais pas le nombre exact ? expliqua calmement Yeruldelgger. Je te l'ai dit, c'est de ton ignorance que se nourrit ta peur.

L'homme hurla à nouveau. Un long cri de terreur qui dut lui déchirer le ventre et lui tétaniser le cou.

– Essaye de te souvenir, l'encouragea la voix calme du policier. Trois ? Quatre ? Es-tu seulement sûr qu'ils soient dangereux ? Les serpents venimeux ont les mâchoires plus marquées juste derrière la tête, leurs flancs sont droits et leur corps se termine de façon plus brusque, moins effilée... Bien sûr, maintenant il fait nuit noire et tu ne peux pas les voir et...

– Arrête ! hurla la voix du fond de la fosse. Arrête, Yeruldelgger, je t'en supplie, arrête ! Ne joue pas à ça ! S'il te plaît ne joue pas à ça ! Ils sont là, je les sens, autour de moi. Yeruldelgger, je t'en supplie !

– Tu as peur, je te comprends. Ils auraient dû te faire boire. Ivre, tu n'aurais pas eu conscience du danger. Tu n'aurais même rien senti en cas de morsure, comme Saraa n'a pas senti qu'on la cuisait lentement à vif sur la canalisation d'eau chaude !

– Je t'en supplie, Yeruldelgger, je ne savais pas pour Saraa. J'étais juste chargé de surveiller les arrières des deux types. Je ne savais pas ce qu'ils allaient lui faire.

– Tu ne savais pas qu'ils allaient la tuer ?

– …

– *Tu ne savais pas qu'ils allaient la tuer ?*

– Si, je le savais, excuse-moi, Yeruldelgger, je le savais et je regrette, je regrette, je te le jure ! Je le savais, mais pas comme ça, pas comme ça, je te le jure !

– Mais tu savais qu'ils l'avaient saoulée pour la tuer, n'est-ce pas ?

– Oui, gémit la voix dévastée. Je le savais, mais j'étais obligé. Ils m'ont obligé. Je ne pouvais pas faire autrement. Ils m'auraient tué, Yeruldelgger, ils m'auraient tué !

– Qui ? Dis-moi qui !

– Non, non ! Je ne peux pas ! Ils sont trop puissants, ils me retrouveraient !

Il y eut un long silence.

– Ce sont des vipères, reprit calmement Yeruldelgger.

– Quoi ? Qu'est-ce que tu dis ?

– Les serpents qu'ils t'ont jetés, ce sont des vipères. Cette fosse leur sert à s'entraîner.

– À s'entraîner à quoi ? bredouilla la voix comme si elle redoutait déjà d'entendre la réponse.

– À maîtriser leur peur, à développer leur courage, à affûter leurs réflexes… Leur maître les fait descendre dans cette fosse et leur jette des vipères, et il faut qu'ils résistent à la peur. Ils n'ont pas le droit de les tuer. Ils doivent juste rester trois jours et trois nuits dans la fosse, avec les serpents. Depuis combien de temps es-tu dans la fosse, toi ?

– *Arrête ! Arrête ça, Yeruldelgger ! Sors-moi de là ! Sors-moi de là !*

– La première chose, la toute première chose, c'est de garder son calme. C'est plus prudent. Peut-être que les serpents sont comme les chiens, attirés par l'odeur de la peur, qui sait ? Ce qu'il faut, c'est bien les repérer, savoir où ils sont, et se mettre en sécurité. As-tu profité du jour pour bien les observer ? Sais-tu qu'un serpent ne peut se détendre pour mordre qu'aux deux tiers de sa longueur ? Il a besoin de l'autre tiers pour prendre appui sur le sol. Tu te souviens de leur longueur ?

– Ne fais pas ça ! Je t'en supplie, ne fais pas ça ! Je suis épuisé, Yeruldelgger, je suis épuisé et j'ai peur de m'endormir et qu'ils me mordent pendant mon sommeil. Je suis mort de peur, Yeruldelgger !

– Je sais bien, mon garçon, mais tu ne veux pas me dire qui a voulu qu'on tue Saraa !

– Je ne peux pas, Yeruldelgger. Il me tuerait...

– Ils vont te tuer aussi ! reconnut le policier. Il fallait que tu attrapes les serpents pendant qu'il faisait jour. Tu n'aurais pas à craindre qu'ils rampent maintenant vers toi dans la nuit !

Du noir béant de la fosse, il entendit monter un gémissement plaintif. Puis l'homme se laissa submerger par les pleurs...

– Quand j'étais plus jeune, reprit Yeruldelgger sur le ton de la confidence, accroupi dans la nuit au-dessus de la fosse aveugle, je me suis souvent retrouvé à ta place. J'étais bien plus aguerri que toi, c'est vrai. Par réflexe, j'ai écrasé la tête du premier serpent de mon talon nu. J'ai été puni pour ça, et le maître a fait jeter sur moi deux serpents de plus. Alors j'ai appris à les attraper au vol, à pleine main, juste derrière la tête. Puis je me suis mis tout nu, j'ai fait un sac avec ma toge, et je les ai enfermés dedans.

Dans un sac, n'importe quel serpent devient inoffensif, tu sais ?
Ceux que je n'attrapais pas au vol, je les attrapais par la queue
et les tirais en arrière avant de les saisir derrière la tête comme
les autres. Aucun animal ne sait naturellement se défendre quand
on le tire en arrière par la queue. Et je les enfermais à leur tour
dans le sac. Et puis après j'ai appris à dormir avec eux. Dormir
sans peur, sans bouger, debout...

L'homme gémissait toujours au fond du trou. Une plainte de
gamin terrifié qui pleure par soubresauts.

— À propos, dit Yeruldelgger après un long silence, est-ce qu'il
est plus sûr d'après toi de rester au centre pour pouvoir fuir dans
toutes les directions, ou de se caler dans un coin pour surveiller
toute la fosse ? Est-ce que les serpents sont capables d'agir en
groupe ? Est-ce qu'ils pourraient t'encercler au milieu de la fosse,
ou t'acculer dans un coin pour t'attaquer ?

— Je t'en prie, arrête je t'en prie. C'est... c'est Chuluum qui
me couvrait pour Saraa...

— Tu veux dire Sukhbataar ! ?

— Non, murmura l'homme en reniflant. C'est Chuluum.

— Mais s'il te couvrait, qui le couvrait, lui ?

— Tu le sais bien ! capitula l'homme dans un souffle.

— Non, répondit Yeruldelgger, qui pourtant commençait à comprendre.

— La même personne qui m'a dit de te tuer !

— Quoi ? Tu parles d'Erdenbat ? Tu veux dire qu'Erdenbat est
derrière la tentative de meurtre contre Saraa ? Mais ça n'a aucun
sens ! Pourquoi aurait-il commandité ça ?

— Pour casser l'enquête sur les trois Chinois. Pour que Saraa
ne revienne pas sur son témoignage en faveur du patron du Nid
d'Aigle, pour te casser, toi, et t'éloigner de l'enquête comme...

Yeruldelgger craqua une allumette et enflamma une torche de
résine. Le manchon de bois s'embrasa aussitôt et une flamme

orangée éclaira la fosse d'ombres mouvantes. L'homme lâcha un cri de terreur quand les vipères se faufilèrent entre ses jambes pour trouver refuge dans les coins sombres. C'était un homme hagard, défait par des nuits de peur et d'insomnie. Il avait perdu toute superbe, toute arrogance. Chacun vit avec ses peurs, aussi courageux qu'il pense être. Lui avait la terreur de la nuit et des reptiles. Yeruldelgger le regarda quelques instants tournoyer sur lui-même pour essayer de surveiller toutes les vipères à la fois. Il était pitoyable, mais le policier ne ressentit aucune pitié. Il jeta la torche dans la fosse et l'homme s'en empara avec avidité, la pointant aussitôt vers chaque serpent qu'il énervait. Une vipère se dressa sur sa queue enroulée en appui, prête à mordre, et l'homme bondit si fort en arrière qu'il en écrasa presque une autre derrière lui. Maintenant qu'il les voyait, la panique lui ébouillantait les veines…

— Pourquoi Erdenbat a-t-il ordonné de tuer ces Chinois ?

L'homme ne répondit pas tout de suite. Il bondissait sur place, de tous côtés, pour menacer de sa torche tremblante les serpents immobiles qui le fixaient. La fosse était comme une trouée de feu dans la nuit. Une porte de l'enfer.

— Je ne sais pas pourquoi. Il l'a commandé, c'est tout ce que je sais, et Chuluum l'a organisé.

— Tu en étais ?

— Non ! Non ! Je te jure !

— Tu mens ! Ces crimes te ressemblent !

— Yeruldelgger, je te jure que je n'y étais pas. Je n'ai pas tué les Chinois !

— C'est toi qui as pendu les deux femmes, alors…

— C'étaient les ordres de Chuluum. Je te jure que c'étaient ses ordres. Il voulait qu'on maquille tout ça en crimes sexuels. Quelque chose pour frapper l'opinion. Il voulait salir les Chinois.

— Le bazar des Chinois dans la bouche des filles ?

– Chuluum est allé à l'usine avec des types du Nid d'Aigle. Il a descendu les Chinois pendant que les autres les tenaient en respect. Après il nous a donné l'ordre d'étrangler les putes et il a dit aux autres de s'amuser comme ils voulaient avec les corps des Chinois. Nous on est allés tous les deux pendre les corps des filles dans le conteneur du marché. C'est lui qui donnait les ordres, Yeruldelgger, c'est Chuluum, pour Erdenbat !

Le policier n'arrivait pas à comprendre comment on pouvait devenir aussi lâche après avoir été aussi cruel. Toujours accroupi sur le bord de la fosse, dans la lumière chancelante de la torche que l'homme en panique brandissait de tous côtés, il cacha son visage dans ses mains quelques secondes, puis frotta fort ses yeux de ses larges paumes grandes ouvertes comme s'il cherchait à effacer tout ce qu'il venait d'entendre et d'imaginer.

– Pourquoi Saraa ? demanda-t-il à nouveau. Pourquoi cette torture si cruelle ?

– Je te l'ai dit, Yeruldelgger : Erdenbat voulait t'éloigner des enquêtes. Il voulait t'abattre encore une fois…

– Comment ça, encore une fois ?

– …

– *Comment ça, encore une fois ?* répéta-t-il.

– Je ne dirai rien de plus ! murmura l'homme cassé en deux, torche à la main, en surveillant les serpents. Je ne dirai plus rien. J'en ai déjà trop dit. Ils vont me tuer. Ils vont venir me tuer et nous tuer tous. Ils sont trop forts, Yeruldelgger, tu ne peux pas lutter.

Quelque chose tomba derrière son dos. L'homme pivota sur lui-même et bondit aussitôt en arrière, la gorge déchirée par un cri de terreur.

– Celui-là est un crotale de Gobi, expliqua Yeruldelgger en parlant du serpent qu'il venait de jeter. Les vipères sont peureuses, mais le crotale est un serpent guerrier.

Dans le fond de la fosse, l'homme, muet d'effroi, fit face au crotale déjà en position d'attaque. Ce serpent-là le terrorisa plus encore que les autres. Le corps plus large, plus solide, plus fort, la tête plus bosselée avec une sorte de corne sur les narines. Et des yeux jaunes fendus de noir qui le fixaient. Son corps prêt à jaillir à l'attaque, le crotale agita les écailles creuses de sa queue pour émettre son sinistre avertissement. De la gorge soudain rêche et étranglée de l'homme siffla alors en réponse une longue supplique plaintive et désespérée qui n'émut pas Yeruldelgger.

– Quand j'étais novice, c'est l'entraînement que je redoutais le plus : défier le crotale. Il ouvre si grand sa gueule qu'il ne te mord pas. Il plante ses crochets dans ta chair pratiquement à l'horizontale. Un conseil : ne cherche pas à aller plus vite que lui. Un dixième de seconde, c'est quelque chose que tu ne peux même pas voir. Quand tu vois qu'il va attaquer, il a déjà attaqué et tu es déjà foudroyé.

– Ne dis pas ça, supplia l'homme pétrifié dans la fosse, ne dis plus rien, je t'en prie, aide-moi à sortir de là, par pitié, Yeruldelgger, aide-moi à sortir de là !

– Ce que mon maître m'a appris, c'est à deviner l'instant qui précède l'attaque. Je devais tendre la main vers le crotale jusqu'à provoquer son attaque, et la retirer sans me faire mordre dès qu'il se détendait. On s'entraînait des heures entières, la main protégée dans du cuir bardé de zinc. Et quand on se sentait prêts, on enlevait le gant. Dans cette même fosse où tu es !

– Par pitié, Yeruldelgger, implorait l'homme, je t'en prie, par pitié...

– C'est un animal redoutable, continua le policier, et pourtant sais-tu qu'on peut l'enivrer au point de l'endormir juste en le tenant à l'envers et en lui caressant le ventre, comme ça...

L'homme leva les yeux et hurla aussitôt. Au-dessus de lui, toujours accroupi au bord de la fosse, Yeruldelgger tenait dans sa main un autre crotale. Il le tenait par le milieu du corps, à l'envers sur le dos, et caressait son ventre écaillé. Le serpent ondulait mollement dans sa main, comme drogué par la caresse.

– Autre chose, continua-t-il. Si tu veux t'en saisir, sache que les serpents sont impuissants quand on les tient par le milieu du corps. Ils ne savent plus ni se cabrer, ni s'enrouler, ni mordre. Regarde, tu peux le tenir comme ça...

Il avait posé le crotale en équilibre sur sa main, le bras tendu au-dessus de la fosse. Une longueur égale de l'animal pendait de chaque côté de son poignet. L'homme, à nouveau muet de terreur, s'éloigna du bord à reculons en menaçant les autres serpents de sa torche.

– L'instant délicat, reprit Yeruldelgger, c'est de savoir le lâcher sans lui donner le temps de te mordre au passage. Comme ça...

Il tira vivement sa main en arrière et le crotale tomba dans la fosse. L'homme hurla comme un fou et se jeta sur le serpent pour l'écraser à coups de torche. Quand il sentit le choc de la gueule du crotale contre le bois de la torche, il recula aussitôt.

– Qu'est-ce qu'Erdenbat m'a déjà fait qu'il cherchait à refaire en faisant souffrir Saraa ? demanda le policier d'une voix calme et solide, mais soudain plus menaçante.

– Te fracasser, te fracasser comme il t'a fracassé avec ta Kushi.

Le nom de Kushi perfora aussitôt Yeruldelgger d'une décharge de colère. Il lui fallut un terrible effort sur lui-même pour ne pas sauter dans la fosse et étrangler l'homme qui venait de prononcer le nom de sa pauvre petite fille chérie.

– Qu'est-ce que tu dis ? Je te préviens, si tu ne t'expliques pas tout de suite, j'envoie le prochain crotale sur tes épaules pour qu'il s'enroule autour de ta gorge et te plante ses crochets dans les yeux. Tu m'entends ?

– Promets-moi de me sortir de là si je te parle, Yeruldelgger, je t'en supplie, promets-le-moi !

– Je ne te promets rien d'autre que ce que je viens de te dire. Si tu ne parles pas, je te jette le prochain crotale en plein visage.

– Attends ! Attends ! À l'époque, quand tu enquêtais sur les ventes illégales de terres et que ta fille a été enlevée, c'est chez Erdenbat qu'elle était.

– Tu mens ! hurla Yeruldelgger. Tu mens ! Comment peux-tu dire ça ?

– Parce que je l'ai vue, je te jure que c'est vrai ! J'y étais. Je l'ai vue ! Erdenbat la gardait chez lui. Dans une yourte près de son ranch du Terelj d'abord, puis ailleurs, dans le Khentii.

– Où ça, ailleurs ?

– Chez un ancien compagnon de déportation. Quand il a compris que tu ne céderais pas au chantage et que tu continuerais les enquêtes, il a préféré éloigner ta fille de lui. Souviens-toi, tu es venu plusieurs fois le voir sur le chantier du ranch à cette époque. Il te recevait dans sa yourte, rappelle-toi. Kushi était dans une des autres yourtes du campement. C'est pour ça qu'il l'a éloignée…

Yeruldelgger reçut la nouvelle comme un coup de masse sur les épaules. Il avait remué ciel et terre à la recherche de son enfant, et voilà qu'il apprenait qu'il s'était retrouvé plusieurs fois à deux pas de l'endroit où elle était détenue, chez son propre grand-père.

– Qu'est-ce qu'Erdenbat a à voir avec l'enlèvement ? Qui a tué Kushi ? C'est lui ?

Le désarroi de Yeruldelgger redonna un peu d'une arrogance suicidaire à l'homme désespéré. Il mit dans le ton de sa voix plus de provocation qu'il n'aurait voulu, mais le revendiqua finalement en ignorant pour la première fois les serpents pour faire face au policier du fond de la fosse.

– Quel imbécile tu fais, Yeruldelgger ! Toi qu'on prenait pour le meilleur flic d'Oulan-Bator, tu n'as même pas été capable de sauver ta fille qu'il cachait sous tes propres yeux ! Souviens-toi : qui a dit avoir reçu des ravisseurs l'ordre de laisser tomber les enquêtes ? Hein, dis-moi ?

Le commissaire ne répondit pas. Il était abasourdi par ce qu'il imaginait des révélations à venir, et l'homme s'enhardit de son silence.

– Qui a dit avoir reçu l'ordre ? hurla-t-il du fond de sa fosse, trop content de voir Yeruldelgger vaciller sous la question.

– Erdenbat… c'est Erdenbat, murmura celui-ci, sonné pour le compte. Je n'oublierai jamais ce jour, ce petit matin, quand il m'a appelé pour me le dire…

– Et qui s'est révélé plus tard avoir été le plus gros acheteur de terres ? Hein ?

– Erdenbat, soupira Yeruldelgger, Erdenbat et ses sociétés écrans…

– Et toi, le meilleur flic de tous les flics, tu n'as rien compris à tout ça ?

– Mais Kushi était sa propre petite-fille ! Et la mort de Kushi a rendu folle sa propre fille !

– Erdenbat, c'est Erdenbat ! Souviens-toi encore : qui a dit à l'époque que tu ne céderais pas au chantage ? Tout le monde t'en a voulu et t'a piétiné pour ça, mais l'as-tu jamais dit ? Jamais ! Souviens-toi, c'est paru dans *L'Oriflamme*, le journal d'Erdenbat !

– Mais cette fausse information ne pouvait me détruire que si Kushi était déjà morte !

– Eh bien voilà, tu finis par comprendre ! Il t'en aura fallu du temps. Erdenbat pensait que l'enlèvement de Kushi occuperait tous tes jours et toutes tes nuits et que tu délaisserais l'enquête sur l'achat des terres. Quand il a compris que tu mènerais les deux de front avec toute ton imbécile obstination, il s'est senti coincé avec cette histoire d'enlèvement. Il avait prévu de jouer les héros, de te rendre redevable envers lui. Je devais faire semblant de retrouver Kushi pour lui, de la libérer et la ramener, et lui te l'aurait rendue et si ton enquête t'avait mené jusqu'à lui, il t'aurait rappelé ce que tu lui devais. Il a commencé par éloigner Kushi de lui, dans ce camp un peu reculé tenu par un compagnon de déportation dans les montagnes du Khentii. Mais Kushi est morte.

– Comment ? Comment est-elle morte ? Dis-moi comment elle est morte !

La supplique était dans la voix de Yeruldelgger maintenant, mais l'homme était trop à sa revanche pour en tirer profit. Il aurait pu exiger d'être sorti de la fosse pour continuer à parler, mais il préférait voir le visage du policier se décomposer au fil de ses révélations.

– Nous sommes partis pour le Khentii dans une voiture que j'avais volée. Juste Erdenbat, moi et ta fille. Personne d'autre n'était dans le secret. Pas même son garde du corps. La route était longue et la petite a été malade. Nous nous sommes arrêtés pour qu'elle prenne l'air et elle a échappé à notre surveillance. C'était une piste de montagne, du côté d'Arhust. Elle a glissé dans un ravin et s'est brisé le cou. Elle avait des chaussures neuves je crois, elle marchait mal...

– C'est vrai, elle avait des sandales neuves..., bredouilla Yeruldelgger.

Il pleurait en silence. Le matin de l'enlèvement de Kushi, Uyunga lui avait promis un petit cadeau pour qu'elle reste sage. Kushi était trop excitée à l'idée de passer quelques jours dans la yourte de son grand-père. Le petit ange aux cheveux noirs s'était assis sur le rebord de son lit, les mains entre ses cuisses, et avait attendu qu'Uyunga revienne avec une jolie boîte rose. Elle l'avait ouverte, sous les yeux brillants de désir de Kushi, et en avait tiré du papier de soie. La fillette s'en était emparée en riant pour le froisser entre ses petites mains. Puis Uyunga avait sorti de la boîte une paire de sandales en cuir rose décorées sur le dessus d'une petite tête de chat blanc stylisée. « Hello Kitty ! » avait reconnu Kushi. Et de sa petite bouche rouge et ronde comme une belle cerise, elle avait embrassé ses nouvelles sandales, puis les avait serrées fort contre elle en haussant les épaules et en écarquillant les yeux, et tous en avaient ri de bonheur...

Le chagrin raviva brusquement la colère de Yeruldelgger. Il prit sur lui pour la contenir, mais le ton de sa voix ne parvint pas à la masquer.

— Qu'avez-vous fait après ? Pourquoi l'a-t-on retrouvée étranglée ?

L'homme, dans la fosse, comprit dans la même seconde qu'il avait laissé passer sa chance d'en sortir et que l'autre s'était repris.

— C'est Erdenbat qui en a eu l'idée. C'est lui, je te jure ! Comme ta fille était morte, il a pensé que ça pouvait lui servir pour te casser. Il ne fallait pas que ce soit un accident. Il fallait que ce soit un crime, une exécution, en représailles à ton entêtement. Il m'a demandé d'aller déposer le corps le plus loin possible sur la route d'Ondërkhaan, quelque part où on mettrait un jour ou deux pour le découvrir, et pendant ce temps il a dicté le fameux article pour son journal. Deux jours après, tu étais le salaud le plus abject du pays, celui qui avait préféré laisser exécuter son enfant plutôt que de lâcher son enquête. Et c'est ce que tu es toujours aujourd'hui pour la plupart des gens...

— Mais les marques de strangulation autour de son cou...

— ...

— *Qui l'a étranglée ? Lequel de vous deux ?*

— Elle était déjà morte, Yeruldelgger ! Elle était déjà morte !

– Lequel de vous deux ? répéta-t-il dans un souffle de haine.

– Ce n'est pas moi, Yeruldelgger, je ne pouvais pas... je conduisais, je te le jure. De toute façon elle était morte. Ça ne changeait plus rien. Je t'en prie, Yeruldelgger, je t'en prie...

Du fond de sa fosse, il vit le policier debout contre le gouffre obscur de la nuit, le visage embrasé d'ombres et de lumières par les flammes de la torche et par la colère, un autre crotale dans sa main, et l'horreur le pétrifia.

– Non, pas ça ! Je t'en prie, pas ça ! Je te demande pardon ! Je t'en prie !

Yeruldelgger planta ses yeux noirs droit dans les siens, sans aucune émotion, et ce fut pire encore que de le savoir en colère. Quand il fit un pas en arrière, il fut comme avalé par la nuit et l'homme ne vit plus que son bras dans la lumière qui lâchait le serpent dans l'herbe, là-haut en dehors de la fosse. L'émotion qui le submergea poussa des sanglots dans sa gorge et l'empêcha de remercier Yeruldelgger qui s'éloignait.

Jusqu'à ce qu'il entende sa voix aveugle dans la nuit :

– Dans le cou, partenaire, dans le cou !

L'homme se figea sur place, brandissant la torche pour essayer d'éclairer les abords de la fosse. La lueur accrocha un objet métallique, et quand il comprit, il était déjà trop tard pour lui. Du bout de sa béquille, Gantulga jeta sur lui le crotale avant de disparaître à son tour dans l'obscurité. L'homme hurla à s'en déchirer la gorge pour se défaire du serpent. Il en laissa tomber sa torche, qui s'éteignit quand il la piétina de ses pieds nus dans sa panique. Son cri redoubla de terreur quand le crotale planta ses crochets dans sa joue et ses lèvres dans le noir.

– C'est encore beaucoup de colère..., jugea la voix du *Nerguii* dans la nuit.

– Je viendrai m'en repentir plus tard, répondit celle de Yeruldelgger.

– Et l'enfant, tu lui apprendras à s'en repentir, lui aussi ?

– J'en serais incapable en ce moment, tu le sais. Est-ce que
tu peux le garder encore un peu, le temps que la situation se
décante ?

– S'il suit nos règles, il peut rester.

– Génial ! s'exclama Gantulga. Hey, tu pourras m'apprendre
le truc des serpents qu'on caresse à l'envers, là ? Ça doit bluffer
grave les filles, ça !

# 65

*Moi aussi je t'avais prévenu, Chuluum.*
*Moi aussi !*

Yeruldelgger redescendit du Terelj avec la voiture de Chuluum. Il avait quitté le monastère à l'aube rose qui rendait les mélèzes bleus. Il atteignit Oulan-Bator à l'heure où le chaos nonchalant du trafic s'animait, et se dirigea vers l'hôpital de Solongo. Il gara la voiture sur le parking des visiteurs et, comme il s'y attendait depuis plusieurs jours, il repéra les inspecteurs dès qu'il se dirigea vers l'entrée des urgences. Un à l'extérieur, dos à lui, pour ne pas être reconnu et pouvoir prendre ses ordres silencieux des deux autres qui jouaient les faux patients à l'intérieur. Un quatrième en couverture, derrière, dans le parking, et qui venait de descendre de sa voiture. Il aperçut encore deux autres silhouettes trop curieuses derrière des vitres du rez-de-chaussée. Six, c'était beaucoup pour une simple arrestation, même s'ils le savaient armé. Yeruldelgger se douta que son interpellation allait être musclée et préféra prendre les devants.

Dès qu'il eut franchi la porte, il leva les mains pour montrer sa bonne volonté et sa coopération. Mais l'inspecteur qui se cachait dehors et lui avait emboîté le pas envisageait l'opération d'une autre façon. Il tomba sur lui par-derrière et tenta de le plaquer au sol. Sa chute loin devant Yeruldelgger fracassa une rangée de chaises à l'autre bout du hall et tétanisa ses collègues.

D'un même geste, ils dégainèrent tous leur arme en visant le commissaire, qui leva les mains à nouveau.

— Je n'ai pas d'arme, je n'ai pas l'intention de résister et je me rends ! cria-t-il d'une voix forte mais calme.

Profitant de ce qu'il était tenu en respect par leurs collègues, trois des flics se jetèrent sur lui et le plaquèrent au sol sans ménagement pour le menotter. Le bref pugilat avait alerté le personnel de l'hôpital. Deux infirmiers s'occupaient déjà de soigner celui que Yeruldelgger avait envoyé valdinguer dans les chaises. Quelques médecins s'indignèrent de cette intrusion policière, mais les flics les renvoyèrent à leurs stéthoscopes en les pointant de leur arme. Ils semblaient tous très nerveux. Trop pour une simple arrestation.

— Qu'est-ce qu'il se passe les gars, j'ai grillé un rouge ? demanda Yeruldelgger pendant qu'on le maintenait violemment plaqué à terre pour le fouiller et lui confisquer son arme.

— Il y a qu'on a retrouvé le corps de Sukhbataar avec une de tes balles dans le crâne, salopard. Et pour nous, il n'y a rien de pire qu'un tueur de flic, sinon un flic tueur de flic, murmura à son oreille l'homme haineux en le clouant au sol d'un genou dans les reins.

— Et comment tu sais que c'est une de mes balles qui l'a descendu, petite tête ?

— Parce qu'on a un témoin direct, pauvre mec !

— Bah, tu sais, les témoins…

— Oui, mais pour ton malheur, celui-là est un de nos inspecteurs, alors on a plutôt tendance à le croire, répliqua le flic pendant qu'on relevait Yeruldelgger.

— Mais moi aussi je suis inspecteur ! répondit-il.

— Ouais, on sait ! Le genre d'inspecteur qu'on a déjà tous vu pointer un flingue sur Sukhbataar justement. Tu vois que ça se complique pour toi. On a des antécédents et un mobile, on a un flic comme témoin, et on a une de tes balles dans le crâne de la victime. Et maintenant on a ton flingue pour vérifier avec la balistique. Au pire, tu finis tes jours en taule, au mieux un de nous te flingue à ton tour pour ce que tu as fait !

– Ouais, tu as raison, lâcha Yeruldelgger. J'ai bien peur que vous ayez toutes les bonnes cartes en main pour régler cette affaire, cette fois !

– Profite de faire le mariole, lui dit à l'oreille un des autres flics qui l'avaient relevé, tu le feras un peu moins pendant l'interrogatoire qu'on te réserve !

Solongo et Chuluum arrivèrent en même temps par deux portes différentes. D'un geste de la tête, ce dernier ordonna à un de ses hommes d'empêcher la légiste d'approcher, puis se dirigea vers Yeruldelgger que trois flics maintenaient face à lui.

– Ça te fait mal ? demanda le policier menotté en désignant d'un mouvement du menton la jambe bandée de Chuluum qui marchait en s'appuyant sur une béquille.

– Je te trouve plutôt arrogant pour un tueur de flic entre les mains des flics.

– Peut-être parce que je suis flic moi aussi, comme je l'ai déjà expliqué à tes petits camarades.

– On a rapatrié le corps de Mickey ce matin, Yeruldelgger. Il est ici, à la morgue, avec une balle dans le crâne, et moi je t'ai vu tirer cette balle avec ce flingue qu'on vient de retrouver sur toi. Si tu crois que tu peux fanfaronner !

– Je ne fanfaronne pas, Chuluum, c'est juste nerveux. Je pense à l'interrogatoire pendant lequel tes hommes ont promis de me battre à mort, et je suis un peu nerveux. Ça se comprend, non ? Et puis, qui sait, peut-être que la balle a traversé le crâne de Mickey entre ses deux oreilles et qu'elle n'y est plus ! J'ai peut-être encore une chance de m'en sortir à l'autopsie, va savoir !

– J'ai vu le corps, mon pauvre Yeruldelgger. Une plaie d'entrée, pas de plaie de sortie ! Tu n'as aucune chance !

– Mais tu vas faire l'autopsie quand même, hein ? C'est ce que prévoit la procédure, n'est-ce pas ?

– Si tu y tiens, et puisque ta légiste favorite est là justement, on peut même lui confier le boulot, comme ça tu n'iras pas contester le résultat.

– C'est très malin de ta part, Chuluum, mais je préfère qu'on aille encore un peu plus loin. Toi, moi et deux inspecteurs de ton choix nous assisterons à l'autopsie, comme ça il n'y aura pas d'embrouille.

Chuluum essayait de comprendre le jeu de Yeruldelgger. Peut-être cherchait-il juste à gagner du temps ? Devant son hésitation, Solongo sut qu'elle devait intervenir.

– Bon, puisque tout le monde est d'accord, on y va, dit-elle en se dirigeant vers un couloir réservé au personnel. Le corps est déjà prêt et en salle d'autopsie. Extraire la balle est une affaire de dix minutes à peine.

Yeruldelgger adorait quand elle agissait ainsi d'instinct, sans même le comprendre. Chuluum, désarçonné, hésita quelques instants. Il ne pouvait pas laisser Solongo, si proche du commissaire, approcher le corps de Mickey sans surveillance. D'un autre côté, il ne pouvait pas non plus donner l'impression de refuser cette autopsie devant témoins. Surtout quand ceux proposés étaient ses propres flics. Il fit demi-tour sur sa béquille en grimaçant et désigna d'un geste deux de ses hommes pour pousser Yeruldelgger à sa suite vers la salle d'autopsie.

Solongo comprit en réexaminant le crâne du mort. Elle fit des radios qui confirmèrent la présence d'une balle, et décida aussitôt de ne pas chercher à l'extraire par l'orifice de la blessure à l'aide de longues pinces. Après avoir photographié et commenté la blessure d'entrée du projectile, elle décalotta le crâne à la scie pour aller chercher la balle dans le cerveau. Dès qu'elle l'eut retirée de l'amas mou des méninges perforées, elle la montra aux quatre témoins de l'autopsie, bien en évidence au bout de son instrument. Chuluum, un peu écœuré par la vision du cerveau défait de Mickey et pressé d'en finir, fit signe à un flic de tendre à Solongo un petit sachet à indice en plastique transparent. La légiste y déposa ostensiblement la balle, comme un prestidigitateur montre au public un objet qu'il va escamoter sous son nez, et l'inspecteur scella aussitôt le sachet.

– Tu la portes immédiatement à la balistique et tu lances la comparaison avec le fichier des armes officielles. C'est prioritaire sur tout, tu m'as bien compris ? J'ai encore des soins et quelques examens à faire ici. Les autres vont emmener cet enfant de salaud au département. Dès que tu as la confirmation, tu les rejoins là-bas et vous commencez l'interrogatoire comme ça vous chante. Moi je vous rejoins dès que je peux.

Puis Chuluum se retourna vers le policier, toujours menotté, toujours impassible, toujours entre ses deux cerbères.

– Je t'avais prévenu, Yeruldelgger !

– Moi aussi je t'avais prévenu, Chuluum. Moi aussi !

# 66

*... plus dans un geste de défense
que d'arrogance.*

Celui qu'ils avaient laissé avec lui dans la salle d'interrogatoire se voulait le plus méchant. Yeruldelgger devina qu'il était juste le plus en colère. Il bouillait d'impatience de lui éclater le visage à grands coups de poing.

Yeruldelgger l'avait observé au début de leur long face-à-face silencieux. L'autre ne tenait pas en place. Déjà un peu trop corpulent pour le boulot. Une petite faiblesse dans la jambe gauche. Il avait pensé à une petite nécrose de la hanche due à trop de vodka frelatée, mais le flic n'avait ni les cheveux ni la peau d'un alcoolique. Une arthrose du genou plus probablement, ou bien un ménisque qui partait en vrille. Et puis un manque de souffle. Trop court. Fumeur sans doute. Gros mangeur aussi et pas sportif. Celui-là, il fallait le prendre de face. Se dresser devant lui sans le regarder dans les yeux. Regarder son plexus, ou sa pomme d'Adam, puis soudain regarder un peu au-dessus de lui, sur sa droite. Provoquer l'imperceptible balancement de son corps, le forcer à prendre appui sur sa jambe faible, lui casser le genou d'un coup de talon et, dans le même mouvement, pendant qu'il s'effondrerait en déséquilibre, le frapper du genou au plexus pour lui couper le souffle. Et une fois à terre, de la pointe du pied, frapper au foie sur le côté pour déclencher la terrible douleur à retardement qui irradie le corps et met un homme K-O.

– Qu'est-ce que tu regardes !? vociféra le gros flic.

– T'as d'beaux yeux, tu sais ? répondit Yeruldelgger.

Il s'était toujours promis de placer cette réplique dans une situation comme celle-ci. Il l'avait apprise d'un film français qu'il avait vu pendant sa période ciné-club à l'Alliance française.

– Espèce de fils de pute ! grogna le flic en se ruant vers lui, les poings armés pour un massacre.

Mais le grand type dégingandé de la balistique ouvrit la porte au même instant et entra dans la salle, suivi de tous les inspecteurs avides de pouvoir interroger Yeruldelgger eux aussi.

– C'est pas lui ! lâcha le type de la balistique.

– Quoi ? C'est pas lui ?

– Non ! La balle qui a tué Mickey n'a pas été tirée par l'arme que vous avez trouvée sur lui ! Elle ne vient pas de son arme. C'est pas lui !

– Quoi ? Alors on ne sait pas qui a buté Mickey ?

– Si, on sait…, répondit le type de la balistique en jetant un dossier sur la table. La chemise ne contenait que deux photos et une feuille dactylographiée.

L'inspecteur qui voulait exploser Yeruldelgger s'empara du dossier et compara les deux photos avant de jeter un coup d'œil sur la page.

– Merde alors !

– J'y crois pas ! jura un autre en découvrant les documents à son tour.

– Non ! Alors celui qui a buté Mickey, c'est…

– C'est Chuluum. La balistique est formelle. La balle qui a été extraite du crâne de Mickey a été tirée avec l'arme de service de Chuluum…

Un silence de plomb figea la salle d'interrogatoire dans un malaise palpable. Le regard de chaque inspecteur glissa lentement vers le commissaire.

– C'est Chuluum qui a descendu Mickey. J'étais là. Mickey était là pour me buter, et Chuluum l'a buté avant.

– Pour quelle raison ?

– J'ai pas envie d'expliquer ça à une bande de types qui s'apprêtaient à me passer à tabac.

– Et son arme ? Où est son arme ?

– Cherchez bien. Dans sa voiture probablement. Si vous avez encore quelqu'un là-bas à part Chuluum, allez la récupérer vite fait avant qu'il ne s'en débarrasse.

– Sa voiture, c'est toi qui la conduisais ce matin. Tu aurais aussi bien pu y planquer l'arme pour le faire accuser !

– J'aurais pu, c'est vrai, mais pourquoi j'aurais eu l'arme de Chuluum ? Et vous oubliez ce qu'il a dit tout à l'heure. Il a déclaré devant vous tous qu'il m'avait vu abattre Mickey avec mon arme de service à moi, pas avec la sienne. Vous croyez que ce sont des choses qu'on confond, ça ? Et puis faites des tests de poudre sur ses mains, vous verrez bien !

– Qu'est-ce que ça veut dire, alors ?

– Ça veut dire qu'il mentait pour me charger, et que c'est lui qui a buté Mickey, pas moi ! Il a buté Mickey et il voulait s'en tirer en me faisant porter le chapeau.

– Ça n'explique pas pourquoi il a accepté une autopsie devant témoins s'il savait que c'était une de ses balles dans le crâne de Mickey !

– C'est vrai, accorda Yeruldelgger, ça n'explique pas. Mais ça explique pourquoi moi je l'ai demandée devant témoins. Peut-être que sans témoins, comme il le proposait au début, le résultat de l'autopsie, ou en tout cas son rapport, aurait été différent, allez savoir !

– Peut-être aussi que si vous n'avez plus envie de le lyncher, maintenant, on peut lui enlever les menottes et lui foutre la paix ! suggéra une voix à l'extérieur de la salle.

Yeruldelgger reconnut celle de Billy et se retourna pour le voir s'approcher en fendant la foule des autres flics. Ils semblaient tous sonnés par la tournure que prenaient les événements, et un brouhaha d'écœurement enfla et se répandit hors de la petite salle d'interrogatoire jusque dans tous les bureaux du service.

– Ça va ? demanda le jeune inspecteur en enlevant les bracelets qui meurtrissaient les poignets de Yeruldelgger.

– J'ai plus de voiture. Tu peux me ramener chez Solongo et lui téléphoner à l'hôpital pour lui dire de nous rejoindre chez elle ?

– Vous ne restez pas ici pour régler les choses avec Chuluum ?

– Ils s'en chargeront bien eux-mêmes ! sourit Yeruldelgger en désignant du menton la foule des inspecteurs. Nous, on y va !

Comme ils atteignaient les ascenseurs, la porte s'ouvrit sur Chuluum en équilibre sur sa béquille.

– Hey ! Qu'est-ce qu'il fout là ? s'emporta-t-il. Où va-t-il ?

Ses cris figèrent sur place tous les flics du service qui se retournèrent vers les ascenseurs. Ils virent Yeruldelgger et Billy, silencieux et souriants, passer chacun d'un côté d'un Chuluum fou de rage qui leur hurlait de revenir. Ils entrèrent dans la cabine d'où il venait de sortir et il les regarda appuyer sur un bouton et attendre que les portes coulissent et se referment. Quand une sonnerie indiqua que la cabine redescendait et que Yeruldelgger était bien reparti libre à son nez et à sa barbe, Chuluum resta quelques instants interdit. Puis il se retourna et se trouva face au mur de tous ses collègues du service.

– Quoi ? hurla-t-il rageusement en brandissant vers eux une béquille menaçante.

C'est alors qu'il déchiffra les expressions de haine et de colère sur leurs visages.

– Quoi ? répéta-t-il.

Mais cette fois sa voix s'érailla de peur et quand il brandit à nouveau sa béquille, c'était plus dans un geste de défense que d'arrogance.

# 67

*J'ai une longue route à faire...*

— C'était pour ça les instruments ?

— Oui...

— Tu as su comment faire ?

— Il faut croire...

— Mais après, tu ne lui as pas tiré dessus avec l'arme de Chuluum ?

— Non, c'était trop compliqué. La trajectoire, les traces de poudre, tout ça...

— Et alors, cette balle que j'ai extraite ?

— Celle que Chuluum s'est tirée dessus pendant notre petite bagarre dans la voiture. Elle lui avait traversé le mollet et je l'ai récupérée sur le tapis de sol. Après avoir extrait la mienne, j'ai glissé la sienne dans le crâne de Mickey.

— Tu as de la chance que ce soit moi qui aie pratiqué l'autopsie. La balle était moins loin que le trou creusé par la première.

— Je te remercie. Comment as-tu compris, pour l'autopsie ?

— Je ne sais pas. Une sorte d'instinct. Il faut croire qu'il existe entre nous des ondes particulières...

— Oui. Il faut croire ! répondit-il en levant les yeux vers elle.

Billy se resservit du thé, histoire de rompre l'intimité immobile qui s'installait entre Yeruldelgger et Solongo.

– Comment as-tu pu penser à un truc aussi tordu ? s'enquit-
il d'un ton un peu trop intéressé.

– Je ne sais pas. J'allais repartir dans le Terelj avec la voiture
de Chuluum pour récupérer la mienne, et tout à coup ça m'a
paru évident.

– Quoi ? Qu'est-ce qui était évident ?

– Que Chuluum n'attendrait pas pour chercher à m'atteindre
avec la mort de Mickey. Qu'il tenterait quelque chose au matin
et que je n'avais que la nuit pour réagir.

Billy laissa passer quelques instants avant de questionner
Yeruldelgger à nouveau. Cette fois sa curiosité était bien sincère.

– Que s'est-il passé exactement ?

– Avec Chuluum ?

– Non, je veux dire : depuis le début, depuis tout ça. La
gamine, les Chinois, les motards.

– Deux histoires qui s'entrecroisent, Billy. Il y a cinq ans, un
Coréen renverse la gamine au cours d'un raid sauvage en quad
à travers le parc national du Khentii. Le commanditaire du raid
demande à Mickey, qui fait des ménages pour lui dans le genre
service d'ordre, de régler l'affaire discrètement. Mickey envoie
un abruti de motard qui servait de guide à leur petite expédition
enterrer la gamine loin du lieu de l'accident. La gamine n'est
pas vraiment morte et l'autre abruti l'enterre encore vivante et
pas assez profond. Cinq ans plus tard, des nomades trouvent le
corps de la gamine. Dans l'autre histoire, pour faire simple, on
trouve trois géologues chinois et deux putes mongoles massacrés
pendant la Saint-Valentin chinoise. Les suspects les plus évidents
sont l'abruti de la première histoire et sa bande de nazis sauce
mongole. Et cette fois c'est un autre flic, Chuluum, qui tente de
faire le ménage et apparemment pour le même commanditaire.

– Mickey et Chuluum, quand même !... soupira Billy en
secouant la tête.

— Toujours la même vieille histoire, répondit Yeruldelgger. La tentation, le boulot de merde, les fins de mois, les divorces à cause des planques, les mauvaises fréquentations... Et un court instant l'illusion de l'impunité, la prétention de pouvoir tirer toutes les ficelles. Ces ficelles qui, en fait, nous prennent dans leurs rets ! C'est l'eau qui nous tient la tête hors de l'eau, mon garçon, n'oublie jamais ça, et celle dans laquelle on se noie est la même que celle qui nous porte quand on nage.

— Et le commanditaire, comme tu l'appelles, c'est Erdenbat, n'est-ce pas ? osa Solongo d'une voix douce.

— Oui, répondit Yeruldelgger, mais avec des fusibles comme Mickey et Chuluum, ça va être difficile de remonter jusqu'à lui dans ces deux affaires.

— Mais si Erdenbat est le commanditaire, demanda Billy, comment a-t-il pu ordonner cette horrible tentative contre Saraa ?

— C'est ce qui va le perdre. Si on réfléchit bien à cette affaire, personne n'avait besoin de s'en prendre à Saraa. Elle avait déposé en faveur d'Adolf, elle me haïssait, elle voulait me nuire, il n'avait aucun intérêt à l'éliminer. En fait, il me visait, moi !

— Quoi ? Qu'est-ce que tu dis ? s'offusqua Billy.

— Tu es au courant pour ma petite fille, Kushi ?

L'autre baissa aussitôt les yeux. La question n'en était pas vraiment une. Yeruldelgger savait que tout le monde, surtout dans la police, connaissait l'histoire de l'enlèvement et de la mort de Kushi. Mais Billy savait, pour en avoir été témoin, que quiconque évoquait ce malheur devant son père déchaînait sa colère.

— Oui..., lâcha le jeune inspecteur à voix basse.

— La nuit dernière j'ai fait parler un homme de main d'Erdenbat. Je l'ai fait dans des conditions qui me portent à croire que je lui ai fait dire la vérité. Selon lui, Erdenbat avait organisé l'enlèvement de Kushi. À l'époque j'enquêtais sur toutes les combines mafieuses autour du rachat des terres qui ont permis à quelques spéculateurs du gouvernement de mettre la main pour presque rien sur des milliers d'hectares qu'ils savaient destinés à être concédés à prix d'or à de grandes multinationales. Erdenbat en était. Il aurait organisé l'enlèvement de Kushi pour me forcer à abandonner l'enquête, et Kushi serait morte accidentellement en échappant à la surveillance de ses ravisseurs. L'homme m'a dit qu'avec Saraa, Erdenbat tentait la même chose à nouveau. Quand on sait ce que je suis devenu après la mort de Kushi, on devine ce qu'il espérait ! Mais ça nous apprend une chose : une des deux enquêtes cache des intérêts aussi importants que le scandale des ventes de terres de l'époque. Souvenez-vous des millions de dollars que ça a rapportés à ceux qui ont magouillé pour s'approprier ces terres dans le seul but de les revendre sous forme de concessions minières aux Russes ou aux Chinois ! Une de nos affaires cache un pactole du même genre. C'est dans ce sens qu'on doit réorienter les enquêtes.

– Et tu crois qu'on va nous laisser faire ? Erdenbat tient une partie de la télé, la majorité de la presse, la moitié des députés, et probablement les trois quarts de la police ! s'inquiéta Billy.

– Je me fous de tous ces gens-là. Quant à la hiérarchie, Mickey est mort, Chuluum doit être en garde à vue à l'heure qu'il est, et tout le service va être désorganisé pendant quelques jours. Il faut en profiter pour avancer au pas de charge. Billy, trouve deux ou trois inspecteurs en qui tu as confiance et remontez toutes les pistes sur les deux affaires en cherchant où et comment Erdenbat peut être impliqué. Mais avant, je veux que Solongo et toi ressortiez le dossier de Kushi. Vous avez deux jours pour tout reprendre pièce par pièce, indice par indice, témoignage par témoignage, et m'établir un lien avec Erdenbat. Solongo, reprends toutes les pièces à conviction, et toi tous les témoignages. Je veux un lien avec Erdenbat, vous m'entendez ? J'en veux un. Il y en a forcément un !

Billy et la légiste gardèrent le silence. Ce qui les impression-
nait, c'était le calme et la force des mots de Yeruldelgger. Ce
n'était pas un homme en colère, c'était un homme solide, sûr,
convaincu.

— Solongo, je veux aussi que tu reprennes le dossier de l'autopsie.

— Yeruldelgger, c'est moi qui l'ai faite ! plaida-t-elle.

— Je sais, mais revois les causes de la mort, s'il te plaît.

— La strangulation était évidente !

— Il n'y a plus rien d'évident dans cette affaire. L'homme que
j'ai interrogé parle d'une mort accidentelle consécutive à une
chute puis maquillée en strangulation. Vois ça s'il te plaît !

— Mais cet homme que tu as fait parler, ce n'est pas lui justement le lien que tu cherches pour faire tomber Erdenbat ?
demanda Solongo.

— Il aurait pu l'être, mais il est mort !

— Tu as tué cet homme ?

— Non, pas moi !

Solongo le regarda droit dans les yeux, comme si elle attendait
autre chose que cette réponse, mais Yeruldelgger resta impassible
et soutint son regard, un imperceptible sourire au coin des lèvres.

— À propos, Gantulga t'embrasse ! finit-il par dire sans la quitter des yeux.

Un autre moment silencieux relia leurs regards, pendant que Billy,
les yeux fixés lui aussi mais concentrés sur le sol, essayait de struc-
turer dans sa tête tout ce qu'il venait de vivre et d'apprendre.

— Il reste un truc que je ne comprends toujours pas, finit-il
par avouer. Que sont devenus les parents de la gamine ?

— Ça, je ne vais pas tarder à le savoir, dit Yeruldelgger en se
levant. Demain matin peut-être !

— Tu t'en vas ? s'étonna Solongo.

— Oui. J'ai une longue route à faire...

# 68

*... puis il essaya d'appeler Solongo.*

Bien entendu, comme Chuluum lui avait confisqué les billets, Colette n'était pas partie se mettre au vert. Yeruldelgger sut qu'elle était à l'Altaï rien qu'à son parfum qui flottait à l'extérieur sur le trottoir et tournait la tête aux touristes en maraude. Il la repéra au bar et se dirigea droit vers elle pour la saisir par le bras et l'entraîner dehors.

– Allez, viens, ma belle, on part en vacances...

– Je suis pas sûre que Chuluum apprécie ! se moqua la fille résignée qui trébuchait sur ses talons hauts.

– Ne t'en fais pas, Chuluum est déjà en vacances. Vingt ans au moins, aux frais de l'État !

– Il est en taule ?

– Il va y aller. Pour l'instant, il n'est plus rien. Ni flic ni maquereau. Alors tu peux prendre des vacances !

– Avec toi ?

– Avec moi !

C'est tout ce qu'ils se dirent avant de rouler en silence. Yeruldelgger sortit d'Oulan-Bator par l'est en direction du Khentii à nouveau. Par la route de Bayandelger d'abord, puis droit vers le nord jusqu'au village de Möngönmorit, puis vers le nord-est par des pistes isolées qui les amenèrent à une vingtaine de kilomètres au nord du ranch d'Erdenbat.

Yeruldelgger apprécia chaque seconde de cette longue chevauchée dans les espaces sauvages du Khentii. La montagne avait été façonnée en longues ravines par mille rivières disparues. La piste sinueuse cherchait les passes et les failles pour aller d'un vallon à l'autre. Déjà la taïga creusait de vastes clairières fleuries dans l'ombre sombre des forêts de pins et de mélèzes. De temps en temps, ils apercevaient une yourte blanche posée en pleine nature. Une femme en *deel* de satin bleu qui s'occupait des moutons, un homme immobile à cheval et sa longue *urga* à l'horizontale sous le bras qui les regardait passer, des enfants tannés au soleil froid qui couraient après un chien jaune à la queue basse. Ou bien ils croisaient sur une moto un homme en habits traditionnels casqué de cuir comme un pionnier de l'aviation. À chaque fois Yeruldelgger faisait un détour pour les saluer, prendre quelques nouvelles et demander son chemin. L'homme relevait ses lunettes d'aviateur et leur répondait dans un murmure, le visage strié par les vents et le sable, puis repartait en riant quand sa moto dérapait de l'arrière dans une ornière. Les gamins silencieux se figeaient dans leur jeu sans oser sourire, et la femme rentrait sous sa yourte pour chercher le lait et bénir leur route quand ils étaient déjà partis. Dans tout le chaos qu'étaient sa vie et son pays, Yeruldelgger trouvait dans ces instants suspendus des bonheurs infinis qui distendaient son cœur d'une fière émotion.

Ils aperçurent le camp en fin d'après-midi, quatre heures après leur départ. Ils traversèrent d'abord un village triste et désert, noir, tout bardé d'enclos et claquemuré de cabanes avec quelques yourtes salies par les pluies. C'était le pays triste où les yourtes disparaissaient et où on ne voyait pas encore d'isbas russes. C'était le pays des cabanes et des baraques. Ils devinèrent le camp, deux kilomètres plus loin à vol d'oiseau, sur une petite ligne de crête en haut d'une longue prairie qui descendait jusqu'à un petit étang noir et froid. La piste sinueuse qui y menait tricota son chemin entre les clairières et les bois, puis déboucha sur un petit plateau tapissé d'herbe grasse qui servait de parking aux motos et d'herbage aux chevaux. Le ciel était délavé de pluie et prêt à tout inonder à nouveau. Ils descendirent de la voiture, lui surveillant les alentours et Colette ses escarpins rouges. Un peu partout des flaques argentées se plissaient sous le vent dans l'herbe boueuse. Sur la gauche, le camp se composait de trois rangs de deux yourtes, prolongés par quatre chalets en bois agrémentés d'une petite véranda et qui s'étageaient en escalier vers le petit étang. En haut, face aux yourtes, une large et lourde maison basse en rondins devait servir de communs, de cuisine et de réfectoire. Elle était si massive qu'on l'imaginait fichée dans le sol boueux par son propre poids. L'endroit pouvait sûrement être beau sous un franc soleil. Après quatre heures de route sous un ciel de coton gris imbibé de pluie, il était sinistre et froid.

De l'autre côté de la maison, un homme sortit d'une des trois latrines plantées à vingt mètres du réfectoire. Il avait dû entendre la voiture et sortir précipitamment, car il s'immobilisa pour les regarder sans même finir de se renfouailler. Il portait une lourde veste en cuir sur un pantalon de treillis glissé dans des bottes en caoutchouc. Yeruldelgger attendit quelques secondes avant de se diriger vers lui, suivi de Colette qui marchait comme un héron en regardant ses pieds pour éviter la boue, les mains tombantes tout au bout de ses bras hauts écartés. L'homme ne fit pas un pas vers eux. Une brute. Une sombre brute. Sale sûrement, fort, ivrogne. Sans aucun doute le maître des lieux qui lui ressemblaient.

– Un lit pour deux nuits ! dit Yeruldelgger en arrivant près de lui sans même poser la question.

– Rien n'est libre ! aboya la brute.

– Celle-là fera l'affaire ! répondit Yeruldelgger en se dirigeant vers la première yourte.

– Tout est réservé, j'ai dit ! menaça l'homme qui l'avait suivi.

Yeruldelgger se retourna vivement pour lui faire face. L'homme, surpris, se retrouva tout contre lui, les yeux dans les yeux. Le policier l'avait cerné : fort, bestial, abruti, tyrannique et lâche. De son côté, l'homme avait buté contre le regard de Yeruldelgger comme on se cogne à un mur de granit. Aucun des deux ne baissa les yeux, mais Yeruldelgger devina chez l'autre cet imperceptible petit mouvement de la tête vers l'épaule gauche qui marque en général l'instinct de repli. La plupart des hommes font demi-tour en reculant d'abord le pied gauche. Il sut alors que le type allait céder et resta de pierre. Quelques secondes plus tard il faisait brusquement demi-tour.

– Deux nuits, pas plus, aboya-t-il pour se donner bonne contenance devant les femmes qui étaient sorties de la cuisine pour voir ce qui se passait.

Colette voulut précéder Yeruldelgger dans la yourte, mais il la rattrapa vivement par le bras en la tirant à lui.

– Hey, qu'est-ce qui te prend ?

– Pas le pied gauche, tu ne te souviens pas ?

– Tu crois à ces vieilleries-là ?

– J'y crois, confirma-t-il, et tu as intérêt à y croire toi aussi.

– Quoi ? Entrer le pied droit en premier, enjamber le pas de porte, ne rien jeter dans le feu, circuler par la gauche, ne pas pointer ses pieds vers le feu... tu t'accroches encore à tout ça ?

– Au moins tu t'en souviens, ce n'est déjà pas si mal, alors tâche de respecter toutes ces traditions, sinon je pourrais me mettre en colère.

– Ah oui ? Et la pire insulte, ce n'est pas d'entrer dans une yourte avec une arme ? Ne serait-ce qu'une cravache ou un bâton ? Et ce que tu as à la ceinture, ça ne serait pas un flingue, par hasard ? Alors ne la ramène pas trop avec ton respect des traditions !

— Entrer armé dans une yourte, répondit calmement Yeruldelgger, c'est la pire insulte envers ceux qui y vivent. Ici ce sont des yourtes pour touristes. Personne n'y vit. Aucun esprit des ancêtres.

— Eh bien alors, si monsieur se dispense, moi aussi je me dispense pareil ! le nargua Colette.

— Oui, mais ça sera traditions quand même, parce que toi tu es là pour faire ce que moi je veux !

— Ah bon, on est là pour ça ? Depuis l'autre jour que ça me travaille, je croyais que t'avais pas envie de moi !

— J'ai toujours pas envie ! répondit Yeruldelgger. Encore une fois, rien de personnel, mais j'ai pas envie !

— Ben qu'est-ce que je fais ici, alors ?

— Tu donnes le change. On fait semblant. On fait comme si on était venus là pour ça, mais juste pour la galerie. Compris ?

— Tu parles, juste pour la galerie ! Merci les vacances ! Je peux dormir au moins ?

— Dors ! accepta Yeruldelgger pas mécontent de quitter la yourte déjà saturée de mauvais parfum. Il venait de faire quatre heures de route dans une bonbonnière, il lui fallait de l'air pur.

Leur arrivée avait attisé des curiosités. Trois femmes s'affairaient aux cuisines, la porte de service grande ouverte pour pouvoir les épier en silence. Le policier s'approcha d'elles d'un pas débonnaire en humant les senteurs et les arômes. L'air mouillé de la pluie récente rafraîchissait les odeurs de viande crue et de légumes.

— Hummm, *kuushuur* ! soupira-t-il le nez au vent.

Les trois femmes éclatèrent de rire comme des gamines. Une petite vieille édentée au beau visage rond comme une lune rouge, et deux autres plus jeunes. Ses filles peut-être. Yeruldelgger resta un peu à distance, bien campé sur ses jambes, à les regarder travailler. La vieille taillait finement au couteau des tranches de mouton gras sur un large billot de bois que l'usage avait creusé en son centre. Une des jeunes femmes éminçait sans pleurer de gros oignons blancs pendant que l'autre écrasait des gousses d'ail. La cuisine n'était qu'un indicible chaos de gamelles, de poêles et de chaudrons. Les plans de travail tenaient plus de l'établi de menuisier, et le four en grosses pierres à l'ancienne était chauffé par un feu de bois ardent dans une niche.

Yeruldelgger remarqua l'énorme boule de pâte à *kuushuur* qui reposait dans un coin. Il regarda la gamelle de la grand-mère, et ce qu'il lui restait de viande à hacher. Il y en avait bien dix kilos. Les oignons, pareil. L'ail aussi. Pour combien de personnes cuisinaient-elles ?

– Ne te trompe pas d'épice, grand-mère : pour le *kuushuur*, que du cumin !

– Pour qui tu me prends, jeune prétentieux ! Du cumin, bien sûr.

– Et pas de piment !

– Pas de piment qui gâte le goût du mouton !

Il ferma les yeux et huma à nouveau l'odeur de la cuisine. Il renifla le bois vert qui fumait aigre et la suie froide et grasse, la sueur musquée des femmes, l'eau de vaisselle sans savon, comme s'il s'enivrait du fumet d'un mets délicat, et elles rirent encore, flattées et un peu fières de se faire ainsi ouvertement courtiser par ce bel étranger fort et solide.

– Et qui va manger tout ça ?

– Pas toi ! se moqua une des jeunes femmes.

– Et pourquoi pas moi ? demanda Yeruldelgger.

– Parce que c'est réservé à ces chiens de Coréens !

– Quoi ? Des Coréens, ici, pour manger mon *kuushuur* ? Pouah ! s'offusqua-t-il faussement en crachant par terre.

– Pouah ! imitèrent les trois femmes en crachant dans un même geste sur le sol de la cuisine.

– Où sont-ils, ces voleurs de *kuushuur* ? Où sont-ils, que je leur fasse rendre raviole par raviole ?

Mais les femmes ne riaient plus. Elles avaient baissé la tête et reprirent leur travail en silence. La vieille glissa un regard par-dessous pour prévenir Yeruldelgger qui se retourna. L'homme était derrière lui, son visage de brute hirsute buté et fermé comme un coffre. Il portait à la main une grappe de marmottes mortes qu'une cordelette retenait par les pattes arrière.

– Quoi ! s'indigna Yeruldelgger. Ces chiens de Coréens vont avoir droit au *boodog* de marmotte en plus ? J'en veux aussi !

– C'est pour les Coréens. Ils payent.

– Je paye comme eux. J'en veux !

– Vingt mille Tugriks !

– Quoi ? Vingt mille Tugriks ? Je mange mexicain avec maria-chis et margaritas à Oulan-Bator pour ce prix-là.

– Vingt mille Tugriks ! répéta la brute qui n'avait jamais goûté à une margarita.

– Vingt mille Tugriks, mais avec les *kuushuur*.

– Cinq mille Tugriks de plus pour les *kuushuur*.

– Va pour vingt-cinq mille Tugriks, espèce de voleur. Ça fait ton repas de braconnier à vingt dollars, mais ça fera toujours ça de moins pour les Coréens !

Ou l'homme était vraiment la brute épaisse qu'il semblait être, ou il tenta de pousser sa chance un peu trop loin quand il tendit la main.

– Cinquante mille Tugriks ! dit-il.

– Quoi, cinquante mille Tugriks ?

– Toi et la femme. Deux fois vingt-cinq. Cinquante mille.

Yeruldelgger le saisit par le revers de sa vieille veste en cuir, le fit tournoyer autour de lui et le plaqua contre le mur en rondins des cuisines. Il l'étrangla de son avant-bras et dans le même mouvement il lui écrasa le genou contre le mur avec le sien avant de plonger sa main entre ses cuisses et de saisir ses testicules pour les broyer d'une poigne de fer. La brute râla de colère plus que de douleur, et Yeruldelgger dut détourner le visage pour se protéger de son haleine putride. Il était sûr de lui faire mal, et pourtant l'homme ne demandait pas grâce. Coriace. Il lâcha la grappe de marmottes, mais ne chercha même pas à desserrer l'étreinte du policier de ses mains libres. Comme s'il se savait capable d'encaisser toutes les douleurs du monde sans broncher.

– Écoute-moi bien, à vingt-cinq mille, je payais pour manger. À cinquante mille, je mange sans payer. Ça t'apprendra à me prendre pour un Coréen. Je veux qu'on nous serve dans la yourte, la dame et moi. Surtout pas toi, sinon je m'énerve. Envoie une des femmes de la cuisine.

Il lâcha les couilles de la brute, le saisit par le col des deux mains et tournoya à nouveau sur lui-même pour l'envoyer loin de lui. L'homme trébucha à peine. Coriace et solide sur ses jambes en plus ! Vexé, aussi, à sa façon de fusiller du regard les trois femmes qui replongèrent aussitôt la tête dans leurs gamelles. Et haineux, sans aucun doute. Dangereux.

L'homme repartit la tête dans les épaules, sans réajuster le col de sa veste en cuir, et tourna au coin de la cabane pour se diriger vers les chalets. Yeruldelgger fit volte-face vers les femmes de la cuisine et haussa les sourcils en souriant pour leur signifier ce qu'il pensait de lui. Elles pouffèrent de rire en silence pour que l'homme ne les entende pas.

– C'est une brute ! murmura la vieille en crachant dans la direction où il avait disparu.

– C'est une ordure ! siffla une des jeunes femmes en crachant dans la même direction.

– C'est un salaud ! cracha l'autre jeune femme.

– C'est ton mari, grand-mère ? demanda Yeruldelgger à la vieille en ramassant les marmottes encore chaudes d'avoir essayé d'échapper au chasseur.

Elle baissa les yeux et s'énerva sur sa viande à grands coups de coutelas.

– C'était mon mari quand j'étais jeune. Maintenant c'est le mari de tout le monde. Il prend celles qu'il veut et celles qui ne veulent pas, il les tabasse. C'est un malade. Il ne pense qu'à ça. Vieilles, jeunes, enceintes, de sa famille ou pas, il prend ce qu'il veut. Même des gamines. Même des enfants ! Tu as vu comme il est fort ? Qui peut lui résister ?

– Moi je peux, grand-mère, mais bon, c'est vrai qu'il ne veut peut-être pas de moi !

Les trois femmes éclatèrent de rire et s'écartèrent pour lui faire un peu de place quand il porta les marmottes à l'intérieur de la cuisine. Il trouva un billot, une feuille de boucher bien tranchante, un coutelas pointu, une grande gamelle pour les viscères, et s'installa près d'elles.

– Je les prépare pour le *boodog* ? demanda-t-il.

– Si tu sais bien le faire, pourquoi pas ! le taquina la vieille.

– Si tu as les bonnes pierres, je vais te faire le meilleur *boodog* de la steppe !

La vieille pointa son couteau vers l'âtre sous le four en pierre. De chaque côté du feu vrombissant elle avait tapissé le foyer de braises rougeoyantes sur lesquelles chauffaient de gros cailloux ronds.

– Tu les éventres et tu ne perces pas les boyaux, d'accord ?

– Je les éventre et je ne perce pas les boyaux, répéta Yeruldelgger.

– Et tu mets les intestins bien nettoyés de côté !

– Et je mets les intestins bien nettoyés de côté ! singea-t-il en éventrant la première marmotte.

– Après tu frottes bien l'intérieur avec du sel.

– Après je frotte bien l'intérieur avec du sel ! perroqua Yeruldelgger en envoyant un clin d'œil aux jeunes femmes. À propos, ils arrivent quand, ces Coréens ?

– Dans trois heures ils seront là. Ils mangeront une heure plus tard si c'est ta question, répondit la vieille avec malice.

– C'était ma question, répondit Yeruldelgger. Est-ce qu'il n'est pas un peu trop tôt pour préparer les marmottes ?

– C'est toi qui as voulu t'y mettre ! répondit la vieille. Le *boodog* est meilleur quand les marmottes sont fraîchement tuées, mais il faut aussi laisser un peu de temps à la mort pour attendrir les chairs. Et puis il y en a dix à préparer...

Yeruldelgger sourit sans répondre. Cette vieille et ces femmes, il les avait connues dans sa jeunesse, sous d'autres cieux immenses, dans d'autres steppes infinies, mais autour du même feu et des mêmes traditions. Préparer les marmottes, rouler dans leurs ventres ouverts les gros cailloux brûlants, les recoudre pour que les viandes cuisent de l'intérieur, les approcher en même temps d'un feu de bois pour les cuire de l'extérieur. Enfant, il avait longtemps regardé les grands faire les gestes, puis il les avait appris, en se brûlant les doigts par maladresse et les lèvres par gourmandise. Équilibrer les deux chaleurs, éviter que la cuisson à l'intérieur ne dégage trop de chaleur et de vapeur et ne déchire la couture ou ne fasse exploser la bête. Puis la retirer du feu, l'ouvrir à gestes rapides du bout des doigts, attraper les cailloux brûlants de graisse et se les passer vivement d'une paume à l'autre pour que la chaleur et le gras apportent force et vigueur. Et enfin découper la petite bête et plonger ses dents dans la chair tendre et juteuse qui fumait encore...

Des étrangers prétendaient que le *boodog* aurait le goût du canard sauvage. Yeruldelgger n'était pas d'accord. Le *boodog*, c'était le *boodog*, un mets mongol à nul autre pareil, dont le goût venait autant de la chasse du petit animal des steppes, de sa préparation entre amis, du choix de chaque caillou ou des traditions de sa cuisson que de la graisse qu'on gardait à l'intérieur pour huiler la viande bouillante.

— Quand je pense que tu vas servir ça à des Coréens, grand-mère !

— Une bande de chiens qui vient piétiner nos parcs et nos montagnes et qui sont tellement ivres de vodka qu'ils finissent toujours par vomir nos *kuushuur* et nos *boodog* !

— À ce point ?

— Tu n'imagines même pas ! Chaque année ils déferlent sur le camp, jettent leurs engins n'importe comment, déchargent des caisses de vodka russe achetées avant la frontière, branchent leurs claviers à karaoké et hurlent des horreurs dans leurs micros. Ils vont passer toute la nuit à faire exploser le feu en y brisant les bouteilles, à s'échauffer l'esprit avec des saloperies dans leur langue qu'on ne comprend même pas, et quand on va les servir, ils vont nous glisser les mains entre les cuisses et nous pincer le cul. Et quand ils auront trop bu, ils vont essayer de nous baiser par terre comme des moins que rien, sous le rire des autres qui vont danser autour de nous en nous aspergeant de vodka. Même moi, ils vont essayer, jura la vieille, même moi, tu te rends compte ! Une année, une pauvre fille aspergée de vodka s'est enflammée comme une torche en courant trop près du feu pour essayer de leur échapper. Ça les a fait rire encore plus et un d'eux a même crié qu'elle serait meilleure à manger que le *boodog* et qu'il se réservait le cul ! Voilà ce qu'ils sont, ces Coréens !

— Et ton patron ne dit rien ?

— Le patron ? Cette ordure gagne en une nuit plus que ce que je peux espérer gagner en une vie ! Ces Coréens arrogants sont pleins de fric, et celui qui organise leurs chevauchées infernales est plus riche encore. Rends-toi compte que pendant les deux semaines que dure leur raid de malheur, tous les gardes forestiers et les policiers du Khentii sont comme par hasard en vacances. Tu peux payer ça, toi ?

– Et ils viennent souvent ?

– Non, par chance ils ne viennent qu'une fois par an, en général la semaine qui précède le grand *naadam*. Celui qui paye pour tout ça leur organise un *naadam* privé dans le Terelj. Mais cette année, le *naadam* privé a déjà eu lieu, et j'ai peur que cette bande de chiens arrogants reste plus d'une nuit !

Yeruldelgger avait fini de préparer les marmottes. Leurs cadavres éventrés gisaient sur une épaisse table en bois au plateau taillé dans un seul arbre. La vieille avait terminé de hacher la viande pour les *kuushuur* et les deux jeunes femmes la mélangeaient à pleines mains aux oignons, à l'ail et au cumin. Elles écrasaient le mélange dans leurs poings et la viande épicée jaillissait en rubans entre leurs doigts. L'image fit monter au cœur de Yeruldelgger une bouffée de nostalgie du temps heureux de son enfance, quand il avait été autorisé à le faire lui aussi pour la première fois. Puis, quand la farce fut prête, la vieille se leva et dégagea un coin de table. Elle prit la pâte qui reposait sous un linge mouillé et en arracha des petites pincées qu'elle roula en boules et saupoudra de farine pour les empiler dans un grand plat sans qu'elles collent. Une fois terminé, elle étala chaque boulette avec un tube en fer creux que quelqu'un avait dû arracher à un chantier ou un échafaudage à Oulan-Bator. Yeruldelgger apprécia le coup de main de la vieille. La pâte ne devait être ni trop épaisse ni trop fine non plus pour éviter qu'à la cuisson le jus de la viande ne passe dans la graisse de la friture. Ensuite elle déposa dans la partie inférieure de chaque rond une cuillerée de farce et replia la pâte à la façon d'une grosse raviole.

Comme Yeruldelgger la regardait faire en souriant, la vieille s'écarta de la table en l'invitant à continuer à sa place.

– Montre-moi plutôt ce que tu sais faire, au lieu de rester dans mon dos à me surveiller ! le provoqua-t-elle.

Yeruldelgger savait comment déjouer le piège qu'elle lui tendait. Il l'avait même appris à Saraa quand elle était beaucoup plus jeune. Il s'approcha de la table, repoussa le *kuushuur* déjà replié de la vieille qui fit mine de se vexer, prépara une autre raviole et commença à bien la sceller, appuyant des deux pouces des coins vers le centre. Mais avant de donner la dernière pression pour bien refermer le *kuushuur*, il laissa un petit trou juste au centre, pressa délicatement du plat de la main sur la raviole pour en chasser l'air, puis la ferma de façon bien hermétique d'une dernière pression.

– À la bonne heure ! sourit la vieille en lui écrasant les joues entre ses deux mains blanches de farine. Il reste encore quelques vrais Mongols dans ce pays !

– Je t'en prie, grand-mère, fais-les cuire dans de la graisse de viande, pas dans de l'huile, et garde-moi deux bonnes rations pour ce soir, tu veux bien ?

– Six *kuushuur* chacun, et tu peux choisir ta marmotte !

La présence de Yeruldelgger les rendait d'humeur joyeuse, la chaleur de la cuisine et l'odeur corsée du gibier préparé aussi. La vieille fit signe à une des jeunes femmes de prendre une bière dans la glacière pour le visiteur. Elle sortit une bouteille de Chinggis aux deux chevaux cabrés perlés d'eau glacée, mais Yeruldelgger s'excusa poliment.

– Merci, ma belle, mais tu n'aurais pas plutôt, caché quelque part, un bon lait de yack distillé pour me donner du cœur au ventre et m'ouvrir l'appétit ?

– L'*arkhi*, c'est l'autre brute qui le garde pour lui, caché sous son lit ! Tout ce que je peux t'offrir, c'est de l'airag, mais il est bon. Je le fais moi-même. Je trais la jument huit fois chaque jour d'été, j'ai moi-même cousu l'outre en peau de bœuf dans laquelle je laisse fermenter le lait, et c'est même moi qui bats le lait pendant deux heures chaque jour avec le moussoir parce que l'homme d'ici n'en est pas digne.

– Va pour le lait de jument fermenté ! approuva joyeusement Yeruldelgger.

Une des jeunes femmes lui servit un verre grand comme une cruche d'airag et Yeruldelgger y trempa ses lèvres avec gourmandise. Maintenant qu'il les avait mises en confiance, il jugea pouvoir aborder le sujet pour lequel il s'était rapproché d'elles.

– Tu sais, grand-mère, pour ce que tu m'as dit tout à l'heure, les beuveries des Coréens et leur manque de respect envers vous, rassure-toi : ce soir ils ne vous toucheront pas, et demain ils seront partis !

– Écoute, tu es sûrement fort et courageux, mon garçon, mais ils seront une vingtaine, l'esprit ravagé par la vodka, et en conquérants sur une terre qu'ils considèrent occupée par des sauvages incapables. En plus nous sommes incluses dans le prix que quelqu'un a payé pour qu'ils s'amusent. Alors ton offre est généreuse, mais ne promets pas plus que tu ne peux tenir.

– Regarde-moi, grand-mère, insista-t-il en prenant ses deux mains dans les siennes pour lui faire face. Regarde-moi bien dans les yeux. Tu ne m'en crois pas capable ?

La vieille allait répondre trop vite quand elle sentit son regard se cogner à celui de Yeruldelgger. Elle vit soudain dans ses yeux une inébranlable certitude. Une évidence. Comme un roc.

– Si, peut-être bien que tu en es capable. Peut-être bien ! Mais méfie-toi de l'Ours. Il est traître, fourbe et rancunier, et lui aussi est fort et solide. Et il a tout à perdre si tu gâches la fête des Coréens.

– Tu l'appelles l'Ours ?

– C'est pour lui que le camp s'appelle le camp de l'Ours.

– Je croyais que c'était pour les ours sauvages.

– Il y en a aussi, surtout en cette saison, dans les forêts tout autour. Ils raffolent des myrtilles et des baies qui tapissent les clairières. Mais ils sont moins dangereux pour nous que cette ordure avinée.

– Il a causé d'autres malheurs que celui de la pauvre fille qui s'est enflammée comme une torche ?

– D'autres malheurs ? répliqua la vieille femme piquée au vif. Nos vies à toutes sont un malheur quotidien par sa faute !

– Excuse-moi, je voulais dire : d'autres accidents avec les Coréens ?

– Avec les Coréens ? s'étonna la vieille, une ombre de suspicion dans le regard. Pourquoi avec les Coréens ?

– Un accident, il y a cinq ans. Une petite fille renversée par un quad...

– Ah, ça ? Oui, une jolie petite, toute cabossée ! Un des motards l'a emmenée à Oulan-Bator. On n'a jamais eu de nouvelles. J'espère qu'elle s'en est tirée !

– Non..., dit Yeruldelgger, son regard posé sur la vieille qui avait baissé la tête.

Elle releva doucement les yeux vers lui et il y devina une tristesse immense en même temps qu'une panique accrue par la peur. Il sut qu'elle savait quelque chose et qu'elle ne le lui dirait pas.

– Pourquoi ce ne sont pas ses parents qui l'ont emmenée à Oulan-Bator, dans leur petit van russe bleu ?

La vieille se reprit soudain. Elle essuya ses mains au torchon qui pendait à sa ceinture et se leva brusquement, le visage fermé sous le regard interdit des deux autres.

– Il faut que tu t'en ailles maintenant, les cuisines sont interdites aux clients.

Elle poussa Yeruldelgger dehors et le regarda regagner sa yourte. Quand il se retourna vers elle une dernière fois, elle soutint son regard, sans faiblesse mais sans colère.

À l'intérieur de la yourte, Yeruldelgger surprit Colette presque nue. Son corps était ferme et ses seins s'alourdirent un peu quand elle se baissa pour enfiler sa culotte.

– Hey, on me paye pour ça en général !

– Il me semble que j'ai payé pour dix jours, non ? répliqua sans gêne Yeruldelgger.

Elle passa sur ses seins nus un sweat-shirt jaune et mauve aux couleurs de la Lathrope High School en Alaska et glissa en se tortillant ses jolies fesses dans un jean trop serré.

– Il faut que je te dise un truc, dit-elle, toujours de dos, à Yeruldelgger. Dans le dernier chalet en bas, du côté de l'étang, il y a quatre filles qui attendent pour servir un groupe de Coréens ce soir...

– Et alors ?

– Ce sont des gamines. Quatorze ou quinze ans, je dirais. Elles jouent entre elles comme des gosses de leur âge. Il y a des matelas par terre et elles dansent dessus en écoutant leur musique, elles piquent des fous rires et se battent à coups d'oreillers...

– Je t'en, prie, abrège ! Qu'est-ce que tu cherches à me dire ?

– Ce que je cherche à te dire, répondit la femme en se tournant vers lui, soudain très sérieuse, c'est que j'ai vu dans leurs yeux des regards que je connais bien. Elles ont la trouille. Elles chahutent pour cacher leur panique. Je connais bien ces regards-là, tu peux me croire. Je suis bien placée pour les reconnaître. Ces gamines ne feront pas que servir les Coréens ce soir, et ce qu'elles vont faire, elles vont être forcées de le faire.

– Tu en es sûre ?

– Dis donc, c'est quoi mon métier ?

– OK, je te crois. Tu veux que je m'en occupe ?

– Ne laisse pas ces gamines mettre le doigt dans cet engrenage.

– Tu sais qui les contrôle ?

– Le patron d'ici, un type qu'elles appellent l'Ours et qui les terrorise. Yeruldelgger, j'ai vu autre chose dans leurs yeux.

– Quoi ?

– Elles y sont passées déjà. Ce type les a déjà violées pour les dépuceler et les forcer à le faire. Ça se voit dans leurs regards de gamines, tu sais ? Cette lueur d'innocence brisée...

– Tu sais d'où elles viennent ?

– Du village en bas. L'une d'elles est la fille de l'épicier, à ce que j'ai compris.

– Bon, prends ça, dit-il en tirant l'arme qu'il gardait glissée à sa ceinture dans son dos. Tu sais t'en servir ?

– Pas la peine, j'ai le mien, fit-elle en sortant un Makarov de son petit sac en marmotte.

– Très bien, alors prends garde à toi et n'hésite pas à tirer si tu te sens en danger, c'est une brute.

– Ne t'en fais pas pour moi. Occupe-toi d'elles...

Yeruldelgger récupéra son arme et sortit de la yourte. Il aperçut la vieille qui le surveillait de loin depuis la porte ouverte de la cuisine. Deux jeunes garçons avaient amassé un énorme bûcher au milieu de l'herbe. Quand ils jetèrent une pochette d'allumettes enflammées, Yeruldelgger comprit qu'ils avaient empilé le bois sur de l'étoupe imbibée d'essence. Le souffle chaud et invisible de l'embrasement vrombit dans tout le campement, puis sembla aspiré en retour par le bûcher enflammé et propulsé vers le ciel humide en panaches de volutes lourdes et noires que les deux garçons regardèrent en riant, encore un peu sonnés par le souffle.

Yeruldelgger hésita à leur botter les fesses pour ne même plus avoir le courage de démarrer un bûcher par un feu de brindilles, mais le regard de la vieille, de loin, le poussa à passer son chemin. Il gagna sa voiture et partit aussitôt en direction du village. Juste avant le premier virage dans les bois, il aperçut l'Ours, au milieu d'un herbage, qui le suivait du regard.

Quand il atteignit le village, il aborda la première âme venue
pour lui demander où était l'épicerie. La vieille femme lavait des
myrtilles dans une grande cuvette en fer et lui indiqua la route
à suivre. Deux minutes plus tard, il entrait dans le petit dépôt
par la porte ouverte. Dans la grande tradition mongole, contrairement à ce qui se passait maintenant à Bator, la femme derrière
son comptoir ne s'empressa pas de s'enquérir de ce qu'il voulait.
Yeruldelgger était entré sans la saluer, et elle s'était contentée
de regarder par en dessous cet étranger imposant.

L'endroit offrait pêle-mêle de maigres légumes, des vêtements
à l'américaine, des produits d'entretien périmés, des outils, des
piles, des cordes, du lait, de l'eau et des sodas, des conserves,
des bonbons fluo. Et, suspendus au plafond, des paniers artisa-
naux, des valises japonaises, des bassines en fer et des théières.
Yeruldelgger observa tout ça en silence, sous le regard en biais
de la femme derrière son comptoir, puis il se dirigea vers elle.

— Ta fille travaille là-haut, au campement ?

— Oui…, répondit-elle, méfiante.

— Va chercher ton mari !

— Quoi ? Pourquoi ?

— Va chercher ton mari, tout de suite.

La femme, apeurée, disparut dans l'arrière-boutique et revint
bientôt avec son mari. L'homme apparut trop aimable et trop souriant pour cacher son inquiétude.

— Qu'est-ce que je peux faire pour toi ?

— Tu ne peux rien faire pour moi, vermine, mais tu peux sauver
ta peau si tu m'obéis.

— Quoi ? Qu'est-ce que…

— Ferme-la et écoute-moi. Tu connais les autres filles qui sont
chez l'Ours avec la tienne ?

— Oui, bredouilla l'homme décontenancé, oui, je les connais,
je les connais toutes !

– Alors envoie ta femme chercher leurs parents et qu'elle les ramène ici. Je veux les voir tous ici dans cinq minutes !

Les épiciers restèrent figés derrière le comptoir, tétanisés par la peur qui suintait de leurs yeux écarquillés.

– *Maintenant !* hurla Yeruldelgger en abattant ses deux paumes sur le petit comptoir.

Le couple sursauta et la femme fila dans l'arrière-boutique comme un cafard dans son trou. Le policier resta immobile et silencieux face à l'homme terrorisé, jusqu'à ce que la femme revienne avec les autres parents. C'étaient de pauvres gens fatigués dans leur quarantaine, les mains et le visage déjà usés par une vie ingrate et dure, habitués à courber l'échine et à baisser les yeux. Mais aucune des vicissitudes de leur vie n'excusait ce qu'ils avaient accepté.

– Voilà, nous sommes là, osa l'épicier en tentant un sourire. Que nous veux-tu, mon garçon ?

– Je ne suis pas ton garçon, ne répète jamais ça devant moi ! hurla Yeruldelgger en empoignant l'homme par le col de son *deel* élimé. Dieu me garde à jamais d'être ton enfant. Ni le tien ni celui d'aucun d'entre vous !

Tous avaient reculé d'un pas et les femmes, par réflexe et par peur, avaient serré leurs poings sur leur poitrine dans un geste implorant.

– Mais qu'est-ce que nous avons fait ? gémit l'homme que le policier tenait toujours accroché si fort par son *deel* qu'il devait rester sur la pointe des pieds pour ne pas s'étrangler.

– Vous avez envoyé vos filles chez l'Ours ! Vos propres filles, la chair de votre chair ! hurla Yeruldelgger.

– Mais nos filles travaillent, là-bas ! répondit la femme de l'épicier.

– Ah oui ? Et que croyez-vous qu'elles fassent comme travail là-haut ?

– Elles travaillent au campement, s'enhardit une autre femme, elles font le ménage dans les yourtes et les chalets, elles aident aux cuisines, elles servent les touristes…

– Foutaises ! coupa Yeruldelgger en lâchant l'homme qui s'affaissa comme un sac. Foutaises ! Vos filles servent de putes aux Coréens de passage et vous le savez parfaitement !

– Comment oses-tu dire des choses pareilles ? Comment oses-tu ?

– J'ose parce que je les ai vues, menaça-t-il en pointant son doigt sur le visage de l'homme qui venait de parler. C'est pas difficile à deviner dans son regard quand une gamine a été violée et qu'on la force à l'être encore ! Et ne jouez pas les hypocrites avec moi. Chacun de vous sait parfaitement ce qui se passe au campement et vous me faites vomir ! Vous m'entendez ? Vous me faites vomir et j'ai envie de vous fracasser tous autant que vous êtes ! Vous fracasser, vous et vos boutiques, vos maisons ! Comment peut-on vendre sa propre fille !

Il brandit un poing rageur au-dessus du groupe, qui se ratatina, prêt à se faire massacrer sans résister.

– Attends, attends, dit alors l'épicier en se relevant, tu ne sais pas ce que c'est ici, tu ne peux pas comprendre notre misère. Le campement est la seule chose qui nous procure un peu de travail, on ne peut pas refuser ce que l'Ours propose ! Tu ne le connais pas, c'est un monstre ! Par le ciel, c'est un monstre ! Il est fort comme un monstre. J'ai essayé, j'ai essayé, je te jure, sur ce qui m'est le plus précieux je te jure que j'ai essayé de ne pas lui envoyer ma petite Odval. Le lendemain il est venu et il a tué une de mes chèvres d'un coup de poing devant moi. D'un seul coup de poing, je te le jure !

Les autres approuvaient de la tête, serrés les uns contre les autres dans la même peur.

– Et alors ? siffla Yeruldelgger. On meurt pour ses enfants, tu m'entends ? Un homme meurt pour son enfant ! Il n'y a que ça comme honneur, tu m'entends ? Un homme meurt pour son enfant ! Ta fille vaut moins qu'une chèvre ? Tu as peur pour tes chèvres ? Où elles sont tes chèvres ? Dis-moi où sont tes chèvres !

Il les bouscula pour passer dans l'arrière-boutique. Il traversa des pièces misérables, renversant meubles et vaisselle sur son passage, jusqu'à trouver la porte à l'arrière de la bicoque qui donnait sur des enclos. La petite troupe le suivit en courant à petits pas, priant le ciel de les pardonner et de leur être clément !

– Elles sont là tes chèvres ? C'est ça tes chèvres ? hurla-t-il en enjambant la petite barrière qui retenait le maigre troupeau. Eh bien voilà ce que j'en fais de tes chèvres !

La bête n'eut pas le temps de bondir de peur. Le poing de Yeruldelgger l'assomma sur place et elle tomba inanimée dans la boue où elle pataugeait. À genoux dans la boue, de l'autre côté de la barrière, l'homme effondré implorait le policier.

– Je t'en prie ! Je t'en prie ! C'est tout ce que nous avons pour survivre ! Ne les tue pas ! Ne tue pas mes chèvres !

Yeruldelgger se pencha, l'attrapa par son *deel* et le tira par-dessus la barrière pour le jeter dans l'enclos comme un fétu de paille au milieu du troupeau affolé.

– Tu me supplies pour tes chèvres et tu laisses ta petite fille se faire violer pour quelques sous ? Hein ? Dis-moi ? Dis-moi combien ça te rapporte, dis-le-moi ou je tue toutes tes bêtes une par une à coups de poings !

L'homme resta prostré aux pieds de Yeruldelgger, dressé au-dessus de lui comme une montagne. Il pleurait en gémissant, son corps secoué de soubresauts, toute honte bue.

– Rien ! se lamenta l'homme. Rien ! Je lui ai laissé ma petite Odval pour rien ! Pour rien ! Pour rien !

Sa femme se glissa alors sous la barrière et vint à son secours. Yeruldelgger vit enfin dans leurs yeux ce qu'il attendait d'eux. Elle s'agenouilla dans la boue à côté de son homme, le prit par les épaules et le força doucement, avec tendresse, à se relever. Mais c'est Yeruldelgger qu'elle regardait droit dans les yeux.

– Pour rien, c'est la vérité. Pour rien et par peur. Nous avons laissé nos petites par peur de cette ordure et nous sommes devenus pires que lui. Ça fait des mois que je vis avec cette honte au cœur, que chaque nuit est un cauchemar, chaque silence un aveu !

– C'est vrai, dit une autre femme en venant l'aider à relever l'homme qui séchait ses larmes. Je me suis sentie tellement humiliée que la honte a submergé mon jugement. Comment avons-nous pu...

– Comment a-t-il pu, lui ! hurla un autre homme en franchissant la barrière. Comment a-t-il pu nous obliger à une telle abjection !

– Arrêtez ! cria Yeruldelgger. Arrêtez de pleurnicher sur votre misérable sort. Je ne vous pardonnerai jamais ce que vous avez fait, jamais ! Mais vous, peut-être que vous pouvez encore regagner un peu de votre dignité ou sauver le peu qu'il vous en reste. Montez chercher vos enfants au campement. Les Coréens ne sont pas encore arrivés, il est encore temps. Montez les chercher, ramenez-les chez vous et chérissez-les. Et si l'Ours se met en travers de votre chemin, fracassez-lui le crâne ! Vous m'avez compris ?

– Je suis d'accord, dit un homme en se retournant vers les femmes. Préparez la maison pour les accueillir, nous y allons tous les trois et...

– Pas question ! Nous y allons nous aussi, coupa l'épicière, et s'il faut fracasser le crâne de l'Ours, laissez-nous le faire d'abord, nous, les femmes !

– Elle a raison ! approuva une autre. Et quand nous reviendrons avec nos filles, nous irons fracasser celui du Ferrailleur !

– Le Ferrailleur ? s'étonna Yeruldelgger.

– Oui, le frère de l'Ours. Il vit à la sortie du village. Il a une sorte de garage. Il répare les motos et les machines. Il joue les durs avec nous parce qu'il est le petit frère de l'Ours. C'est lui qui nous espionne, c'est lui qui nous terrorise pour son frère, c'est lui qui a choisi nos filles, mais c'est terminé !

– Allez chercher vos filles et soyez sans peur, je m'occupe du Ferrailleur, dit Yeruldelgger pris d'une subite intuition.

Il se fit expliquer le chemin et se retrouva devant un bric-à-brac d'enclos aveugles et de baraques en bois autour d'une pompe à essence scellée à un cube de béton, au bord de la piste qui sortait du village. Les enclos abritaient des amoncellements de ferraille, de pneus, des carcasses d'engins de toutes sortes ou retenaient des chèvres ou des moutons, et même deux hongres. Il en traversa plusieurs avant d'atteindre un appentis où un homme travaillait à limer l'embout d'une tige d'acier. Il avait une certaine ressemblance avec l'Ours, mais il semblait plus petit et moins fort. Il portait un *deel* de Bouriate bleu fermé par des boutons en bois de cerf. Yeruldelgger se dirigea droit vers lui, sans un mot, et quand il empoigna l'homme surpris dans son travail, il vit l'amulette à son cou et sut que son intuition était la bonne.

Il le souleva, traversa le petit atelier en le tenant à bout de bras, et le jeta contre des étagères. L'homme s'y brisa le dos contre des planches en bois qui se déglinguèrent et déversèrent sur lui des bidons d'huile, des burettes, des boîtes d'ampoules de phare, des plaquettes de freins et des outils. Avant qu'il n'ait eu le temps de réfléchir, Yeruldelgger l'empoigna à nouveau et le balança de l'autre côté de l'atelier. Un homme jaillit de nulle part pour porter secours au Ferrailleur et le policier l'assomma d'un seul revers de main sans même y prêter attention.

Le Ferrailleur profita de ces quelques secondes de répit pour retrouver un semblant d'équilibre et attrapa un pied-de-biche qu'il brandit pour se défendre. Ne jamais reculer dans le combat, esquiver l'attaque en avançant, frapper les appuis... Yeruldelgger se saisit au passage d'une petite enclume posée sur un établi et la brandit à son tour. Le Ferrailleur leva les bras pour se protéger la tête, mais le policier visa sa cheville et l'homme s'affaissa du côté de son pied brisé sans dire un mot, dur à la douleur comme son frère. Pourtant, la panique irradiait ses yeux.

– Un van UAZ bleu, il y a cinq ans, c'est toi qui l'as vendu au Kazakh du marché aux voitures ?

– Quel van bleu ?

Il écrasa d'un coup de talon le pied blessé du Ferrailleur. Cette fois l'homme hurla et Yeruldelgger comprit que c'était plus de peur que de douleur. Sans le lâcher, il se pencha pour ramasser d'une main l'enclume et la lui colla sous le nez.

– Je te brise une articulation à chaque mensonge...

– C'est mon frère, c'est mon frère ! C'est l'Ours qui m'a dit d'aller le vendre là-bas !

– Mais c'est toi qui l'as désossé avant, non ?

– Oui, c'est moi ! L'Ours m'a dit que c'était mieux pour le vendre !

Yeruldelgger le frappa à l'épaule et l'homme terrifié entendit sa clavicule casser net sous le choc.

– Tu mens ! Vous l'avez désossé pour effacer le sang et les traces de son crime, c'est ça, n'est-ce pas ?

– Oui ! Oui ! C'est ça ! Ne me frappe pas ! Je t'en prie, ne me frappe pas ! C'est lui qui m'a dit de le faire !

– Dis-moi, tu crois que ses pauvres victimes ont pleuré comme toi pour implorer qu'on ne les frappe pas ? Hein, dis-moi, tu crois qu'elles l'ont imploré ?

– J'étais obligé de l'aider ! C'est mon frère ! Il m'aurait tué moi aussi !

Yeruldelgger lâcha le Ferrailleur qui s'effondra à ses pieds en gémissant, l'épaule et le pied brisés.

– Qu'est-ce que tu as fait de ce que tu as récupéré ?

– J'en sais rien. Depuis le temps, j'ai vendu des trucs, j'en ai démonté d'autres pour bricoler, j'en ai jeté...

– Trouve-moi quelque chose que tu as gardé, sinon je te broie les deux genoux !

– Le lit ! Le lit ! J'ai gardé le lit ! Je l'ai gardé pour mes enfants ! Ils dorment dedans, il est là, dans la maison à côté, dans leur chambre ! Pitié, je t'en prie !

– Tu as gardé le lit sur lequel de pauvres gens ont été massacrés pour l'offrir à tes enfants ? Tu as fait ça ? Et tu t'imagines que je vais avoir pitié de toi ? Qu'est-ce que tu as gardé d'autre, espèce de pervers ?

L'homme baissa la tête, comme résolu à recevoir le coup fatal, affaissé sur lui-même comme un tas de chiffes maintenant.

– Les jouets... les jouets de la petite fille... J'ai une petite fille moi aussi, je les ai pris pour elle...

Yeruldelgger brandit l'enclume à deux bras et la jeta avec rage entre les jambes du Ferrailleur. Elle se ficha dans la terre battue qui constituait le sol de l'atelier. L'homme sursauta sous le choc et pissa de peur dans son pantalon. Yeruldelgger l'empoigna par son bras encore valide et le releva d'une main de fer. Il le traîna jusqu'à sa voiture, conscient que des yeux lâches et peureux l'épiaient depuis les baraques environnantes. Il conduisit jusqu'à l'épicerie, tira l'homme dans l'enclos aux chèvres à l'abri des regards, et l'attacha assis dans la boue et la merde de chèvre à un pieu de la barrière. Dans la boutique, il trouva du ruban adhésif et revint le bâillonner. Mais le Ferrailleur n'était pas en état d'appeler à l'aide. Il ne pouvait plus que gémir, en état de choc.

Avant de remonter au campement pour prévenir les villageois de ce qui les attendait à leur retour, Yeruldelgger testa la réception de son portable, puis il essaya d'appeler Solongo.

# 69

*... les petites sandales de Kushi.*

Solongo avait laissé Billy organiser les deux enquêtes sur la gamine et les Chinois et s'était attelée à la reprise de ses éléments sur la mort de Kushi. Dans l'atmosphère délétère qui régnait dans les services depuis la mort de Mickey et l'arrestation de Chuluum, elle n'avait eu aucune difficulté à rouvrir le dossier. Elle avait récupéré les scellés de tous les indices matériels, son propre compte rendu d'autopsie et l'ensemble des procès-verbaux d'audition. Elle décida de procéder logiquement en réétudiant son rapport d'autopsie, puis tous les comptes rendus d'enquête et d'audition pour relever d'éventuelles contradictions, et enfin les indices matériels pour voir quelles hypothèses ils corroboraient.

Pendant toute sa relecture du rapport, Solongo ne put chasser de sa mémoire le souvenir de Yeruldelgger brisé, anéanti, poussant la porte de la morgue en tenant le petit corps de Kushi dans ses bras. Quand l'ambulance était arrivée aux urgences de l'hôpital, il avait refusé qu'on allonge sa petite fille chérie enveloppée dans un sac plastique noir sur une mauvaise civière. Malgré la procédure et le risque pour les indices, il avait sorti le corps de Kushi de son linceul synthétique et l'avait prise dans ses bras pour la confier lui-même à Solongo. Personne n'avait osé s'y opposer. Yeruldelgger était à cette époque le meilleur flic du département de la Police. Les hommes et les femmes de chaque service avaient partagé et respecté sa douleur. Les mêmes qui, dans les mois qui avaient suivi, l'avaient accablé de leur mépris en l'accusant d'avoir préféré faire aboutir son enquête plutôt que de sauver son enfant.

Solongo était légiste, mais le département était assez pauvre en moyens et en personnel pour qu'elle assure en même temps une partie des tâches dévolues à la police scientifique. Rien dans les échantillons prélevés sur la petite fille ne permettait de situer précisément l'endroit où elle avait été retenue prisonnière. Ils avaient déjà tout soigneusement inspecté à l'époque, les poussières, les pollens, dans ses petits cheveux raides, sur sa petite peau douce, dans ses petits vêtements soignés. Rien de particulier. Aucun témoin sinon le chauffeur qui l'avait trouvée sur le bord de la route, bien en vue comme s'il fallait qu'on la trouve pour donner du sens à son enlèvement. Solongo avait préféré tout descendre dans sa morgue pour travailler discrètement. Ce n'était pas un endroit où on aimait débarquer sans prévenir.

Elle avait étalé tous les indices matériels recueillis pendant l'enquête sur une grande table et les observa longtemps en silence. Mais rien ne vint. Rien ne lui sauta aux yeux. Aucune piste, aucune intuition. Peut-être que Yeruldelgger n'avait pas assez fait parler l'homme de main d'Erdenbat. Peut-être qu'il leur manquait des détails. Si tout s'était déroulé comme l'avait rapporté son ami, comment pouvait-elle relier ces éléments matériels au ranch d'Erdenbat où Kushi avait été retenue ? La voiture avait été volée, pas la peine de chercher un lien de ce côté-là. Mais le ranch ?

Elle passa en revue toutes les plantes, toutes les essences, toutes les terres qui auraient pu être propres à cette région du Terelj, mais rien n'était assez singulier pour établir un lien direct entre le ranch et les indices dont elle disposait. Il aurait fallu qu'elle se rende sur place pendant l'enquête. Qu'elle répertorie chaque plante, chaque fleur, chaque sable, chaque gravier de la propriété pour en déduire que Kushi avait été séquestrée là-bas. Solongo prit dans ses mains les petites sandales rose et blanc Hello Kitty de Kushi et les retourna. Mais il n'y avait eu aucune raison d'aller enquêter au ranch ou de suspecter Erdenbat, à l'époque.

Les semelles étaient creusées de profondes rainures antidérapantes qu'elle avait déjà échantillonnées. La terre était encore compacte et elle avait vidé un sillon entier de chaque semelle pour en analyser la provenance. Mais la terre pouvait venir de n'importe quel endroit au nord ou au nord-ouest d'Oulan-Bator. Solongo tenait dans ses mains les chaussures de Kushi et un brusque sanglot lui serra la gorge. Le pauvre petit amour était donc bien mort, comme l'avait raconté l'homme, sur un bord de route en montagne, un peu malade, en glissant dans le vide à cause de ses sandales neuves et...

L'horreur de ce qu'elle réalisa subitement la prit à la gorge plus fort que tous ses sanglots. Elle se précipita sur son rapport d'autopsie et le feuilleta nerveusement : « Cyanose et ecchymoses ponctuées de la face, injection des conjonctives... Ecchymoses latérales arrondies... Excoriation sous forme de stigmates unguéaux... Infiltration hémorragique des parties molles du tissu sous-cutané, des gaines musculaires et du corps thyroïdien... Ecchymose rétropharyngée sous l'aponévrose prévertébrale... Lésion des carotides... Déchirure transversale de la tunique interne... »

Solongo n'avait rien oublié. Son autopsie de l'époque était complète et concluante, et ce qu'elle devait en déduire aujourd'hui l'agita d'un mauvais frisson : Kushi était bien morte étranglée, comme elle l'avait établi scientifiquement il y a cinq ans, et non des suites d'une chute.

Elle feuilleta son rapport à nouveau et leva au ciel des yeux pleins de larmes. Les lividités et l'absence de saignements abondants démontraient que toutes les blessures et les plaies consécutives à la chute ne pouvaient avoir été faites que post mortem. Si l'homme disait vrai, l'accident avait été maquillé en crime, mais la pauvre petite Kushi était encore vivante quand ils l'avaient étranglée, comme l'autre petite fille avait été enterrée vivante. La même horreur. Sauf que les blessures post mortem contredisaient cette hypothèse. Kushi avait été étranglée avant qu'elle ne tombe dans le ravin, et tout portait alors à croire que son corps avait été jeté ensuite pour simuler un accident. Mais dans quel but, si celui d'Erdenbat était de faire croire à l'exécution par strangulation de la petite otage ?

Solongo maîtrisa sa colère pour essayer d'imaginer la scène. Le Tatoué conduit. Erdenbat est à l'arrière avec la petite, probablement. Elle doit lui faire confiance, c'est son grand-père, il la rassure. Peut-être même qu'il joue avec elle. Et en même temps il pense à la situation, à l'obstination de Yeruldelgger, aux progrès de l'enquête qui se rapproche de ses complices, et il décide de tuer Kushi. Comme ça, par logique. Il se tourne vers elle et l'étrangle pendant que le chauffeur, affolé, le regarde faire dans le rétroviseur, et c'est tout. Il n'y a pas d'accident, pas de chute, pas de ravin, pas de mise en scène. C'est un simple assassinat. Brutal. Calculé. Après, Kushi n'est plus qu'une poupée de chiffon sur la banquette arrière et Erdenbat ne la regarde plus. Il dit au chauffeur où il veut aller et quand il pense avoir trouvé le bon endroit, il lui ordonne de le dépasser, de faire demi-tour, de revenir sur ses pas, de sortir sur le bas-côté pour suivre une piste qui longe la route, et il jette le corps de Kushi par la portière ouverte sans même faire arrêter la voiture. Les blessures post mortem, c'est juste l'abjection ajoutée à l'horreur...

Solongo comprit aussitôt que son intuition était la bonne. L'homme avait dû essayer de calmer la fureur de Yeruldelgger en inventant cette histoire d'accident maquillé en meurtre, mais il n'avait pas pu mentir sur l'essentiel : Erdenbat était là, et c'est lui qui avait étranglé la petite.

Solongo pensa à son ami. Comment lui annoncer cette abomination ? Cet homme qu'elle avait longtemps aimé en silence et qui l'aimait à présent, comment le détruire à nouveau avec une telle nouvelle ?

Elle tenait encore les sandales de Kushi dans sa main. Kushi avait dû les adorer. C'était idiot, elle le savait, mais elle allait le faire. De toute façon, tous les services étaient dans une telle déliquescence depuis quelques jours que personne ne s'en rendrait compte. C'était peut-être une erreur, peut-être que Yeruldelgger n'en voudrait pas, peut-être que ça lui saignerait le cœur plutôt que de l'apaiser, mais Solongo décida de lui rendre les petites sandales Hello Kitty de Kushi. Tant pis pour les scellés. L'affaire était morte de toute façon, rien ne remontait jusqu'à Erdenbat. Et si elle devait se terminer quelque part, ça ne serait sûrement pas devant un tribunal. Si Yeruldelgger et Erdenbat restaient les deux derniers protagonistes de tous ces drames, l'affaire se terminerait entre eux, loin de tous.

Solongo se dirigea vers une des deux tables d'autopsie et se saisit de la douchette qu'elle utilisait pour nettoyer les corps. Elle retourna les deux sandales pour rincer la terre séchée encore incrustée dans les semelles dont de petits morceaux refusaient de se dissoudre. Elle monta la pression de la douchette et cingla la terre de biais avec le jet pour l'expulser en prenant garde de ne pas mouiller le cuir des sandales. Elle entendit tomber le caillou et coupa aussitôt le jet par réflexe pour inspecter la table. Un caillou, ça pouvait être un meilleur indice que de la terre. Un gravier identifiable peut-être. Un éclat de pierre particulière.

Elle examina la surface en acier de la table mais n'y trouva rien. Sans quitter la table des yeux, elle agrippa le gros réflecteur articulé qui pendait du plafond et le tira vers elle pour obtenir une lumière rasante. Toujours rien. Elle était sûre pourtant d'avoir entendu tomber quelque chose sur le métal. Une petite chose. Elle examina les rigoles qui recueillaient de chaque côté les fluides et le sang des corps et trouva ce qu'elle cherchait dans le filtre qui empêchait l'eau d'entraîner dans le siphon d'évacuation d'éventuels indices. Elle se pencha d'abord vers le filtre sans toucher à rien, juste pour bien regarder. C'était une petite perle d'une jolie couleur pourpre, parfaitement sphérique, en verre…

Solongo se saisit d'une longue pince, l'attrapa délicatement et la déposa dans une boîte transparente. Puis elle retourna vers les scellés des indices et chercha si cela pouvait provenir des vêtements de Kushi. Elle n'y trouva rien qui puisse se rattacher à cette perle. Ni collier, ni bracelet, ni babiole…

Elle reprit la petite boîte, l'observa à nouveau et remarqua que ce n'était pas une perle au sens où elle l'avait imaginé : la petite sphère de verre n'était pas percée. Elle retourna vers la table d'autopsie, releva le gros réflecteur, posa la boîte sous sa lumière et tira à elle une épaisse loupe articulée. C'était une sphère parfaite, d'un verre et d'une couleur d'une pureté étonnante. Du cristal, sans aucun doute. Et la profondeur, la densité de ce pourpre !

Solongo gravit en courant les deux étages qui menaient aux labos de la Scientifique pour demander à utiliser le spectromètre de masse. Les rares agents présents ne se formalisèrent pas de sa présence, et elle procéda à l'examen de la perle sans rien demander à personne. Le résultat s'afficha en quelques secondes sur l'écran de contrôle et Solongo le reçut comme un coup au cœur.

– Oh, par le ciel ! Comment n'y ai-je pas pensé plus tôt ! Le cauchemar de Yeruldelgger, les dix-sept dents du collier de

Kushi, les entrailles de la terre... Je ne connaissais que ça ! Les terres rares, comment ai-je pu ne pas y penser !

Solongo voulut aussitôt prévenir Yeruldelgger, mais comme elle composait son numéro, son portable sonna dans sa main.

– Solongo ?

– Yeruldelgger ! Il faut absolument que...

– Moi d'abord, la coupa-t-il. J'ai retrouvé des preuves matérielles dans l'affaire de la gamine. Je sais qui a tué les parents. Dis à Billy d'envoyer les policiers de district les plus proches pour embarquer un type qu'on appelle le Ferrailleur. Au nord de Bayandelger, une vingtaine de kilomètres après Möngönmorit, un village avec un campement pour touristes qu'on appelle le camp de l'Ours. Ils trouveront le suspect dans l'enclos à chèvres de l'épicerie du coin. Je l'ai saucissonné pour eux. Qu'ils viennent à deux voitures. Il faut qu'ils embarquent des pièces à conviction dont un lit et des jouets. Solongo, parle-leur pour leur expliquer comment emballer les preuves et ne pas les polluer et...

– Gantulga est avec toi ?

– Non, pourquoi ?

– Tu parles comme lui quand il imite Horacio Caine !

– Solongo, je t'en prie ! Explique-leur aussi qu'ils peuvent un peu bousculer le Ferrailleur. Je veux tout ce qu'il a gardé du van UAZ bleu des parents de la gamine ! Ils font ça vite fait et ils ramènent le type et les preuves à Möngönmorit sans trop s'attarder au village. Il pourrait bien y avoir du lynchage dans l'air.

– Tu as retrouvé les corps des parents ?

– Non, mais j'ai la certitude qu'ils ont été tués ici et que leurs cadavres ne sont pas loin.

– Et c'est le Ferrailleur l'assassin ?

– Non, l'assassin c'est son frère, lui n'est que le complice.

– Tu vas arrêter le frère ?

– Pas tout de suite. Dans l'immédiat, j'ai une révolte paysanne et une invasion de Coréens à gérer.

– …

– Et toi ?

– Les terres rares !

– Quoi, les terres rares ?

– Dans ton rêve, le nombre dix-sept matérialisé par le collier de dents de dinosaure autour du cou de Kushi, ça symbolisait les terres rares !

– Qu'est-ce que c'est encore que ce truc ?

– Un groupe très particulier de dix-sept éléments dans la table de Mendeleïev qui classe et répertorie l'ensemble des éléments chimiques de la nature. Des choses rares enfouies sous terre comme les dents fossiles, et qui demandent qu'on creuse des steppes entières pour les exploiter. C'est ce que ton rêve cherchait à nous dire. Les trois affaires ont un lien avec les terres rares.

– Comment ça, les *trois* affaires ? Tu veux dire que…

– Oui, je ne sais pas encore comment, mais la mort de Kushi aussi est liée aux terres rares.

– Comment peux-tu dire ça ? Tu as trouvé quelque chose ?

– J'ai repris tous les indices matériels, rouvert tous les scellés, et j'ai trouvé quelque chose qui nous avait échappé lors de l'enquête : dans la semelle d'une de ses sandales, incrustée dans une rainure, cachée sous de la terre, une petite perle de cristal.

– Du cristal ?

– Oui, une perle d'un cristal absolu, parfaitement ronde, et d'un pourpre d'une pureté rare. Je l'ai passée au spectromètre de masse, et cette couleur si pure est due à la présence de néodyme dans le verre. Le néodyme est un des dix-sept éléments du groupe des terres rares !

– …

– Yeruldelgger ?

– Est-ce que ces terres ont une grande valeur ?

– Des milliards de dollars ! Elles ont des propriétés extraordinaires et sont indispensables à toutes les nouvelles technologies. Des aimants surpuissants pour les nouveaux moteurs électriques sans bobine, des composants indispensables aux panneaux solaires de dernière génération, le renforcement de l'acier... Pour te donner un ordre de comparaison, Deng Xiao Ping a dit un jour : « Les Arabes ont le pétrole, nous avons les terres rares ! » Ça te donne une idée de leur valeur ?

– Est-ce que chacun des dix-sept éléments a une couleur spécifique ?

– Non, répondit Solongo un peu étonnée par la question. Mais certains servent à colorer d'autres éléments...

– En vert ?

– Oui, le praséodyme donne du vert, en effet !

– Et du rose ?

– Yeruldelgger, qu'est-ce que tu...

– *Du rose ?*

– Oui, du rose aussi, l'erbium donne du rose ! On peut aussi produire du jaune avec...

– Je me moque du jaune ! la coupa-t-il.

– Attends, à quoi penses-tu ?

– Je pense à l'homme dont je vais me venger, Solongo...

– Yeruldelgger...

Il avait raccroché. Solongo resta quelques instants interdite, à regarder son portable muet dans sa main. Puis elle contacta Billy pour l'informer des ordres du commissaire et redescendit à la morgue pour emballer précieusement les petites sandales de Kushi.

# 70

*... un autre ivrogne encore plus ivre*
*que lui.*

Comme il rejoignait le campement, Yeruldelgger nota avec une
certaine jubilation l'animation qui y régnait. Le groupe des villageois sortait du camp en entourant leurs filles comme une meute
protège ses petits, les femmes ouvrant férocement la marche et
les hommes en arrière-garde, surveillant l'Ours d'un œil aux
aguets. Les trois femmes des cuisines avaient abandonné leurs
feux et leurs gamelles et regardaient partir le petit groupe, les
bras croisés en signe de solidarité, devina Yeruldelgger. Debout
près du feu qui crépitait et léchait le ciel de ses flammes trop
hautes, les deux garçons semblaient ne rien comprendre à ce qui
se passait. Goguenards et timides à la fois, ils regardaient partir
les filles au milieu de leurs parents. L'Ours, planté seul un peu
à l'écart, observait Yeruldelgger qui arrivait.

Celui-ci descendit de voiture et se dirigea vers les villageois.
Il les prévint en quelques mots que le Ferrailleur était attaché
dans l'enclos de l'épicerie, mais qu'il reviendrait en personne
assommer toutes les chèvres de celui qui lèverait la main sur lui.
C'était un témoin dans une affaire de meurtre et les policiers du
district n'allaient pas tarder à venir le récupérer. Il les maudit
encore d'avoir osé abandonner leurs filles aux mains de l'Ours,
et les félicita d'avoir eu le courage de les récupérer. Il leur fit

jurer de les chérir, et leur jura à son tour qu'il passerait de temps en temps voir s'ils tenaient leur promesse. Puis il se dirigea tranquillement vers sa yourte sans un regard pour l'Ours, congratulant au passage les garçons pour leur feu, et saluant les cuisinières d'un large sourire et d'un petit clin d'œil coquin. Il passait la porte de la yourte quand il entendit rugir le premier quad.

– Dis donc, c'est toi qui as mis tout ce bazar ? demanda Colette qui fumait sur son lit en l'attendant.

Elle s'était encore changée et portait maintenant un petit haut à bretelles rose et vert marqué *Mangueira jà Chegou,* et un short de satin vert siglé du logo de l'Estação Primeira da Mangueira, une école de samba de Rio de Janeiro. Yeruldelgger se demanda si elle avait conscience qu'ils attendaient une meute de motards coréens en rut. Il préféra ne pas lui poser la question, de peur de s'entendre répondre que oui...

– On ne fume pas dans une yourte ! se contenta-t-il de répondre.

– Ah oui, j'oubliais, c'est pas tradition !

– Non, c'est pas tradition !

– Et ficher le bordel partout où tu passes, c'est tradition ?

– Ça semble l'être devenu ces derniers temps, je l'avoue, concéda-t-il en souriant. Et à mon avis, avec ceux qui nous arrivent, ce n'est pas terminé !

– Oui, mais cette fois ils sont combien ? Une vingtaine, non ? Et toi, t'es combien ?

– Moi ? Eh bien nous sommes deux, non ? sourit-il.

– Oh là là non, mon gars, compte pas sur moi : en matière d'emmerdes, chacun sa mère ! dit Colette en bondissant du lit pour aller fumer dehors.

– Tu as raison, se moqua Yeruldelgger, chauffe-les-moi bien ! Vingt jours de tout-terrain à chevaucher leurs engins, ça va bien leur donner l'envie de chevaucher autre chose ! Ça va arranger mes affaires, ça, c'est sûr !

Les quads bondissaient un par un en rugissant hors de la forêt et s'engouffraient dans le chemin creux qui menait au campement. Pas étonnant que Park Kim Lee ait fracassé la pauvre petite en tricycle sans pouvoir l'éviter ! Les pilotes étaient harnachés de cuir et casqués comme des héros de jeux vidéo, et leurs engins maculés de boue et d'autocollants. Le premier vira sur deux roues pour entrer dans le campement, le genou frôlant le sol, et s'arrêta n'importe où en dérapant n'importe comment sur l'herbe grasse. Puis il se dressa debout sur sa machine, en descendit en titubant, jeta ses gants et défit son casque, puis se laissa tomber bras en croix dans la boue comme un champion héroïque au final d'un marathon victorieux. Le deuxième faillit l'écraser et se jeta sur lui pour en rire. Le troisième se cambra pour s'adosser aux sacs attachés sur l'aileron arrière de son quad, les mains croisées derrière la nuque, comme épuisé et heureux à la fois. Puis les autres déferlèrent par petits groupes, laissant pétarader longtemps leurs moteurs crachant des fumées surchauffées d'huile âcres et bleues. Ils se félicitaient d'un engin à l'autre en hurlant par-dessus le bruit des moteurs, anonymes sous leurs casques, ou se congratulaient à grands coups de claques dans le dos comme des champions de Formule 1. Ensuite d'autres quads arrivèrent à leur tour, plus lourds, chargés de matériel et de vivres, et tous attendirent avec impatience ceux qui transportaient le champagne géorgien et la vodka russe. Ils vidèrent trois magnums à s'asperger et à éclabousser de loin les cuisinières, qui fuirent se barricader dans leur cuisine. Les choses finirent par se calmer et les pilotes se regroupèrent en bavardant joyeusement. Ils terminaient mille kilomètres de course sauvage en pleine nature. L'un après l'autre ils ôtèrent leur casque et leurs gants, avant de se défaire de leur combinaison de cuir siglée à la marque de sponsors mécaniques, et certains d'entre eux se montrèrent fiers de ne porter en dessous qu'un caleçon et des chaussettes.

Colette écrasa sa cigarette qui grésilla dans l'herbe humide. Elle rentra dans la yourte rejoindre Yeruldelgger au moment même où elle sentit converger sur elle le regard des hommes à demi nus.

– Je crois que je ferais mieux de me changer !

– Je n'osais pas te le suggérer, avoua Yeruldelgger.

Il apprécia qu'elle fasse l'effort d'enjamber le pas de porte du bon pied et de circuler dans la yourte dans le bon sens. Il était assis au bord de son lit, dans le fond de la yourte, à surveiller les Coréens de loin par la porte ouverte. Au passage, ses cuisses encore fermes frôlant son visage, elle lui caressa la joue.

– Merci pour les gamines. C'est bien, ce que tu as fait.

– Merci à toi de m'avoir prévenu. Quand tu vois ce qui se prépare...

– Pourquoi m'as-tu amenée ici ?

– J'avais besoin de quelqu'un pour former un couple, pour donner le change, et toi je t'avais promis des vacances !

– C'est toujours comme ça, les vacances avec toi ?

– Je ne me souviens plus. Ça fait des années que je n'en ai pas pris...

– Depuis la mort de Kushi.

– ...

– J'ai eu un môme, moi aussi. Enfin, presque. J'ai dû avorter. Mais c'est un peu comme s'il était mort, non ? Et tu vas rire... enfin non, tu vas pas rire... Imagine-toi que c'était Chuluum le père, tu te rends compte ? Il disait que c'était un accident de capote, que je ne pourrais plus travailler avec un gosse, que c'était pas bon pour ma carrière, qu'en échange il ferait de moi la reine de l'Altaï. Puis il m'a tabassée et j'ai été obligée d'avorter. Depuis, chaque fois que je vois un môme dans la rue, j'essaye d'imaginer comment aurait été le mien. Toi, bien sûr, tu as connu Kushi, tu sais ce que tu as perdu. Moi, j'ai perdu un rêve. Tu as perdu un enfant, moi j'ai perdu un ange. Je ne sais pas qui est le plus malheureux des deux. Peut-être bien que nous sommes aussi malheureux l'un que l'autre. Tu veux connaître mon vrai secret, camarade ?

— ...

— Je vais te le dire quand même, parce que j'ai besoin de le dire de temps en temps. Tu sais pourquoi je continue ce métier ?

— ...

— Parce que depuis l'avortement je ne peux plus avoir d'enfant. Je ne suis plus un ventre, je suis juste un sexe, et ça me va comme ça.

— Eh bien moi ça ne me va pas ! maugréa Yeruldelgger en se levant brusquement.

— Bien sûr, toi, je comprends, Kushi...

— Je ne parle pas de Kushi ! coupa-t-il, je parle de toi. Il y a autre chose en toi qu'un ventre et un sexe. Arrête de te punir. Je punirai Chuluum pour ce qu'il t'a fait. Si tu as de l'amour à donner, il y a des enfants abandonnés partout, et des hommes seuls aussi. Pourquoi faut-il que nous finissions tous brisés par ces vies sans but ! Nous avions des espaces immenses, des coutumes et des légendes séculaires, et regarde ce que nous sommes devenus !

— C'est ce que la vie a fait de nous ! soupira la femme.

— Non, c'est faux, la vie ne fait rien de nous. La vie, c'est nous qui la faisons, à coups de renoncements, peurs, abandons, tricheries, colères ! C'est nous qui nous empêchons d'en faire autre chose que ce qu'elle est.

— C'est facile à dire, Yeruldelgger, mais regarde-toi : est-ce que c'est toi qui fais ta vie en ce moment ?

— Non, là, je règle mes comptes. Mais quand j'aurai fini, je te promets que je ferai ma vie.

— Que les dieux t'entendent... murmura-t-elle.

– Les dieux n'ont rien à voir là-dedans. Les dieux nous regardent, un point c'est tout ! Une fois tout ça terminé, fais comme moi : tire un trait sur Chuluum et cherche l'amour ailleurs.

– Bon conseil. Tu ne serais pas un peu disponible par hasard ?

– Désolé ! sourit Yeruldelgger en écartant les bras.

– Même pour une nuit ?

– Même pour une nuit !

– Une seule nuit, une nuit sans jamais d'autre, murmura-t-elle alors d'un ton au bord de la tristesse. Juste une fois, comme un petit cadeau, tu vois. Juste un souvenir entre toi et moi, une petite bulle de bonheur avec un peu d'amour dedans, pour me souvenir de tout ce que tu viens de me dire. Comme ces petits souvenirs pour touristes, tu sais, ceux qui neigent à l'intérieur quand tu les secoues. Comme ça, dans les jours tristes, je te secouerai dans ma tête pour aller mieux. Juste toi et moi l'un contre l'autre…

Yeruldelgger allait répondre et le regard de la femme était accroché à ses lèvres quand quelqu'un frappa à la porte ouverte de la yourte. C'était un des garçons qui avaient allumé le feu.

– La vieille veut te voir ! dit-il au policier en s'appuyant au linteau pour se pencher à l'intérieur, le pied posé sur le pas de la porte.

Yeruldelgger se dirigea vers lui en soupirant. Il le frappa sur le dessus du poignet sans que le garçon n'ait eu le temps de voir venir le coup. Déséquilibré par surprise, il s'étala sur le plancher de la yourte.

– On ne t'a jamais appris qu'on ne frappe pas à la porte d'une yourte ? Qu'on ne s'appuie pas au linteau ? Qu'on ne pose pas le pied sur le pas de la porte ?

– Quoi ? C'est pour ça que tu me frappes ? répondit le garçon en se relevant, furieux et peureux à la fois. À quoi ça sert de respecter tous ces vieux trucs ?

– Ce n'est pas la bonne question, mon garçon. La bonne question c'est : qu'est-ce que ça te coûte de les respecter ? Ces trucs, comme tu dis, c'est ton âme, la seule chose qui te relie à celle de ton pays...

– Tu parles, c'est des conneries tout ça ! fit le garçon qui crut pouvoir reprendre un peu sa morgue.

– Eh bien, conneries ou pas, devant moi tu les respectes. Et la vieille, tu l'appelles grand-mère avec respect aussi, compris ?

– Ouais, eh bien la grand-mère, elle veut te voir ! lâcha le garçon en se carapatant.

Yeruldelgger le regarda courir rejoindre l'autre adolescent. Avec leurs maillots des Mets de New York ou des Lakers et leurs casquettes de base-ball, nul doute qu'ils devaient le traiter de vieux con entre leurs dents en se retenant d'en rire.

– Tu crois vraiment à tout ça ? demanda la femme dans son dos.

– Je crois à tous les liens qui nous unissent, répondit le policier, fatigué.

Par la porte ouverte de la yourte, parmi les motards qui chahutaient et buvaient déjà autour du feu, il reconnut Adolf que les Coréens saluaient un par un pour le remercier de les avoir guidés jusqu'au campement. Il faisait encore jour, mais ils avaient déjà déchargé plusieurs caisses de vodka et tout un matériel de karaoké qu'ils installaient en prévision d'une longue nuit de beuverie. D'où il était, Adolf ne pouvait pas l'apercevoir. Yeruldelgger préféra garder pour lui l'avantage de la surprise. Du côté opposé à la porte, il souleva le tissu qui décorait la yourte et le feutre épais qui l'isolait, écarta deux lattes du treillis en bois, releva la bâche extérieure, et se glissa dehors. Il s'arrangea pour être vu des cuisines sans l'être d'Adolf et des Coréens. La vieille femme était là, debout, à surveiller sa yourte dans l'attente qu'il réponde à son message. Yeruldelgger lança un caillou contre le mur en troncs de mélèze pour attirer son attention et lui fit signe de venir. Elle comprit le message, s'essuya les mains au torchon accroché à sa ceinture, et lui fit comprendre par gestes qu'elle passait par-derrière pour le rejoindre dans le dernier chalet.

– Tu l'as rendu furieux ! dit-elle à voix basse dès qu'ils se retrouvèrent sur la petite véranda face à l'étang. Après ce que tu as fait pour les filles, dès que tu seras parti il nous tuera !

– Tu le regrettes ?

– Non, tu as bien fait. Tu as fait ce que nous aurions dû faire depuis longtemps. Mais il est fou. Il nous tuera !

– Il sera mort avant que je reparte, répondit-il.

La vieille leva vers lui son visage fatigué par la vie, intriguée par sa force et sa détermination.

– Qui es-tu ? demanda-t-elle.

– Peu importe qui je suis. Je sais qui il est, lui !

– Tu sais pour les étrangers, alors...

– Pour le couple qu'il a tué ? Je m'en doutais, mais maintenant je le sais.

– Et qu'est-ce que tu vas faire ?

– Je vais régler les comptes.

– Pourquoi fais-tu ça, tu connaissais ces pauvres gens ?

– Non, mais j'ai déterré moi-même le corps de leur petite fille et un vieux nomade m'a confié son âme. Pour qu'elle repose en paix, je dois retrouver ses parents, même morts.

La vieille femme resta muette quelques instants, son regard dans le sien. Elle avait dû être belle, pensa Yeruldelgger. De ces jeunes filles au visage de lune dont on avait sacrifié quarante des plus belles à la mort de Gengis Khan. Puis son visage s'était ridé. Les étés torrides, les hivers acérés, les marchands cupides, les amoureux violents, les enfants malades, les troupeaux éparpillés... Les rires aussi, sûrement.

Elle baissa les yeux et Yeruldelgger comprit qu'elle ne voulait pas le regarder en face pour lui dire ce qu'elle allait dire. Un peu plus haut, derrière les yourtes, il entendit hennir des chevaux que l'Ours avait mis au calme en les éloignant des motos. Il détourna le regard vers l'étang rosé par le crépuscule sous un ciel effiloché de nuages mauves. L'onde ridée par l'envol gracieux d'un héron léger. Les ombres bleues remontant des prairies profondes. La pénombre creusant l'orée des forêts de l'autre côté. Des lièvres, des canards quelque part. Des marmottes affairées à se calfeutrer pour la nuit. Un élan solitaire et étonné dans une clairière oubliée. Des loups peut-être au loin, une meute en maraude. Un renard prudent qui les évitait. Un lynx aux aguets. Et tapis dans l'ombre profonde sous les mélèzes, le cul dans les myrtilles violacées, un ours bonhomme et vorace…

– Je l'ai su quand il est allé pêcher, commença-t-elle. Depuis quelques jours déjà il regardait souvent du côté du petit van bleu. La femme blonde en short, ses beaux seins libres sous son corsage. Quand elle lavait son linge, à genoux au-dessus de sa cuvette, quand elle se penchait pour coiffer sa petite… toujours, de loin, je le voyais qui essayait d'apercevoir ses seins. Il avait déjà dû se glisser plus près pour l'épier quand elle se lavait. Il est capable de l'avoir reluquée par la vitre du van. Il l'a déjà fait avec des touristes, par des ouvertures qu'il perçait dans les yourtes. Mais quand il est parti pêcher, j'ai compris. Le premier jour, il est passé devant eux sans rien dire avec sa canne. Ils prenaient leur petit déjeuner tous les trois au soleil. De la cuisine je l'ai regardé faire et disparaître dans le vallon vers la rivière. Un peu avant midi, il est remonté en tenant deux belles truites par les ouïes et ils l'ont longtemps regardé en montrant du doigt les truites à leur petite fille. Il a refait la même chose le lendemain, et cette fois, comme ce salaud l'espérait, l'homme s'est levé pour s'approcher avec l'enfant. Cette ordure a tendu les poissons à bout de bras pour qu'elle ose les caresser du bout des doigts et il a échangé quelques mots avec le père. La femme, elle, ne s'est pas approchée. Je suis certaine qu'elle se méfiait de lui. Quand j'ai vu l'homme, plutôt excité, remonter expliquer quelque chose à sa femme, j'ai su qu'il avait déjà presque réussi son plan. Le lendemain il est parti avec deux cannes et l'homme l'attendait pour partir à la pêche avec lui. Je l'ai vu parlementer pour que la gamine ne les accompagne pas. Il a dû parler des berges dangereuses, inventer des serpents venimeux dans les herbes, n'importe quoi, mais il a réussi à convaincre l'homme qui a renvoyé la petite vers sa maman. Elle regardait la scène d'un peu plus haut dans la prairie, bras croisés et regard fermé. En descendant vers la rivière, avec l'homme heureux à ses côtés, il m'a ordonné de loin de préparer un petit déjeuner de pain chaud, de crème fraîche et de confiture de myrtilles pour la gosse. Lui si pingre, c'était ce qu'il était prêt à payer. Puis il a disparu. La petite a enfourché son tricycle et la femme l'a accompagnée jusqu'aux cuisines. Elle parlait un mauvais russe, mais on se comprenait quand même. Elle a refusé la crème et la confiture en plaisantant sur ses rondeurs, et m'a remerciée de m'occuper de sa gamine. Elle m'a fait comprendre en se forçant à rire qu'elle profiterait de l'absence de son homme pour faire un grand ménage, et elle est repartie en se retournant de temps en temps, en faisant des signes de la main à sa fille qui jouait déjà avec un chiot sans plus penser à elle. Une fois au van, elle a tout ouvert, tout sorti, tout nettoyé et tout rentré. Elle était à l'intérieur quand mon cœur s'est emballé en voyant ce salaud remonter la prairie. Il est monté droit vers le van, calmement, comme s'il rentrait chez lui. Il est entré sans hésiter, sans même fermer la porte derrière lui, et j'ai su qu'il allait la violer...

– Tu en es sûre ? Tu l'as vu ? Tu as entendu quelque chose ?

– Je le sais parce qu'il l'a déjà fait. À moi, aux autres femmes de la cuisine, aux gamines qu'il embauche, et à des touristes de passage aussi ! Des gens qui réservaient pour une semaine et qui repartaient subitement sans rien dire ni même payer, dès le deuxième ou troisième jour, à la fois honteux et terrorisés... Je sais qu'il est entré dans le van et qu'il l'a aussitôt assommée d'une gifle sans rien dire. Je sais qu'il a arraché son short et sa culotte d'un seul coup en lui blessant les cuisses, qu'il a déchiré son corsage pour empoigner ses seins, qu'il a écarté ses cuisses en les clouant de ses genoux pour voir son sexe. Je sais comment il l'a pénétrée d'un coup à travers sa braguette à peine défaite, comment il lui a tenu les poignets au-dessus de la tête d'une seule main, comment il l'a étouffée de l'autre main pour l'empêcher de crier... Je sais qu'elle n'a rien compris. Elle n'a rien vu venir, étourdie par la violence de la gifle qui lui aura percé l'oreille, par la force en sueur et le poids en puanteur de ce salaud, terrorisée par l'audace qu'il avait de la violer comme ça en plein jour, à deux pas de nous, à deux pas de sa petite fille qui jouait, à quelques centaines de mètres de son mari qu'il avait conduit à la pêche. Je sais qu'elle a été paniquée par son sexe d'animal. Terrorisée par son silence bestial, par l'absence d'émotion sur son visage, par ses yeux morts, sans remords, sans peur, sans la moindre compassion. Au début, on ne comprend pas. On pense qu'il va réaliser l'horreur de son geste et partir en courant, honteux de lui. Ou que quelqu'un va surgir et lui défoncer le crâne. Comment peut-on être un être humain l'instant d'avant et n'être plus qu'une proie soumise à cette bête immonde la seconde d'après ? Et puis je sais qu'elle a essayé de se révolter quand il l'a retournée d'un geste pour la sodomiser. Je sais qu'il a plaqué sa tête contre l'étoffe du lit pour étouffer ses cris. La douleur et la honte ont raison de toi à ce moment-là, tu succombes exactement à ce qu'il veut et tu le sais et tu t'en veux. Tu n'as plus

rien d'humain en toi, tu te sens tout aussi inhumaine que lui. Tu
n'es plus qu'une viande meurtrie, avilie, souillée par ton malheur,
et le pire, c'est qu'en cédant par manque de force, par écœurement de toi, tu provoques sa colère car tu le prives de la jouis-
sance de sa puissance... Je regardais ce van bleu dans l'herbe
verte de la prairie. Il avait transporté la joie et les vies de cette
famille courageuse d'avoir assumé ses rêveries de nomade, et plus
rien ne subsisterait jamais de ces beaux jours d'innocence. Tant
d'autres malheurs à venir dans ce petit van bleu immobile ! Des
douleurs intarissables, des hontes sans fond, des déchirures,
des abandons vertigineux, des trahisons, des vengeances retour-
nées contre toi et contre ceux que tu aimes. Des désirs pétrifiés.
Des avenirs avortés. Par la seule faute d'un salaud plus fort que
toi ! Tout n'aura duré que quelques minutes pour détruire toute
ta vie passée et toute celle à venir. Je sais qu'il aura murmuré
à son oreille qu'il égorgerait la petite si elle parlait. Je sais qu'il
avait même prévu de rejoindre l'homme à la pêche, mine de rien.
Mais comme il ressortait du van, l'homme était là qui remontait
de la rivière. Il a vu le salaud sortir en titubant du van bleu où
devait se reposer sa femme et a demandé de loin ce qui se passait.
L'autre s'est figé sur place puis s'est retourné pour lui faire face
sans répondre. L'homme a hésité, puis comme s'il était pris d'un
horrible pressentiment, il s'est précipité vers le haut de la colline.
Dès qu'il est arrivé à sa portée, essoufflé par sa course et par
l'inquiétude de ce qu'il redoutait, l'autre fumier l'a empoigné
par le col et a profité de son élan pour le faire tournoyer et le
plaquer contre la portière arrière. De loin j'ai vu le dos de
l'homme se bloquer contre la roue de secours et son cou se dis-
tendre. Sa tête a cogné contre la carrosserie, puis son corps s'est
affaissé sans force. Il a dû se briser la nuque dans le choc. L'autre
est resté deux secondes à regarder le corps à ses pieds, puis il
l'a chargé sur son épaule et est allé le jeter à l'intérieur du van

avant de s'y engouffrer. C'est là qu'il a dû étrangler la femme, je suppose, avec sa conscience de pervers tranquille, en se disant qu'en revenant mourir de ses mains, l'homme l'obligeait aussi à tuer la femme. Obligé. Pas de sa faute...

Yeruldelgger écoutait la vieille, même pendant ses longs silences, mais il devina que ce qu'il lui restait à dire lui brisait l'âme.

– Et l'enfant, pendant ce temps ?

– Elle jouait sur son tricycle à poursuivre le chiot en riant. Quand j'ai vu qu'il avait tué l'homme, j'ai couru vers lui pour l'empêcher de tuer la femme. J'ai laissé la petite toute seule. Je n'ai pas pensé qu'il pouvait lui arriver du mal dans la cour. J'ai couru vers le van qui démarrait, j'ai essayé de le rattraper. Je n'ai pas vu la petite suivre le chien dans le chemin. J'ai entendu le moteur s'emballer et j'ai cru qu'il s'enlisait et patinait dans l'herbe. J'ai repris espoir de le rattraper, d'arrêter tout ça, mais ce salaud continuait son chemin à travers la prairie. Alors je me suis figée sur place. Ce n'était pas le moteur du van qui vrombissait. C'étaient les Coréens qui jaillissaient de la forêt avec quelques heures d'avance. Rien n'était prêt, personne n'y faisait attention. La petite était là sur son tricycle rose, en plein milieu du chemin, quand le premier quad a surgi à pleine vitesse...

La vieille femme pleura sans honte en levant vers lui son regard implorant. Pour qu'il lui pardonne tout ce qu'elle venait d'avouer et qu'elle n'avait jamais osé dire encore. Elle espérait qu'il comprendrait qu'elle attendait quelqu'un comme lui, aussi fort que ce salaud, pour enfin se confier et assumer le remords qui la rongeait depuis cinq ans.

Le soir tombait. Les ombres de la nuit montaient du sol et la forêt s'enfonçait dans le crépuscule. Yeruldelgger devina qu'elle regardait dans la direction où le van avait disparu. Elle resta silencieuse, enfermée dans le cauchemar muet qu'elle revivait, sans aucun espoir de voir revenir les victimes de l'Ours. Yeruldelgger l'abandonna à ses tristes rêveries, son attention attirée par les rumeurs de la fête qui se préparait. Dans la lueur des flammes du feu grandissant dansaient des silhouettes titubantes. Quelqu'un comptait dans une langue étrangère dans un micro pour régler l'écho. Une strie de larsen déchira la nuit, provoquant une ola chez les ivrognes et tirant la vieille de son cauchemar immobile.

– Il faut que j'y aille ! lança-t-elle à Yeruldelgger en lissant ses yeux dans ses paumes pour sécher ses larmes. Ils vont tout casser s'ils ne mangent pas. J'enverrai quelqu'un vous servir dans votre yourte. Tu devrais dire à ton amie de ne pas trop se montrer ce soir...

– Dis-moi juste une chose, grand-mère, tu as revu le van après qu'il a disparu dans la forêt ?

– Je l'ai vu en bas, le long de la rivière, trois heures plus tard. Ce salaud l'a redescendu par la prairie jusqu'au village. Son frère est ferrailleur. Je pense qu'il l'a aidé à s'en débarrasser...

– Une dernière chose encore : tu as vu des policiers enquêter sur la disparition de cette famille ?

– Jamais, tu es le premier.

– Attends, comment sais-tu que je suis policier ?

– Je ne le sais pas, je l'espère pour ce qui reste de ce foutu pays...

Yeruldelgger baisa les mains mouillées de larmes de la vieille et la regarda regagner ses cuisines. Il contourna à nouveau les yourtes, passa devant les chevaux, et se glissa dans la sienne comme il en était sorti. Colette était assise sur son lit à regarder par la porte ouverte la fête qui s'organisait.

– Tu te rends compte, plaisanta-t-elle, autant de clients faciles et être en vacances avec un flic !

– Dans pas très longtemps tu seras contente d'être avec moi !
répliqua-t-il.

– Ah oui ? Eh bien si tu charges tout seul sans attendre la
cavalerie, je ne suis pas sûre d'être du bon côté !

– Il n'y aura pas de cavalerie…

– De mieux en mieux ! Et le programme des réjouissances ?

– Nous débarrasser de tous ces ivrognes de Coréens, faire
payer au maître des lieux l'assassinat de toute une famille, et
mettre la main sur un abruti de motard nazi qui prétend avoir
couché avec ma fille…

– Ah, ça, c'est plus personnel déjà !

– Non, tout est personnel dans cette affaire.

– Si tu veux ! Mais ôte-moi d'un doute, quand tu dis faire
payer…

– Ça veut dire faire payer. Cash. Je veux regarder mourir ce
salaud !

– Bon, répondit la femme comme si elle parlait d'un programme de shopping. Et on commence par quoi ? Par choper
Adolf ?

– Tu connais Adolf ?

– Bien sûr, Adolf c'est la petite frappe de Chuluum ! Mickey,
c'était le côté motard d'Adolf, mais son côté nazi, c'est Chuluum !

– Comment tu sais ça, toi ?

– Les clients qui nous baisent nous prennent déjà pour des
quiches, alors imagine ceux qui nous baisent sans payer ! Ils parlent devant nous comme s'ils parlaient devant leurs poissons
rouges ! Chuluum organisait des petites parties fines où il invitait
Adolf de temps en temps, mais leur guide, leur petit *führer*
comme ils disent, c'est bien Chuluum. Il a créé ce groupuscule
nazi pour servir de force à un futur parti nationaliste. Ils s'appellent entre eux les Soyombo, à cause d'un tatouage qu'ils ont sur

l'épaule. Il paraît qu'il a des commanditaires pour ça : semer le désordre pour appeler à l'ordre, salir les étrangers pour appeler à la préférence nationale, gangrener les pouvoirs pour les discréditer, infiltrer la police pour la manipuler. Chuluum a toujours dit qu'il était intouchable parce qu'il était protégé par les vrais maîtres de la Mongolie, les futurs maîtres du prochain nouvel empire mongol... Avec sa bande de motards, Mickey s'est fait avoir comme un bleu.

– Comment peut-on croire à de telles conneries ?

– Eh bien, quand on voit qu'on peut assassiner la fille d'un flic pour lui faire lâcher une enquête sur la corruption, par exemple, et recommencer cinq ans plus tard avec son autre fille !

– Chuluum est mêlé à ça ?

– Au meurtre de Kushi, je ne crois pas, mais j'ai entendu dire qu'il était au courant. Par contre, après ta découverte du cadavre de la gamine, Chuluum a dit à Adolf qu'on lui avait donné le feu vert pour s'occuper de ta fille.

– Je ne comprends toujours pas, murmura Yeruldelgger pour lui-même. En quoi mon enquête sur le meurtre de la gamine pouvait déranger un groupuscule nationaliste ? Le meurtre des trois Chinois, je comprendrais à la rigueur, mais la gamine : un accident mortel suivi d'un double meurtre pour couvrir un viol ?

– Et le Coréen qui a tué la gamine, alors ?

– Quoi, le Coréen ? Mickey a tout fait pour le protéger et étouffer l'affaire pendant cinq ans, avec la protection et la bénédiction d'Erdenbat en plus ! Ce n'est pas vraiment ce qu'on appelle salir les étrangers, ça !

– Dans ce cas, il te reste Adolf. Tu l'as sous la main, tu n'as qu'à lui demander de t'expliquer. Il t'arrive d'être persuasif, si j'ai bon souvenir...

Yeruldelgger allait répondre quand une voix de femme les interpella de l'extérieur.

– Tiens tes chiens si tu veux manger !

– Entre sans peur, répondit-il.

C'était une des jeunes femmes des cuisines. Elle apportait les *kuushuur* fumants et odorants dans une gamelle noircie au feu de bois. Mais quand Yeruldelgger se pencha pour en humer le fumet, une pétarade éclata dehors.

– Des pétards ? Ils ont l'habitude de faire ça ? demanda-t-il à la jeune femme.

– Non, c'est la première fois. C'est Tuguldur qui les a distribués. Pour se moquer des Chinois, qu'il a dit.

– Tuguldur ?

– C'est le prénom mongol d'Adolf, précisa Colette.

Yeruldelgger bondit aussitôt sur ses pieds et se précipita dehors. Dans la nuit, des Coréens ivres dansaient autour du feu en allumant des pétards. D'autres en jetaient dans le feu et éclaboussaient des gerbes de braises qui brûlaient les jambes des danseurs et les faisaient bondir de rire. Un peu en retrait, un type aux jambes torses et aux cheveux en brosse plaquait des accords sur un synthétiseur en hurlant à la nuit du Marvin Gaye de supermarché. Des mains agrippèrent Yeruldelgger pour l'attirer dans la danse. Il assomma le type d'un revers et l'envoya bouler sur les bouteilles de vodka qui jonchaient déjà le sol. Le pied du policier roula sur une canette et il faillit tomber dans le feu. Tout autour de lui maintenant, des hommes titubaient et chahutaient, mais Yeruldelgger cherchait Adolf des yeux sans s'occuper d'eux. L'homme qu'il avait bousculé se releva et le prit à partie au moment où il aperçut enfin Adolf passer le coin de la maison et disparaître dans la nuit. Yeruldelgger se précipita à sa poursuite en assommant à tour de bras ceux qui s'agrippaient à lui dans des colères d'ivrogne au milieu des pétards qui explosaient par paquets.

Dès qu'il sortit du cercle de lumière du feu, Yeruldelgger s'arrêta pour habituer ses yeux à la nuit. Puis il tira son arme

de sa ceinture et avança jusqu'au coin de la maison. Adolf était
là un peu plus loin devant lui, tapi dans l'ombre, à regarder à
l'intérieur par la fenêtre. Le policier remarqua le Makarov dans
son poing. Adolf hésita, se hissa sur la pointe des pieds pour
inspecter à nouveau l'intérieur, puis tourna soudain la tête vers
les latrines, un peu plus loin sur la droite. Les pétards continuaient
d'exploser de l'autre côté de la maison. Certains étaient si gros
que l'explosion flashait dans le paysage comme des éclairs
jaunes. Yeruldelgger eut lui aussi juste le temps de voir l'Ours
entrer dans les latrines de droite avant que la nuit ne se referme
sur eux. Puis il devina la silhouette d'Adolf qui se dirigeait vers
les toilettes, sans plus se cacher, comme s'il allait pisser lui aussi.
Il s'arrêta à un mètre de la porte fermée, immobile dans la puanteur, bras tendu l'arme au poing, à attendre un chapelet d'explosions pour exécuter l'Ours à travers la porte en bois.

– Y a quelqu'un ! grogna celui-ci de l'intérieur.

Le temps qu'il se retourne pour voir qui arrivait, Adolf était
inconscient et Yeruldelgger s'agenouillait pour que son corps
s'affaisse sans bruit sur son épaule. Quand l'Ours poussa la porte
d'un coup de poing hargneux, à croupetons au-dessus du trou
immonde, il n'aperçut dans la nuit qu'un ivrogne qui tournait au
coin de la maison en portant sur son épaule un autre ivrogne
encore plus ivre que lui.

*... mais pas l'ogre,*
*dévoré entre-temps par une ourse...*

— Tes *kuushuur* vont être froids ! dit Colette qui se régalait des siens.

Elle regarda Yeruldelgger entrer dans la yourte par la porte cette fois.

— Tu ne te faufiles plus sous le feutre maintenant ?

— Plus besoin, il n'est plus en état de me reconnaître, expliqua-t-il en tirant à l'intérieur le corps inerte d'Adolf.

— Il est mort ?

— Pas encore, répondit Yeruldelgger sur le ton de la conversation.

— Qu'est-ce qui t'a fait bondir comme ça après lui ?

— Les pétards. C'était trop bizarre cette distribution de pétards. Ça m'a fait penser à des coups de feu et à une mise en scène pour pouvoir descendre quelqu'un plus facilement. En fait ce petit malin voulait profiter de la pétarade pour flinguer l'Ours !

— Et tu l'en as empêché ? Je croyais que tu voulais absolument tuer cette espèce de brute !

— Oui, mais je dois d'abord lui faire avouer où sont les corps des parents de la gamine...

— Et ?

— Et je veux décider de sa mort moi-même !

– Alors ficelle bien celui-là et viens manger pendant que c'est encore chaud.

Yeruldelgger tira du bout des doigts une grosse raviole de son bouillon gras et la leva bien haut au-dessus de sa tête renversée pour l'avaler à la façon d'un phoque de cirque. Puis il essuya ses mains sur les vêtements d'Adolf encore inconscient avant de l'entraver de sorte qu'il ne puisse pas bouger à son réveil. Il allait rejoindre Colette qui lui préparait une assiette de *kuushuur* quand la jeune femme des cuisines revint avec le *boodog* de marmotte. Le plat embauma aussitôt la yourte d'un fumet délicat, mais la serveuse semblait inquiète et apeurée. Comme elle se penchait pour enjamber du bon pied le pas de porte, elle bascula soudain en avant et le plat lui échappa des mains. Derrière elle un Coréen hirsute et hilare la troussait en hurlant de rire, ses deux bras sous les jupes relevées de la jeune femme. Puis deux autres têtes avinées apparurent à la porte, encourageant le premier à sortir la fille de la yourte en la tirant par les pieds.

Yeruldelgger sauva le *boodog* brûlant et luisant de graisse de la mêlée puis bondit sur ses pieds. Le Coréen qui malmenait la jeune cuisinière fut éjecté de la tente par un coup d'une violence si sèche que son corps inerte culbuta les deux autres. Le policier sortit en brisant d'un coup de pied le genou du premier qui essayait de se relever. L'autre était trop ivre pour tenter quoi que ce soit.

Autour du feu, de nombreux motards étaient avachis, ivres morts, pendant que les autres dansaient comme des déments. Les plus avinés de ceux qui tenaient encore debout se relayaient au micro pour brailler des karaokés éraillés de *Thriller* en coréen. Deux hommes en vinrent aux poings pour s'arracher le micro. D'autres sautaient à travers le feu, leur vodka à la main, en hurlant comme des héros kamikazes. Une bouteille s'enflamma et l'homme roula par terre pour éteindre son bras en feu. Aucun n'eut la force de lui porter secours, mais tous éclatèrent de rire pour répondre au rire du blessé qui brandit son membre brûlé comme un trophée. Le sol était jonché de verre brisé et de canettes écrasées. Ils avaient renversé les gamelles de *kuushuur* et les *boodog* étaient éventrés. Dans la lueur des flammes grandies par l'alcool, Yeruldelgger aperçut la vieille cuisinière qui essayait de récupérer ce qu'elle pouvait au milieu des ivrognes vautrés par terre. Comme elle passait entre deux Coréens incapables de se relever, un des deux la retint penchée au-dessus de lui en la saisissant par le cou d'une main. De l'autre, il empoigna un sein de la vieille en hurlant ce qui devait être des obscénités dans sa langue. Le second profita de la position de la vieille pour fourailler sous ses jupes.

Yeruldelgger lui vrilla le bras de ses deux mains et lui déboîta l'épaule d'un coup de pied au son d'une *macarena* déglinguée au synthétiseur. L'homme hurla tandis que l'autre essayait de se redresser, mais Yeruldelgger lui fracassa la mâchoire d'un coup de coude. Puis il traversa l'émeute, se dirigea droit vers le synthétiseur, l'arme à la main, et l'explosa en tirant plusieurs fois dans la boîte à rythme. Alors le silence se fit. Immense. Grandiose. Enfin !

De l'autre côté du feu, un homme se mit à parler. Le commissaire comprit qu'il était en colère, qu'il demandait ce qui se passait, qui il était pour tirer comme ça, s'il savait à qui il avait affaire, que ça allait barder pour lui... À travers les flammes, Yeruldelgger tira sa dernière balle qui se ficha dans l'herbe juste entre les pieds du vindicatif.

— Il y a un interprète parmi vous ? demanda-t-il tout en engageant un nouveau chargeur dans son arme.

— Moi..., murmura d'une voix mal assurée une ombre un peu à l'écart.

— Alors dis-leur que la fête est finie !

L'homme traduisit, et quelques vociférations accueillirent ses paroles, puis le ton monta brusquement. L'homme au synthétiseur harangua ses compatriotes en montrant des mains son matériel détruit.

– Ils disent qu'ils ont payé pour cette fête. Ils demandent qui va payer pour ce que tu as détruit...

– Alors s'ils le prennent comme ça, répondit Yeruldelgger en sortant sa carte de flic et en la brandissant à la cantonade, dis-leur qu'ils sont tous en état d'arrestation pour avoir traversé une réserve nationale protégée. Je veux voir tout le monde contre le mur de la cuisine avec son passeport à la main !

L'homme traduisit à nouveau et une voix provocante lui répondit en écho. Yeruldelgger se retourna vers celui qui avait parlé.

– Il dit qu'il n'a pas peur de toi. Qu'ils n'ont pas besoin d'autorisation et qu'ils sont protégés par des gens qui vont te faire payer très cher ton arrogance.

– Alors dis-lui que s'il pense à Park Kim Lee, il est retourné en Corée la queue entre les jambes, que Mickey est mort, et qu'Adolf est ficelé dans ma yourte.

La traduction fut accueillie par un silence qui rendit d'un seul coup la nuit plus noire et plus froide au-delà du feu. Yeruldelgger fit répéter son ordre. Les Coréens qui avaient leur passeport sur eux se regroupèrent aussitôt bien en ligne le long du mur de la cuisine. Les autres s'égaillèrent d'un quad à l'autre pour récupérer leurs documents en assurant avec des gestes apeurés qu'ils ne cherchaient pas à fuir. L'adrénaline les avait subitement dessoûlés. Quand ils furent tous au complet, Yeruldelgger confisqua leurs papiers.

– Vous les récupérerez à Oulan-Bator, au département de la Police. En attendant, vous pliez bagage et vous allez dormir plus loin, après le village. Je ne veux plus voir aucun de vous ici. Celui qui est encore là dans une heure, ou celui qui revient demain, je lui tire une balle dans le genou. C'est bien compris ?

Ils restèrent immobiles dans un garde-à-vous inquiet, le temps de la traduction, puis acceptèrent en courbant la tête comme s'ils prêtaient serment. Yeruldelgger leur fit alors signe de rompre les rangs et ils s'éparpillèrent en silence dans la nuit. Ils étaient redevenus des Coréens obéissants et besogneux.

Avant de regagner sa yourte où il avait vu les cuisinières se réfugier, Yeruldelgger chercha des yeux l'Ours qui ne s'était pas montré pendant son petit numéro. Il allait y renoncer quand une rumeur, dans son dos, précéda le martèlement d'un galop. Il se retourna et le vit surgir de la nuit, monté sur un hongre nerveux lancé droit sur lui à bride abattue. Il se jeta de côté pour éviter le cheval fou, sa salive en écume sur le mors, l'odeur froide des étriers, le goût du cuir...

– Là ! cria la vieille cuisinière.

Yeruldelgger fit volte-face. Elle avait détaché un des chevaux qui paissaient derrière les yourtes, et l'envoyait vers lui d'une claque sur la croupe. Le cheval, nerveux, frémit de tous ses muscles, piochant la terre de ses antérieurs. Il avait senti passer l'autre monture au galop et ne demandait qu'à la rejoindre. Yeruldelgger profita d'un moment d'hésitation de l'animal, apeuré par une nuée de braises jaillissant d'une bûche qui s'affaissa dans le feu, pour saisir la bride et l'enfourcher à cru. Le cheval trépigna de peur et d'impatience à la fois, puis le policier le lança au galop à la poursuite de l'Ours.

Par chance une trouée dans les nuages laissa filtrer un tendre clair de lune qui redessina la pénombre. Yeruldelgger aperçut l'Ours à cent mètres devant lui et se déporta aussitôt sur sa droite en descendant la prairie. Il ne voulait pas qu'il trouve refuge au village. Quand l'homme comprit que son poursuivant lui coupait le chemin, il changea de direction, contourna l'étang et lança son cheval vers la forêt. Yeruldelgger fut bientôt derrière lui. Il se surprit à adorer cette chevauchée dans la nuit, ce clair de lune sur l'herbage qui montait jusqu'à la forêt sur plus de cinq cents mètres. Son cheval avait un galop court et souple, stable, sans à-coups. Il sentait les flancs de la bête palpiter entre ses cuisses, comme quand, gamin, il chevauchait à perdre haleine, libre, heureux, fier, à courir les *Naadam* dans les longues steppes. Tout en galopant sans quitter des yeux l'ombre de l'Ours, Yeruldelgger souriait dans son cœur de ces courses endiablées. Des casaques en satin, des chants de fausset des copains, des encouragements des lutteurs, des camions qui les suivaient hors des pistes, des cris, des encouragements, et des avertissements à prendre garde aux...

Son cheval planta l'antérieur droit dans un trou de marmotte, brisant net sa course, et culbuta croupe par-dessus l'encolure. Sans selle ni étriers, Yeruldelgger valdingua dans la nuit. Il retomba dix mètres plus loin à plat dos, si brutalement qu'il eut l'impression de s'en décrocher les poumons. Un quart de seconde après la douleur irradiante, sa tête cogna la terre et la nuit se fit. Il n'eut que le temps de voir l'Ours revenir vers lui au galop avant de perdre connaissance. Dans un grand halo de lumière vive...

Il se réveilla assis dans l'herbe, adossé à la roue de sa voiture. L'Ours était assis en tailleur à quelques mètres de lui, les mains sur la tête, dans la lumière des phares. Colette le tenait en respect avec son Makarov pointé sur la nuque. Il devina une autre présence sur sa gauche et sentit un parfum violent lui enflammer le nez et pétiller dans son cerveau. La vieille cuisinière était là à ses côtés, et passait sous son nez une fiole d'extraits de plantes.

– Les bagnoles c'est mieux, se moqua la fille, ça ne trébuche pas dans les trous de marmotte.

– Quelle chute, j'ai vraiment cru mourir ! répondit Yeruldelgger en tentant de se relever. J'ai même cru voir la grande lumière blanche du tunnel...

– Les phares au xénon du 4x4, expliqua Colette.

– Comment vous l'avez eu ? demanda-t-il en désignant l'Ours d'un mouvement du menton qui lui électrifia toute la nuque.

– On a affolé son cheval. Il est tombé lui aussi. Comme il se relevait, je lui en ai mis une dans le pied, dit-elle en montrant son arme.

– Tu apprends vite, sourit-il en se relevant.

– Je t'ai vu faire ! Le plus dur, ça a été d'empêcher la grand-mère de le fracasser à grands coups de manivelle à cric !

– Elle a bien fait, dit Yeruldelgger en s'adressant à la vieille, j'ai encore besoin de lui vivant pour l'instant.

– Je sais ce que tu cherches, répondit-elle en se relevant elle aussi pour lui caresser le visage. Et je sais où c'est !

– Les corps des parents de la gamine ?

– Oui. Je t'ai dit qu'il était parti vers la forêt. Là-bas c'est le domaine de l'ours. Le vrai. De l'ours et des loups. Je suis sûr qu'il a abandonné les corps là-bas pour que les animaux les dévorent.

– Tu as fait ça ? demanda Yeruldelgger, toute rage contenue, en se retournant vers l'homme.

Il ne répondit pas, le regard obstinément planté dans l'herbe entre ses genoux. Le policier prit son silence pour un aveu et se retourna vers la vieille femme.

– Grand-mère, tu peux lui faire un pansement ? J'ai besoin qu'il puisse marcher au petit matin.

– Je prends son cheval, dit-elle, le tien s'est brisé la patte. Il faudra que tu m'aides à l'abattre. Je reviens dans une heure.

Le temps que Yeruldelgger retrouve son équilibre pour l'aider à monter sur la bête, la vieille femme disparaissait déjà au galop dans la nuit. Il trouva dans le coffre des sangles pour attacher l'Ours au pare-chocs de la voiture, puis invita Colette à se protéger de la fraîcheur de la nuit à l'intérieur. Ils restèrent un long moment adossés à leurs sièges sans rien dire, puis la femme émit le regret de ne pas avoir emporté de cigarettes et Yeruldelgger ne répondit pas. Il coupa les phares pour économiser la batterie et le clair de lune inonda à nouveau le paysage. Les nuages avaient disparu. Au loin, à la lisière de la forêt, dans l'ombre de la nuit, ils crurent plusieurs fois deviner la silhouette lourde d'un ours qui rôdait, pour ne plus voir aussitôt qu'une autre ombre parmi les ombres.

— Il y a vraiment des ours par ici ?

— Oui, répondit-il songeur, c'est un beau pays...

Une heure plus tard la vieille revint pendant qu'ils dormaient. Colette s'était abandonnée à la fatigue, la tête sur l'épaule solide de Yeruldelgger. La vieille femme admira le visage de l'homme, les yeux fermés, robuste, calme, et regretta sa jeunesse usée aux vents des steppes. Elle tira sur eux des couvertures chaudes qu'elle avait apportées.

— Couvre l'Ours aussi, qu'il ne meure pas de froid, dit le policier sans ouvrir les yeux.

— Ah ! Ça t'amuse de faire semblant de dormir ? feignit-elle de s'offusquer.

— Seulement quand une jolie femme me regarde ! répondit-il, les yeux toujours clos.

— Et beau menteur en plus ! s'exclama la vieille en lui claquant l'épaule.

— Aïe ! exagéra Yeruldelgger en ouvrant les yeux. Occupe-toi plutôt de faire souffrir l'Ours ! Mais arrange-toi surtout pour qu'il puisse marcher demain matin.

— D'accord, mais c'est bien parce que tu m'as promis de le tuer ! Tiens, je t'ai rapporté ça, tu n'as pas eu le temps d'en profiter.

Il sortit sans bruit de la voiture pour ne pas réveiller Colette. La grand-mère avait pris le temps de harnacher un cheval. Elle se leva pour décrocher une besace accrochée à la selle et en sortit une petite gamelle de *kuushuur* et un *boodog* de marmotte entier. Avant qu'il n'ait eu le temps de la remercier, elle avait allumé un feu avec un fagot de bois sec qu'elle avait aussi apporté. Il s'assit en tailleur face à la chaleur jaune du feu, le dos au froid bleu de la nuit. L'eau pour le thé salé au beurre chauffait déjà et il sentit couler en lui tout l'amour simple des gens de la steppe.

Sans qu'il l'entende approcher, Colette se réveilla et vint se blottir contre lui en silence, une couverture sur ses épaules. La vieille posa le *boodog* fumant sur un linge devant eux et coupa d'un coup de coutelas les liens qui le tenaient fermé. Le ventre cuit de la marmotte s'écarta lentement sur toute la longueur. La peau à l'extérieur était un peu cuite et craquelée parce que la vieille avait dû réchauffer le *boodog*, mais l'intérieur était à point et fumant. Les pierres bouillantes avaient fait fondre les graisses qui imprégnaient les chairs tendres. Yeruldelgger plongea la main dans les entrailles de la marmotte et en tira une première pierre bouillante qu'il offrit à la vieille avec respect. Elle l'accepta avec un sourire de bonheur et de reconnaissance, la faisant passer d'une paume à l'autre pour ne pas se brûler. Il offrit la seconde à Colette pour que la chaleur et la graisse lui apportent, comme à la vieille, force et énergie pour les jours à venir. La jeune femme enchâssa la pierre sur le bout de ses doigts et la contempla comme un bijou magique. Yeruldelgger prit la sienne et la roula dans ses mains comme un savon brûlant pour se laver de ce qu'il allait bientôt faire. Puis il pinça à l'intérieur de la marmotte des morceaux de chair tendre et brûlante qu'il tendit aux femmes. Elles saisirent la viande entre le pouce et l'index, l'autre main en coupelle en dessous pour ne rien perdre de la graisse, et par-tagèrent avec lui le *boodog* selon la tradition. En bivouac, à la belle étoile, dans l'herbe, autour du feu, avec un cheval dans l'ombre et toute la Mongolie jusqu'aux horizons de la nuit.

– Ça fait si longtemps, murmura Colette qui se souvint de son enfance les larmes aux yeux, si longtemps ! Comment ai-je pu oublier tout ça ?

Puis, dans leur douce langue murmurée qui bruissait comme un ruisseau sous des feuillages agités, ils se racontèrent jusqu'au petit matin leurs enfances heureuses en se brûlant les lèvres au thé salé. Et leurs enfances étaient toutes les mêmes, malgré leurs vies si différentes aujourd'hui. Dans la nuit, Yeruldelgger se demanda si l'homme blessé, attaché à la voiture, avait lui aussi été un jour ivre d'espace et de bonheur. Les deux femmes s'endormirent sans vouloir répondre à sa question.

Un peu avant qu'une aube blanche ne nacre à l'est l'horizon ciselé par les cimes des mélèzes, à l'heure de la cacophonie de ces milliers d'oiseaux surpris de sortir à nouveau de la nuit, la vieille se leva et plia le camp. Quand elle eut tout harnaché à sa monture, elle réveilla tendrement la jeune femme et lui fit signe de monter en selle. Puis elle se hissa en croupe à son tour et dirigea sa monture au pas vers le campement. À Colette qui s'étonna du regard, elle répondit à voix basse que les heures terribles qui venaient n'appartenaient qu'à Yeruldelgger et à lui seul. Il les entendit partir mais préféra ne pas bouger, remerciant en silence la vieille femme d'avoir compris ce qu'il voulait.

Quand elles eurent disparu, loin dans la nuit qui rosissait, il se leva à son tour, jeta de la terre sur le feu, et réveilla l'Ours qui ne dormait qu'à moitié. Il le détacha du pare-chocs, lui lia les mains dans le dos, entrava ses pieds d'un lien pour qu'il ne puisse pas courir et l'aida à se relever.

– Tu peux marcher ?

– Je peux te tuer ! vociféra l'Ours d'un air provocant malgré les liens et sa blessure.

– On verra ça plus tard, répondit Yeruldelgger. Tu sais ce que je veux !

Ce n'était pas une question et l'Ours ne s'y trompa pas. Une seule de ses joues se déforma d'un mauvais rictus et il cracha aux pieds du policier avant de répondre.

– Il ne doit plus rester que des os brisés éparpillés par les bêtes !

– Tu les as abandonnés aux bêtes ? se fâcha Yeruldelgger.

– C'est ce que les Mongols ont toujours fait, répliqua l'Ours.

– Ne me parle pas de traditions, sinon je te tue tout de suite !

– Tu ne me tueras pas, répondit l'homme avec assurance.

– C'est ce qu'on verra ! Marche devant, je veux les retrouver.

– C'est dangereux, expliqua l'autre. C'est l'heure des ours…

– Je n'ai pas peur.

– Moi si.

Yeruldelgger commençait à deviner son visage dans la lumière naissante. Il y découvrit une expression étrange et comprit que cet homme cruel avait réellement peur pour la première fois. Il le poussa vers la forêt d'une bourrade entre les épaules. Ils atteignirent la lisière quand l'aube devint l'aurore et s'enfoncèrent en silence dans l'ombre bleue et sombre des sous-bois. L'homme semblait reconnaître son chemin entre les arbres, malgré les branches qui lui griffaient le visage. Yeruldelgger l'arrêta, le fit s'allonger de côté, et lui ordonna de passer ses mains liées par-devant. L'autre se contorsionna et lâcha un juron de douleur quand son pied blessé se prit dans les cordes et se remit à saigner. Puis Yeruldelgger l'aida à se relever et lui fit signe de reprendre son chemin. Il pouvait à présent se protéger des bras contre la végétation, mais Yeruldelgger redoubla de vigilance parce qu'il pouvait aussi le surprendre et l'assommer. Il marcha assez loin derrière pour éviter qu'il ne lui cingle le visage et ne l'aveugle avec une branche souple relâchée brusquement.

La vieille femme avait revu le van trois heures après le départ de l'Ours. Malgré sa force, il n'avait pas pu porter les deux corps ensemble. Il lui avait fallu porter le premier, revenir chercher le second, le porter au même endroit, revenir... Il n'avait pas pu s'enfoncer plus d'une grosse demi-heure dans la forêt. Yeruldelgger alluma le cadran lumineux de sa montre et surveilla leur progression. Mais pendant la demi-heure qui suivit, l'homme continua de les enfoncer dans les sous-bois. Les premiers rayons obliques du soleil percèrent bientôt les frondaisons et mouchetèrent la forêt de taches de lumière. L'Ours s'arrêta à l'orée d'une petite clairière.

– C'est là ? demanda Yeruldelgger.

– C'était là, répondit l'homme.

– Passe tes pieds entre tes bras et repasse tes mains dans le dos.

L'autre s'exécuta en s'épaulant à un arbre pour ne pas trébucher.

– Maintenant allonge-toi !

– Qu'est-ce que tu vas faire ?

– Allonge-toi, sur le ventre !

L'homme s'agenouilla en surveillant le policier du coin de l'œil, mais resta à genoux sans s'allonger. Yeruldelgger le contourna et le poussa du pied pour le plaquer au sol. Puis il s'accroupit à côté en lui plantant un genou dans les reins et lia entre elles les cordes qui entravaient ses mains tendues dans le dos et ses pieds relevés. L'Ours ne pouvait pas s'enfuir. Même plus se relever. Il lâcha quelques jurons sur les générations de femmes de la lignée de ce maudit flic, le visage de côté dans la terre, et son pied sanguinolent en l'air.

– De quel côté ? demanda Yeruldelgger.

– Derrière les buissons, sur la gauche, par là-bas...

Yeruldelgger se dirigea vers les buissons et ne vit d'abord rien qu'un caillou rond dans l'humus. Il le trouva assez étrange pour vouloir l'examiner de plus près. Quand il le prit dans sa main, il sut aussitôt que ce n'était pas un caillou. C'était l'articulation d'un gros os. Un fémur peut-être. Le salaud avait raison. Les corps étaient là et il avait bien fait ça ! Le policier s'éloigna un peu plus de la clairière pour s'enfoncer sous les arbres en cherchant d'autres indices de l'horreur. Abandonnés aux bêtes, les corps avaient dû être déchiquetés et désossés par les loups, les ours ou les renards. Leurs restes devaient être éparpillés sur des centaines de mètres peut-être. Certaines bêtes en avaient probablement emporté des morceaux entiers, arrachés aux cadavres pour nourrir leurs petits, jusque dans leurs tanières... Yeruldelgger continua à chercher, partagé entre la nécessité de reconstituer les corps et l'horreur de découvrir d'autres restes. Il tomba bientôt sur un crâne que les vers et les fourmis avaient blanchi. D'autres os épars. Un carré de côtes arrachées... Il en savait assez maintenant. Il lui faudrait revenir avec des secours encadrés par quelqu'un comme Solongo pour récupérer, trier tous les ossements et tenter de reconstituer les corps du malheureux couple.

D'une certaine façon l'Ours avait raison : il avait donné à ses victimes une sépulture selon les plus anciennes traditions. Les anciens pensaient qu'en abandonnant aux bêtes le corps d'un défunt, celles-ci libéraient son âme en broyant ses os. Mais il avait violé la femme, brisé la nuque de l'homme et laissé la petite sans défense. Il méritait d'être puni pour tout ça et Yeruldelgger retourna vers la clairière, prêt à lui fracasser le crâne.

Quand il aperçut l'ourson, il se figea sur place. Un ourson de l'année, né en hiver probablement, et sorti de sa tanière depuis quelques mois à peine. Quatre tout au plus. Une boule de poils noirs bondissante et joueuse, faussement pataude, curieuse, étonnée, tournant maladroitement autour de l'homme entravé, humant son pied blessé, fouillant ses vêtements de son nez pointu, tâtant ses bras attachés de la pointe de ses jeunes griffes déjà acérées. L'homme à terre feignait d'être mort, immobile et terrorisé.

L'ourson ne pouvait pas être seul. À cet âge-là les ourses ne laissaient jamais leurs petits trop s'éloigner d'elles. Ni gambader devant. Elles ouvraient le chemin pour prévenir les dangers et eux suivaient. Où était-elle ? Par où l'ourson était-il entré dans la clairière et par où sa mère allait-elle revenir le chercher ? Yeruldelgger n'osait plus bouger. Il n'y avait pas plus furieuse qu'une ourse qui protège son petit. Deux cents kilos de fureur, des griffes mortelles comme des couteaux turcs, des crocs à briser un loup d'un coup de mâchoire.

L'ourson ne l'avait pas repéré. Il essayait toujours de pousser l'homme allongé à jouer avec lui. Il sentait la chose vivante mais ne comprenait pas qu'elle reste inerte. Il commençait à s'impatienter. L'homme à terre le comprit malgré sa terreur. Il fallait que l'animal se décourage et l'abandonne. Qu'il sorte de la clairière et s'enfonce à nouveau dans la forêt. Mais au lieu de cela, il lui fourra de nouveau son museau dans les côtes pour le pousser à bouger, renifla ses cheveux, lécha sa joue, puis se laissa tomber lourdement sur le cul à côté de lui. Il resta assis, humant l'air, à regarder tout autour de lui, étonné, déçu, puis il se remit sur ses pattes, hésita encore un moment devant le corps immobile, et fit demi-tour pour quitter la clairière en se retournant de temps en temps, comme un enfant qui regrette ce qu'il abandonne. Il allait rentrer dans les bois, quand sa mère le rappela à l'ordre au loin d'un grognement sourd et inquiet.

Les deux hommes comprirent en même temps le danger de la situation. Le grondement venait du côté de la clairière opposé à celui vers lequel se dirigeait l'ourson. Quand l'ourse surgirait, elle les trouverait entre elle et lui et les chargerait pour sauver son petit.

– Détache-moi ! hurla l'homme. Détache-moi !

Son cri ne fit qu'apeurer l'ourson. Il balançait maintenant l'avant de son corps de gauche à droite, hésitant entre fuir dans les fourrés ou traverser la clairière pour rejoindre sa mère.

Mais il lui faudrait passer devant la chose au cri étrange ! La panique le gagnait. L'ourse en colère grogna à nouveau au loin pour lui ordonner de la rejoindre. Les pattes du petit ours tremblaient. Il n'arrivait pas à se décider et se mit à glapir comme un enfant perdu dans la forêt qui chouine et sanglote.

Yeruldelgger bondit aussitôt hors de la clairière et la contourna en courant à travers bois pour revenir derrière l'ourson. Où qu'elle soit, l'ourse avait entendu la plainte de son petit en danger et elle devait déjà se ruer à son secours en fracassant les sous-bois. Yeruldelgger ne voulait pas se trouver sur son chemin quand elle déboulerait dans la clairière. Il vit soudain les taillis s'agiter comme sous une brusque tempête, et l'ourse surgit, énorme, furieuse, le poil du cou hérissé et sa gueule purpurine grande ouverte sur ses dents jaunes. Yeruldelgger bondit aussitôt dans la clairière en hurlant pour pousser l'ourson vers elle. L'homme entravé faillit mourir de peur mais resta immobile. L'ourson, apeuré, se précipita à la rencontre de sa mère et se jeta dans ses pattes. Sans s'arrêter de charger Yeruldelgger, l'ourse envoya son petit bouler à l'abri derrière elle. L'homme pétrifié n'en croyait pas ses yeux. Yeruldelgger faisait face à la bête qui le chargeait en arrachant des mottes de terre dans sa rage. Il s'était dressé sur la pointe des pieds, les bras levés, hurlant et vociférant en se dandinant d'une jambe sur l'autre pour intimider l'animal. Sa seule chance était celle qu'il jouait. Ne rien tenter, résister à l'envie de sortir son arme. Surtout ne pas tirer. Avec son arme de poing, il ne ferait que la blesser et déchaîner sa fureur.

Il fallait remettre son petit entre elle et lui, le pousser à la rejoindre, le lui renvoyer dans les pattes, la faire hésiter entre un combat incertain et la mise à l'abri de son ourson, la laisser gagner par intimidation et, pour une fois, contrairement à tous les enseignements du *Nerguii*, reculer en faisant face.

Comme il l'espérait sans oser y croire, l'ourse arrêta net sa charge furieuse à quelques mètres de lui et se dressa sur ses pattes en grondant. Quelques longues secondes, Yeruldelgger et l'animal dansèrent, debout face à face, la même danse d'intimidation. Mais quelque chose avait changé dans les grognements et les balancements de l'ourse. Elle ne chargeait plus. Ce n'était plus une attaque. Elle organisait son repli avec son petit. Elle gagnait du temps pour que l'ourson se reprenne, qu'il oublie sa peur et qu'il lui obéisse à nouveau. Une première fois elle retomba sur ses pattes et tourna la tête pour voir où et comment il était. Yeruldelgger se tassa aussitôt sur lui-même pour ne pas la provoquer. Ils se regardèrent de côté, balançant leurs corps comme des sumos qui se jaugent, puis elle grogna quelque chose à l'attention de l'ourson, qui vint se blottir entre ses pattes arrière, et elle traversa la clairière à reculons en le poussant pour l'éloigner de Yeruldelgger. À deux mètres des premiers arbres, elle lança un ultime grognement, se retourna, et disparut dans les taillis.

– Il faut partir d'ici ! supplia l'homme trempé de peur. Elle peut revenir.

– Elle *va* revenir, insista Yeruldelgger, elle a senti ton sang, ça va la rendre folle. Une fois son petit à l'abri, elle va revenir pour toi.

– Qu'est-ce que tu racontes ! paniqua l'autre sans oser crier.

– Que tu vas mourir ici déchiqueté par une ourse en furie...

– Tu ne peux pas faire ça ! Tu ne peux pas faire ça ! Tu ne peux pas me laisser ici sans défense !

– Est-ce que les gamines que tu as violées n'étaient pas sans défense elles aussi ? Est-ce que la femme que tu as tuée n'était pas sans défense ? Est-ce que tous ceux dont tu as brisé la vie n'étaient pas sans défense ?

— Je t'en supplie ! Je t'en supplie ! Ne fais pas ça ! Putain de salaud, ne fais pas ça ! Pourriture ! Ordure ! Je t'en prie, par pitié !

— Par pitié ? Je n'ai plus de pitié. Il me reste encore un peu de colère, mais je n'ai plus de pitié. Des gens comme toi ont épuisé mon stock !

Yeruldelgger quitta la clairière par le côté opposé à celui qu'avaient pris la mère et son petit. Il entendait encore la femelle grommeler sourdement plus loin dans les feuillages. Elle ne s'éloignait pas vraiment. Elle maraudait à bonne distance, appâtée par l'homme blessé.

Il fallait qu'il s'éloigne au plus vite, sans bruit ni agitation, en évitant de couper sa route. Il se mit en marche, attentif au moindre bruit, pour rejoindre le campement. Tous les dix mètres, il brisa une branche sans la casser entièrement. Solongo et son équipe auraient besoin d'indices pour retrouver la clairière. Il se souvint d'un conte qu'il avait lu à l'Alliance française dans lequel un gamin, pour retrouver son chemin, semait du pain que les oiseaux mangeaient aussitôt. Il sourit en pensant à une histoire plus sanglante dans laquelle les secours retrouveraient le chemin grâce au pain, mais pas l'ogre, dévoré entre-temps par une ourse...

# 72

*Depuis longtemps déjà,*
*trop longtemps...*

Yeruldelgger regagna le campement en début de matinée. Sa
voiture descendit la prairie en cahotant jusqu'à l'étang puis vira
pour remonter la colline. Quand il aperçut les femmes attablées
sur la véranda du premier chalet, il s'arrêta et continua à pied
pour les rejoindre. Elles regardèrent sa silhouette massive
remonter jusqu'à elles d'un pas lourd. Colette avait rejoint les
trois cuisinières. Elles avaient dressé dehors une belle table
simple pour le petit déjeuner. Un panier de pain juste cuit, à
la mie bien jaune, coupé en tranches grosses comme la main.
Deux gros pots de confiture de myrtilles presque noires et bien
prises dans le sucre. Un saladier de crème épaisse de lait de
yack battu du matin où la cuillère en bois tenait fichée bien
droit. Une bouilloire de thé au beurre salé et fumant. Yeruldelgger gravit en silence les quelques marches de la véranda
et s'assit à la table. Une des jeunes cuisinières poussa aussitôt
vers lui le panier de pain pendant que la vieille se levait pour
lui servir le thé. Il se brûla les lèvres avec délice à mille souvenirs d'enfance. Quand il reposa sa tasse, la vieille posa une
main sur la sienne.

– Ça va ? demanda-t-elle comme si sa présence répondait déjà
à la question.

– Ça va…, répondit-il en se tournant vers elle, j'ai fait ce que tu voulais. Maintenant tu peux faire ce que tu veux de ta vie.

– Est-ce qu'il a beaucoup souffert ?

– Il souffre peut-être encore…

– Il n'est pas mort ? s'affola-t-elle.

– Rassure-toi, s'il ne l'est pas encore, il doit prier pour l'être. N'en parlons plus s'il te plaît. Tu es libre maintenant et cet endroit est à toi. Fais-en quelque chose de beau pour effacer tous ces malheurs. Et prie pour mon âme et pour ce que j'ai fait pour toi.

– Écoute, je veux…

– Prie pour mon âme, grand-mère, et c'est tout.

Ils petit-déjeunèrent sans un mot. Les femmes du campement caressaient du regard le paysage, comme on passe la langue doucement sur le trou qu'a laissé une dent arrachée qui faisait souffrir. Une douleur bat encore, mais ce n'est déjà plus la même. C'est une douleur dont on sait qu'elle va s'estomper puis disparaître. Une douleur quand même, mais une douleur de guérison.

Un peu plus tard, Yeruldelgger remonta vers sa yourte. Les Coréens étaient partis. Il ne restait plus de leur passage qu'un large trou de braises sous la cendre. Les femmes avaient dû mettre un point d'honneur à ramasser et jeter tous les cadavres de bouteilles et autres traces de leur passage. Il entra dans la yourte sans un regard pour Adolf toujours pieds et poings liés. Il trouva la pile de passeports sur un petit meuble et ressortit les jeter dans les braises.

– Tu as le droit de faire ça ? demanda Colette qui l'avait suivi.

– Non, répondit Yeruldelgger. J'ai juste envie de leur compliquer un peu la vie. À eux et à leur ambassade. Pour que tout ce merdier se sache et s'ébruite.

Puis il passa plusieurs coups de téléphone. Un pour demander à Solongo de venir avec une équipe recueillir les restes des parents de la gamine. Un autre à Billy pour lui rappeler de s'occuper du frère de l'Ours et lui demander d'accompagner Solongo. Tous les autres appels, il les passa pour essayer de savoir où était passée Saraa, comme il le faisait chaque fois qu'il le pouvait depuis qu'il était à nouveau sans nouvelles.

Il passa le reste de la journée silencieux, à profiter du camp. À regarder cuisiner les femmes reconnaissantes, à descendre jusqu'à l'étang rider de longs ricochets l'onde moirée, à pousser jusqu'à la rivière voir les truites vagabondes se tendre soudain et filer comme un trait d'argent. À regarder tout ce paysage, l'herbage en pente, la forêt, et se rendre compte soudain qu'il se retrouvait dans le paysage de son cauchemar. Il avait du mal à croire que tout se dénouait ainsi, comme il l'avait inconsciemment imaginé. La gamine seule parce qu'une brute avait violé sa mère et tué son père sans autre raison que de satisfaire sa force. Le Coréen égocentrique et plein de fric qui tue la gamine sans le faire exprès dans un accident. Un flic ambitieux et pourri qui fait des ménages et envoie un imbécile enterrer la gosse le plus loin possible. Et comme par hasard, ce même imbécile manipulé par un autre ripou qui participe au meurtre des trois Chinois...

Yeruldelgger avait pratiquement le schéma de l'accident et des deux séries de crimes. Il avait mis au jour l'articulation entre toutes ces horreurs. Un des flics pourris était mort, l'autre derrière les barreaux, il avait l'imbécile ligoté dans sa yourte et il s'était occupé du tueur des parents de la gamine. De son cauchemar il avait identifié les cerfs, les loups, les carpes, l'ours, il ne lui restait plus qu'à mettre la main sur le berger. Celui qui avait fait que deux ripoux étaient mêlés aux deux affaires. Celui qui avait fait que l'imbécile était impliqué dans les deux crimes. Celui qui, au-delà des deux affaires, avait cherché à tuer sa fille pour l'éloigner de l'enquête comme il l'avait déjà fait cinq ans plus tôt. Celui à qui Oyun devait d'avoir reçu une balle en plein cœur.

Un homme qui dealait avec les Coréens et traitait avec les Chinois, qui corrompait les flics et manipulait les groupuscules nationalistes. Un homme qui connaissait son amour fou pour Kushi et Saraa. Bien sûr que Yeruldelgger savait qui était le berger de son cauchemar ! Son inconscient le savait depuis le début, et il avait fallu tant d'horreurs, tant de malheurs pour que son esprit l'admette enfin !

– Un Tugrik pour tes rêves ! dit Solongo.

Yeruldelgger était allongé dans l'herbe, sur le dos, le regard perdu dans les nuages. Il tourna la tête et l'aperçut à deux mètres de lui. Elle le regardait, debout contre le ciel immense, et il sentit comme un coup au cœur de savoir que depuis peu il s'autorisait à l'aimer. Il se dit aussi qu'elle méritait de l'être et gonfla sa poitrine de l'air infini de son grand pays avant de lui répondre en soupirant profondément.

– Je ne rêve pas !

– Je sais, dit-elle en s'asseyant dans l'herbe près de lui, tu donnes des noms aux nuages !

– Je ne sais pas ce qui me retient d'arracher ce que tu portes et de te rouler nue dans l'herbe avec moi jusqu'à l'étang pour te faire l'amour dans l'eau froide.

– Peut-être le fait qu'une douzaine de flics nous regardent de là-haut en attendant que tu donnes tes ordres !

Yeruldelgger renversa la tête en arrière pour apercevoir une douzaine de flics suspendus par les pieds à un ciel en herbe verte au-dessus d'un néant bleu. Il lâcha un juron, se redressa pour s'asseoir, froissa son visage fatigué dans ses larges paumes, et accepta la main que lui tendait Solongo pour l'aider à se relever.

– Alors, il paraît que tu partages ta yourte avec une colocataire ? demanda-t-elle en remontant vers le campement.

– Non, on a fait ça façon bivouac sauvage, moitié dans la voiture, moitié à la belle étoile.

– De toute façon, après la nuit qui t'attend, tu n'auras plus besoin de colocataire, même professionnelle !

– Attends, c'est une chic fille. Je l'ai mise au vert parce qu'elle m'a donné Chuluum et que je voulais la protéger.

– Je sais, je plaisantais. Comment s'appelle-t-elle ?

– Elle s'appelle... elle se fait appeler Colette, mais je ne sais pas comment elle s'appelle vraiment en fait !

– Yeruldelgger, soit tu es un véritable mufle avec elle, soit tu es un adorable menteur avec moi ! Tu ne sais vraiment pas comment elle s'appelle ?

– J'ai dû voir son nom dans le dossier, mais je l'ai oublié et je ne le lui ai pas redemandé. Je pense surtout que je suis un homme fatigué.

– Ça tombe bien : toutes ces affaires sont terminées, non ? Quelques petites pièces du puzzle par-ci, par-là, mais tu peux laisser Billy et sa nouvelle équipe s'occuper de ça à présent, tu ne crois pas ?

– Non, pas encore. Il me faut Erdenbat, et personne d'autre que moi ne peut y aller.

– Erdenbat ? La dernière fois que tu es allé l'arrêter, un flic ripou a failli t'exécuter d'une balle dans la nuque !

– Oui, mais les choses ont changé. Depuis j'ai appris qu'il était directement responsable de la mort de Kushi et de la tentative contre Saraa.

– Je te crois, mais ça ne change rien aux dangers que tu cours si tu vas l'arrêter !

– Ce qui change, Solongo, c'est que cette fois je n'y vais pas pour l'arrêter...

Ils continuèrent en silence jusqu'au campement. Comme ils se dirigeaient vers la yourte, Yeruldelgger vit Colette en sortir avec ses quelques affaires.

– Où vas-tu ? demanda-t-il étonné, en regardant moins la femme que Solongo qui haussa les épaules et les sourcils pour lui signifier qu'elle n'y était pour rien.

– Grand-mère m'a donné le chalet près de l'étang pour quelques jours, répondit-elle. Ça sera plus intime pour vous !

– Ça se voit tant que ça ? s'étonna Yeruldelgger.

– Quoi ?

– Que nous sommes ensemble ?

– Ça se voyait déjà même quand elle n'était pas là ! répondit Colette en lui souriant tendrement. Au fait, même si ça ne t'intéresse pas trop, mon vrai nom c'est Altantsetseg. Enfin, dans la vraie vie, parce qu'au boulot tu sais déjà que c'est Colette, à la française.

– Fleur Dorée ? Ça te va bien !

– Tu parles un peu français, m'a dit Chuluum un soir de confidences. Tu sais peut-être ce que Colette veut dire en français ?

– Non, expliqua Yeruldelgger. Là-bas leurs prénoms n'ont pas de sens.

– C'est impossible, insista Altantsetseg déçue, ça doit bien vouloir dire quelque chose !

– Ah si, tu as raison, se ravisa-t-il en se souvenant d'un titre de roman sur les étagères de l'Alliance française. En fait ça veut dire Blé en Herbe.

Le fier bonheur qui illumina le visage de la jeune femme le poussa à se pardonner son petit mensonge.

L'après-midi touchait à sa fin. Yeruldelgger réunit Solongo et Billy dans sa yourte pour faire le point. Il leur parla de sa macabre découverte dans la forêt et de la façon dont le meurtre des parents de la gamine s'articulait avec les deux affaires. Ils avaient maintenant la filière complète du van, le lieu du viol et du meurtre, le transport jusqu'à la forêt, le frère complice et garagiste qui désosse les aménagements et descend vendre le van à Oulan-Bator, le

Kazakh qui l'achète, le revend à Khüan, qui le revend au Ferrailleur d'Altanbulag. Ils avaient aussi les preuves matérielles récupérées chez le frère de l'Ours et les preuves génétiques récupérées sur la carrosserie qui avait échappé à l'incendie chez le Ferrailleur.

Côté meurtre de la gamine, ils avaient le témoignage de Chuluum contre Mickey, les photos de Mickey avec Park Kim Lee, les preuves matérielles du lien entre le quad impliqué et le Coréen et, ficelé dans un coin, ils avaient le fameux Adolf qui avait enterré vivante la pauvre gamine en la croyant morte et qui pourrait bien les aider à faire le lien avec Erdenbat.

Côté massacre des Chinois enfin, ils avaient l'identité et la profession des victimes, ils avaient encore Adolf et sa bande de nazillons qui finiraient par avouer leur participation à cette mascarade de crime raciste et sexuel. Il leur manquait le lien direct avec Chuluum, mais aucun ne doutait qu'il était l'organisateur de ce massacre, et très probablement la gâchette professionnelle qui avait abattu les Chinois avant de les laisser à l'hystérie haineuse de la bande à Adolf. Les confidences de Colette n'étaient pas assez précises pour établir ce lien, mais sûrement assez fiables déjà pour commencer à le tisser. De toute façon, même si le vrai visage de Mickey n'allait pas tarder à s'afficher au fil de l'enquête, Chuluum restait un flic tueur de flic entre les mains des flics, et il allait parler.

Yeruldelgger résuma aussi ce qu'il avait appris des liens de la tentative de meurtre contre Saraa et du meurtre de Kushi cinq ans plus tôt avec les deux affaires. Et bien entendu du rôle d'Erdenbat qu'un faisceau d'indices impliquait comme le *deus ex machina* de tout ça, sans pourtant qu'ils puissent retenir de preuve matérielle directe contre lui.

— Solongo, tu as apporté cette perle dont tu m'as parlé ?

— Elle est là, répondit-elle en sortant de sa poche un petit sachet plastique scellé qu'elle tend à Yeruldelgger.

Il le prit entre ses doigts et le leva à hauteur de ses yeux pour mieux l'examiner. La perle était parfaite et la couleur d'une profondeur et d'une densité remarquables.

— C'est quoi déjà ?

— Du néodyme. Une terre rare...

— Du néodyme, murmura Yeruldelgger en fixant la perle. Je la garde !

Il empocha le petit sachet scellé et passa à autre chose sans que Solongo ni Billy n'osent lui rappeler qu'il s'agissait d'une pièce à conviction dans le meurtre de Kushi.

— Il est trop tard pour s'aventurer dans la forêt et collecter les ossements. Il ne faudra pas y aller trop tôt demain matin non plus. C'est l'heure préférée des ours. Je vous recommande d'y aller en fin de matinée, de faire une battue bruyante et de vous faire accompagner par un ou deux chasseurs du coin. Tout le monde doit être plus ou moins braconnier par ici. À partir de l'orée de la forêt, le chemin est marqué par une branche à moitié cassée tous les vingt pas environ. Par contre je vous préviens : les ours risquent d'avoir été rendus un peu nerveux par leur dernier repas. À l'heure qu'il est, ils ont déjà dû dévorer la moitié de l'homme qui avait violé et tué les parents de la gamine. Ce qu'il restera de lui ne sera sans doute pas beau à voir.

Il les regarda tour à tour droit dans les yeux pour ne pas laisser la moindre équivoque dans ce qu'il venait de sous-entendre.

— Billy, je te laisse gérer toute la partie judiciaire et policière. Solongo, tu gères la partie scientifique. Vous avez fait du bon boulot ensemble, continuez, on est presque au bout. Demain de bonne heure, je partirai pour le Terelj. Il est temps pour Erdenbat de payer pour Kushi.

— Ah, justement, à propos d'Erdenbat, coupa Billy, j'avais mis pas mal d'indics pour essayer de localiser Saraa. Deux d'entre eux disent qu'elle est avec lui...

– Au ranch ?

– Ils n'ont pas précisé. Ils ont dit « avec Erdenbat ».

– Raison de plus pour que j'y aille, alors.

– Tu veux quelqu'un en renfort ?

– Non. C'est entre lui et moi. Depuis longtemps déjà, trop longtemps...

# 73

*Maintenant il avait un plan.*

Yeruldelgger partit aux premières lueurs de l'aube. Chacun avait tenu à être debout pour son départ. Les trois cuisinières, Colette, Solongo, et même Billy, la tête tout ébouriffée de sommeil, qui sortit du chalet de Colette. Yeruldelgger but en silence avec eux le thé brûlant préparé par la vieille, qui lui glissa quelques gâteaux aigres de lait séché dans la poche. Quand il démarra, la vitre baissée pour leur dire au revoir, il aperçut avec bonheur la grand-mère qui tendait à Solongo la coupelle de lait traditionnelle. Elle y trempa deux doigts et jeta quelques gouttes aux quatre points cardinaux pour que les esprits protègent sa route. La voiture cahota jusqu'à rejoindre la piste, puis se glissa dans les rails de deux longues ornières et descendit en prenant de la vitesse jusqu'au premier virage dans la forêt.

Il roula trois bonnes heures en s'efforçant de ne pas trop penser à ce que pouvait faire Saraa chez Erdenbat, mais lorsqu'il arriva dans les environs du ranch, il n'avait pas de plan précis sur la façon d'affronter le Turc. Il avait une arme dans la poche de son manteau, l'autre glissée dans son dos, entre sa ceinture et ses reins. Il connaissait tous les chemins et toutes les pistes de la région et choisit celle qui contournait la propriété par l'ouest à travers les collines parce qu'elle offrait une meilleure vue sur l'ensemble des bâtiments et des yourtes.

Comme il engageait sa voiture au pas dans un passage difficile, il fut ébloui le temps d'une seconde par un éclat de lumière. Il s'arrêta et chercha des yeux ce qui avait pu renvoyer ce reflet, sans rien apercevoir de particulier. Il recula alors très doucement par le même chemin jusqu'à croiser à nouveau le rayon lumineux. Cette fois il repéra l'endroit, à travers les troncs de mélèzes qui dentelaient une crête à trois cents mètres de l'autre côté d'un petit val. Dès qu'il sortit de l'axe du rayon, l'éclat de lumière disparut et il ne parvint pas à deviner ce qui pouvait le provoquer. Il connaissait cette crête. Une piste abandonnée y menait, où peu de véhicules pouvaient se risquer. Il y fallait un vrai tout-terrain. Il eut soudain l'intuition que cette présence n'était ni anodine ni rassurante. Il abandonna sa voiture au milieu de la piste et se dirigea à pied, à travers les herbages, jusqu'à l'orée des bois. Puis il triangula un repérage de fortune à partir d'un rocher, d'un arbre brisé dans son dos et du point à atteindre devant lui, et il se lança à l'assaut de la colline dans l'ombre des arbres.

Vingt minutes plus tard, il atteignait la ligne de crête une dizaine de mètres au-dessus du point qu'il avait visé. Il repéra aussitôt la jeep chinoise garée sous les mélèzes. Son rétroviseur avait accroché un rayon encore bas du soleil matinal. C'est ce qui l'avait aveuglé une fraction de seconde quand il conduisait. Il devina bientôt qu'un homme parlait à voix basse, de l'autre côté de la jeep, et il se déplaça avec précaution pour l'apercevoir. L'homme semblait se parler à lui-même tout en scrutant le pay-sage qui surplombait le ranch à travers des jumelles. Puis Yerul-delgger aperçut le fil de son oreillette et réalisa qu'il parlait à quelqu'un dans un micro. Surveillance ou commando, en déduisit-il. Mais pour ou contre Erdenbat ? Il se concentra sur ce que disait l'homme et comprit qu'il parlait en chinois. Après le massacre qu'Erdenbat était soupçonné d'avoir commandité dans la fabrique, il en déduisit avec intérêt qu'il pouvait s'agir d'une opération de représailles.

Il tira son arme de sa poche et se faufila jusqu'à l'arrière de la jeep. L'homme était trop sûr de son isolement et trop concentré sur sa surveillance pour l'entendre approcher. Il se glissa jusqu'à lui, et dans le même geste attrapa le micro dans sa main gauche et de la droite lui pointa son arme sur la tempe. Quand il le retourna pour le plaquer contre la jeep, il reconnut l'homme qui lui avait cherché des poux le soir de la découverte des corps mutilés à l'usine. Celui qui lui avait joué la comédie du diplomate offensé dans le bureau de Mickey et avait réclamé des sanctions contre lui. Celui, surtout, qui avait été identifié comme membre du dixième ou dix-septième bureau de la Sécurité chinoise. Lui qu'on avait cru puni en camp de rééducation était revenu réparer les dégâts de son fiasco, aidé d'une toute petite unité. Un homme aux commandes et probablement pas plus de deux ou trois tueurs sur le terrain. Cet homme-là était venu pour nettoyer, pas pour négocier. Yeruldelgger décida d'en profiter et débrancha son micro.

Maintenant il avait un plan.

# 74

*Moi aussi, mon ange,*
*bien sûr que moi aussi !*

Yeruldelgger rejoignit sa voiture, fit un demi-tour périlleux au bord du déséquilibre, puis descendit jusqu'à rejoindre la route principale. Il prit l'allée rectiligne qui menait au ranch à travers les herbages pour être certain qu'on le verrait arriver de loin. Il se gara au plus près du vaste deck, gravit tranquillement les quelques marches, et se dirigea vers une des grandes baies vitrées pour pénétrer dans le ranch. Il traversa le hall, la salle de billard, la bibliothèque à l'anglaise, et entra dans le bureau d'Erdenbat qui l'attendait, debout derrière sa table de travail.

– Ça ne manque pas de panache, reconnut le vieil homme.

– Quoi donc ? fit semblant de s'étonner Yeruldelgger.

– De te voir arriver ici, tout seul, sans renfort. Ça te ressemble bien !

– Je suis venu t'arrêter.

– Tu sais bien que je ne te laisserai pas faire ! répondit Erdenbat comme une évidence.

– Alors je te tuerai ! en conclut Yeruldelgger.

– Tu sais bien que ça non plus, tu ne le feras pas !

– Je crois que tu n'as pas compris ce qui s'est passé ces derniers jours, dit le policier en sortant son arme pour la pointer sur le vieil homme. Mickey est mort, Chuluum est en taule, Adolf est arrêté et j'ai tué le Tatoué. Et tous les indices qui relient les quatre affaires remontent jusqu'à toi.

— Les quatre affaires ? s'étonna calmement Erdenbat.

— Oui, la mort de la gamine dans l'accident avec le Coréen que tu protèges, le viol et la mort de ses parents sur lesquels Mickey n'a pas enquêté pour ne pas ébruiter l'affaire de l'accident, et le massacre des Chinois pour lequel Chuluum et Adolf sont passés à table.

Yeruldelgger devina ce qui allait suivre au regard satisfait que l'autre posa derrière lui.

— Lâche ton arme ! dit la voix rageuse de Saraa dans son dos.

— Ah, Saraa, répondit Yeruldelgger sans panique, je m'attendais à ce que tu sois là...

— Lâche ton arme !

— N'y compte pas une seule seconde, fit-il sans quitter le vieil homme des yeux. Je suis venu arrêter Erdenbat ou le tuer s'il résiste.

— Le tuer, hein ? Encore tuer ? vociféra Saraa dans son dos. Tu veux le détruire lui aussi ? Tu ne t'arrêteras donc jamais ? Tu oublies la liste de ceux que tu as détruits déjà ? Kushi, maman, moi, et Oyun maintenant, Gantulga peut-être !

— Je n'ai tué aucune de ces personnes, répondit son père en gardant tout son calme. Lui l'a fait.

— Tu mens ! C'est mon grand-père, c'est la seule famille qu'il me reste. Il ne m'a jamais fait aucun mal, il a toujours été là pour moi et maintenant il va s'occuper de moi à ta place !

— Ah oui ? Te jeter dans les bras d'Adolf, te saouler pour te brûler vive à petit feu, c'est comme ça qu'il s'est occupé de toi ?

— Qu'est-ce que tu racontes comme mensonges encore ! Tu mens !

— Il l'a fait, Saraa. Adolf t'a séduite sur commande, pour qu'Erdenbat puisse te manipuler !

– Me manipuler ? Moi ? Tu es encore plus parano que je ne le pensais ! Je ne suis rien grâce à toi, tu t'en souviens ? Je ne suis qu'une paumée, une junkie larguée dans la nature par son père, alors dis-moi pourquoi Erdenbat aurait besoin de manipuler une merde comme moi !

– Il te manipule pour faire pression sur moi. Pour me forcer à abandonner une enquête !

– Putain j'y crois pas ! siffla la jeune fille entre ses dents en agitant l'arme à bout de bras. Alors, même ça, tu le ramènes à toi ! C'est moi qu'on torture et qu'on défigure et c'est à toi qu'on fait du mal ! Tu te rends compte de ce que tu dis ? Tu ne penses qu'à toi, toujours à toi ! Le mal, c'est toi qui le fais, à tout le monde autour de toi. Lâche ton arme.

– Saraa, je ne lâcherai pas mon arme.

– Je te jure que je vais te tuer si tu ne lâches pas cette arme !

– Non, tu ne me tueras pas...

– Je vais tirer, je te le jure !

– Oui, tu vas tirer, Saraa, mais tu ne me tueras pas !

– Mais pour qui tu te prends ! Erdenbat a raison, tu es complè-tement fou. Tu crois vraiment que je ne vais pas oser tirer après tout ce que tu as fait à ceux que j'aime ? Après avoir fait semblant de t'occuper de moi pour disparaître à nouveau et causer la mort d'Oyun ? Qu'est-ce qui peut encore te donner l'arrogance de croire que je ne te tuerai pas ?

Yeruldelgger ne quittait toujours pas des yeux Erdenbat qui suivait leur dialogue d'un air satisfait. Dans son dos il sentait cependant Saraa de plus en plus nerveuse et de plus en plus près, l'arme pointée entre ses omoplates. Il changea de ton pour devenir plus directif.

– Réponds juste à cette question avant de tirer, Saraa : qui t'a donné cette arme ?

– Erdenbat ! répondit-elle, surprise par la question.

– Dis-moi, quand te l'a-t-il donnée ?

– Quand il t'a vu arriver. Il savait que tu venais pour le tuer. Il me l'a donnée pour que je puisse me défendre moi aussi de ta parano meurtrière.

– Sauf qu'il t'a trompée, Saraa.

– Trompée ? Ah oui ? Et sur quoi ? Pas sur toi apparemment, parce que c'est bien toi qui le menaces d'une arme en ce moment !

Yeruldelgger devina dans la voix de sa fille le léger désarroi qu'il attendait. Il banda tous ses muscles en souplesse, maîtrisa sa respiration, bascula son poids sur sa bonne jambe d'appui et répondit :

– Il t'a trompée parce que cette arme n'est pas chargée.

– Quoi ?

– Cette arme n'est pas chargée, Saraa...

Elle n'avait que deux réflexes possibles. Appuyer sur la détente pour prouver que l'arme n'était pas vide, mais il faudrait qu'elle soit déjà résolue à tuer. C'était une chose de le dire, mais bien plus difficile de le faire. Et si ce n'était juste qu'une colère aveugle qui la rendait furieuse, elle aurait déjà tiré sans chercher à palabrer. L'autre réflexe, c'était de regarder l'arme, surprise, pour essayer d'y trouver une réponse à ce que venait de dire son père. Dans les deux cas, une personne comme Saraa, inexpérimentée et sous le coup de l'émotion, allait se déconcentrer une ou deux secondes.

Il n'en fallut qu'une à Yeruldelgger pour pivoter sur lui-même, se saisir de l'arme, envoyer bouler sa fille au sol trois mètres plus loin, et refaire face à Erdenbat qui entre-temps avait sorti une arme à son tour. Maintenant le policier tenait en respect de sa main droite le vieil homme qui le tenait en joue, et de la main gauche Saraa à terre avec l'arme qu'il venait de lui arracher.

– Je le connais trop bien, dit-il en s'adressant à Saraa. Regarde…

Sans lâcher Erdenbat des yeux, il tendit son bras gauche en direction de la jeune fille et appuya trois fois de suite sur la détente. Saraa hurla et se recroquevilla en cachant sa tête dans ses bras malgré le cliquetis du percuteur qui claquait à vide.

– Tu m'as tiré dessus ! hurla-t-elle. Tu m'as tiré dessus ! Tu pouvais me tuer ! Elle pouvait être chargée ! Tu n'es qu'un fou dangereux, un fou assassin !

– Je ne pouvais pas te tuer, Saraa, parce que l'arme était vide, tu vois ? dit-il en pressant une dernière fois la détente sans provoquer la moindre détonation. Je connais trop bien cet homme pervers, Saraa. Ce qu'il voulait, c'est que tu me tires dessus. Il voulait juste le geste, pour que le souvenir nous poursuive toute notre vie, toi et moi, et nous détruise lentement. Au pire, il espérait peut-être que par réflexe je te tire dessus. Que tu sois blessée ou morte, ton souvenir m'aurait alors hanté jusqu'à ma mort…

– Encore toi, hein ? Toujours toi ! Moi je serais morte, et c'est encore toi qui souffrirais ? Même si ce que tu dis est vrai, on sait tous ce que tu lui as fait pour qu'il t'en veuille autant. Tu as laissé mourir sa petite-fille et tu as rendu folle sa fille. Ma petite sœur et ma mère. Si ce que tu dis est vrai, ça n'a aucune importance. Je le comprends. Moi aussi je me vengerais d'un homme comme toi !

– Alors ce n'est pas compliqué, répondit calmement Yeruldelgger. Dans mon dos, dans ma ceinture, il y a une autre arme. Celle-ci est chargée, tu peux me croire. Prends-la et tue-moi. Si tu crois vraiment que j'ai fait ce que tu dis, alors prends cette arme et tue-moi !

Saraa, terrorisée par ce qu'elle venait de vivre, se releva doucement et s'approcha de son père dans son dos. Sans cesser de tenir Erdenbat en respect, il écarta son vêtement d'une main pour qu'elle voie l'arme et s'en saisisse.

— Voilà, maintenant tu vas vraiment pouvoir te venger de moi si c'est ce que tu veux. Mais accorde-moi le temps de t'expliquer deux ou trois choses.

— Si tu baisses ton arme ! répondit-elle en reprenant un peu d'assurance.

— Si je baisse mon arme, il nous tuera tous les deux pour les raisons que je veux t'expliquer justement.

— Ne l'écoute pas, Saraa, dit alors le vieil homme. Il va chercher à me mettre sur le dos des choses que je n'ai pas faites pour trouver un prétexte pour me tuer, et je ne le laisserai pas faire.

— Si, il peut parler, puisqu'il va mourir pour ce qu'il a fait !

— Erdenbat est vraiment coupable de ce que j'ai dit. La gamine enterrée vivante, les trois Chinois, Oyun, il est derrière tout ça et il y a des preuves matérielles dans tous ces dossiers.

— Il n'y a aucune preuve matérielle contre moi, Saraa.

— Il y a des preuves matérielles contre des hommes dont le point commun est qu'ils travaillent tous pour lui. Adolf, Mickey, Chuluum, le Tatoué…

— Ce ne sont pas des preuves contre moi ! répéta Erdenbat, sûr de lui.

— Elles le deviendront maintenant que les flics à sa solde ne pourriront plus les enquêtes. Mais de tout ça, Saraa, je m'en fous complètement à présent. Seule la dernière affaire m'intéresse…

— Ah oui, j'oubliais, fanfaronna le vieil homme, il y a une quatrième affaire ! Une affaire qui va me porter malheur je suppose !

— Pourquoi tu ne tires pas les billes pour le savoir ?

— Les billes ? s'étonna Erdenbat surpris. Qu'est-ce que ça vient faire là-dedans ? Je croyais que tu n'étais pas superstitieux, contrairement à moi !

– Saraa, je vais bouger, mais ne tire pas encore et laisse-moi te montrer quelque chose...

Yeruldelgger se déplaça sur sa gauche pour forcer Erdenbat à le suivre de son arme. Il s'approcha du bureau, saisit le jeu divinatoire qui s'y trouvait, et le montra de loin à Saraa. C'était une sorte de bol en bois précieux très aplati dont le rebord était ourlé vers l'intérieur. Saraa devina une toupie dans le bol et entendit des choses légères, comme des petites billes, qui s'entrechoquaient.

– C'est une version sud-américaine du jeu de dés, expliqua Yeruldelgger. Tu lances la toupie et elle projette les petites billes que les rebords ramènent à l'intérieur du bol. Une sorte de roulette sauvage. Dans le bol sont percés huit petits trous du même diamètre que les billes, avec une valeur gravée sous chaque trou. Après chaque lancer on additionne les valeurs des trous où se sont enchâssées les billes... Mais celui-là est différent. Il a été adapté à la sauce coréenne. À la place des valeurs sont gravés les quatre symboles du drapeau coréen : Kun, le ciel, Kon, la terre, Kam, l'eau, Yi, le feu. Quand tu lances les billes, en fonction des symboles qu'elles déterminent, tu évalues ta chance. Le problème, vois-tu, c'est que dans le jeu sud-américain, peu importe le nombre de billes puisqu'on ne compte que des points. Pour la divination coréenne, par contre, il faut toujours un nombre impair de billes pour que l'interprétation se fasse sur le rapport d'au moins deux éléments différents. Tu vois combien de billes dans ce jeu, Saraa ?

Yeruldelgger savait qu'il avait commencé à capter son attention. À l'écarter de sa colère. À la forcer à revenir vers des raisonnements. Il sut qu'il avait une chance de la sauver quand elle se pencha pour compter les billes au lieu de refuser de répondre.

– J'en vois deux, répondit-elle, une verte et une rose.

– Oui, une verte et une rose, et il manque donc la troisième, la pourpre, c'est-à-dire celle-là ! confirma-t-il en sortant de sa poche le petit sachet qui contenait la perle trouvée par Solongo.

– Qu'est-ce que c'est que cette histoire de perle et de jeu ! se moqua le vieil homme, suffisamment inquiet pour braquer soudain son arme sur Saraa.

– Qu'est-ce que tu fais, grand-père ? Pourquoi tu braques ton arme sur moi ? demanda la jeune fille, perdue.

– Pour faire ce qu'il a toujours fait, Saraa, répondit Yeruldelgger à sa place. Pour essayer de m'atteindre en s'en prenant à ceux que j'aime.

– Grand-père…, supplia-t-elle.

– Saraa, cette petite bille est la preuve que ton grand-père a tué ta petite sœur, déclara Yeruldelgger en gardant son arme braquée sur Erdenbat.

– Foutaises ! nia celui-ci. Cette perle peut venir de n'importe où, même d'un collier de pacotille.

– Non, Erdenbat. Cette petite perle est un cristal pur coloré par un métal extrêmement rare, expliqua Yeruldelgger. Du néodyme. Les deux autres doivent être du cristal coloré au praséodyme et à l'erbium. Tous les trois des terres rares. Ça te dit quelque chose ?

– C'est un cadeau d'un ami coréen…, commença l'autre, un peu déstabilisé.

– On s'en fout ! coupa Yeruldelgger. L'essentiel c'est que ça établit sans l'ombre d'un doute que cette bille vient d'ici, de chez toi.

– Oui, elle vient peut-être de ce jeu, et alors ? provoqua Erdenbat en maîtrisant son inquiétude.

– Et alors, en réexaminant tous les indices matériels dans le dossier de la mort de Kushi, en reprenant tout à zéro, on a trouvé cette perle incrustée dans la semelle d'une de ses petites sandales.

– La belle affaire ! Kushi venait très souvent au ranch. Elle peut avoir marché dessus n'importe quand !

– Sauf que les sandales étaient neuves, Erdenbat. Les sandales étaient toutes neuves. Uyunga, ta propre fille, ma femme, la maman de Kushi et Saraa, lui avait offert ces petites sandales le matin même de son enlèvement. Tu t'en souviens, Saraa ? Tu étais là quand on les lui avait offertes, pour qu'elle soit belle pour aller voir son grand-père...

– Je m'en souviens, murmura Saraa, terrifiée par l'arme que le vieil homme gardait braquée sur elle.

– Ça ne prouve rien ! s'énerva-t-il. Elle a très bien pu...

– Marcher dessus ce jour-là ? continua pour lui Yeruldelgger. Impossible. C'est toi qui nous as prévenus qu'elle n'était jamais arrivée jusqu'au ranch. Si Kushi avait cette bille de néodyme dans la semelle de sa sandale, c'est qu'elle était au ranch après son enlèvement. En d'autres termes, c'est la preuve que tu l'as enlevée. Et que tu l'as tuée par la suite.

– Grand-père..., supplia à nouveau Saraa, des larmes plein les yeux.

Yeruldelgger devina qu'Erdenbat allait tirer parti du trouble qui brouillait la vue de la jeune fille. Son coup de feu claqua au moment même où l'autre pressait sur la détente. Sa balle fracassa la main du vieil homme, déviant son tir loin de Saraa et projetant son arme à l'autre bout de la pièce. Saraa pressa la détente par réflexe en hurlant de peur. Le recul la surprit et son projectile pulvérisa la vitrine de la bibliothèque derrière Erdenbat. Yeruldelgger entendit des pas se diriger vers le bureau en courant. Il cueillit le garde du corps dès qu'il franchit la porte. Il lui désarticula le genou d'un coup de pied, et comme l'autre tentait de se relever, il lui déboîta l'épaule d'un coup de genou. L'ancien lutteur roula à terre en hurlant de douleur. D'autres personnes arrivèrent à la rescousse dans le bureau, mais Yerul-

delgger les paniqua en les pressant de se sauver pour échapper
à la fusillade.

Il remit Erdenbat en joue et releva d'une main Saraa qui s'était
effondrée à genoux sous le coup de la peur et de l'émotion.

– Ne t'en fais pas, mon ange, je suis là, ne t'en fais pas.

Elle s'accrocha à lui comme une petite fille effrayée et se blot-
tit dans son dos. Il ordonna alors au vieil homme de s'asseoir à
son bureau et de laisser ses mains sur la table.

– Dis-moi juste pourquoi, demanda Yeruldelgger.

– Quoi ? Tu n'as donc rien compris ? Ce pays m'a tellement
pris qu'il me doit tout ! J'ai passé toute ma jeunesse dans des
camps, en prison, j'ai été déporté dans des enfers auprès desquels
les goulags russes ressemblent à des camps de vacances. On a
tout brisé dans ma vie, ma famille, ma jeunesse. On m'a torturé,
avili, on m'a réduit à l'état de bête immonde, on m'a poussé à
tuer pour m'évader, à tuer pour survivre. J'ai mangé des camarades morts puis j'en ai tué d'autres moi-même pour me nourrir
et survivre. Personne ne peut comprendre ce que ce pays m'a
volé de liberté et de dignité, alors je lui prends tout, tu comprends ? Tout ce que je veux. Je me sers et j'y ai droit !
Aujourd'hui ce sont les terres rares, tu as raison. Ces dix-sept
éléments chimiques qui sont devenus indispensables à toute nouvelle technologie. Pas d'éoliennes, pas de moteurs hybrides, pas
de panneaux solaires, pas de nouveaux alliages sans eux. La
Chine revendique quatre-vingt-quinze pour cent des ressources
en terres rares et vient de décider de ne plus en exporter. Elle
va organiser ce qu'on appelle déjà l'« industrialisme de pénurie »
où la demande sera si forte que le prix ne sera même plus le
critère de choix. Le critère sera politique. Permettre ou non à tel
ou tel pays de développer son industrie ou pas. Alors ce qu'il
reste de ressources en terres rares dans le monde prend une valeur
que tu ne peux même pas imaginer. Les États-Unis vont jusqu'à

ne rien dévoiler sur leurs réserves pour qu'on ne puisse pas spé-
culer sur l'avenir de leur industrie. Et moi j'ai amassé des milliers
d'hectares de terres ici qui en recèlent, et j'ai œuvré pour que le
pays change de politique. Plus question que les Chinois exploitent
chez nous ce qu'ils refusent d'exporter de chez eux. C'est la politique des « nouveaux voisins » que mes groupes de pression ont
imposée au gouvernement. Leur reprendre les exploitations et les
confier à des associés plus faibles, moins gourmands et plus
demandeurs : l'Europe, le Canada, l'Australie, les Coréens...
J'avais réussi tout ça, avec des perspectives en milliards de dollars
sur quelques années à peine, quand tu es venu fourrer ton nez
dans mes affaires. Et aujourd'hui, alors que je protège mes associés coréens et que je me débarrasse des Chinois, tu reviens
encore contrarier mes plans pour quelques malheureux cadavres !

– Comment peux-tu te défendre de la sorte ! La gamine n'y
était pour rien, ni les filles tuées avec les Chinois !

– La gamine était un accident que nous avons simplement
essayé de couvrir. Et les deux femmes ne sont rien en regard de
ce que l'exploitation des terres rares va apporter au pays !

– Et cette macabre mise en scène autour des Chinois ?

– C'est notre héritage mongol, Yeruldelgger, c'est notre héritage. Nous avons régné sur un quart du monde par la seule terreur.
Ni par notre culture, ni par notre art, ni par notre pensée : huit
siècles plus tard, on ne se souvient encore de nous que par la
terreur et la destruction que nous avons imposées à des cultures
qui nous étaient bien supérieures. Nous n'avons vaincu que parce
que notre bestialité dépassait leur entendement éclairé. Nous
sommes l'empire dans lequel on ébouillantait vivants tous les gra-
dés de l'armée de son frère de sang dans soixante-dix chaudrons
géants. Le peuple qui, par vengeance, massacrait un million
d'innocents pour terroriser les survivants qu'on allait asservir. La
république qui, il y a cinquante ans à peine, brûlait ses dissidents

dans les chaudières de ses locomotives. Toi et moi sommes de cette Mongolie-là. Que personne ne se berce d'illusions sur les nomades hébétés de misère et de tourisme que nous sommes devenus. Notre avenir est dans la terreur et les Chinois doivent être les premiers à payer le prix du sang !

– Tu es malade, mon pauvre Erdenbat ! Tu te prends pour quoi : le nouveau Gengis Khan ? Mais si Gengis Khan vivait de nos jours, il ne serait qu'un Kim Jong-un. Un dictateur fou prêt à tuer ses propres enfants juste pour conforter ses chimères assassines !

– Tu ne comprends rien, Yeruldelgger. Tout nous dépasse. Nous ne sommes rien devant l'histoire. Les individus n'ont le droit de survivre que parce qu'ils appartiennent à une société. Ces terres rares peuvent redonner à notre nation une place dans le monde.

– Ah oui ? Kushi n'avait pas le droit de vivre ? Ta fille n'avait pas le droit de survivre ? Ni moi, ni Saraa ? Ta propre famille ? Je devrais t'abattre !

– Fais-le ! provoqua Erdenbat. Tue-moi, je ne mourrai pas. Je ne suis jamais mort, j'ai survécu à tout. Mais tire, tue-moi ! Ou donne l'arme à Saraa, qu'elle le fasse. Tu sais, Saraa, ton père a raison, j'ai tué Kushi et j'ai voulu te tuer aussi, alors tue-moi ! Tue-moi !

Yeruldelgger brandit son arme mais ne tira pas. Sans se retourner, il poussa doucement Saraa vers la porte. Ils sortirent de la pièce à reculons. Dès qu'ils furent dans la bibliothèque, il lui dit de courir jusqu'à la voiture, de mettre le contact et d'être prête à démarrer.

Il revint dans le bureau et, comme il s'y attendait, le vieil homme se jeta sur lui. Il était d'une force herculéenne et Yeruldelgger ne sut pas s'il espérait vraiment prendre le dessus ou s'il voulait le pousser à l'abattre. Il esquiva l'attaque et le frappa au talon. Le colosse s'effondra comme une masse, le talon brisé, et avant qu'il ne touche le sol, Yeruldelgger le suffoqua d'un coup précis au plexus. Quand Erdenbat fut à terre, il le fouilla pour vérifier qu'il ne portait pas d'autre arme, puis il regarda dans chaque tiroir de chaque meuble. Quand il fut à peu près certain qu'il n'y en avait plus dans la pièce, il fouilla le garde du corps qui geignait au sol, trouva une arme en se demandant pourquoi il ne s'en était pas servi, et le tira hors du bureau qu'il ferma à clé de l'extérieur.

Il dit au garde du corps de se relever, l'aida à s'asseoir de côté sur une chaise, le bras déboîté par-dessus le dossier et, sans le prévenir, tira de toutes ses forces sur sa main. Le garde hurla quand l'articulation de l'épaule retrouva sa cavité, mais la douleur disparut aussitôt et Yeruldelgger se pencha vers lui.

— Champion, dégage d'ici au plus vite et emmène avec toi tous ceux qui y sont encore. Laisse Erdenbat à son sort. Ça ne dépend plus de toi à présent.

Puis il traversa la bibliothèque, la salle de billard et le hall, avant de rejoindre Saraa qui avait fait demi-tour et l'attendait, prête à partir.

— Roule, mon ange, lui dit-il. Je te dirai le chemin.

Trois cents mètres après avoir rejoint la route, Yeruldelgger dit à sa fille de s'engager sur une petite piste à droite. Elle menait à un bouquet de saules et d'aulnes le long d'un ruisseau. Saraa aperçut bientôt une jeep dissimulée derrière les arbres et un homme qui semblait les attendre.

— Fais une boucle et passe devant lui doucement sans t'arrêter, dit Yeruldelgger.

Elle s'exécuta. Quand ils arrivèrent à hauteur de l'homme, elle remarqua qu'il était chinois et équipé d'une oreillette et d'un micro. Yeruldelgger baissa sa vitre pour s'adresser à lui.

— J'ai récupéré ma fille, lui dit-il. Nous sommes quittes, il est à toi.

Le Chinois approuva d'un mouvement sec de la tête. Quand elle l'eut dépassé, Saraa regarda dans son rétroviseur et le vit donner un ordre bref dans son micro avant de remonter à bord de sa jeep. Elle n'osa pas poser de question.

– Tu veux que je conduise ? demanda son père.

Saraa accepta et ils s'arrêtèrent pour changer de place. Comme elle remontait côté passager, ils entendirent des rafales d'armes automatiques et de petites explosions étouffées en provenance du ranch. Yeruldelgger redémarra et s'éloigna en vitesse.

– Tu veux que je te dépose quelque part ? demanda-t-il.

– Je peux rester avec toi ? murmura la jeune fille sans oser le regarder.

– Bien sûr, mon ange ! répondit-il en l'attirant contre son épaule, les larmes aux yeux.

– Tu pleures ? demanda Saraa comme si c'était un compliment.

– Moi ? fanfaronna Yeruldelgger. Jamais !

– Eh bien moi, si ! répondit-elle en se serrant contre lui.

– Moi aussi, mon ange, bien sûr que moi aussi !

# 75

*Aucune trace d'Erdenbat...*

Il aurait pu couper par la montagne. La route partait d'Oulan-Bator vers l'ouest et traversait les crêtes au nord de la réserve de Khustain Nuruu où galopaient dans les collines verdoyantes les mystérieux et magnifiques chevaux blancs de Przewalski. Mais il avait préféré contourner la montagne par le sud en suivant la vallée de méandres vagabonds de la Tuul. Yeruldelgger aimait les rivières, leurs eaux lisses comme des marbres noirs, ou roulées d'écume et de remous dans les courants entre les pierres blanches. Il aimait les échassiers pêcheurs immobiles et pointus sur les berges moussues et les oiseaux raseurs comme des traits verts et bleus effleurant l'onde argentée. Les biches surprises, immobiles, frémissantes, qui bondissaient soudain en panique par-dessus les fourrés maigres. L'aigle déployé, suspendu à la pointe de ses ailes contre le vent chaud, le bec aux aguets...

Il s'arrêta plusieurs fois sur le bord défoncé de la piste de terre jaune. Pour admirer un rapace immobile et patient guettant une truite dans le courant léger d'une rivière. Pour épier le jeu saccadé et siffleur des marmottes dans les mottes. Pour attendre le geste aigu du héron et le regarder glisser le poisson argenté dans son long cou plumé tendu vers le ciel.

Assise à ses côtés, Solongo partageait en silence ces nostalgies d'enfance. À l'arrière, les enfants plaisantaient gentiment. Saraa riait des moqueries et des jeux de mots de Gantulga. Il comparait chaque animal à des gens qu'ils connaissaient. Il faisait mine d'expliquer le chemin à Yeruldelgger pour faire croire aux autres qu'il était encore perdu. Ou il lui expliquait comment passer la première pour redémarrer. C'était comme une famille joyeuse qui allait à un bel enterrement. À l'arrière du gros pick-up Toyota que Yeruldelgger avait emprunté au Kazakh du marché aux voitures, dans la benne était posé le petit cercueil de la gamine au tricycle rose. Comme il l'avait promis au vieux nomade, Yeruldelgger avait tapissé l'intérieur d'un tissu vert comme l'herbe de la steppe et le dessous du couvercle d'un drap bleu comme le ciel, décoré de sept petites boules de coton représentant les étoiles de la Grande Ourse. C'était encore un des derniers mystères de toute cette affaire que personne n'ait réclamé les corps de l'enfant et de ses parents. Yeruldelgger s'était ainsi senti investi de la mission de leur donner une sépulture, même si elle ne devait être que provisoire. Et à vrai dire, s'il prenait son temps pour rejoindre l'endroit qu'il connaissait bien et qu'il avait choisi, c'était comme pour présenter à l'âme de la fillette le pays où elle allait reposer.

Quand il eut contourné l'éperon rocheux de Khustain Nuruu qui s'enfonçait dans les plaines herbeuses du sud, Yeruldelgger remonta vers le nord où des rivières nerveuses forçaient leur passage à travers les contreforts de la montagne. Ils passèrent un long pont de planches grises desséchées par le soleil au ras d'une large rivière étale reflétant un ciel échevelé. Les troncs fichés qui soutenaient le pont bougèrent un peu au passage de la voiture et Yeruldelgger exagéra le danger pour faire rire Gantulga et Saraa. Quand une planche craqua sous leur poids, il fit descendre tout le monde pour alléger la voiture et Gantulga se jeta dans la rivière en mimant la panique, oubliant ses plâtres qui se gorgèrent d'eau. Yeruldelgger dut s'arrêter et lui lancer une corde pour le sortir de l'eau. Saraa le soutint, boitant et trempé, jusqu'au bout du pont où ils attendirent Yeruldelgger, la roue avant coincée dans un trou entre deux planches.

Puis tout le monde embarqua à nouveau et, deux kilomètres plus loin, Yeruldelgger bifurqua sur une piste qui remontait tout droit, plein nord, jusqu'aux contreforts de la montagne. Il leur pointa du doigt une yourte, très loin devant eux.

– On y est dans un quart d'heure, dit-il.

– C'est la yourte des parents d'Oyun ?

– Pas vraiment, répondit-il.

– Oui, mais c'est là qu'elle est, n'est-ce pas ?

– Oui, c'est là qu'elle est.

– Je suis content que la petite soit enterrée à ses côtés, lâcha Gantulga les larmes aux yeux. Oyun s'en occupera le temps qu'elle retrouve ses parents. On les enterrera aussi ici, n'est-ce pas ?

– Je l'ai promis ! répondit Yeruldelgger.

Ce n'était pas dans la tradition de fleurir les tombes en Mongolie, mais ça le devenait. Gantulga avait tenu à apporter un bouquet de pivoines pour celle d'Oyun, comme ils le faisaient dans toutes les séries à la télé. La tradition, c'était ce que Yeruldelgger s'apprêtait à respecter pour la gamine. Un trou à même la terre, pas loin d'une colline ou d'un rocher. Le fond tapissé d'une peau d'agneau et barré à hauteur de la tête d'une étole de soie bleue. Une brique de thé pour étancher sa soif dans le pays des âmes, et des crottes d'agneau pour symboliser le troupeau et la prospérité qu'on lui souhaitait là où elle allait pour être plus heureuse que sur terre. Il veillerait à ce que le corps passe entre deux petits feux de bois et soit déposé avec amour et respect la tête au nord. Et personne ne pleurerait, car l'eau des larmes nuirait au bonheur de la famille qui restait. Même si la famille de la pauvre petite était destinée à la rejoindre dès que l'enquête n'aurait plus besoin des dépouilles de ses parents comme pièces à conviction.

Yeruldelgger s'était promis de creuser deux sépultures de part et d'autre de celle de la petite fille dès qu'il le pourrait. Après, la tradition était plus confuse. Une âme restait autour de la tombe jusqu'à la décomposition du corps. Une autre âme rôdait autour de la yourte pendant quarante-neuf jours et une dernière rejoignait le pays des âmes où on vivait comme on avait vécu sur terre. Trois âmes différentes ou une seule âme qui changeait ? Et pourquoi vivre au pays des âmes la même vie qu'ici-bas ? Yeruldelgger avait souvent posé la question au *Nerguii*.

– Pourquoi chercher à le savoir ? Tu le verras quand tu y seras. Ce n'est pas l'espoir d'une autre vie qui doit te faire vivre la tienne ici-bas. C'est l'espoir de cette vie-là que tu dois transformer en promesse de la même vie ailleurs...

Ils avaient rejoint la yourte et le *Nerguii* avait tenu sa promesse. Il était là à les attendre. L'endroit était magnifique. La yourte était adossée à une colline potelée creusée de ravines ombragées par des aulnes légers et des bouleaux argentés. Elle faisait face à un océan de steppe à perte de vue.

Gantulga sortit le premier de la voiture en sautillant, son bouquet de pivoines à la main, et chercha aussitôt la tombe d'Oyun. Il tourna autour de la yourte pour chercher derrière, revint vers la voiture, la main en visière au-dessus de ses yeux, balayant le paysage d'un regard circulaire.

– Yeruldelgger, elle est où, la tombe d'Oyun ? demanda-t-il impatient.

– Dis donc, partenaire, déjà qu'ils m'ont gardée une heure dans le frigo de la morgue, tu ne voulais pas qu'ils m'enterrent en plus !

Le gamin fit volte-face, sidéré, et aperçut Oyun encore couverte de cicatrices et de pansements, debout devant la yourte, appuyée sur des béquilles. Un sanglot lui étrangla la gorge et ses yeux se mouillèrent de larmes. Il jeta les pivoines et sautilla pour se jeter dans ses bras. Saraa, sidérée elle aussi par l'apparition de la jeune femme, éclata en sanglots et se jeta sur elle à son tour en criant son nom.

– Mais qu'est-ce que tu fais là ? Comment se fait-il que tu sois vivante ? Pourquoi tu n'es pas morte ? s'exclama Gantulga. Pourquoi ces salauds m'ont fait croire que tu étais morte ?

– Hey, surveille ton langage, partenaire : ces salauds, comme tu dis, m'ont sauvé la vie. Mickey voulait m'éliminer. La seule façon de me protéger, c'était de lui faire croire que j'étais déjà morte. À lui ou à ses complices. C'est pour ça que Yeruldelgger et Solongo m'ont mise au vert, comme ils ont fait avec toi au monastère.

– Et ici, alors, c'est chez toi ou pas ?

– Bien sûr que non ! Réfléchis un peu, partenaire, si la ruse avait été éventée, c'est chez moi ou chez les miens que les tueurs seraient allés me chercher en premier lieu. Ici ce n'est pas chez moi, ici c'est chez Yeruldelgger !

– C'est chez vous ? s'étonna Gantulga en se retournant vers Saraa.

– Alors là, première nouvelle ! se vexa la jeune fille. Tu vois, ça recommence déjà : je n'étais même pas au courant, comme d'habitude !

– Hey, ne recommence pas, toi ! se moqua son père en la pointant du doigt. C'est ici que je suis né et j'attendais que tu me reparles pour t'en parler !

Solongo, un peu à l'écart aux côtés du *Nerguii*, regardait ce bonheur nouveau se reconstruire. Elle savait qu'elle y aurait sa place et elle en était heureuse elle aussi. Elle allait rejoindre tous ces gens qu'elle aimait et qui, en quelques mois, étaient devenus sa famille, quand elle vit Yeruldelgger mettre la main dans sa poche et lire discrètement un message sur l'écran de son iPhone. Il leva les yeux vers le visage marqué de Saraa qui souriait à Oyun, puis posa son regard dans le sien par-delà le petit groupe joyeux. Solongo devina dans ses yeux le reflet d'une inquiétude. Comme l'ombre fugace d'un nuage isolé qu'un vent rapide glisse sous le soleil. Puis son propre téléphone vibra et elle lut à son tour le message de Billy.

« Incendie du ranch. Trois corps identifiés. Tous chinois. Aucune trace d'Erdenbat... »

*Composition Nord Compo*
*Impression CPI Firmin-Didot en avril 2017*
*Éditions Albin Michel*
*22, rue Huyghens, 75014 Paris*
*www.albin-michel.fr*
*ISBN 978-2-226-25194-7*
*N° d'édition : 20744/08 – N° d'impression : 141094*
*Dépôt légal : octobre 2013*
*Imprimé en France*